N.B. THESE FIGU
TRACED FRO
MODEL SH

-SNEEZY-

SHORT STUBBY
BEARD - POINTED
AND RATHER STIFF

HAT
DOWN

SHOULDERS
SLOPE AND
LOW

HAS
NECK

WEIGHT
LOW -

BELT
LOW

WEIGHT
LOW -
LEGS CUT
IN FAST

SHORTEST
LEGS - STUBBY
AND BOWED_
PIDGEON - TOED

3 HEADS

USUALLY LEANS
FORWARD - HEAD
UP AND BACK -

SUPPLEMENTARY CHART —
- SHOWING RELATIVE PROPORTIONS -

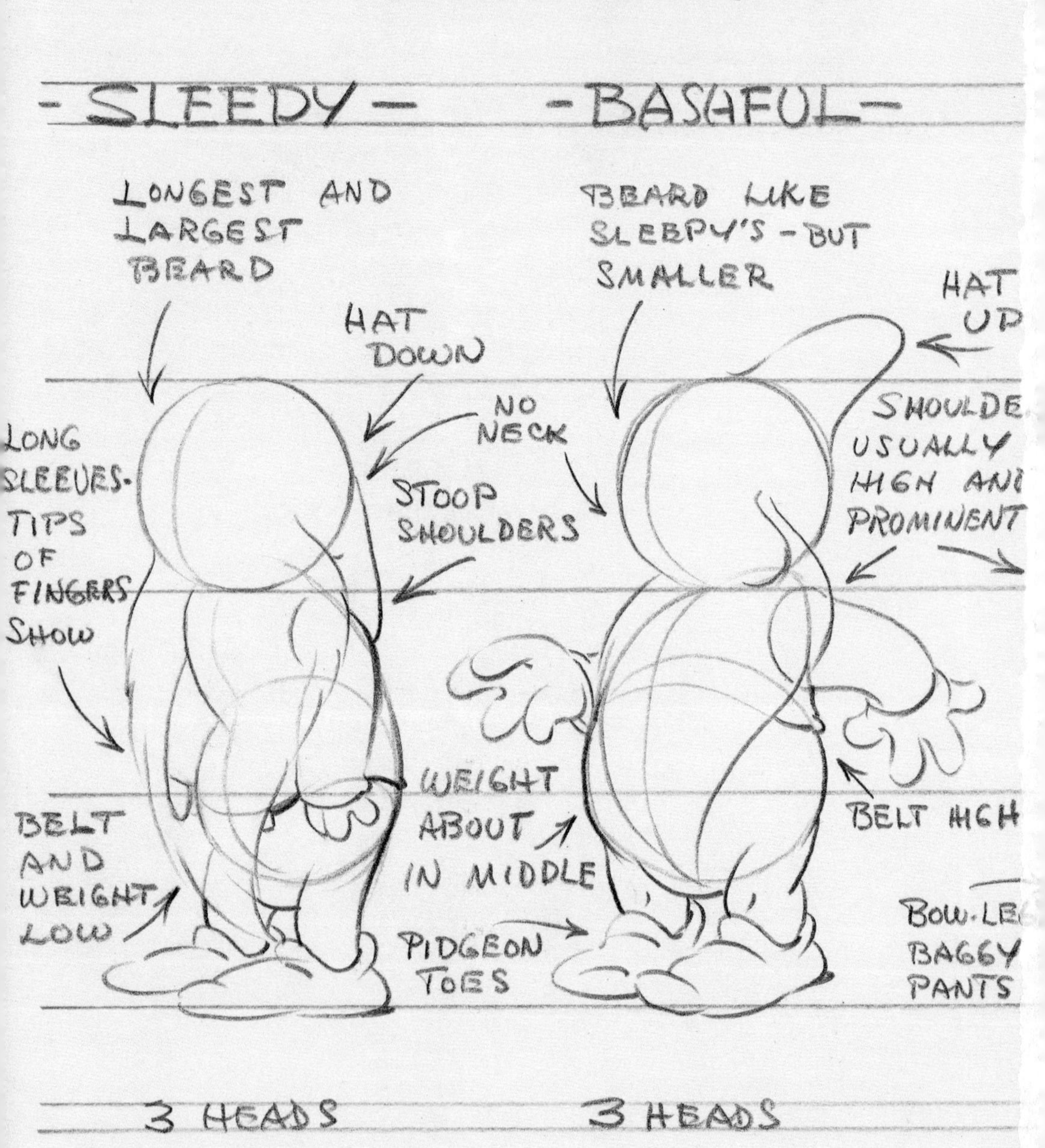

USUALLY LEANS FORWARD - ALMOST OFF BALANCE -

HEAD USUALLY DOWN - EYES LOOKING UP.

DAS WALT DISNEY FILM-ARCHIV

HERAUSGEGEBEN VON
DANIEL KOTHENSCHULTE

DAS WALT DISNEY FILM-ARCHIV

DIE ANIMATIONSFILME 1921–1968

TASCHEN

Vorwort

Von John Lasseter

0.02

0.03

Schon im ersten Jahr auf der Highschool wurde mir klar, dass ich Trickfilmzeichner für die Disney-Studios werden wollte. Damals gab es noch keine VHS-Kassetten, weshalb ich die Disney-Filme nur sehen konnte, wenn sie wieder in die Kinos kamen. Immerhin besaß die örtliche Bibliothek mehrere Disney-Kurzfilme, die man ausleihen konnte.

Mithilfe eines alten 16-mm-Projektors, den ich von der Kirchengemeinde meiner Eltern geborgt hatte – sowie eines mitfühlenden Bibliothekars, mit dem ich nach weiteren Filmen suchte –, konnte ich mir meine eigenen Vorführungen großartiger Disney-Filme zusammenstellen. Unzählige Male sah ich „The Madcap Adventures of Mr. Toad" („Das Erlebnis von Taddäus Kröte"), „The Legend of Sleepy Hollow" („Das Erlebnis von Ichabod"), „Pecos Bill" („Pecos Bill und der Wilde Westen") und „Johnny Appleseed" („Hänschen Apfelkern"). So entwickelte ich ein Auge für die Kunst der Trickfilme und bewunderte sie, lange bevor meine eigentliche Ausbildung am California Institute of the Arts begann. Bis heute habe ich für diese Filme eine ganz besondere Schwäche.

Es freut mich daher sehr, dass ihnen in diesem Buch solch eine Liebe und Aufmerksamkeit zuteilwird. TASCHEN und Daniel Kothenschulte erweisen allen Freunden des Trickfilms einen großen Dienst mit einem Buch, welches das gesamte von Walt Disney selbst beaufsichtigte Trickfilmwerk behandelt: die frühesten *Laugh-O-grams* aus Kansas City, Micky Maus, die ersten Langfilme, die hinreißenden Episodenfilme der 1940er-Jahre und die Serie von Langfilmen der 1950er- und 1960er-Jahre, die 1967 mit der Veröffentlichung von *The Jungle Book (Das Dschungelbuch)* zu Ende ging.

Hin und wieder ist die Rede von einem typischen Disney-Look, als ob es sich dabei um einen

0.04

ganz bestimmten Stil handelte. Tatsächlich aber hat sich das Werk des Studios ständig weiterentwickelt. Filme wurden von neuen Künstlern beeinflusst, andere Techniken und Stile ergaben sich aus der Alltagskultur.

Das Walt Disney Filmarchiv: Die Animationsfilme 1921–1968 widmet sich eingehend allen Teilen von Disneys Werk, nicht nur den Langfilmen. Dieser Blick verfolgt die stilistische Entwicklung und zeigt, wie jeder Film dazu beitrug, ein Fundament für die weiteren Werke zu legen. Die wunderbare Szene etwa, in der sich Cinderella und der Prinz verlieben, hat ihre Wurzeln in der Stilisierung, die Mary Blair zunächst in den Episodenfilmen erprobte.

Walt Disney schuf eine einzigartige Form der Unterhaltung und öffnete seinem Publikum die Augen für die Magie dieser Welt. Er tat dies, indem er selbst immer wieder dazulernte, sich veränderte und Neuland betrat. Diese Entwicklung fand ich an Walt stets inspirierend, und diesem Buch gelingt es, uns auf fantastische Weise daran zu erinnern.

0.01 ***Walt Disney war sehr stolz auf die anspruchsvolle künstlerische Qualität von* Bambi.**
0.02 ***Oswald the Lucky Rabbit (dt. Oswald der lustige Hase) war Disneys erster großer Trickfilmstar. Obwohl der Stummfilm* Sagebrush Sadie *von 1928 als verloren gilt, haben einige Animationszeichnungen überlebt. Hier sieht man ihn mit Sadie ...***
0.03 ***... und noch ein wenig inniger, kurz vor der Abblende.***
0.04 ***Entstanden unter der Regie von Ben Sharpsteen, parodierte die Silly Symphony* Cock o' the Walk (Hahnenkampf, 1935) *in brillanter Weise die Musical-Choreografien von Busby Berkeley.***

Die letzte Renaissance-Werkstatt: Auf der Suche nach dem Disney-Stil

Von Daniel Kothenschulte

Walt Disney liebte Bücher. Viele seiner großen Animationsfilme beginnen mit dem Öffnen gewaltiger Einbanddeckel. Ebenso war bei der Moderation seiner Fernsehshow der Griff ins Bücherregal geradezu obligatorisch. Die Bände in der Studiokulisse standen stellvertretend für ein unerschöpfliches Erbe an Geschichten und Wissen, das seine Spielfilme anregte und das er in seinen Dokumentarfilmen vermittelte. Jedem Menschen, das war seine Botschaft, stand dieser gedruckte Wissensschatz zur Verfügung, auch wenn man erst einmal gespannt auf die Disney-Version des jeweiligen Themas warten musste. „Es liegt ein größerer Reichtum in Büchern als in jedem Piratenversteck auf der Schatzinsel“[1], war sein Kommentar – nicht ohne dabei dezent auf einen literarischen Klassiker anzuspielen, den er verfilmt hatte.

Er selbst hatte sich eines Buches bedient, als er sich mit 20 Jahren die Grundlagen der Animationsfilmherstellung aneignete. In der Leihbücherei von Kansas City hatte er E. G. Lutz' 1920 erschienenes Fachbuch *Animated Cartoons. How They are Made. Their Origin and Development* gefunden. Später gehörte ein Exemplar zum Kernbestand der 1934 gegründeten Studiobibliothek, einem wichtigen Rechercheinstrument der Disney-Künstler, die im selben Jahr mit der Arbeit an *Snow White and the Seven Dwarfs* (*Schneewittchen und die sieben Zwerge*) begannen. Ihren entscheidenden Zuwachs erhielt die Sammlung durch fast 350 illustrierte Bilderbücher, die er während seiner Europareise erworben hatte.

Disneys Wertschätzung für die Kunst der Illustratoren findet in der stilistischen Bandbreite der Silly Symphonies und der ersten abendfüllenden Zeichentrickfilme ihren Niederschlag. Walt Disney und seine Künstler schufen eine neue Kunstform, doch die Bibliothek gab ihr eine Geschichte. Zeitgenössische amerikanische Illustratoren und Maler wie Harrison Cady, Grant Wood oder Thomas Hart Benton teilten sich die Bücherregale mit europäischen Positionen des 19. und 20. Jahrhunderts wie Grandville, Ludwig Richter, Gustave Doré, Honoré Daumier, John Tenniel, Arthur Rackham oder Heinrich Kley.

„Ich kann niemals stillstehen. Ich muss mich weiterentwickeln und experimentieren. Ich bin nie zufrieden mit meiner eigenen Arbeit. Ich ärgere mich über die Grenzen meiner eigenen Vorstellungskraft.“
Walt Disney

Es scheint verwegen, alle abendfüllenden Filme und die wichtigsten kurzen Cartoons, die unter Walts Leitung entstanden, in ein einziges Buch fassen zu wollen. Immerhin besteht die Gefahr, dass dieses am Ende so gewichtig anmutet wie die Folianten am Anfang der Märchenfilme. Und doch bringt uns dies vielleicht einem der großen Disney-Geheimnisse ein wenig näher – der Frage, wie aus einer solchen Fülle von Ideen und Einflüssen etwas so Unverwechselbares entstehen konnte wie der Disney-Stil.

Während in diesem Band ausführliche Auszüge aus den erhaltenen Mitschriften der Storykonferenzen Walts kreativen Einfluss auf Erzählung, Regie und Design belegen, dokumentieren die Bildstrecken anhand von „Production Art“, also für die Filme angefertigten Zeichnungen und

0.05 ***Diese aufwendige Kinofassadengestaltung bewarb die New Yorker Premiere von Make Mine Music im Globe Theatre vom 20. April 1946.***

Walt DISNEY'S
WONDERFUL COMEDY MUSICAL FEATURE
Make Mine Music
IN TECHNICOLOR
AUTO
HORN &
Adv Co
EBROWS SHAPED
RLINES RAISED
Electrolysis
Verna Young
TEL.
DANCE PALACE
BALLROOM
WALT DISNEY'S
Make Mine Music
COMEDY MUSICAL
in Technicolor
WALT DISNEY'S
Make Mine Music
HAPPY COMEDY MUSICAL
IN TECHNICOLOR
ORPHEUM BALLROOM ENTRANCE
SAFETY ZONE
PASS LEFT OR RIGHT

0.05

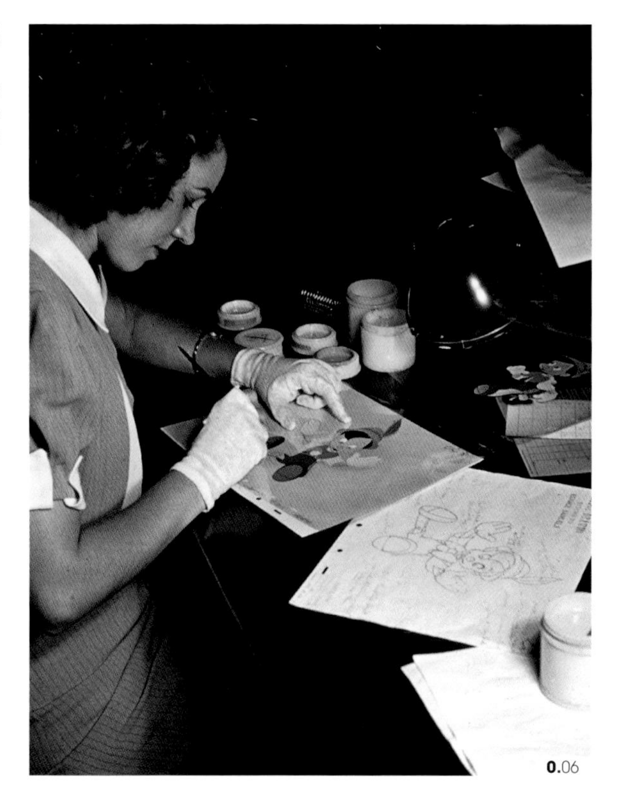

0.06

für den radikaleren Modernismus späterer Künstler wie Eyvind Earle und Walter Peregoy, die Disney mit *Sleeping Beauty* (*Dornröschen*) und *One Hundred and One Dalmatians* (*Pongo und Perdi – Abenteuer einer Hundefamilie*) auf neue Wege brachten.

Zunächst aber dominiert Disneys Neugier für alle möglichen künstlerischen Ausdrucksformen. Sein oberstes Credo war Vielfalt: Keiner seiner ersten fünf abendfüllenden Zeichentrickfilme gleicht dem anderen. Er vertrat den Anspruch, mit seinem Medium alle Wunder darzustellen, welche die menschliche Fantasie erschaffen kann – und zugleich für jeden verständlich zu sein. Einer seiner Bewunderer, der russische Filmavantgardist Sergei Eisenstein, der das Studio 1930 besuchte, nannte Disneys Werk 1941 „das universell ansprechendste, das mir je begegnet ist“[2]. Doch diese Fähigkeiten mussten erst einmal erworben werden, und

Gemälden, die Augenblicke, wenn visuelle Ideen auf Papier und Zelluloid zu strahlen beginnen.

Zwei wichtige Entwicklungsstränge lassen sich darin ausmachen. Das „Golden Age der Disney Animation“, das mit der Vollendung von *Bambi* endet, war eine Zeit der Akkumulation, einer ebenso eklektischen wie zugleich sehr persönlichen Aneignung unterschiedlicher Bildtraditionen.

Auch wenn dieser Prozess nie aufhörte, destillierte sich daraus doch in den 1940er-Jahren eine homogenere Ästhetik, die John Lasseter im Gespräch den „Disney Style“ nennt, maßgeblich geprägt durch die Stilistin Mary Blair, deren Einfluss mehr als ein Jahrzehnt umfasst – vom nicht fertiggestellten „Baby Ballet“ für *Fantasia* über den hochmodernen Kurzfilm *The Little House* (*Das kleine Haus*) bis zu *Alice in Wonderland* (*Alice im Wunderland*), *Cinderella* und *Peter Pan*. Blairs im positiven Sinne naiver Modernismus traf in ihrem Kollegen Dick Kelsey auf einen ähnlich denkenden Koloristen. Ihre Farbideen lieferten den Boden

die Ressourcen dazu lagen in der klassischen Kunstgeschichte. Sogar eine eigene kleine Akademie gab es auf dem Gelände: Mitte bis Ende der 1930er-Jahre leitete sie der Künstler und Kunstpädagoge Donald W. Graham und gab „art classes“ für die Mitarbeiter. Gastdozenten wie der Architekt Frank Lloyd Wright oder der Künstler und Theoretiker Jean Charlot ergänzten das Programm durch Vorträge.

Zugleich erlebten auf den Zeichentischen die schwelgerischen Kunstformen des 19. Jahrhunderts ihre späte Blüte, erweitert um die Möglichkeit der Bewegung und der Raumtiefe der Multiplankamera. Im *Fantasia*-Teil „Dance of the Hours“ („Tanz der Stunden“) erinnerten die anthropomorphen Nilpferde und Elefanten an jene, die der Künstler Heinrich Kley um die

0.06 ***Koloristin im Ink & Paint Department. Mehr als 1500 Farbschattierungen kamen in*** **Pinocchio** ***zum Einsatz.***

Jahrhundertwende für die Zeitschriften *Jugend* und *Simplicissimus* zum Leben erweckt hatte.

Mit dem Schweden Gustaf Tenggren und dem Dänen Kay Nielsen hatte Disney sogar zwei europäische Meisterillustratoren ins Studio geholt. Die vielleicht kühnsten Visionen ihrer gesamten Karrieren realisierten sie im Disney-Studio. Die in diesem Buch umfassend präsentierten Storyboardgemälde zu den geplanten *Fantasia*-Ergänzungen „The Swan of Tuonela" und „Ride of the Valkyries" etwa belegen Nielsens einzigartige Begabung für dramatische Inszenierung. *Fantasia* ist derjenige Disney-Film, in dem Tradition und Moderne zusammenfallen, nicht nur in der Musik, sondern ebenso in der Gestaltung.

Auch der in Harvard lehrende Kunsthistoriker Robert D. Field gehörte zu den Gästen des Disney-Studios. In seinem 1942 erschienenen Buch *The Art of Walt Disney* brachte er das Kunststück fertig, alle Arbeitsprozesse im Studio zu erklären, ohne dabei andere Namen zu nennen als die von Walt und seinem Bruder Roy. Dies entsprach der Sicht der Kunstöffentlichkeit auf den Animationsfilmer als eine Art wiedergeborenen „alten Meister", der seine Zeichentrickmanufaktur leitete wie einst Rubens seine Werkstatt. Exemplarisch schrieb der renommierte englische Karikaturist David Low 1942 in seinem „Leonardo da Disney" betitelten Essay: „Disney hat, glaube ich, den gravierenden Nachteil, nicht schon 500 Jahre tot zu sein. Seine Generation schätzt natürlich seine Werke, aber wie ich fürchte, nicht auf die richtige Weise. Das Kinopublikum kann seine Bedeutung kaum ermessen. Sie sind zu beschäftigt mit Tonbegleitung und Inhalten. Legen wir bitte Musik und Klang beiseite. Vergessen wir Donald Duck und ‚Zeichentrickfilme'. Betrachten wir lebende Zeichnungen."[3]

Bevor er 40 Jahre alt war, besaß Disney Ehrentitel von den Eliteuniversitäten Harvard und Yale. Renommierte Kunstgalerien zeigten sein Werk bereits seit 1932. Als erstes Kunstinstitut hatte die renommierte Philadelphia Art Alliance Production Art aus Disney-Filmen ausgestellt. Die Kunstkritikerin Dorothy Grafly nannte die Silly Symphonies in ihrer Rezension „eine Kunstform", deren Bedeutung für die Gegenwart sie damit verglich, „wo Monet und die Impressionisten vor ein paar Jahrzehnten standen"[4]. Zwischen 1938 und 1940 zeigte die New Yorker Julien Levy Gallery, eine der anspruchsvollsten Adressen für moderne Kunst, mehrere Verkaufsausstellungen mit Originalwerken aus *Snow White and the Seven Dwarfs*, *Ferdinand the Bull* (*Ferdinand, der Stier*) und *Pinocchio*. Im Galerieprogramm fand Disney einen Platz neben Max Ernst, Salvador Dalí oder Giorgio de Chirico.

Regelmäßig wurde Walt Disney anlässlich solcher Ehrungen gefragt, was für ihn Kunst sei. Er gab sich betont achselzuckend: „Woher soll ich das wissen? Warum sollte sich irgendwer dafür interessieren, was ich über Kunst denke?"[5] Oder: „Ich habe die Definition mal nachgeschlagen, aber vergessen, was es ist. Ich bin kein Kunstliebhaber."[6] Disneys Verweigerung, sich innerhalb des Wertesystems von „high and low culture" zu platzieren, hinderte ihn zwar nicht daran, die Ehren der Hochkultur anzunehmen, im Zweifelsfall aber blieb er bei den Maßstäben der kunstfernen Provinz, der er entstammte: „Ich glaube, jemand, der ein Bett baut mit klaren Linien, in dem man gut schlafen kann, hat mehr von einem Künstler als jemand, der ein Bild malt, das einem Albträume bereitet."[7]

Dem märchenhaften Realismus von *Bambi* widmete das Museum of Modern Art 1942 eine ganze Ausstellung, und es gab daran eine Menge zu bewundern: Während sich in der modernen Character Animation eines Frank Thomas und Ollie Johnston der karikierende Naturalismus eine wunderbare Bühne schuf, blitzte in den Hintergründen die poetische Leichtigkeit chinesischer Aquarelltraditionen auf, die der mit 106 Jahren verstorbene Tyrus Wong einbrachte. Doch Disneys Tage im Ausstellungsbetrieb waren gezählt, und Animation Art verschwand allmählich aus den Kunstgalerien. Bis 1948 hatte die Courvoisier Gallery in San Francisco noch Disney-Kunst verkauft, dann stellte sie ihren Betrieb ein. Zwischen 1955 und 1966 konnte man Cels und Hintergrundgemälde in Disneylands „Art Corner" zum Andenkenpreis von anfänglich 1,50 Dollar erwerben.

Disneys Ruhm hatte längst die Maßstäbe der Kunstwelt hinter sich gelassen. Er konnte es sich leisten, kostbare Cel-Setups an Studiobesucher zu verschenken. Die Animationszeichnungen und andere Kunstwerke der visuellen Entwicklung gab er dagegen nicht aus der Hand. Ihr Wert lag im Nutzen für neue Produktionen.

Dennoch ist die oft geäußerte Annahme falsch, Disney habe, als ihn die Kunstwelt fallen ließ, seine künstlerischen Ansprüche völlig begraben. Es ist oft argumentiert worden, dass Walt Disney nach den kommerziellen Misserfolgen von *Fantasia* und *Bambi*, der Zäsur des Streiks von 1941 und den finanziellen Engpässen der Kriegsjahre seine Experimentierlust aufgegeben oder gar eine regelrechte Kunstfeindlichkeit entwickelt habe.

Noch die 2015 von PBS produzierte und in Deutschland und Frankreich bei ARTE ausgestrahlte vierstündige Fernsehdokumentation *American Experience: Walt Disney* (*Walt Disney: Der Zauberer*) nährt diesen Eindruck, indem sie alle Filme zwischen *Song of the South* (*Onkel Remus' Wunderland*, 1946) und *Cinderella* (1950) weglässt. Dabei sind gerade diese sogenannten Package Films voller atemberaubender künstlerischer Innovationen. Diese lange verkannten Filme werden in diesem Buch deshalb angemessen repräsentiert.

Schon die Episode „Baby Weems" in *The Reluctant Dragon* (*Walt Disneys Geheimnisse*), geschrieben von Joe Grant und Dick Huemer und gestaltet vom großen Individualisten John Parr Miller, ist nichts weniger als die Geburtsstunde der Limited Animation. Nach diesem Vorbild war es nicht schwer für ehemalige Disney-Künstler wie John Hubley oder T. Hee, im UPA-Studio zu einem Stil zu finden, der ebenso modern wie kostensparend war. Umgekehrt nahm Disney in den 1950er-Jahren die Herausforderung an und konterte unter der Leitung von Ward Kimball mit modernistischen Meisterwerken wie *Adventures in Music: Melody* (1953) und „Toot, Whistle, Plunk and Boom" („Die Musikstunde", 1953).

Und schon in *Make Mine Music* (*Lachkonzert in Entenhausen*, 1946) und *Melody Time* (*Musik, Tanz und Rhythmus*, 1948) zeigte Disney allen Mut zum Experiment. Einzelne Episoden wie „All the Cats Join In", „After You've Gone", „The Whale Who Wanted to Sing at the Met" („Der Wal, der in der Met singen wollte") oder „Bumble Boogie" („Hummelflug") bewegen sich auf Augenhöhe mit der künstlerischen Moderne. 1946 lud Disney zwei der berühmtesten zu jener Zeit in den USA lebenden Künstler ein, Filme zu gestalten – Salvador Dalí und Thomas Hart Benton, dessen Entwürfe zu „Davy Crockett" im Rahmen dieser Recherche eingesehen werden konnten.

Auch wenn ihre Filme nicht realisiert wurden, hatte ihre Anwesenheit große Wirkung auf Disneys Künstler. Noch in *Alice in Wonderland* ist Dalís Einfluss spürbar, und die „Pecos-Bill"-Episode („Pecos Bill und der Wilde Westen") in *Melody Time* spiegelt Bentons Aneignung der amerikanischen Folkmythologie.

Und wer hat je behauptet, Walt Disney sei ein Gegner moderner Kunst gewesen? Diese Vermutung gründet in einem nicht belegten Zitat in Richard Schickels Buch *The Disney Version*: „Im Gespräch mit einem Zeitungsjournalisten gestand Disney zehn Monate vor seinem Tod: ‚Ich hatte immer einen Albtraum. Ich träume, dass einer meiner Filme in einem Kunstkino gelandet ist. Und dann wache ich zitternd auf.'"[8]

Sein enger Mitarbeiter John Hench erinnerte sich dagegen an Disneys Begeisterung für die Idee, die Arbeit moderner Künstler wie Picasso oder Léger zu dokumentieren.[9] 1958 präsentierte Walt den bemerkenswerten Fernsehfilm *4 Artists Paint 1 Tree* (*Vier Künstler zeichnen einen Baum*), dessen Untertitel „A Walt Disney Adventure in Art" („Ein Walt-Disney-Kunstabenteuer") leider vergeblich auf weitere Kunstdokumentationen hoffen ließ. Es ist ein Plädoyer für ein tolerantes Nebeneinander verschiedener Kunststile. Unter den vier Disney-Künstlern, die in diesem Film den gleichen Baum in höchst unterschiedliche Bilder umsetzen, befinden sich mit Josh Meador ein Neoimpressionist, mit Marc Davis und Eyvind Earle zwei gemäßigte Modernisten, während Walter Peregoy schließlich ein nahezu abstraktes Gemälde präsentiert.

0.07

In seiner Einführung verteidigt Disney die Vielfalt des individuellen Ausdrucks und enthält sich jeder Vorliebe. Und wieder zitiert er dabei aus einem Buch in seiner Bibliothek, Robert Henris populärem Ratgeber für Künstler *The Art Spirit* (*The Art Spirit. Der Weg zur Kunst*), erstmals erschienen 1923: „Studenten bringt es oft durcheinander, dass sie eine Malschule verehren, aber den Erfolg und die Popularität eines anderen Stils bemerken, während man ihnen noch dazu rät, einem dritten Ansatz zu folgen.

Häufig fragt mich ein Student deshalb, welchen Stil er imitieren soll. Robert Henri würde raten: ‚Imitieren Sie niemanden. Eine der größten Schwierigkeiten für einen Kunststudenten ist es, sich zu entscheiden zwischen seinen eigenen Eindrücken und dem, wovon er denkt, dass es seine Eindrücke sein sollten.' Und auf einer anderen Seite: ‚Drücken Sie aus, was Sie sagen müssen, indem Sie die Dinge so ausdrücken, wie Sie sie sehen.' Immer wieder sagt Henri in seinem Buch *Art Spirit*: ‚Sei du selbst.'"

Der reiche Stilpluralismus der in diesem Buch präsentierten Disney-Filme zeugt von einem Geschmack, der sich in viele Richtungen öffnet. Die meisten Menschen, die sich mit Kunst befassen, legen sich auf bestimmte Stile fest und verwahren sich gegen andere. Walt Disney besaß dagegen eine einzigartige Offenheit für die Verschiedenartigkeit künstlerischer Stile und die Fähigkeit, innerhalb all dieser Vielfalt Qualität zu erkennen. Dieses Talent, sich in unterschiedliche künstlerische Welten einzudenken, ist der Schlüssel zur einzigartigen Qualität der Disney-Animationskunst. Sein Genie ließ ihn das Genie in anderen entdecken.

Wer in seinem Medium alles darstellen möchte, muss die unterschiedlichsten Talente um sich scharen: Er brauchte einen Zeichner für das Niedliche und Rundliche wie Fred Moore und einen Meister für das Monströse und Erhabene wie Bill Tytla. Im Schweizer Albert Hurter setzte Walt Disney ein Talent frei, das weit über dessen Fähigkeiten als Animator hinausging: eine unendliche Erfindungsgabe im Figürlichen. Und in Ub Iwerks, dessen Virtuosität als Animator die ersten Mickey-Mouse- und Silly-Symphony-Filme fast vollständig zu Papier gebracht hatte, entdeckte er in späteren Jahren einen noch genialeren technischen Erfinder. Ebenso erlaubte er sich, sein eigenes Talent auf immer neue Betätigungsfelder auszuweiten, die ihn nach Film und Fernsehen schließlich die Freizeit- und Urlaubsindustrie radikal verändern ließen. Aber das ist eine andere Geschichte …

0.07 ***Während* Adventures in Music: Melody *erklärt, wie eine Reihe von Tönen eine musikalische Idee ausdrücken, erzählt „Toot, Whistle, Plunk and Boom" (1953) eine Historie des Rhythmus. Cel-Setup.***

Ein Königreich in Kansas: Walt Disneys Laugh-O-grams

Von Russell Merritt

Vor Micky Maus (orig. Mickey Mouse) und sogar vor den *Alice Comedies* entstanden Walt Disneys Laugh-O-grams, seine ersten Trickfilme, an denen er ab 1920 nach Feierabend arbeitete. Zu jener Zeit war er in Kansas City noch als Künstler bei einer Werbeagentur angestellt. Er produzierte diese Trickfilme entweder selbst oder mithilfe einiger weniger Freunde. Die Entdeckung zweier verloren geglaubter Laugh-O-grams 2010 und – was noch erstaunlicher war – eines bislang unbekannten Laugh-O-grams ermöglicht einen neuen Blick auf Disneys kurze, beeindruckende Trickfilmkarriere in Kansas City. Endlich können wir genau nachvollziehen, was Disney zustande brachte, als er mit seinen Freunden in der Garage und auf dem Speicher seiner Eltern Trickfilme zeichnete.

Es begann damit, dass Disney Frank Newman, den größten Kinobesitzer von Kansas City, dazu überredete, kurze Trickfilme in die Wochenschauen für seine drei Kinos einzubauen. Diese Kurzfilme, Newman Laugh-O-grams genannt, vermischten Werbung mit lustigen Kommentaren zu lokalen Ereignissen. Von ihnen hat nur der Pilotfilm überlebt, eine zweieinhalbminütige Kostprobe, die zeigt, worum es in diesen Filmen ging: Blitzschnell zeichnet eine real gefilmte Künstlerhand satirische Bilder, die in der Schlussszene als Trickfilm zum Leben erwachen. Diese letzte Sequenz, die auf Korruptionsvorwürfe gegenüber der örtlichen Polizei anspielt, ist besonders interessant, denn sie ist eine der wenigen erhaltenen Szenen, die Disney ganz allein produziert hat.

Die Laugh-O-grams waren ein Hit, und es folgten weitere Aufträge von Newman wie animierte Pausenfüller und Werbedias. Beflügelt von diesem Erfolg, startete der 18-jährige Disney ein noch ehrgeizigeres Projekt: animierte Märchen. Nach dem Vorbild der Trickfilmreihe *Aesop's Fables* des New Yorkers Paul Terry, die im Juni 1920 gestartet war, plante Disney, bekannte Märchen zu parodieren, indem er sie modernisierte und in ihnen auf aktuelle Ereignisse anspielte.

Mit der Unterstützung des jungen Rudy Ising, der später eine Rolle bei der Gründung der Trickfilmstudios von Warner Bros. und MGM spielte, sowie von weiteren jungen Trickzeichnern aus Kansas City arbeitete Disney sechs Monate lang an seinem ersten Märchentrickfilm.

1.01

1.01 ***Vorspanntitel für die Laugh-O-grams-Serie. Die Trickfilme mit modernisierten Märchen starteten mit*** **Little Red Riding Hood (Rotkäppchen).**
1.02 ***Eine Drehpause während der Arbeit an Realfilmsequenzen für Disneys Lehrfilme und*** **Song-O-Reels** ***in Kansas City***

THE
HUMAN
LADDER

Little Red Riding Hood, eine zeitgenössische Version von *Rotkäppchen*, zeigt einen bösen Herrn in einem magischen Auto, eine Großmutter, die ins Kino geht, und einen Helden, der seine Liebste mit einem skurrilen Flugzeug rettet. Es ist das Werk eines Anfängers. Die Figurendarstellung ist einfach, die Hintergründe sind minimal, und die Animation orientierte sich am klassischen Lehrbuch *Animated Cartoons* von Edwin Lutz, den *Aesop's Fables* von Paul Terry und den *Krazy-Kat*-Trickfilmen von John Bray, die Disney und seine Freunde bei einem Filmverleih gefunden hatten. Disney, der anfangs in einer Garage arbeitete, improvisierte auch bei der Ausrüstung. Seine Kamera von Universal stellte er auf ein Stativ aus zwei Autos mit einem Brett dazwischen.

Disney produzierte sechs weitere Laugh-O-grams in Kansas City. Sie alle sind dank der bemerkenswerten Zusammenarbeit von Sammlern und Historikern mit den Walt Disney Archives, dem Museum of Modern Art und der Library of Congress erhalten geblieben. Die Filme mögen einfach und naiv wirken, doch sie enthüllen eine rasante Entwicklung.

Tatsächlich machten Disney und seine Mitarbeiter in wenig mehr als einem Jahr erstaunliche Fortschritte. In *The Four Musicians of Bremen*, das direkt nach *Little Red Riding Hood* entstand, begnügte sich Disney nicht mehr mit einer simplen Handlung, sondern schrieb geniale Gags.

Auf diesen baute er weiter auf und schuf fließende Übergänge von einem zum nächsten. Er

1.03 ***Das Team der Laugh-O-grams arbeitet hart im Sommer 1922.***
1.04 ***Disney und Virginia Davis sehen zu, wie auf dem Animation Board von*** **Alice's Wonderland** ***eine Katze einem Hündchen begegnet.***
1.05 ***Zeichentricktiere stehen bereit, um die real gefilmte Alice (Virginia Davis) in ihrem ersten Disney-Film*** **Alice's Wonderland** ***zu empfangen.***

experimentierte damit, wie lange sich ein Gag variieren ließ – auf wie viele Arten kann man einer Kanonenkugel ausweichen? –, und verbesserte das Timing. Außerdem lernte er, mit Cels zu arbeiten. (*Little Red Riding Hood* war der erste und letzte Trickfilm, den er direkt auf Papier zeichnete – ein Grund, weshalb es sechs Monate brauchte, um ihn letztendlich fertigzustellen.) Die Arbeitszeit, die dadurch frei wurde, verwandte Disney darauf, mehr auf Hintergründe und Handlung zu achten.

„Ich hatte versagt, aber das war gut so. Ich glaube, es ist wichtig, dass man in jungen Jahren einen richtig großen Fehlschlag erlebt … Daraus habe ich viel gelernt.“

Walt Disney

In *Jack and the Beanstalk*, einem wiederentdeckten Juwel, setzte Disney mit der Hilfe zusätzlicher Animatoren neue Standards in puncto Bildreichtum. *Goldie Locks and the Three Bears* zeigt Disneys Vorliebe fürs Komische, für Stimmung sorgt ein idyllischer Sonnenuntergang. Direkt danach wird die vermutlich erste seiner vielen teuflischen Rube-Goldberg-Maschinen präsentiert – in diesem Fall eine Kuckucksuhr und ein Ofen, um die Herstellung von Pfannkuchen zu optimieren.

Man kann diese Cartoons unmöglich ansehen, ohne an das zu denken, was noch kommen sollte. Das Unwetter auf hoher See in *Jack the Giant Killer* zeigt in Rohform die eleganten Seestürme der Silly Symphonies wie in *Father Noah's Ark (Die Arche Noah)* und *Music Land (Musik-Land)* und schließlich in „Little Toot“ („Das Bötchen Toot“), einer Sequenz aus *Melody Time*. Auch die komischen, furchterregenden Tiere mit ihren glühenden Augen, die uns anblicken, bevor sie sich auf unsere Helden stürzen, gaben hier ihr Debüt. Vor allem aber zeigt sich in *Little Red Riding Hood* bereits Disneys Musikalität. Von Anfang an konzipierte er seine Trickfilme als eine Art neuen, visuellen Jazz. Viele wurden dadurch zu Stummfilm-Musicals und boten einen Vorgeschmack auf den synkopierten Micky und die jazzverrückten Silly Symphonies. Sie enthielten zudem die ersten Versionen der Disney-Themenparks, wo Könige in Kleinstädten des Mittleren Westens in Palästen hausen und auf der Main Street Paraden für kleine Mädchen abgehalten werden.

Sichtbar werden allerdings auch die Konsequenzen fortwährender finanzieller Engpässe. Von Beginn an hatte Disneys Studio in Kansas City Geldprobleme, und durch seine Unerfahrenheit und die ausbeuterischen Verträge, die man ihm aufschwatzte, war Disney praktisch

1.04

1.05

schon bankrott, bevor sein erster Trickfilm in die Kinos kam. Disney nahm an, er hätte mit Pictorial Clubs of Tennessee eine Vertriebsfirma für seine Laugh-O-grams gefunden. Doch die 11.100 Dollar, die Pictorial Clubs für sechs der zwölf geplanten Laugh-O-grams zugesichert hatte, wurden nie gezahlt. Erschöpft und verzweifelt arbeiteten Disneys Leute Ende 1922 ohne Bezahlung, mehrere (auch sein talentiertester Mitarbeiter Ub Iwerks) kündigten. Während sich die Zeichnungen und Designs der Laugh-O-grams mit zunehmender Erfahrung und Experimentierlaune der Künstler verbesserten, machte die Animation einen Rückschritt. Sie wurde simpler, das Timing schlechter.

Die Rettung kam durch die vierjährige Virginia Davis. Disney heuerte sie an, nachdem ihm die Idee gekommen war, Real- und Trickfilm zu verbinden. Im Grunde kehrte er nur die Methode von Fleischer Studios um, die Trickfilmfiguren in reale Umgebungen einbauten. Doch die Idee weckte bei Disney neue Kräfte und ließ seinen bislang fantasievollsten und vielseitigsten Trickfilm entstehen. Die kleine Virginia erwies sich als begabtes, bezauberndes Mädchen, das den Trickfilmklamauk mit lebhaften Tanzschritten und lustigen Grimassen parierte. Disney, der sich durch seine neue Entdeckung wieder obenauf fühlte, überredete die meisten seiner Mitarbeiter – darunter Iwerks, Ising und Hugh Harman (und nicht zu vergessen Virginias Eltern) –, mit ihm von Kansas City nach Kalifornien zu ziehen, um dort von vorn zu beginnen. Das Abenteuer ging weiter.

Disney verklagte Pictorial Clubs wegen Vertragsbruchs und gewann den Prozess, erhielt aber nur eine geringe Entschädigung. Dies hatte im Nachhinein auch eine gute Seite. Lange war man davon ausgegangen, dass keiner der stummen Trickfilme aus Kansas City vor den Alice-Filmen je in die Kinos gekommen war. Nach dem Aufkommen des Tonfilms waren sie in Vergessenheit geraten. Doch Pictorial Clubs hatte aus diesen Filmen Profit schlagen können. Nach

1.06

1.07

dem Erfolg von Micky Maus 1928 verpasste Pictorial den Laugh-O-grams eine Tonspur und vertrieb sie international unter anderen Titeln. Die verworrene Geschichte ihrer Identifizierung fasst David Gerstein, der bei ihrer Entdeckung mithalf, in seinem Blog *Ramapith*[1] zusammen. Dort berichtet er, wie sich Sammler und Trickfilmhistoriker aus England, Deutschland und den USA mit der Walt Disney Company und dem Museum of Modern Art zusammentaten, um diese Filme für die Nachwelt zu erhalten.

Vier der restaurierten Kopien gehen auf Versionen zurück, die von Wardour Films Limited 1929 und 1930 als Teil einer Peter-the Puss Reihe vertrieben wurden. Wardour entwarf ein Titellogo, das „Peter" wie Felix the Cat aussehen ließ, und gab den Trickfilmen komplett neue Titel. Der umgearbeitete Vorspann vermittelt einen Eindruck davon, mit welch rauen Bandagen in der jungen Filmindustrie gekämpft wurde. Die Filme selbst jedoch belegen, mit welcher Hartnäckigkeit und Ausdauer Disney seinem Studio das Überleben sicherte.

1.06 ***Arbeiten zur real gefilmten Song-O-Reel-Folge* Martha*, einem frühen Film zum Mitsingen. Disney sitzt im Regiestuhl.***
1.07 ***Walt Disney und sein Team machen Werbung für die Vorführung der Laugh-O-grams im Isis-Kino in Kansas City.***

Von Alice zu Micky

Von Russell Merritt

Nachdem er sich in Los Angeles niedergelassen hatte, kümmerte sich Walt Disney zunächst darum, ein Studio und eine profitable Filmproduktionsfirma aufzubauen. Er startete seine Hollywoodkarriere vorsichtig und blieb innerhalb der vorgegebenen Grenzen des komischen Trickfilms, die von anderen definiert und vorangetrieben worden waren. Bei seiner frühesten Animation ließ er sich von drei Grundsätzen leiten: Wirtschaftlichkeit, Effizienz und bewährte Strickmuster. Die Zeichentrickfilme wurden danach beurteilt, wie witzig die Gags waren und wie schnell er sie herausbringen konnte.

Er begann mit einer Reihe namens Alice Comedies, in denen ein vierjähriges Mädchen namens Virginia Davis auftrat, das er in Kansas City entdeckt hatte. Aus einem winzigen Büro heraus, das er und sein Bruder Roy in 4651 Kingswell Avenue gemietet hatten, schrieb, zeichnete und animierte Disney ganz allein seine erste Hollywoodproduktion *Alice's Day at Sea*. Der Film gab den Rahmen für den Rest der Serie innerhalb dieser ersten Saison vor. *Alice's Day at Sea* ist eine Kombination aus Realfilm- und Zeichentricksequenzen und beginnt und endet damit, dass Alice und ihr Hund begeistert den Erzählungen eines alten Seemanns lauschen. Schließlich fallen sie in eine Zeichentricktraumwelt, wo die Heldin mit animierten Fischen und anderen Unterwassertieren interagiert. Der Film wurde einen Tag nach Weihnachten 1923 an Disneys Verleih ausgeliefert. Manche bezeichneten ihn als „enttäuschend"[1], doch davon unbeeindruckt engagierte Disney einen Mitarbeiterstab und produzierte im folgenden Jahr zwölf weitere Alice-Filme, wobei er von Mal zu Mal dazulernte.

Die Alice-Filme sind in jeder Hinsicht Anfängerfilme, geistreich und oft charmant, und sie lieferten Walt Disney ein ganzes Lagerhaus voller Gags, Handlungsideen und Nebenfiguren, die er in seinen berühmten Kurzfilmen der 1930er-Jahre wieder einführte und verfeinerte. Der Tatmensch Disney blieb in seinen Filmen rund um Alice der Struktur der beliebten Zeichentrick- und lustigen Kinderfilme der 1920er-Jahre treu. So wurden zum Beispiel die Rahmengeschichten rasch weiterentwickelt, und man stellte Virginia nach dem Vorbild von Hal Roachs *Our Gang (Die kleinen Strolche)* ein ergänzendes Ensemble von Kindern an die Seite, um besser von ihrem Talent für Komik und Tanz profitieren zu können. Auch in den Animationssequenzen nahm Walt Disney die Arbeit der besten Stummfilmschaffenden der Zeit auf – nicht nur die der konkurrierenden Animatoren, sondern auch die der Realfilmer. Die Idee, ein schauspielerndes Mädchen mit Zeichentrickfiguren auftreten zu lassen, war eine simple Umkehrung von Fleischers berühmter Serie mit Koko dem Clown, in der der animierte Koko in einer Realfilmwelt mit Schauspielern interagiert. Als Disney und seine Mitarbeiter ein Ensemble von Cartoonfiguren für Alice entwickelten, griffen sie auf Buster Keaton und Felix the Cat (dt. Felix der Kater), auf Douglas Fairbanks, Rudolph Valentino, Tom Mix und den Film *The Big Parade* (*Die große Parade*, USA 1925, Regie: King Vidor) zurück. Disney war ebenfalls ein begeisterter Leser von Comicstrips, und in seiner Arbeit parodierte, adaptierte und entlieh er von seinen persönlichen Favoriten wie etwa *Barney Google*, *Captain Easy*, *Krazy Kat* und (gegen Ende des Jahrzehnts) *Buck Rogers*.

Selbst innerhalb dieser Begrenzungen können wir in jenen frühen Zeichentrickfilmen viele der

2.01 *Steinlithografie-Poster für* Alice in the Jungle, *auf dem Virginia Davis mit ihren Mary-Pickford-Locken zu sehen ist.*

ALICE
in the
Jungle
by Walt
Disney
An ALICE Comedy
WINKLER PICTURES
M.J.WINKLER
Distributor
new
york

2.01

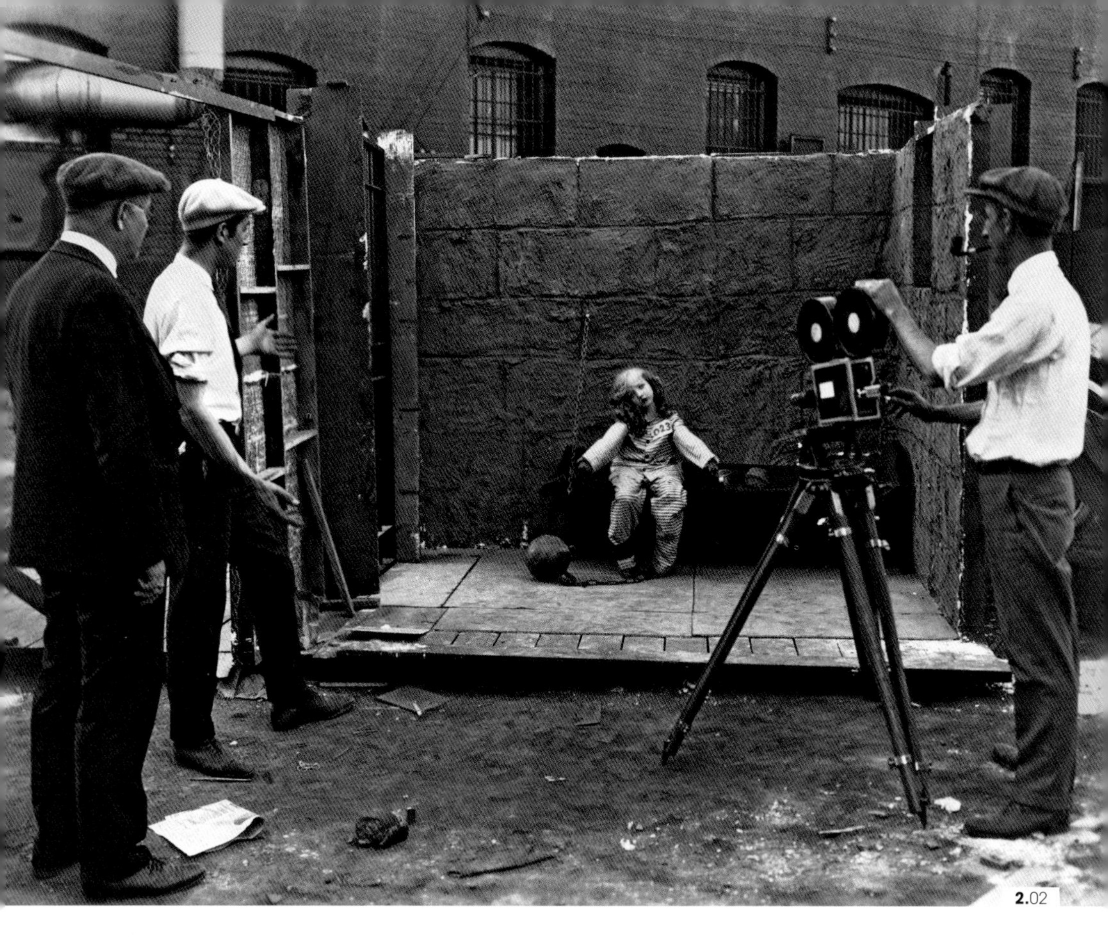

2.02

Ideen und Strategien erkennen, die später spezifische, ganz unverwechselbare Merkmale wurden. Insgesamt bilden die Alice-Filme einen Themenblock, der sich weiterentwickeln und Disneys klassische Arbeit der 1930er-Jahre dominieren sollte.

Am hervorstechendsten ist Disneys Faible für Musik. Diese stummen Animationen waren wie für den Swing gemacht, Zeichentrickfilme als eine Form von visuellem Novelty Jazz, voller Pseudokonzerte und einer wilden Vielfalt von Tanznummern. Schon bevor er die Kontrolle über seine Musik bekam, machte Disney seine Zeichentrickfilme zu musikalischen Selbstbedienungsläden, ganz anders als seine Konkurrenten. Soweit bekannt, wurden weder den Alice- noch den Oswald-Filmen jemals Musikprogrammblätter beigefügt, und so waren die Kinos bei der Musikbegleitung auf sich selbst gestellt. Aber das war nicht schlimm. In einem Cartoon wie *Alice on the Farm (Alice auf dem Bauernhof)* findet die Handlung hinter einem Stall statt, wo die Tiere den ganzen Tag Charleston tanzen. *Alice Rattled by Rats*, der musikalischste von allen Disney-Stummfilmen, verwandelt Alices Haus in einen irren Tanzsaal, heimgesucht von shimmybesessenen Mäusen. *Alice the Whaler* und *Alice in the Big League* ähneln einem Reigen, wobei Alice den Refrain tanzt und sich mit im Chor singenden animierten Fischen und anderen Tieren abwechselt.

2.02 ***Virginia Davis wartet auf ihren Auftritt in dem provisorischen Outdoor-Set für das Finale von* Alice's Spooky Adventure. *Disney (Zweiter von links) führt Regie.***
2.03 ***Disney (links von der kleinen Margie Gay) & Co. posieren vor ihrem Studio in der Hyperion Avenue in Los Angeles.***

Auch Notenzeichen kommen ins Spiel. In *Alice and the Firefighter* benutzt ein Ragtime-Klavierspieler eine Oktave von Achtelnoten als Stufen zu einem Hotelfenster, um hilflose Mäuse zu retten. In einem Film wie *Alice Chops the Suey (Alice in Chinatown)* verwandeln sich halbe Noten in Mäuse auf Fahrrädern. Lange bevor er in den 1930er-Jahren seine berühmten Silly Symphonies kreierte, fand Disney Mittel und Wege, um Filme mit Musik zu verbinden.

Genauso lebendig sind Disneys ungewöhnliche Themen, ganz besonders sein Bemühen, den bescheidenen Charme der Farm im Mittleren Westen mit seiner Liebe zu allem Royalen, zum Prunk und zur strengen sozialen Hierarchie zu verbinden. Wie bereits häufig angemerkt, führte Disneys Herkunft als Bauernjunge zu einer Vielfalt von Filmen, die auf dem Land spielen und von komischen Tieren und einem kindlichen Unternehmer dominiert werden. Weit weniger oft zur Kenntnis genommen wird jedoch, dass dieses Porträt bäuerlichen Lebens fast zwangsläufig verknüpft ist mit einem ebenso beständigen Porträt eines Königreichs, ausgestattet mit einer königlichen Familie, königlichen Paraden und dem Bilderbuchzubehör höfischen Lebens. Diese nicht zusammenpassenden Kräfte vermischen sich auf bizarre Weise selbst in seiner frühesten Arbeit. So ist in *Alice the Piper*, einem Alice-Film, der im Herbst 1924 entstand, der König von Hamlin ein Bauer, der mit einer Krone auf dem Kopf in einem Bauernhaus schläft, das von anarchistischen Mäusen heimgesucht wird.

Und so macht es keinen großen Unterschied, ob Alice und Oswald ins Ausland reisen, zu Hause bleiben oder sich in die Vergangenheit begeben. Als sich Alice in *Alice's Wonderland* (dem Pilotfilm der Alice-Filme, entstanden im Frühjahr 1923 in Kansas City) in ein Fantasiedorf hineinträumt, begrüßen die Bewohner sie mit einer königlichen Parade, die in einem Festival kulminiert, auf dem Alice der Ehrengast ist. Als sie

2.03

sich in *Alice's Day at Sea* schiffbrüchig auf dem Meeresgrund wiederfindet, begegnet sie den Kreaturen in König Neptuns Zoo in einer Sequenz, die die Merkmale des königlichen Hofes und eines amerikanischen Zirkus kombiniert. In den diversen Filmen, die Alice und ihren animierten Sidekick Julius in den Dschungel führen, entsteht der Humor (soweit davon die Rede sein kann) zum Großteil aus der Unvereinbarkeit von Stammesangehörigen und der Vorliebe für amerikanische Mittelstandsbequemlichkeit, zum Beispiel beim Stammeskönig, der zum Bowling geht oder Unterhaltung beim Radiohören sucht.

Selbst wenn sie von einem königlichen Hof abgekoppelt sind, sind Disney-Stummfilme selten weit entfernt von einer Welt, die gekennzeichnet ist vom Gepränge der einen oder anderen Art – jubelnden Zuschauern oder einer rigiden sozialen Hierarchie, angeführt von einer gebieterischen (und zwangsläufig komischen) Autoritätsperson. Eine verbreitete Anordnung, die im Verlauf der 1920er-Jahre wiederholt wurde, ist das Sportevent (insbesondere der Stierkampf in *Alice the Toreador*, das Baseballspiel in *Alice in the Big League*, die Rodeos in *Alice's Rodeo* und *Alice's Wild West Show* sowie das Hindernisrennen in *Alice's Brown Derby*), zu dem die Zuschauer in ein mit Bannern und Fähnchen geschmücktes Stadion strömen und einer ritterlichen Prozession tölpelhafter Sportlerhelden zujubeln.

Eine weitere ist die geheime Intrige, die schillernde Verbrecherorganisation mit Ritualen und Parolen, mit einer Standardszene, in der die Bandenmitglieder ihrem Gangsterboss, der für gewöhnlich auf einer Art Thron sitzt, auf komische Weise ihre Treue geloben.

Dennoch ist die Annahme falsch, es handele sich dabei um friedliche Königreiche oder Disney wäre zu nachgiebig mit der Obrigkeit. Im Gegenteil, Disneys Sympathien gehören normalerweise denen, die herumhängen oder die Gemeinschaft auseinandernehmen. Virginia Davis war ein urwüchsiger Wildfang, der ständig in Streitereien geriet, Rebellionen anführte und die Schule schwänzte. Ihr wilder Sinn für das Spiel und ihre Begabung als komische Tänzerin bestimmten die auffällige Anarchie nicht nur der ersten Alice-Filme, sondern auch derjenigen, in denen sie nicht mehr zu sehen war. Autoritätspersonen sind stets absurd und im Fall von Hundefängern und Lehrern hochgradig satirisch. Der Disney-Polizist, eine Mischung aus Offissa Pupp und einem Keystone Kop, ist der überarbeitete, schikanierte Spielverderber, der normalerweise auf verlorenem Posten steht. Die Alice-Filme von Disney ebenso wie die späteren Oswald-Filme sind ein überbordender Ausdruck von Ungezogenheit – von entmachteter Obrigkeit.

2.04

2.04 ***Margie Gay obenauf als neue Alice mit Flapper-Bob-Haarschnitt***
2.05 ***Poster für die erste in Kalifornien produzierte Alice-Komödie* Alice's Day at Sea *mit der beherzten* Virginia Davis**

Virginia Davis hielt es bei Disney gerade einmal ein Jahr aus, und als sie ging, änderten die Zeichentrickfilme ihre Richtung. Disney konnte sich mit Virginias Mutter nicht über einen neuen Vertrag einigen. Widerwillig schaute er sich nach anderen Kinderschauspielerinnen um. Er machte einen Film *(Alice's Egg Plant)* mit Dawn O'Day, die bereits mit sechs Jahren ein alter Hase war und in Filmen von Herbert Brenon sowie William de Mille mitgespielt hatte. Dann entschied er sich für eine quirlige Vierjährige, Margie Gay, die sozusagen Teil des Inventars wurde. In den folgenden zwei Jahren, 1925 und 1926, spielte Margie in 31 Alice-Komödien mit. Mit ihrem flotten Kurzhaarschnitt und den Kinderversionen der 1920er-Jahre-Mode definierte sie die Rolle der Alice rasch als Miniaturflapper neu.

2.05

Mit der Ankunft von Margie verschwanden die Realfilmrahmenhandlungen, wodurch Disneys Mitarbeiter freie Hand bekamen, sich ganz und gar auf die Animation zu konzentrieren. Ganz besonders arbeiteten sie daran, einen Vorrat von Cartoonpersönlichkeiten anzulegen, Bewegungen flüssiger und flexibler zu machen und mehr ausgeklügelte Zeichentrickgags zu konstruieren. Die Realfilm-Alice wurde mehr und mehr in den Hintergrund gerückt, sodass sie häufig nur Kurzauftritte am Anfang und am Ende eines Films hatte – während ihre Zeichentrick-Sidekicks die Führung übernahmen. Ubbe Iwerks, der im Juni 1924 wieder zu Disney zurückgekehrt war, wurde von Anfang an zum Staranimator aufgebaut. (Einige Jahre später kürzte er seinen Vornamen zu „Ub".) Zum Studio stießen nun neue Talente hinzu, die bedeutendsten waren Hugh Harman, Rudolf Ising und Ham Hamilton. Gemeinsam polierten sie Disneys Zeichentrickfiguren auf und schufen ein ständiges Ensemble von Charakteren: die Vorläufer von Micky Maus (orig. Mickey Mouse) und seiner Bande.

Alices Sidekick, ursprünglich ein namenloser schwarzer Kater, erhielt 1925 den Namen Julius, wurde die neue Triebfeder der Serie und trug den Großteil der Handlung. Einer von Julius' vielen Gegenspielern ist ein weißer Hund, besetzt als Ortspolizist, der Julius in schematischen, von *Krazy Kat* übernommenen Abenteuern verfolgt. Ein bedeutenderer Gegenspieler ist jedoch Bootleg Pete: Disneys frühester Inventarschurke, der sich später zu Tough Pete, Putrid Pete und schließlich Peg Leg Pete weiterentwickelte, ist Oswalds Hauptpeiniger und wird dann zum Schurken der Wahl für Micky Maus. Seinen ersten Auftritt hat er (in *Alice Solves the Puzzle*, dt. *Alice löst das Rätsel*) als brutaler Bär. Und von Anfang an ist seine Persönlichkeit, ebenso wie sein Erscheinungsbild, ständig im Fluss: mal Julius' Rivale, mal der polierte, ölige Schurke, sogar ab und zu der Vater der Heldin. Auch verschwindet sein Holzbein, genau wie sein Zylinderhut, von einem Cartoon zum

2.06

Die wunderbare Kuh in *Alice on the Farm* (Januar 1926) lässt erahnen, was noch kommen sollte. Obwohl sie Julius' Haustier ist, stellt sie sich sogleich in den Mittelpunkt, indem sie mit Blumen herumalbert, tanzt und Milch gibt, stets bereit, sich in einen Einrichtungsgegenstand zu verwandeln. In ihren fragenden Blicken und ihrer kindlichen Neugier kann man einen Schimmer von Pluto entdecken. Ihre verrückten Tanznummern gehören zum Fesselndsten und Genialsten, was Iwerks bis zu jenem Zeitpunkt animiert hatte. Und ihre süße Liebenswürdigkeit bekommt etwas Surreales, als sie sich hilfsbereit in eine Ersatzmilchpumpe verwandelt oder ihren Schwanz und ihre Hörner neu montiert, sodass man sie als Radiosender benutzen kann.

Disney und Iwerks experimentierten in den folgenden Alice-Filmen gelegentlich mit ihrem mechanischen Tier und

nächsten. Von allen berühmten Inventarfiguren Disneys ist Pete die mit der am weitesten zurückreichenden Geschichte.

Auch Mäuse verbreiten sich zwangsläufig in Schwärmen, als komische Handlanger.

Aber das Faszinierendste ist Disneys mechanisches Tier, seine köstlichste komische Erfindung der 1920er-Jahre. Das freundliche Robotertier wurde zu einem Meilenstein in der Entwicklung von Disneys Handwerk, bei dem sich die Disney-Iwerks-Talente für Charakteranimation selbst übertreffen. Sie (oder gelegentlich er) ist eine geniale Vorrichtung, ein liebenswertes Haustier, ein komischer Sidekick und ein ergebener Diener in einem. In ihrer Erscheinung verdankt sie einiges Spark Plug, dem wehmütigen, krummbeinigen Rennpferd, das 1922 von Billy DeBeck für einen *Barney-Google*-Comicstrip geschaffen wurde. Aber im Gegensatz zu Julius oder Bootleg Pete ist sie keine konstante Figur. Sie ändert sich von Film zu Film. Oft ist sie eine automatische Kuh, einmal ein Affe und manchmal ein mechanisches Pferd.

anderen Nebenfiguren, aber ihr tierischer Roboter kam mit dem Abgang von Alice und der Erfindung von Oswald voll zur Geltung. Dort trat er als Oswalds gutmütiger Sidekick auf, die überaus erfinderische Titelfigur von *The Mechanical Cow*. Zu sehen ist er auch als Oswalds verrücktes, unzuverlässiges Pferd in *Ozzie of the Mounted* und als fliegender Elefant, der Oswald dabei hilft, aus dem Dschungel zu fliehen, in *Africa Before Dark*.

Aber zurück zu Alice. Ende 1926 fühlte sich Disney eingeengt durch das Alice-Format. Nach vier Jahren und vier Dutzend Zeichentrickfilmen suchte er nach etwas Neuem. Die Ersetzung der niedlichen, aber lustlosen Margie Gay durch die vielseitige Lois Hardwick in der letzten Alice-Serie hatte die Szenen zwischen Alice und den Tieren erneut belebt, aber der anführende Kater Julius

2.06 ***Probeaufnahme von Lois Hardwick, der vierten und letzten Alice als junge Frau von Welt***
2.07 ***Ein frühes Model-Sheet von Oswald höchstpersönlich. Immer noch der rustikale, unverbesserliche Rammler.***

war mehr denn je von Felix abgeleitet, und die gemischten Realfilmanimationsszenen nahmen dem Zeichentrick Zeit weg. Sowohl Julius als auch die Alice-Idee waren zunehmend verbraucht: Disney brauchte eine neue Hauptfigur.

Verstärkt wurde der Druck durch den Erfolg von Disneys Verleiher Charles Mintz, der arrangieren konnte, dass ein großes Studio – Universal Pictures – die Disney-Filme landesweit herausbrachte. Anfang 1927 unterschrieb Mintz einen Einjahresvertrag mit Universal, in dem alle zwei Wochen ein Disney-Zeichentrickfilm verlangt wurde. Das war ein großer Durchbruch für Disney, der ihm einen weiter reichenden Vertrieb, prestigeträchtigere Buchungen und eine weitaus aggressivere Vermarktung zusicherte. Die Alice-Filme waren ursprünglich auf der Basis bundesstaatlich vergebener Rechte und dann durch die beschränkten Ressourcen des Film Booking Office vertrieben worden. Das Marketing war limitiert, aber die Zeichentrickfilme waren erfolgreich genug, dass Universal, das seit Jahren keine Animationsfilme mehr vertrieben hatte, entschied, sie mit Disney wieder einzuführen. Ebenso wie Disney wollte das Front Office von Universal jedoch, dass Julius durch eine witzigere und originellere Figur ersetzt würde.

Das Ergebnis war Oswald, der von Disney und Iwerks entworfen wurde und (soweit wir wissen) seinen Namen von P. D. Cochrane, dem Leiter der Abteilung für Öffentlichkeitsarbeit von Universal, erhalten hatte. Oswald hatte sein Debüt am 15. Juli 1927 mit dem Greta-Garbo-Spielfilm *Flesh and the Devil* (*Es war*, USA 1926, Regie: Clarence Brown) im New Yorker Roxy Theater und wurde rasch Disneys erster großer Star. Bis zum Ende des Jahres, so berichtete *Moving Picture World*, hatte Oswald „das erstaunliche Kunststück vollbracht, über Nacht zum Erstaufführungsfavoriten zu werden“[2]. Universal stellte einen regelmäßigen New

2.07

2.08

umschwärmt sie, flirtet und holt sich eine Menge Blessuren, indem er versucht, sie mit tollkühnen Stunts zu beeindrucken. Schmusen, Turteln und Streiten: Viele ihrer Abenteuer sehen aus wie Generalproben für Micky und Minni Maus (orig. Minnie Mouse).

Liebesgezwitscher war jedoch nicht die einzige Lektion, die Disney von Hollywood gelernt hatte. Als er mit der Oswald-Serie begann, hatte Disney bereits einen langen Weg bei der Anpassung an die formalen Konventionen des Realfilms zurückgelegt. Jetzt übernahm er mehr als je zuvor von Hollywood, um seinen Filmen einen kinetischen Sinn von Zeit und Raum zu geben. Er simulierte komplexe Kamerafahrten, begann, Ober- und Untersichtperspektiven einzusetzen, und spaltete Szenen in mehrere Einstellungen auf. Er verliebte sich besonders in die „In-die-Kamera-hinein"-Aufnahme, wenn sich eine Figur in eine extreme Nahaufnahme hineinbewegt und, sich immer noch weiterbewegend, das Bild verdunkelt. Point-of-View-Shots verbreiteten sich ebenfalls zunehmend und boten häufig die Gelegenheit für markante Masken und schräge Winkel.

Yorker Schaukasten für Oswald in seinem Colony Theater, einem modernen Filmpalast, zur Verfügung und ebnete den Weg für die berühmte Uraufführung von *Steamboat Willie* ein Jahr später.

Der Kontrast zu den Komödien mit Julius und Alice ist dramatisch. Befreit vom Realfilmkorsett, platzt Oswald vor Energie und komischem Einfallsreichtum, von denen in den früheren Filmen nur Ansätze zu erkennen gewesen waren. Nicht nur wurde das Tempo schneller, und das komische Timing verbesserte sich, Disney entdeckte auch, angeregt vom Realfilm, den Wert der Liebesgeschichte. Schon für den zweiten Film, *Oh Teacher*, hat Disney eine Liebste für Oswald erdacht, die er schließlich Fanny nannte, und Oswald verwandelt sich in einen spielerischen Verehrer. Ob als Ehefrau oder Freundin, Fanny wird zu Oswalds ständiger Begleiterin. Sein Leben kreist oft darum, ihr den Hof zu machen, sie zu retten, zu bearbeiten und mit ihr zu spielen. Er

Auch Disneys Inszenierung der komischen Szenen näherte sich Realfilmvorbildern an. Nicht nur Buster Keaton – eine beständige Quelle für Disney –, sondern auch Douglas Fairbanks, Harold Lloyd, Laurel und Hardy sowie Charlie Chaplin stellten nach und nach Krazy Kat, Felix und Koko als Disneys vorherrschende Modelle in den Schatten. Unter ihrem Einfluss wandte er sich vom

2.08 ***Skizze für das Sky-Scrappers-Poster. Der Zeichentrickfilm war praktisch eine Blaupause für den Micky-Maus-Kurzfilm* Building a Building *von 1933.***
2.09 ***Die Story-Continuity-Skizzen für* Tall Timber *zeigen, wie die Story ausgearbeitet wurde, bevor Storyboards aufkamen.***

OSWALD #24 "NORTHWOODS

schnellen Abfeuern einer Folge von Gags zugunsten sorgfältig ausgearbeiteter Situationskomik ab, wobei er diese aufbaute und Details ausarbeitete, bevor er mit einer anderen Szene weitermachte. Zunehmend spielte er mit den Gefühlen der Figuren.

Um ein spezielles Beispiel zu nennen, könnten wir die Kampf-und-Jagd-Szenen von Julius mit Tough Pete in *Alice Picks the Champ*, einem der großen Alice-Filme von 1926, mit einer ähnlichen Szene aus einem klassischen Oswald-Film, *Great Guns*, der nur ein Jahr später entstand, vergleichen. Julius' Begegnung mit Pete ist auf traditionelle Zeichentrick-/Comicstrip-Weise der 1920er-Jahre inszeniert. Julius schaut zu, sprachlos, während sein Respekt einflößender Gegner schattenboxt und knurrt und auf diese Weise seine ungeheure Grausamkeit demonstriert. Als sich der Bär umdreht und mit dem Finger auf Julius weist, überfällt den Kater Zeichentrickterror: Gemalte Schweißtropfen strömen aus seinem Kopf, seine Knie geben nach, und sein Torso schwankt in Wellen. Die einzige Änderung des Gesichtsausdrucks ist die hin zu einem klebrig-süßen Lächeln, dann folgt die Rückkehr zum Staunen mit offenem Mund. Der Bär schwillt plötzlich bis zur Größe der Titanic an, brummt, und Julius ergreift die Flucht – er rennt so schnell, dass er seinen Kopf vergisst.

Die vergleichbare Szene in *Great Guns* stützt sich hingegen fast vollständig auf das Aufeinanderprallen von Persönlichkeiten. In einem Augenblick, in dem Oswald erkennt, dass er kurz davor steht, von seinem Goliath pulverisiert zu werden, analysiert und erweitert Disney die psychologischen Implikationen des Moments. In diesem Fall wurde Oswald in flagranti dabei erwischt, wie er hämisch versucht, eine gegnerische Maus zu

2.10

erwürgen. Sehr beschäftigt damit, den Hals der Maus zusammenzudrücken, bemerkt er nicht, dass hinter ihm ein riesiges, aufrecht gehendes Nagetier erschienen ist. Oswald beginnt zu verstehen, als er auf das mit dem Fuß auf den Boden klopfende Nagetier reagiert. Er hält inne, sieht sich um, schaut den Rattenfuß an, und dann, während er die Maus noch immer festhält, schätzt er langsam den Körper des Fremden ab. Oswalds wilder Gesichtsausdruck weicht langsam einem kleinlauten Grinsen. Was hält er denn da in der Hand? Warum? Das ist natürlich sein Freund. Er streichelt den Kopf der Maus, wobei seine Augen von einem Nagetier zum anderen rollen. Die Ratte beißt nicht an, tritt immer noch mit dem Fuß auf, mit beiden Händen in den Hüften. Sanft lässt Oswald die Maus gehen und schaut überrascht und beleidigt, als diese einen anklagenden Finger gegen ihn erhebt. Dann wird er kokett und nonchalant. Er schiebt seine Hände in die Taschen, schwingt vor und zurück und beginnt, langsam in Richtung der entfernten Ecke der Leinwand zu schlurfen, wobei er leutselig zum Abschied winkt. Das Nagetier holt zum Schlag aus, Oswald rennt davon.

Hier ist natürlich nichts, was Laurel und Hardy nicht zuvor schon mit Edgar Kennedy gemacht hätten, aber was hier von Interesse ist, ist Disneys Schwerpunktwechsel von der Verfolgungsjagd zur ersten Begegnung, wobei die starken Veränderungen in Haltung und Ausdruck bei Oswald hervorgehoben werden, vom ersten Erkennen bis zu seinem Kampf, um die Fassung wiederzugewinnen. Disney polierte die Szene mit Micky Maus auf, zunächst in *The Barnyard Battle*, dann in *The Pointer*, aber die neue Richtung wird hier eingeschlagen, in den Oswald-Stummfilmreihen.

2.11

Mit den zunehmend komplexeren Zeichentrickfilmen trat auch Disneys Talent für Vorausplanung zutage. 1927 gründete er eine Drehbuchabteilung und nahm die lange geübte Praxis der Bonuszahlungen für Drehbuch- und Gagideen auf. Auch fing er an, Geschichten in Form kleiner, detaillierter Zeichnungen darzustellen, Vorläufer seiner Storyboards der 1930er-Jahre. Zusätzlich zu den Zeichnungen erstellte er Drehbücher, die zunehmend aufwendiger wurden. Während die Drehbücher der frühesten Alice-Filme auf eine einzige Seite passten, waren die für die Oswald-Filme oft zehn- bis zwölfmal so lang. Eine Vorbereitung bis ins Kleinste, so lernte Disney, war der Schlüssel zu eiserner Kontrolle.

Oswald selbst ist ein Vorläufer von Micky Maus, aufgebaut auf Kreisen und Bögen, die eine innewohnende grafische Attraktivität hatten und einfach zu animieren waren. Die Betonung lag auf einer flexibleren Art der Bewegung und einem abgerundeten Design, das die scharfen Kanten von Julius' Ohren, spitzer Nase und Zähnen fast völlig eliminierte. Oswalds Ohren sahen aus wie Baseballschläger, waren abnehmbar und konnten steif werden oder auch erschlaffen, je nach Erfordernis der Situation. Seine wichtigste Qualität war jedoch seine Biegsamkeit. Maurice Sendak schrieb, Micky Maus erwecke bei Kindern eine „Lizenz zum Anfassen"[3]. Das wurde die Qualität,

2.10 ***Eine vom Disney-Animator signierte Zeichnung zu Werbezwecken von 1927, die einen überlebensgroßen Oswald in einem Filmset zeigt.***
2.11 ***Das Schwanzende der Oswald-Kurzfilme. Dies wurde zum Standardabspann eines jeden Oswald-Zeichentrickfilms.***

2.12

die Oswald vor allem anderen von seinen Vorgängern ebenso wie von seinen Zeitgenossen unterschied. Wenn Oswalds Körper verdreht, gedehnt oder gekniffen wird, tut das Oswald weh. Sein Mund öffnet sich weit, seine Augen rollen oder schielen, er verzieht das Gesicht. Wenn er gekitzelt wird, dann kichert er. Er besteht, wie seine Vorgänger, aus verrückten Teilen, die sich biegen und abnehmen lassen, aber das wesentliche Merkmal ist, dass er auf physische Reize auf für Menschen erkennbare Weise reagiert.

Julius hat natürlich ebenfalls ausdrucksstarke Körperteile. Er verliert ständig seinen Kopf, reißt sein Gesicht oder nimmt seinen Schwanz ab, steigt aus seiner Haut heraus oder spaltet sich in der Mitte. Aber all das hat keine somatischen Konsequenzen. Das stärkste Unbehagen, das Julius jemals fühlt, ist Peinlichkeit, als er seines schwarzen Pelzes entledigt wird. Selten, eigentlich nie, verspürt er Schmerzen.

Mit Oswald jedoch entdeckten Disney und seine Animatoren die weniger steife Charakteranimation. Während sie die Art und Weise, wie ein Körper gedehnt, gequetscht oder verdreht werden kann, vervielfachten, gaben sie ihren Figuren auch ein Bewusstsein für ihre Körper. Als Oswald in *Hungry Hoboes* sein linkes Hinterbein abdreht, um es zu küssen (er ist kurz davor, sich auf einen Kampf einzulassen, und braucht eine Kaninchenpfote als Glücksbringer), verzieht er zunächst vor Schmerzen das Gesicht, und dann, während er über die Pfote nachdenkt, hält er sie gegen seine Wange und streichelt sie sanft. Jene kurze, aber bemerkenswerte Szene mit ihrer Andeutung von Gewalt und infantiler Selbstentdeckung verweist auf das, was noch kommen sollte.

Im Februar 1928 unternahm Disney seine verhängnisvolle Fahrt nach New York, um mit Charles Mintz einen neuen Vertrag in die Wege zu leiten. Disney, der sich im Klaren über Oswalds großen Erfolg war, hatte vor, die Budgets für Oswald neu auszuhandeln, und hoffte, den Preis pro Film von 2250 auf 2500 Dollar anheben zu können. Was er nicht wusste, war, dass Mintz heimlich an Disneys wichtigste Künstler herangetreten war und mit den meisten von ihnen eigene Verträge abgeschlossen hatte. Iwerks hatte sich als Einziger der Animatoren verweigert. Da Mintz auch die Rechte an Oswald besaß, stellte er Disney ein Ultimatum: Er solle sich entweder dem Mitarbeiterstab anschließen und für ihn als Angestellter arbeiten oder das Kaninchen verlieren.

Disney lehnte angewidert ab. Er kehrte mit seiner Frau nach Kalifornien zurück, entschlossen, sein Studio wieder aufzubauen und sich eine neue Zeichentrickfigur einfallen zu lassen. Am 21. Mai 1928 ließ er „Mickey Mouse" als Marke eintragen. Sie wurde auf Disneys Namen urheberrechtlich geschützt.

2.12 ***Animationszeichnung für* Steamboat Willie. *Mit der Ankunft von Micky beginnt ein neues Zeitalter in der Disney-Animation. Animator: Ub Iwerks.***
2.13 ***Das Continuity Script für* Steamboat Willie. *Man vergleiche dieses mit den Continuity-Skizzen für* Tall Timber, *die nur fünf Monate zuvor entstanden waren.***

Scene # 5.

Medium L. S. of Deck, cabin and stairway at left, Scrub bucket and brush at right, big bar of soap in left center.
Mickey comes sliding down stairs and lands with one foot on soap, he slips, flies in air and lands fanny first in scrub bucket.... water splashes out....Mickey gets out with water dripping from his fanny, he wiggles it and shakes water off....then he suddenly looks up stairs with scared look, grabs brush and begins scrubbing rapidly. Sound effects of SLIP,- and SPLASH.

Scene # 6.

Back to M.L.S. of captain cursing at Mickey. In hard boiled tough manner he grabs stomach with both hands and pulls it up (pulls it up until it bulges out around neck and leaves his pants empty and hips very skinny) When he lets go it bounces back into pants and bulges seat of pants down almost to floor. (sound effect of ' Klunk ' as stomach flops back into pants.)
Then he reaches into hip pocket and pulls out very large plug of Star tobacco. (exagerate size of plug of tobacco very much.)

Scene # 7.

Extreme C.U. of captains head and shoulders. He is holding plug of tobacco, he opens his mouth very wide and bites off half of plug. (when he opens mouth give the effect of being able to see down his throat....use grey shadings) Cycle of him chewing...very extreme action.....He has to spit...he looks around.....His lips curl back over very large closed teeth, hold while the upper and lower center teeth slide open like trap doors... the spit shoots out and then the teeth slam shut and mash down as they ' CLICK ' together. Lips close and he continues chewing.

Ein Ort des Staunens: Hyperion-Studios 1926–1940

Von Charles Solomon

„Jeden Tag passierte dort etwas Neues, etwas, das es zuvor noch nicht gegeben hatte. Man war noch nicht im Stadium von ‚so macht man das' angelangt. Jemand tat etwas und das hatte dann etwas Magisches. In erster Linie war das ein Ort des Staunens."[1]

Marc Davis

Das Hyperion-Studio war das Epizentrum einer Revolution in der Kunst der Animation. Die Disney-Künstler arbeiteten dort etwa 15 Jahre lang, und die meiste Zeit war die Anlage mehr als unzureichend. Dennoch bilden die dort produzierten Filme den Maßstab, anhand dessen Animationen 70 Jahre später beurteilt werden. Wie bei vielen von Walt Disneys Unternehmungen waren auch im Hyperion-Studio die Anfänge bescheiden.

Im Juli 1925 leisteten Walt und Roy eine Anzahlung von 400 Dollar auf ein Grundstück und begannen, ihr Studio an der Hyperion Avenue 2719 im Bezirk Silver Lake von Los Angeles zu bauen. Mit dem Erfolg der Alice-Kurzfilme war das Disney-Bros.-Studio aus seinen Räumlichkeiten in der Kingswell Avenue herausgewachsen. Im Januar 1926 zogen sie in ihr neues Hauptquartier um, welches das Schild „Walt Disney Studios" trug. Roy sagte später: „Das war meine Idee. Walt war das kreative Mitglied des Teams. Sein Name verdient es, auf den Bildern zu sein."[2] Das Hyperion-Studio, das man häufig mit einer Universität oder einem Zunfthaus aus der Renaissance verglich, wurde zum Zentrum der beispiellosen Entwicklung der Trickfilmindustrie. Die Männer und Frauen dort arbeiteten hart, denn sie glaubten an Disneys Vision von den Möglichkeiten der Animation. Disneys Sekretärin Dolores Voght Scott erklärte später: „Jeder war so jung und begeistert von dem, was geschaffen wurde. Wir alle arbeiteten wie die Hunde, aber wir genossen jede einzelne Minute."[3]

Bill Melendez, der Produzent-Regisseur der *Peanuts*-Specials, sagt rückblickend: „Es war fast wie ein College. Wenn man Hilfe brauchte, konnte man einen der Profs ansprechen, und der zeigte einem, wie es zu machen war, oder gab einem einen Rat. Als einer der Spitzenanimatoren war Art Babbitt ein Mann von hohem Ansehen, aber jemand aus dem Fußvolk konnte in sein Zimmer kommen und fragen: ‚Art, wie hast du das gemacht?' Und er zeigte einem genau, was er gemacht hatte. Alle großen Animatoren waren so. Sie waren nicht viel älter als der Rest von uns, aber im Studio hatten sie einen höheren Rang. Wir schauten zu diesen Männern auf wie zu Helden."[4]

Joe Grant, der Leiter des Character Model Departments, das Walt als Denkfabrik für das Story Development diente, fügt hinzu: „Das war kein Achtstundenjob. Wenn man nach Hause kam, arbeitete man daran weiter. Man arbeitete am Wochenende. Es war ein großes Vergnügen, eine Idee zu haben und sie ihm vorzuführen. Und es bedeutete alles, seine Zustimmung zu haben – oder die der anderen. Wir achteten wechselseitig auf unsere Arbeit, und die ganze Stimmung war wie in einem Wettbewerb. In hohem Maße. Der Arbeit ist das anzumerken."[5]

Durch den außerordentlichen Erfolg der Micky-Maus-Cartoons und der Silly Symphonies wuchs die Studiobelegschaft rasant an. Die Räumlichkeiten wurden wiederholt erweitert, aber jede Erweiterung stellte sich bereits als unzureichend heraus, „bevor die Farbe getrocknet war". Die Künstler erinnern sich daran, wie sie zusammengequetscht wurden, obwohl beinahe jedes Jahr

3.01 ***Ein Plakat für* Wild Waves *(Micky und die Badenixe, 1930): Die Kinos kündigten „einen Micky-Maus-Zeichentrickfilm" mit dem Filmtitel an.***

COLUMBIA PICTURES *presents*

MICKEY MOUSE

The World's Funniest Cartoon Character in

WILD WAVES

3.02

ein oder mehrere Gebäude hinzukamen. Es war oft unbequem. Bei heißem Wetter arbeiteten die Phasenzeichner manchmal mit freiem Oberkörper (und beschwerten sich, weil Schweiß auf die Zeichnungen gelangte).

Zusätzliche Büros wurden 1930 gebaut. Ein zweistöckiges Animationsgebäude und eine Sound Stage folgten 1931. 1935 wurden Gebäude für die Inker und Maler sowie für auszubildende Animatoren hinzugefügt. In den Jahren 1937 und 1938 kamen ein Feature Building, drei Filmlager, eine Elektrikerwerkstatt, eine Tonwerkstatt und ein Farblabor hinzu. Zusätzlich erwarb das Studio angrenzende Gebäude, Bungalows und Büros. Laut Grant „hatte das Character Model Department seinen Ursprung in einem Apartmenthaus, in dem wir alle Wände einrissen und ein kleines Studio einrichteten. Die Lage war gut, denn wir konnten Walt über den Hof ankommen sehen."[6]

Die physische Anordnung des Studios mochte sich verändern, aber Walt blieb im Zentrum. Er überwachte jeden Aspekt jedes Films, wobei er sich darum bemühte, ein Talent auf die effektivste Weise zu nutzen, um seine Ideen zu verwirklichen.

„Er verbrachte viele, viele Abende im Studio, ging von einem Schreibtisch der Animatoren zum nächsten und schaute sich an, was sie während des Tages gemacht hatten", berichtet Roy. „Er ärgerte damit viele der Jungs, denn einige von ihnen betrachteten das natürlich als Hinterherschnüffeln. Aber Walt war zu beschäftigt, um das tagsüber zu machen, und so wählte er diesen Weg, um sich über die Animation zu einem Film auf dem Laufenden zu halten. Am nächsten Tag hatte er entweder Notizen hinterlassen, oder er rief sie zu sich, um ihre Sequenz zu besprechen."[7]

Walt durchwühlte sogar die Papierkörbe der Animatoren und fischte gelegentlich zerknüllte Zeichnungen heraus, die er dann glatt strich und auf ihre Animationstische heftete, mit einer Mitteilung, in der er sie ermahnte, sie sollten aufhören, „das gute Material" wegzuwerfen. Walt wusste, was jeder im Studio tat, und schien überall zu sein. Die Künstler ahnten, dass er in der Nähe war, wenn sie seinen typischen Husten hörten, das Ergebnis von vielen Jahren starken Rauchens.

„Man musste in der Gegenwart von Genialität einfach Ehrfurcht empfinden", so Richard „Dick" Huemer, einer der Story Men des Studios. „Wir konnten spüren, wie er den Flur entlangging. In unseren Nacken sträubten sich die Haare, und wir fühlten ein Kribbeln – man hörte ihn husten."[8] Huemer fährt fort:

> „Wenn er in einen Raum kam, und die Leute eilten zu ihren Stühlen, rief er ihnen zu: ‚Habt keine Angst vor mir. Ich will nicht, dass ihr so zu euren Stühlen springt. Wenn ihr das noch mal macht, dann hört ihr von mir. Ihr müsst keine Angst haben. Ich habe nichts dagegen, wenn ihr herumsteht. Falls ihr unruhig seid, geht raus und macht einen Spaziergang im Garten!' …

3.02 ***Zwei Künstlerinnen bei der Arbeit in der Ink-&-Paint-Abteilung in den frühen 1930er-Jahren***
3.03 ***Effects Artist George Rowley erläutert die Animation von Blasen.***

Letztlich holte er so mehr aus ihnen heraus, denn sie arbeiteten aus Liebe zu ihrer Arbeit, und viele von ihnen glaubten, dass das, was sie leisteten, unvergänglich sein würde. Große Worte, das stimmt. Walt war in vielerlei Hinsicht ein sehr gütiger Mensch."[9]

„Der Effekt, den seine ungeheuren Fähigkeiten von Intuition und Instinkt auf einen hatten, ist schwer zu beschreiben", fügt Grant rückblickend hinzu. „Die gesamte Situation mit Walt erscheint jetzt wie ein Traum. Ich weiß nicht, ob wir ihn zu einem Übermenschen stilisieren, aber die meisten, die diese Erfahrungen mit ihm gemacht haben, vermissen ihn schrecklich."[10]

Beginnend mit dem Jahr 1932, führte die sprunghaft steigende Popularität von Micky Maus (orig. Mickey Mouse) zu einer Vielzahl von Lizenzprodukten, durch die Einnahmen in eindrucksvoller Höhe erzielt wurden. 1934 berichtete das Magazin *Fortune,* dass Disneys jährlicher Gewinn aus Filmen und Waren 600.000 Dollar überstieg – eine atemberaubende Summe auf dem Tiefpunkt der Großen Depression.

Disney pumpte das Geld zurück in sein Studio. Ein großer Teil wurde verwendet, um ein ehrgeiziges Trainings- und Ausbildungsprogramm zu finanzieren, das die Kunst der Animation transformierte. Walt erkannte, dass für eine bessere Animation Zeichenkunst auf einem höheren Niveau erforderlich sein würde. Einige seiner Künstler hatten eine umfassende Ausbildung genossen: Grim Natwick und Bill Tytla hatten in Europa studiert, aber sie waren Ausnahmen. Fred Moore und Hamilton Luske, zwei der bedeutendsten Animatoren des Studios, hatten nur wenig an formeller Ausbildung erhalten.

Art Babbitt, der die Böse Königin (orig. Wicked Queen) in *Snow White and the Seven Dwarfs (Schneewittchen und die sieben Zwerge)* animiert hatte, erinnert sich: „Ende Juli 1932 begann ich damit, informelle Aktzeichnungssitzungen mit

3.03

vielleicht 25 der Animatoren und Hintergrundmalern in meinem Haus zu veranstalten. Zwei Monate später rief Walt mich in sein Büro und sagte: ‚Ich gehe davon aus, dass du Kunstunterricht bei dir zu Hause veranstaltest. Es würde nicht gut aussehen, wenn eine Geschichte in den Zeitungen landete, dass eine Menge Disney-Zeichner bei einem der Animatoren zu Hause nackte Frauen zeichnet.' Aber er ging wirklich gut damit um: Er verlegte die Sitzungen ins Studio und bezahlte für das Modell, das Material und die Bänke."[11]

Im ersten Monat führte Babbitt die Sitzungen „als Beobachter"[12] durch. Der Animator und Story Artist Hardie Gramatky schlug vor, Don Graham hinzuzuziehen, einen Ausbilder am renommierten Chouinard Art Institute.

Innerhalb von zwei Jahren unterrichtete Graham im Studio vier Tage und fünf Abende in der Woche, unterstützt von einer Gruppe talentierter Kunstlehrer, zu denen Phil Dike, Eugene Fleury, Palmer Schoppe, Jean Charlot und Rico Lebrun gehörten. Zusätzlich zum Aktzeichnen gab es Unterricht in Handlungsanalyse, Tieranatomie und darüber hinaus in den Grundlagen der Schauspielkunst.

„Don Graham brachte uns Dinge bei, die sehr bedeutsam für die Animation waren", sagt Babbitt nachdrücklich. „Wie wir unsere Zeichnungen vereinfachen konnten – wie man all die unnötigen Kritzeleien weglässt, die bei Amateuren so oft vorkommen. Er zeigte uns, wie man eine Zeichnung solide aussehen lässt. Er brachte uns etwas über Spannungspunkte bei, wie ein gebeugtes Knie und wie ein Hosenbein über dieses Knie hinuntergleitet und wie wichtig die Falten dabei sind, um die Form zu beschreiben. Ich habe verdammt viel von ihm gelernt."[13]

3.04

3.05

Graham schrieb später:

„Meine Ausbildung als Zeichenlehrer begann so richtig, als ich versuchte, einige der Zeichenprobleme zu lösen, die diesem relativ neuen Medium der Animation innewohnen. Ich erkannte rasch, dass all die normalen Bezugspunkte, die Form, Proportionen und Struktur betreffend, nicht besonders hilfreich waren … Micky Maus war kein Junge und auch keine Maus. Und noch schlimmer: Die Figuren bewegten sich auf der Leinwand. Der Bezug auf die posierende menschliche Figur war unzureichend. Die Konventionen über die Komposition unbewegter Bilder wichen ab von dem sich ständig bewegenden Bild auf der Leinwand. So war die Herausforderung offenkundig. Das hier waren gezeichnete Figuren, und ihre Aktionen auf der Leinwand mussten notwendigerweise geordnet werden … Das war eine neue Art des Zeichnens, die in der Geschichte der Kunst einzigartig war … Neue Wege des Sehens und Denkens und Studierens mussten entworfen werden. Die Verwendung von Realfilmbildern wurde zum integralen Bestandteil bei der Handlungsanalyse. Dramatik wurde ein Faktor von zunehmender Bedeutung, der berücksichtigt werden musste. Geste und Ausdruck erhielten eine überragende Bedeutung."[14]

Eine beeindruckende Reihe von Berühmtheiten, Künstlern und Intellektuellen kam zum Hyperion-

3.04 ***Storykonferenz zu* The Grasshopper and the Ants (Die Heuschrecke und die Ameisen, *1934*)*: (gegen den Uhrzeigersinn) Walt Disney, Webb Smith, Harry Reeves, Ted Osborne, Bill Cottrell, Ted Sears, unbekannt, Albert Hurter, Pinto Colvig***
3.05 ***Ein Model-Sheet der einfachen Figuren in der ersten Version von* The Ugly Duckling *(1931)***

Studio, um zu sehen, wie und wo die Micky-Maus-Filme produziert wurden, darunter H. G. Wells, Frank Lloyd Wright, F. Scott Fitzgerald, John Ford, Cole Porter, Charlie Chaplin und Eleanor Roosevelt. Einige hielten Vorlesungen, viele schauten sich nur um. Zunächst scheuten einige Künstler vor der akademischeren Herangehensweise an ihr Handwerk zurück: Ein verärgerter Animator hängte eine Zeichnung von Micky Maus mit einem anatomisch korrekten menschlichen Becken auf. Das Forschen und Lernen stellte sich jedoch als unwiderstehlich heraus. Viele Künstler trugen sich jeden Abend nach der Arbeit für die Kurse ein. Ihr Enthusiasmus für das Programm fand sich auch in ihrer Arbeit wieder.

Ub Iwerks war einer der talentiertesten Animatoren der Ära der Gummischlauchanimation: Die frühesten Micky-Maus-Filme strahlen eine unwiderstehliche Energie und ausgelassene Fröhlichkeit aus. Aber diese lockere Animation konnte nur eine beschränkte Bandbreite an Emotionen übermitteln. Als Micky in *Plane Crazy* (*Wie lernt man fliegen?*, 1928) eine Träne über sein ruiniertes Flugzeug verdrückt, empfindet der Zuschauer wenig echtes Mitgefühl. Nachdem Iwerks das Studio 1930 verlassen hatte, übernahm eine Gruppe junger Künstler die Führung, während Disney seine Mitarbeiter dazu drängte, glaubwürdigere, subtilere und ausdrucksstärkere Animation zu kreieren.

Norm „Fergy" Ferguson, ein Liebhaber von Vaudeville, benutzte, ebenso wie die wegbereitenden Animatoren Winsor McCay und Otto Messmer, den Bühnenkünstlertrick, Augenkontakt mit dem Publikum herzustellen, um einen Gedanken oder eine Reaktion zu übermitteln.

Ferguson trieb Ausdruck, Antizipation und Körpersprache in der klassischen „Fliegenfängersequenz" in *Playful Pluto* (1934) voran. Als Pluto auf einen der klebrigen Streifen tritt, hält er inne

3.06

und untersucht seine Pfote sorgfältig. Seine Frustration nimmt zu, während er mit dem Fliegenfänger kämpft, der an seinen Pfoten, seiner Nase und seinem Rumpf festklebt. Die Sequenz ist augenfällig als eines der frühesten Beispiele einer animierten Figur, die nachzudenken scheint.

Ward Kimball, einer der Nine Old Men, erzählt: „Als ich 1934 zum Studio kam, galt Norm als bester Animator dort. Er war nicht unbedingt ein großartiger Künstler, aber er hatte einen wunderbaren Sinn für Timing und Schauspielerei. Seine Zeichnungen bestanden nur aus wenigen schnellen Linien, wie in einigen der Skizzen Picassos, aber die beschrieben die Handlungen: Alles war da."[15]

3.07

Hamilton „Ham" Luske animierte den düsengetriebenen Max Hare in dem oscarprämierten *The Tortoise and the Hare* (*Die Schildkröte und der Hase*, 1935) und die verführerische Jenny Wren in *Who Killed Cock Robin?* (*Wer schoss auf Robin?*, 1935). Aber die anderen Animatoren lobten Luskes Fähigkeit, zu beobachten und zu analysieren, die ihn zu einem effektiven Lehrer machte. Nichts entging seiner Aufmerksamkeit. Von der Art und Weise, wie jemandes Krawatte im Wind wehte, bis zum Schwung seines Partners beim Golf.

In einem Gespräch aus dem Jahr 1938 sagte Luske: „Unsere Schauspieler sind Zeichnungen. Wir können nicht anhand der Inspiration des Augenblicks arbeiten wie ein Schauspieler, sondern müssen stattdessen unsere Charakterisierungen durch eine Kombination aus Kunst, Technik und Mechanik präsentieren, die zu erstellen, vom Konzept bis zum fertigen Produkt, Monate dauert. Und wir müssen dafür sorgen, dass das Publikum vergisst, dass es sich um Zeichnungen handelt. Wir können nicht riskieren, eine Sequenz oder gute Charakterisierung durch irgendeinen mechanischen Mangel oder ein Flimmern zu ruinieren, die dann dem Publikum ins Bewusstsein rufen, dass wir uns hier mit Zeichnungen und nicht mit echten Lebewesen beschäftigen."[16]

Im Jahre 1930 erschien der 19-jährige Fred Moore mit einem improvisierten, auf alte Kartons aus Verpackungen für Oberhemden gezeichneten Portfolio im Disney-Studio. Er wurde auf der Stelle engagiert. Obwohl er fast keine formale Ausbildung genossen hatte, wurde Moore schnell zu einem der einflussreichsten Künstler des Studios.

„Er entfernte sich von der althergebrachten Zeichenschule und fügte mehr Quetschen und Strecken zu seinen Zeichnungen hinzu als die anderen", erklärt Ollie Johnston, ein weiterer der Nine Old Men. „Aber sein größter Beitrag waren die ungeheure Attraktivität und der Charme, die er seinen Figuren mitgab. Unter seinem Einfluss veränderte sich der Stil der Disney-Zeichnungen deutlich zum Besseren."[17]

Art Babbitt war als Animator in Paul Terrys Studio in New York beschäftigt, bevor er zu Walt Disney kam. Er arbeitete größtenteils an den abendfüllenden Filmen, animierte aber auch bei vielen der Silly Symphonies, darunter *Three Little Pigs* (*Die drei kleinen Schweinchen*, 1933) und *The Wise Little Hen* (*Die kluge kleine Henne*, 1934), dem Film, in

3.06 *Pete sieht in diesem Model-Sheet für* Two-Gun Mickey (Micky im wilden Westen, 1934) *solider aus als in* Steamboat Willie *(1928).*
3.07 *Micky versucht in dieser Animationszeichnung aus* Plane Crazy *(1928), Minni zu verängstigen, damit sie ihm einen Kuss gibt.*

3.08

Fackel in den Himmel wirft, und Dumbo, der seine eingesperrte Mutter besucht. Graham stellte fest, dass Tytla in seiner Szene mit den Zwergen, in der sie Brummbär (orig. Grumpy) baden, Kraft und Masse auf einzigartige Weise animierte, während er die Persönlichkeiten der Figuren unangetastet ließ. Der Historiker John Canemaker nannte Tytla „den Michelangelo der Animation".

Diese Künstler halfen, die nächste Gruppe von Animatoren auszubilden, die Walt später die „Nine Old Men" nannte: Les Clark, Marc Davis, Ollie Johnston, Milt Kahl, Ward Kimball, Eric Larson, John Lounsbery, Wolfgang „Woolie" Reitherman und Frank Thomas.

Künstler ohne jede Erfahrung fingen im Studio als Phasenzeichner an, um die Zeichnungen für die Animatoren zu ergänzen. Sie arbeiteten in einem übervollen, unbequemen Raum, der als „Arrestzelle" bezeichnet wurde. Die Neulinge zeichneten Donald Duck wieder und wieder, ein eintöniger Auftrag, der durch die Anwesenheit des Aufsehers, den jeder verabscheut zu haben schien, noch verschlimmert wurde.

Tyrus Wong, der künftige Hintergrunddesigner von *Bambi (Bambi)*, klagte, dass nach einem Tag Entenzeichnen „sich meine Augen anfühlten wie Tennisbälle"[20]. Bill Peet, der später einer der Top Story Men des Studios wurde, erinnert sich: „Ich hatte keinerlei Ambitionen im Hinblick auf Story Work. Was mich reizte, war die Abteilung Hintergründe. Ich hätte dort ein Maler sein können. Die Frage war: Wie könnte ich nur diesen schrecklichen Enten-Phasenzeichnungen entkommen? Ich war sehr unglücklich."[21]

dem Donald Duck eingeführt wurde. Er half auch dabei, Goofy als Charakter zu entwickeln.

In seiner „Analysis of the Goof" (wie die Animatoren die Figur nannten) schrieb Babbitt: „Stell dir den Goof als Kombination aus einem ewigen Optimisten, einem leichtgläubigen guten Samariter und einem Trottel, einem unbeholfenen, gutmütigen Hinterwäldler vor ... Dennoch ist der Goof nicht von der Sorte Trottel, die einem leidtun muss. Er schlabbert nicht, er sabbert nicht und er kreischt auch nicht herum ... Er redet mit sich selbst, denn für ihn ist es einfacher zu wissen, was er denkt, wenn er es zuerst hört."[18]

Babbitts größter Beitrag zum Disney-Studio war nach seinem eigenen Dafürhalten, Bill Tytla 1934 zu Disney zu bringen. „Ich denke, das war der größte Beitrag, den überhaupt jemand im Disney-Studio geleistet hat."[19] Vladimir William „Bill" Tytla begann seine Laufbahn als Animator 1921 in New York. Als er zu Disney kam, galt er als einer der Topanimatoren der Stadt.

Er animierte den munteren Gingerbread Boy in *The Cookie Carnival* (*Die Faschingskönigin*, 1935) und den Riesen Willie the Giant in *The Brave Little Tailor* (*Tapferes kleines Schneiderlein*, 1938). Als ungewöhnlich vielseitiger Künstler konnte Tytla mit derselben Leichtigkeit Chernabog zeichnen, wie er in „Night on Bald Mountain" („Eine Nacht auf dem kahlen Berge") aus *Fantasia (Fantasia)* eine

3.08 *Micky und Minni tragen in diesem Cel-Setup aus* Puppy Love (*Zweimal Liebe, 1933*) *ein Duett vor.*
3.09 *Micky und seine Schaufel mit Dampfbetrieb bei der Arbeit in* Building a Building (*Micky, der Bauarbeiter, 1933*)

Phasenzeichner fingen bei nicht mehr als etwa 17 Dollar pro Woche an, in den frühen 1930er-Jahren war das ein Lohn, der die Lebenshaltungskosten deckte. Spitzenanimatoren wie Moore und Ferguson hatten stattliche Gehälter. Die meisten Studios verlangten von den Animatoren, dass sie etwa 30 Fuß (20 Sekunden Leinwandzeit) pro Woche produzierten. Bei Disney waren die Mengenanforderungen geringer, und Walt bezahlte Boni für außergewöhnliche Animation. Babbitt erhielt 1500 Dollar für seine Bearbeitung der Titelfigur in *The Country Cousin* (*Der Cousin vom Lande*, 1936).

Zusätzlich zu Training und Boni verbesserte Disney die Arbeit der Animatoren mittels der Einführung des sogenannten Pencil Test. Die Rohzeichnungen der Animatoren wurden auf Schwarz-Weiß-Filmmaterial gedreht, vorgeführt und studiert. Es wurden Korrekturen oder Änderungen gezeichnet, gefilmt, in die Tests hineingeschnitten und wieder studiert.

„Man machte aus der Aktion eine Endlosschleife und spielte sie immer wieder ab und studierte sie", erläutert Huemer. „Dann sah man Fehler, die andere Leute nicht sehen konnten, denn sie hatten etwas animiert und auf die Leinwand gebracht und kamen dann nicht mehr weiter damit. Aber wir konnten alle Fehler herausholen oder etwas ändern."[22]

Grim Natwick, der die Titelfigur in *Snow White and the Seven Dwarfs* animierte, erzählt rückblickend: „Disney hatte eine Regel: Was immer wir machten, musste besser sein, als irgendjemand sonst das gekonnt hätte. Selbst wenn man es neunmal animieren musste, so wie ich einmal."[23]

Das Hyperion-Studio war ein ausgelassener Ort. Die Kurse und die Abgabetermine für die Produktionen bedeuteten, dass die jungen Künstler unter

3.09

3.10

ständigem Druck standen, den sie mit Karikaturen, Streichen und Schabernack abbauten.

„Es war riskant, dein Zimmer zu verlassen, und es war riskant, wieder zurück ins Zimmer zu gehen, nachdem man hinausgegangen war", erinnert sich Marc Davis, einer der Nine Old Men, später. „Da konnte ein Pappbecher mit Wasser oben auf einer teilweise geöffneten Tür stehen – oder Schlimmeres. Wir waren alle jung und unter Spannung, und wir durchbrachen die Spannung mit Gags. Wir waren damit beschäftigt, Comedy zu produzieren, und fortwährend passierte etwas Lustiges."[24]

Die Disney-Filme aus jener Zeit reflektieren das Wissen und die Fähigkeiten, die durch das Trainingsprogramm erzielt wurden, die Persönlichkeiten der Animatoren, den Korpsgeist des Studios und sogar die gespielten Streiche. Die Silly Symphonies strahlen die Energie und den Enthusiasmus ihrer jugendlichen Schöpfer aus, die ein grenzenloses Medium erforschten und sich an ihren zunehmenden Fähigkeiten erfreuten.

The Ugly Duckling (*Das hässliche Entlein*, 1931) war einer der ersten Versuche des Studios, echtes Mitgefühl für eine animierte Figur zu erwecken. Aber das Entlein ist ein unattraktives und wenig ausdrucksstarkes kleines Wesen. Das Remake von *The Ugly Duckling* aus dem Jahr 1939 ist ein Meis-

3.10 ***Cel-Setup aus* The Band Concert *(Micky spielt auf, 1935), dem ersten im Kino gezeigten Micky-Maus-Kurzfilm in Farbe, einem der besten Zeichentrickfilme des Studios***

3.11 ***Obwohl die Micky-Maus-Serie erst 1935 in Farbe in die Kinos kam, feierte der Star der Reihe seinen ersten Technicolor-Auftritt bereits im Kurzfilm* Parade of the Award Nominees *aus dem Jahr 1932, der für die Oscar-Verleihung jenes Jahres produziert worden war (Cel-Setup).***

terwerk der Pantomime, von dem argwöhnischen Blick des Entenvaters, als seine Frau den Schwan ausbrütet, bis hin zu ihrer ungehaltenen Reaktion auf den Kummer des kleinen Wesens.

Persephone in *The Goddess of Spring* (*Die Frühlingsfee*, 1934) hat Gliedmaßen ohne Knochen und keine Vorstellung von Gewicht. Ein Jahr später zeigt das Cookie Girl in *The Cookie Carnival* ansprechende Mädchenhaftigkeit, obgleich ihre Gesten immer noch ziemlich unbeholfen sind. Zwei Jahre nach *The Cookie Carnival* wurde Schneewittchen (orig. Snow White) zur ersten glaubhaften Heldin mit einem individuellen Bewegungsstil, der ihre Persönlichkeit, ihre Weiblichkeit und menschliche Anatomie reflektierte.

Wenn ein Disney-Film herauskam, schauten sich ihn die Künstler der anderen Studios immer wieder an und versuchten, aus ihm zu lernen. Der Story Man Leo Salkin berichtet, dass in der Zeit, als er im Walter-Lantz-Studio arbeitete, „*The Tortoise and the Hare* herauskam und das ganze Studio darüber diskutierte, wie der Geschwindigkeitseffekt erzielt worden sei. Das sieht jetzt ganz und gar nicht mehr schnell aus, aber damals gehörte es zum Revolutionärsten, das einem auf dem Gebiet der Animation begegnet war. Man schaute sich den Disney-Zeichentrick an, und jeder hatte den Ehrgeiz, dort zu arbeiten."[25]

Three Little Pigs (1933) stellt einen Wendepunkt in der Geschichte der Animation dar. Zum ersten Mal zeigten Figuren, die einander ähnlich sahen, ihre individuellen Persönlichkeitsmerkmale durch die Art und Weise, wie sie sich bewegten. Nur sein Bewegungsstil unterscheidet das disziplinierte Schweinchen Schlau (orig. Practical Pig) von seinen leichtsinnigen Brüdern Pfeifer (orig. Fifer) und Fiedler (orig. Fiddler).

„Ich bin mir nicht sicher, ob ich *Three Little Pigs* sofort angeschaut habe", bemerkt der mit dem Oscar ausgezeichnete Warner-Bros.-Regisseur Chuck Jones. „Aber als ich den Film dann sah, erkannte ich, dass sich da etwas abspielte, was es zuvor noch nicht gegeben hatte. In den 1920er-Jahren war alles, was man in der Animation brauchte, Action und eine gute Figur, die nur hübsch aussehen musste. *Three Little Pigs* änderte das, indem der Film bewies, dass es nicht darum ging, wie eine Figur aussah, sondern dass die Art und Weise, wie sie sich bewegte, ihre Persönlichkeit bestimmte. Alles, womit wir Animatoren uns nach *Three Little Pigs* beschäftigten, war Schauspielen."[26]

Three Little Pigs war Berichten zufolge der erste Zeichentrickfilm, der ein vollständiges Storyboard hatte. Entworfen vom Story Man Webb Smith, bestand das Storyboard aus kleinen Zeichnungen und Bildtexten, die an Pinnwände geheftet waren. Szenarien wie aus Comicbüchern waren bereits für frühere Filme entworfen worden, darunter *Plane Crazy* und *Steamboat Willie (Ein Schiff streicht durch die Wellen)*. Das Befestigen der Zeichnungen an der Pinnwand versetzte die Künstler in die Lage, Skizzen hinzuzufügen, zu entfernen oder zu verändern, um sicherzustellen, dass jede Szene in dem Film in einer effektvollen Beziehung zu den anderen stand.

Stummfilme und frühe Tonfilme im Zeichentrick bestanden häufig aus willkürlich verbundenen Gags mit wenig Handlung oder Struktur. Das Storyboard erlaubte einem Regisseur, einen Cartoon zu editieren, bevor die Animation begann. Die

3.11

Story Men „warfen" dann die Boards zu Walt, dem Regisseur und anderen Künstlern herüber. Das Pacing, die Gags, der visuelle Rhythmus und die Erzählung wurden so lange überarbeitet und verfeinert, bis Walt glaubte, der Film sei reif für die Produktion. Allen Berichten zufolge war Walt ein fesselnder Geschichtenerzähler, der sich in die Charaktere zu verwandeln schien, wenn er die Handlung eines Films wiedergab. Als sein Neffe Roy Edward Windpocken hatte, verbrachte Walt fast eine Stunde an seinem Bett und erzählte ihm die Geschichte von *Pinocchio*, der gerade in die Produktion gegangen war. Als er den fertigen Film sah, befand Roy: „Das war lange nicht so gut wie da, als Walt es erzählte. Ich habe den Film vor Kurzem gesehen und erkenne, was für eine herausragende Arbeit er ist. Aber da ist immer noch dieser merkwürdige kleine Beigeschmack von Walts Vortrag und der Ahnung, dass es so viel besser hätte werden können."[27]

Grant erklärte: „Man musste mit ihm gelebt haben, um die Präsenz dieses Mannes zu verstehen. Sie war überwältigend und hatte etwas regelrecht Mystisches. Welche Idee man auch entwickeln mochte, er konnte sie übertreffen. Was natürlich ein großer Anreiz für uns war zu versuchen, ihn zu übertrumpfen – und manchmal gelang es uns. Er war sehr empfänglich dafür. Wenn etwas besser war als seine Idee, war er bereit, sie zu übernehmen."[28]

Während der Nächte und Wochenenden streifte Walt im Studio umher und untersuchte Walt die Storyboards in den Räumen der Künstler. Dieses Wissen machte es schwierig, ihm die Boards vorzustellen. Walt war dafür berüchtigt, sich eine Zeichnung am unteren Rand einer Tafel anzuschauen, während der Story Man verzweifelt versuchte, seine Aufmerksamkeit auf das obere Ende zu lenken. Einige Künstler verglichen es mit einem Schauprozess, wenn sie Walt ein Board vorführten:

3.12

Er hatte das Urteil schon gefällt, bevor der Prozess anfing. Grant fuhr fort: „Wir saßen da in Erwartung seiner Ankunft für eine Storykonferenz. Jede Kleinigkeit, die gesagt wurde, provozierte ein Lachen, ähnlich einem kleinen hysterischen Anfall. Aber als er in den Raum kam, ebbte alles ab: Seine Präsenz war überwältigend. Jeder verharrte in gespannter Aufmerksamkeit."[29]

„Unter all den Menschen, unter und mit denen ich seither gearbeitet habe, war selten jemand, der direkt auf das, was auf den Boards zu sehen war, reagiert hat, so wie Walt das tat", fügt Salkin hinzu. „Ich erinnere mich daran, wie Homer Brightman, der in seinen späteren Jahren das war, was man einen „großen Präsentator" nennt, gerade an einem Film namens *Officer Duck* arbeitete. Im Raum waren etwa 20 Personen zu einer Storykonferenz versammelt, unter ihnen auch Walt. Der Film enthielt eine Menge robusten Slapstick. Homer stellte alles vor, und der Raum war ziemlich außer sich. Als Homer fertig war, wandte sich Walt der Sekretärin zu und sagte: ‚Mary, hast du über Homer oder über die Geschichte gelacht?' Sie antwortete: ‚Über Homer', und Walt begann mit seiner Kritik. Er war sich des Unterschieds zwischen dem, was ausgespielt, und dem, was auf den Boards war – und im Film zu sehen sein würde –, sehr wohl bewusst."[30]

Brightman erinnert sich an eine andere Storykonferenz, als Disney einen Vorschlag aufnahm, den er für Donald gemacht hatte, und loslegte: „(Walt) war in der Lage, die ganze Story selbst zu machen. Er brauchte keinerlei Hilfe, nur ein paar Zigarrenladenindianer, an denen er seine Sachen ausprobieren konnte … Walt fuhr eilig fort, mit ausdruckslosem Blick, so, als ob er das animierte Bild vor seinen Augen sehen und einfach nur beschreiben würde, was er sah."[31]

Disney hatte wenig übrig für simple Gags. Er bestand darauf, dass Humor aus den Persönlichkeiten der Charaktere und den Situationen herauskommen müsse. Die Charaktere schienen für ihn lebendig zu sein. Gelegentlich merkte er an: „Micky würde nicht so denken."[32]

Salkin weiter: „Walt sagte nie: ‚Das Publikum würde das tun.' Er äußerte sein Bauchgefühl zu dem Material. Was ihn so verdammt effektiv machte, war, dass er die Charaktere und Situationen als lebendig betrachtete. Alles wurzelte in seiner Rolle als Geschichtenerzähler. Was er tat, war nicht Schauspielerei in dem Sinne, dass jemand eine Vorstellung gibt. Er schaute sich einen Pencil Test an, und in seinem Bemühen zu beschreiben, was die Figur dachte oder fühlte, sagte er: ‚Nein, nein, *so* soll es sein', und es folgte eine Meinung oder eine Reaktion."[33]

„Walt war ein außerordentlicher Schauspieler", pflichtet Davis bei. „Nachdem er etwas gezeigt hatte, fragte man sich, ob man jemals in der Lage sein würde, das in der eigenen Animation ebenso gut hinzubekommen."[34]

Walts denkwürdigster Auftritt fand im Jahre 1934 statt. Er und Roy gaben jedem der wichtigsten Künstler 50 Cent und sagten ihnen, sie sollten zu Abend essen und zurück zur Tonbühne kommen. Walt ließ alle Lichter abdunkeln und spielte die Geschichte von *Snow White and the Seven Dwarfs* vor, die, wie er bekannt gab, sein erster abendfüllender Spielfilm sein würde. Huemer erinnert sich: „(Er erzählte uns), wie sie den vergifteten Apfel aß und wie sie dort liegt und die ganzen Tiere durchs Fenster schauen, und ihnen kullern die Tränen hinunter … Walt war so ein fantastischer Schauspieler, dass sich mir die Kehle zuschnürte und meine Augen feucht wurden – die Art und Weise, wie er erzählte, war wunderbar."[35]

The Story Artists bemühten sich darum, Walt zu gefallen, was häufig bedeutete, seine Reaktion vorherzusehen. Salkin stellte trocken fest: „Der Standardsatz von irgendjemandem über dich war: ‚Oh Gott, Walt hasst dieses Zeug' oder ‚Du weißt, was Walt mag'. Die Leute versuchten immer, das zu machen, von dem sie dachten, dass Walt es gutheißen würde: Manchmal funktionierte das, aber ebenso oft auch nicht."[36]

Disneys Kritik konnte vernichtend sein. Das Schlimmste, was man während einer Präsentation

3.12 *Clarabelle Cow (dt. Klarabella Kuh) gibt eine informelle Gesangsvorstellung in einem Cel-Setup aus* Mickey's Fire Brigade *(*Tara Tara, die Feuerwehr ist da*, 1935).*

hören konnte, war das Tippen seiner Finger auf der Armlehne seines Stuhls. Grant kommentiert das so: „Während er das Storyboard prüfte, war da ein leichtes Stirnrunzeln, dann tippten die Finger. Ihr Trommeln beunruhigte jeden. Du wusstest, da war Ärger im Anmarsch."[37]

Grant erinnert sich, wie Story Man Harry Reeves ein Board vorstellte. Walt antwortete: „Ich weiß nicht, Harry, ich kapiere das nicht." Und Grant fährt fort: „Walt verließ den Raum und schloss die Tür. Harry schaute uns an und trat ein Loch in das Board. In diesem Moment kam Walt zurück in den Raum, und da stand Harry, der mit dem Fuß das Board durchstoßen hatte. Walt lachte und sagte etwas im Sinne von ‚Gut so, Harry'."[38]

Produzenten anderer Zeichentrickstudios stellten Spekulationen über ein verborgenes Genie an, das für den Erfolg der Disney-Filme verantwortlich sei – jemand, den sie abwerben könnten und der dann Disneys Erfolg wiederholen könnte. Kimball erklärt das so: „Walt war das Geheimnis. Er sprang um die gesamte Produktion herum, um jede einzelne Zeichnung. Die Menschen begreifen nicht die Bedeutung, die er hatte. Das ging bis hin zu der Frage: Sollte eine Figur nach links oder nach rechts schauen, und sollte sie mit den Augen rollen? Walt war der Schlussredakteur jeder verdammten einzelnen Szene."[39]

Wie Arthurs Camelot existierte das Hyperion-Studio nur für einen kurzen Zeitraum. Als die Künstler in das schöne neue Studio umzogen, das Walt mit dem Profit aus *Snow White* in Burbank gebaut hatte, beschwerten sie sich darüber, dass die neuen Gebäude zu organisiert seien, zu sehr unterteilt, zu büroähnlich. Sie vermissten das lebhafte Chaos von Hyperion.

„Am Anfang war Disney kleiner, es war einfacher, zugänglich zu sein", erläutert Ed Catmull, der Präsident der Pixar Animation Studios und der Walt Disney Animation Studios. „Wenn man größer wird und das Studio sich ausbreitet, sind neue Leute eingeschüchtert von dem Ort oder seinem Ruf. Wenn man jung ist und gerade erst anfängt, hat man den Vorteil, keinen Ruf zu haben. Wenn man zu prozessorientiert wird, hat das Auswirkungen auf die Kultur und den Ideenfluss."[40]

Zu Beginn der Disney-Renaissance produzierten die Animatoren die Hits *Beauty and the Beast (Die Schöne und das Biest)*, *Aladdin (Aladdin)* und *The Lion King (Der König der Löwen)* in wie Lagerhallen wirkenden Studios abseits vom Hauptgrundstück des Studios. Die Künstler, die die ersten Pixar-Spielfilme machten, waren ähnlich zusammengedrängt in Gewerbegebäuden.

„Als ich mit Ollie (Johnston) und Frank (Thomas) durch das Studio ging, sagten sie: ‚Das erinnert uns an das Hyperion-Studio'", erzählt Oscar-Preisträger John Lasseter. „Das Studio beeinflusste Steve Jobs' Design für das Pixar-Gebäude. Zuerst wollte er ein separates Gebäude für jede Produktion und kleinere Gebäude für die Filme, die sich in der Entwicklung befanden. Als er die Geschichte hörte, verwarf er die ganze Idee und fing wieder neu an. Er glaubte an ungeplante Meetings, daran, Leuten über den Weg zu laufen. Steve sagte, das sei unverzichtbar für eine kreative Kultur, also entwarf er das Gebäude mit diesem Gedanken – und es war dem Hyperion-Studio sehr ähnlich."[41]

Die Künstler, die im Hyperion-Studio gearbeitet hatten, vergaßen die Erfahrung nie. Nachdem Marc Davis seine Animation von Cruella de Vil in *One Hundred and One Dalmatians (Pongo und Perdi – Abenteuer einer Hundefamilie)* abgeschlossen hatte, versetzte Disney den vielseitigen Künstler zu WED (Walter Elias Disney, später WDI: Walt Disney Imagineering, Anm. d. Übers.), wo er Attraktionen für Disneyland und die New Yorker Weltausstellung entwarf. Davis erinnert sich: „Eines Nachmittags saß Walt in meinem Zimmer und sagte: ‚Meine Güte, Marc, ich komme gern hierher – es ist wie im alten Studio', womit er sich auf das Hyperion bezog. Was er meinte, war, dass es Überraschungen gab. Jeden Tag kam etwas Neues, das noch nie zuvor gemacht worden war, wie das im Hyperion-Studio gewesen war. WED gab ihm ein klein wenig davon."[42]

3.13 ***Ein Plakat für* The Mad Doctor *(Der verrückte Arzt, 1933) spiegelt wahrscheinlich den Einfluss der deutschen expressionistischen Filme, die die Künstler studierten.***

JOSEPH M. SCHENCK
· PRESENTS ·
WALT DISNEY'S
MICKEY MOUSE
"THE MAD DOCTOR"
UNITED
ARTISTS PICTURE
THIS PAPER LEASED TO THE EXHIBITOR BY UNITED ARTISTS CORPORATION

3.13

Silly Symphonies

(1929–1939)

TANZ DER SKELETTE Regie: Walt Disney
AUF IN DEN KAMPF, TORERO Regie: Walt Disney
SPRINGTIME Regie: Walt Disney
HÖLLENZAUBER Regie: Ub Iwerks
DIE NÄRRISCHEN ZWERGE Regie: Walt Disney
SUMMER Regie: Ub Iwerks
HERBST Regie: Ub Iwerks
KANNIBALEN Regie: Burt Gillett
NIGHT Regie: Walt Disney
FROLICKING FISH Regie: Burt Gillett
ARCTIC ANTICS Regie: Ub Iwerks
MIDNIGHT IN A TOY SHOP Regie: Wilfred Jackson
MONKEY MELODIES Regie: Burt Gillett
WINTER Regie: Burt Gillett
WALDBRAND Regie: Burt Gillett
LUFTANGRIFF / GLEICH UND GLEICH GESELLT SICH GERN Regie: Burt Gillett
MELODIEN VON MUTTER GANS Regie: Burt Gillett
DER CHINESISCHE TELLER Regie: Wilfred Jackson
DIE FLEISSIGEN BIEBER Regie: Burt Gillett
THE CAT'S OUT Regie: Wilfred Jackson
ÄGYPTISCHE MELODIEN Regie: Wilfred Jackson
THE CLOCK STORE Regie: Wilfred Jackson
THE FOX HUNT Regie: Wilfred Jackson
DIE SPINNE UND DIE FLIEGE Regie: Wilfred Jackson
DAS HÄSSLICHE ENTLEIN Regie: Wilfred Jackson
THE BIRD STORE Regie: Wilfred Jackson
THE BEARS AND BEES Regie: Wilfred Jackson
VON BLUMEN UND BÄUMEN Regie: Burt Gillett
HUNDE Regie: Burt Gillett
KÖNIG NEPTUN Regie: Burt Gillett
BUGS IN LOVE Regie: Burt Gillett
ABENTEUER IM ZAUBERLAND Regie: Burt Gillett
DIE WERKSTATT VOM WEIHNACHTSMANN Regie: Wilfred Jackson
DER LENZ IST DA Regie: David Hand
DIE ARCHE NOAH Regie: Wilfred Jackson
DIE DREI KLEINEN SCHWEINCHEN Regie: Burt Gillett
DER MÄRCHENKÖNIG Regie: David Hand
LULLABY LAND Regie: Wilfred Jackson
DER RATTENFÄNGER VON HAMELN Regie: Wilfred Jackson
DER WEIHNACHTSMANN KOMMT Regie: Wilfred Jackson
THE CHINA SHOP Regie: Wilfred Jackson
DIE HEUSCHRECKE UND DIE AMEISEN Regie: Wilfred Jackson
IM TAL DER OSTERHASEN Regie: Wilfred Jackson
DER GROSSE BÖSE WOLF Regie: Burt Gillett
DIE KLUGE KLEINE HENNE Regie: Wilfred Jackson
DIE FLIEGENDE MAUS Regie: David Hand
DER VERLIEBTE PINGUIN Regie: Wilfred Jackson
DIE FRÜHLINGSFEE / DER RAUB DER FRÜHLINGSGÖTTIN Regie: Wilfred Jackson
DIE SCHILDKRÖTE UND DER HASE Regie: Wilfred Jackson
DIE GLÜCKLICHE HAND Regie: Walt Disney
DER KLEINE RÄUBER Regie: David Hand
WASSERBABYS Regie: Wilfred Jackson
DIE FASCHINGSKÖNIGIN / DIE KUCHENKÖNIGIN Regie: Ben Sharpsteen
WER SCHOSS AUF ROBIN? Regie: David Hand
MUSIK-LAND Regie: Wilfred Jackson
DREI KLEINE KÄTZCHEN / DIE DREI KLEINEN WAISENKÄTZCHEN Regie: David Hand
HAHNENKAMPF / DER EINGEBILDETE HAHN Regie: Ben Sharpsteen
ZERBROCHENE SPIELZEUGE Regie: Ben Sharpsteen
ELMER, DER ELEFANT / ELMER ELEFANT Regie: Wilfred Jackson
DIE DREI KLEINEN WÖLFE Regie: David Hand
BOXKAMPF / TOBY SCHILDKRÖT SCHLÄGT SIE ALLE Regie: Wilfred Jackson
DREI BLINDE MAUSKETIERE / DIE DREI BLINDEN MAUSKETIERE Regie: David Hand
DER COUSIN VOM LANDE / VETTER VIELFRASS / DER VETTER VOM LANDE Regie: Wilfred Jackson
MUTTER PLUTO Regie: David Hand
DIE KÄTZCHENPLAGE Regie: David Hand
DAS SWINGENDE BALLHAUS Regie: Wilfred Jackson
KLEIN ADLERAUGE Regie: David Hand
DIE ALTE MÜHLE Regie: Wilfred Jackson
DIE MOTTE UND DIE FLAMME Regie: Burt Gillett
DAS ZAUBERSCHIFF Regie: Graham Heid
EINE FARM VOLLER MELODIEN Regie: Jack Cutting
MEER-BABYS Regie: Rudolf Ising, unter Aufsicht von Ben Sharpsteen, Dave Hand, Otto Englander, und Walt Disney für die Walt Disney Studios
MOTHER GOOSE GOES HOLLYWOOD Regie: Wilfred Jackson
SCHWEINCHEN SCHLAU Regie: Dick Rickard
DAS HÄSSLICHE ENTLEIN Regie: Jack Cutting

TECHNISCHE ANGABEN 1,33:1; nach 1930, 1,37:1; 5,5–10 Minuten. Die Silly Symphonies gab es bis zur Produktion von *Von Blumen und Bäumen* in Schwarz-Weiß. Nachdem man eine nicht veröffentlichte Schwarz-Weiß-Version dieses Films fertiggestellt hatte, beschloss Disney, eine zweite Version zu erstellen, dieses Mal in Technicolor. Abgesehen von *Bugs in Love* wurden alle weiteren Filme dieser Reihe in Farbe produziert.

MICKEY MOUSE
presents a NEW
WALT DISNEY
SILLY SYMPHONY
IN TECHNI COLOR
UNITED ARTISTS PICTURE

Walts Arkadien: Die Silly Symphonies

Von Daniel Kothenschulte

In der Filmgeschichte dauerte es anderthalb Jahrzehnte von den kurzen Streifen der Brüder Lumière im Jahre 1895 bis zum Erfolg des abendfüllenden Spielfilms. In Walt Disneys persönlicher Aneignung des Animationsfilms wiederholte sich diese Entwicklung. Nur 16 Jahre liegen zwischen seinen ersten, noch spärlich animierten Laugh-O-Grams und der Premiere von *Snow White and the Seven Dwarfs (Schneewittchen und die sieben Zwerge)*, dem abendfüllenden Meilenstein. Die Zeit dazwischen gilt als das Coming of Age einer Kunstform. Mehr noch als die Micky-Maus-Serie, die seinen Welterfolg begründete, gelten die 75 Kurzcartoons der Serie Silly Symphonies als Gradmesser für diese künstlerische und technische Perfektionierung. Und doch wäre es eine Untertreibung, sie lediglich als Wegmarken späterer Meisterwerke zu bewundern.

So wie wir heute rückblickend in der frühen Stummfilmgeschichte weit mehr sehen als nur die Kinderstube des Films, nämlich eine später nie wiederholbare Zeit unerschöpflicher Fantasie und Vielfalt, waren die Silly Symphonies Walt Disneys Arkadien.

Disney machte Wilfred Jackson, Burt Gillett, Dave Hand und Ben Sharpsteen zu ihren Regisseuren und warb einige der besten Animatoren Amerikas an – Norman Ferguson, Fred Moore, Dick Lundy und Albert Hurter (den er schließlich zum ersten Inspirational Artist machte). Disneys Erfolg und immer bessere Verleihverträge erlaubten es ihm, in diesen Filmen alles auszuprobieren, was man sich nur in der Animation vorstellen konnte, nicht nur in technischer Hinsicht, wo Ton, Farbe (seit *Flowers and Trees / Von Blumen und Bäumen*, 1932) und

4.02

4.03

4.01 ***Dieses Filmplakat konnte für alle Silly Symphonies eingesetzt werden und versammelte 1934 die Figuren einiger der bis dahin erfolgreichsten Folgen der Filmserie.***
4.02–03 ***In diesen Story Sketches für* Ferdinand the Bull *(1938) versucht der Torreador (eine Karikatur Walt Disneys) erfolglos, Ferdinands Kampfgeist zu wecken.***
4.04 ***Pluto, ein regelmäßiger Gast in der Micky-Maus-Serie, spielte auch in zwei Silly Symphonies die Hauptrolle. In* Just Dogs *(Hunde, 1932) zum ersten Mal.***

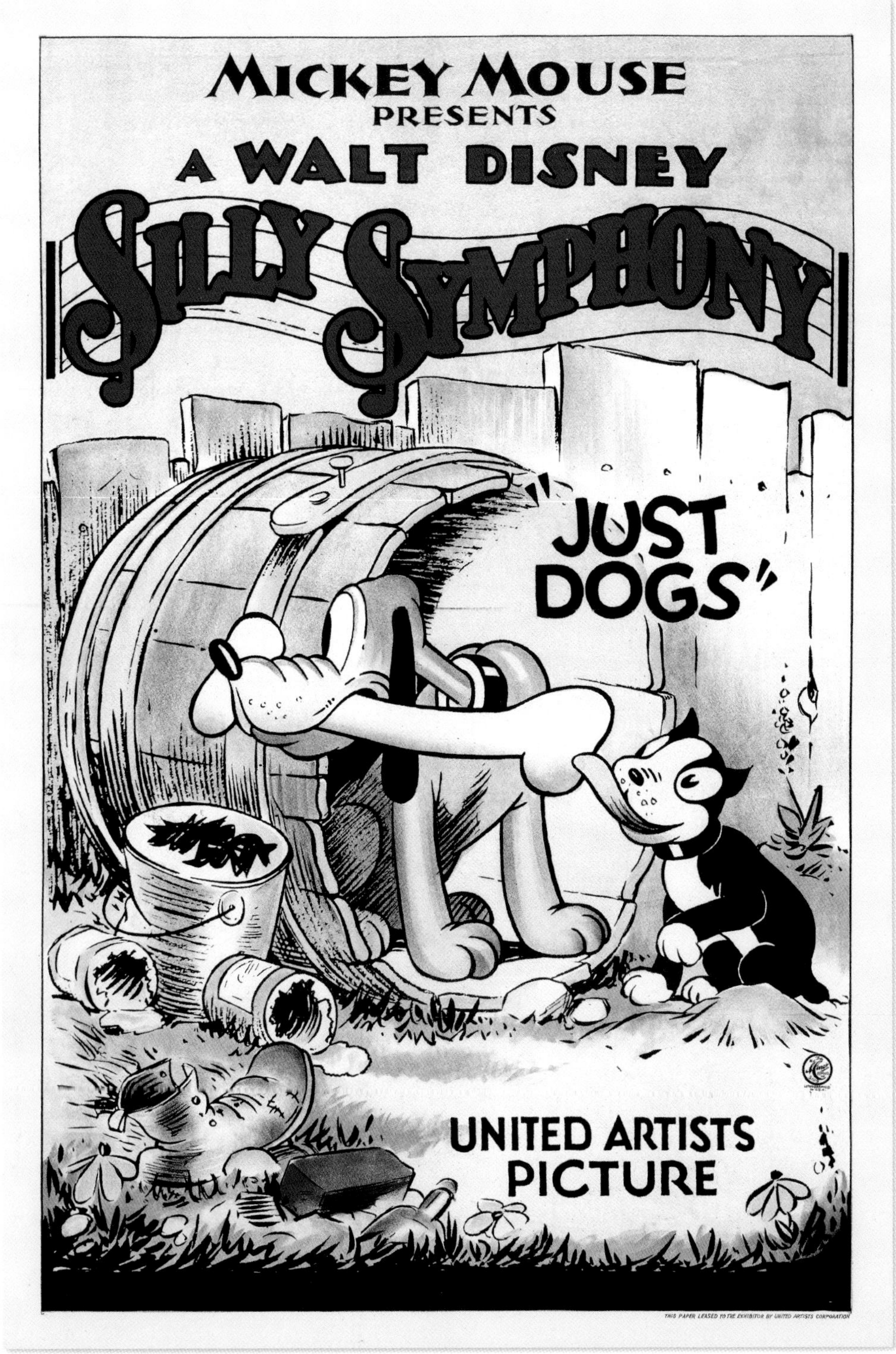
MICKEY MOUSE
PRESENTS
A WALT DISNEY
SILLY SYMPHONY
"JUST DOGS"
UNITED ARTISTS
PICTURE
THIS PAPER LEASED TO THE EXHIBITOR BY UNITED ARTISTS CORPORATION

4.05

Multiplanfotografie (seit *The Old Mill / Die alte Mühle*, 1937) Maßstäbe setzten und die Konkurrenten weit hinter sich ließen.

„*Disneys heutige Filme sind weitaus besser … Sie sind Kunstwerke. Die Silly Symphonies sind sowohl Werke der Wissenschaft als auch der Kunst.*"
Harper's Monthly, 1934

So wie in *Who Killed Cock Robin?* (*Wer schoss auf Robin?*, 1935) konnten auch ein neuer Stil und ein neues Genre ausprobiert werden: Das verblüffende Gerichtsdrama mit einer gefiederten Karikatur des Hollywoodstars Mae West, der lasziven Jenny Wren, landete im folgenden Jahr in Alfred Hitchcocks Thriller *Sabotage* (1936).

Disney nutzte die Silly Symphonies zur Verfeinerung der Erzählkunst und setzte emotionale Akzente, die man in diesem Medium kaum für möglich gehalten hätte. Nichts macht diese Fortschritte so deutlich wie ein Vergleich beider Versionen von *The Ugly Duckling (Das hässliche Entlein)*. Handelt die Schwarz-Weiß-Fassung von 1931 von der abenteuerlichen Bewährungsprobe eines Außenseiters, der erst in dem Moment die Liebe seiner Entenstiefmutter gewinnt, in dem er ihre Kinder vor einem reißenden Wasserfall rettet, so rührt die 1939er-Version im Einklang mit Andersens Vorlage mit einer Geschichte unerwiderter Liebe tief ans Herz des Zuschauers.

Doch diese Annäherungen an Hollywooddramaturgien waren nur eine Option unter vielen. Es gab auch eine anarchische Linie, die von den frühen Silly Symphonies bis zu der „Pink Elephant on Parade"-Szene in *Dumbo (Dumbo, der fliegende Elefant)* führt. Gerade diese Filme verdienen Bewunderung, weil sie die Lust am Medium feiern. Das Spiel mit dem Schrecken von *The Skeleton Dance (Tanz der Skelette)* und *Hell's Bells (Höllenzauber)*, beide von Staranimator Ub Iwerks 1929 inszeniert, verwenden elementare künstlerische Ausdrucksmittel so wirkungsvoll, dass sie das breite Publikum ebenso faszinierten wie die anspruchsvollsten Filmkritiker ihrer Zeit. Noch bevor in *The Skeleton Dance* Gerippe aufeinander Xylophon spielen, reißt ein abstraktes Helldunkelgewitter das Publikum dieses grafisch avancierten Films förmlich von den Sitzen. Nichts an der Modernität dieser Filme ist darauf angelegt, modern zu sein, so leichthändig ergeben sich die überraschenden Metamorphosen der Figuren aus den Situationen und den rhythmischen Vorgaben der Musik. Doch wenn sich in *Hell's Bells* ein Teufel an einem kantigen Höllenfelsen stößt und sich anschließend als kubistisch deformierte Figur besser gefällt, ist dies auch der Beginn eines Austauschs mit der Hochkultur, der auf Disneys spätere Ambitionen vorausblicken lässt: Als die Serie 1939 auslief, befand man sich mitten in der Produktion von *Fantasia*.

Die Ideenfülle, Musikalität, fortschreitende Erzählkunst und visuelle Pracht der „Sillies" wurden damals international bewundert und trugen Disney noch vor *Snow White and the Seven Dwarfs* den Ruhm eines Originalgenies des Films ein. Als einzige amerikanische Cartoons liefen sie auf den künstlerisch ausgerichteten Filmfestivals wie der Biennale von Venedig. Die erste farbige Silly Symphony *Flowers and Trees* (1932) veranlasste die Academy of Motion Picture Arts and Sciences zur Vergabe eigener Cartoon-Oscars. Bis 1939, als mit *The Ugly Duckling* die letzte Symphony ins Kino kam, hatte Disney diesen Preis für sich abonniert. Künstler und Intellektuelle, die Disney in den Himmel hoben, bezogen sich auf diese „verblüffenden, umwerfenden Regenbogen, welche Disneys Silly Symphonies darstellen"[1] (Salvador Dalí). Der sowjetische Filmkünstler Sergei Eisenstein feierte ausgerechnet die einzige Silly Symphony, die Disney außer Haus, im Studio von „Harman-Ising", produzieren ließ, *Merbabies (Meer-Babys)*, als „komische Befreiung aus dem Zeitschlossmechanismus des amerikanischen Lebens, eine Fünf-Minuten-Pause für die Psyche"[2].

Da Walt Disney weitgehend darauf verzichtete, bereits etablierte Cartoonstars einzusetzen, konnte innerhalb der Serie jeder Film als Einzelwerk gelten. Ihr verbindendes Merkmal war ein ästhetisches – die Interaktion zwischen akustischer und visueller Musikalität.

„Das Geheimnis von Disneys technischer Überlegenheit gegenüber anderen Leinwandcartoonisten ergibt sich aus zwei Aspekten: seinem Verständnis von den Möglichkeiten der Verzerrung in der Zeichenkunst und seinem Gefühl für Filmrhythmus."
Paul Rotha

Ähnlich wie Disney später die Inspiration zu *Fantasia* von einem Musiker übernahm, dem Dirigenten Leopold Stokowski, griff er mit den Silly

4.05 *Hintergrundgemälde des Happy Ends von* Music Land (Musik-Land, *1935)*
4.06 *In diesem Story Sketch für* Hell's Bells (Höllenzauber, *1929) erlebt ein kleiner Teufel einen „kubistischen" Moment.*

4.06

Symphonies die Anregung des Komponisten Carl Stalling auf, den er mit der Vertonung der ersten, noch stumm konzipierten Micky-Maus-Filme *Plane Crazy (Wie lernt man fliegen?)* und *Galopin' Goucho (Der galoppierende Gaucho)* beauftragt hatte. Stalling kannte Walt, seit er Mitte der 1920er-Jahre ein Kinoorchester in Kansas City geleitet und Stummfilme mit Orgelimprovisationen begleitet hatte. Damals hatte er bei dem jungen Filmemacher nach eigenen Angaben eine Reihe heute leider verschollener Songtextillustrationen zum Mitsingen in Auftrag gegeben. Nun wünschte er sich für ihre neuerliche Zusammenarbeit in Los Angeles Filme, bei denen die Animation von musikalischen Ideen ausgehen sollte.

4.08

1971 erinnert er sich im Gespräch mit Mike Barrier, Milton Gray und Bill Spicer:

„Ich schlug vor, die Wörter ‚Musik` oder ‚musikalisch` für den Titel zu vermeiden, weil das zu selbstverständlich geklungen hätte, sondern stattdessen ‚Symphony` in Verbindung mit etwas Lustigem. Bei der nächsten Gagbesprechung, ich weiß nicht, von wem der Vorschlag kam, fragte mich Walt: ‚Carl, was hältst du von Silly Symphony?` Und ich sagte: ‚Perfekt!` Dann schlug ich das erste Thema vor, ‚The Skeleton Dance`, denn seit meiner Kindheit wollte ich echte Skelette tanzen sehen und hatte immer Spaß an Skeletttanznummern im Vaudeville gehabt. Als Kinder lieben wir, glaube ich, alle diese gruseligen Bilder und Geschichten."[3]

Zunächst hatte Disney überlegt, gezeichnete Skelette über einen realen Hintergrund zu legen. Dann überließ er Iwerks die Animation für einen reinen Zeichentrickfilm, die dieser für seine Geschwindigkeit bewunderte Künstler in sechs Wochen praktisch alleine fertigstellte. Es ist Iwerks' Meisterwerk. Zum ersten Mal wird ein Disney-Film allein durch seine Stimmung definiert, die sich durch das atmosphärische Flackern und Kreisformen – später geben sie sich als rollen-

4.07

de Augen zu erkennen – bereits vermittelt hat, bevor überhaupt eine inhaltliche Ebene berührt wird. Meisterlich baut sich über die Reaktion einer verschreckten Eule oder zweier streitender Katzen das Setting für eine gleichermaßen unheimliche wie zugleich entwaffnend komische Geisterszene auf. Seine Leichtigkeit und gleichzeitige Wucht aber erhält die Szene durch ihr tänzerisches Element. Es war zu Beginn der Tonfilmzeit ungewöhnlich genug, filmische Bewegung taktgenau zur Musik zu hören. Doch Iwerks verfeinerte diese Möglichkeit zugleich, indem er synkopische Akzente setzte.

Einer anspruchsvollen Filmöffentlichkeit, die 1929 den Verlust der visuellen Bildsprache des Stummfilms betrauerte und vom Tonfilm einen Rückfall ins Theatralische befürchtete, erschienen Disney und seine Silly Symphonies wie eine Erlösung. Disneys Bewunderer sahen in seinen Cartoons einen willkommenen Bruch mit der Glätte des industriellen Films, die Paul Rotha besonders betont: „Die essenziellen Merkmale der Disney-Zeichentrickfilme, in denen verfremdete lineare Bilder auf ebenso verfremdete Tonbilder treffen, sind die des visuellen Tonfilms der Zukunft."[4] Doch das Anarchische war nur eine Spielart in den Silly Symphonies. Schon früh traf es auf das Idyllische, mit dem es sich anfangs in einem kreativen Kampf befand. *Springtime*, ebenfalls 1929 entstanden, beginnt zu Vivaldi-Klängen mit einer harmonischen Flusslandschaft, in der die Blumen und Gräser friedlich tanzen. Umso schwärzer ist das Ende, wenn ein Reiher vier musikalisch begabte Frösche verspeist, um gleich darauf selbst den Preis seiner Gier zu zahlen – vom Gewicht der Mahlzeit beschwert, versinkt er gänzlich unerwartet in einer Pfütze.

„Die Welt begann zu sagen, die Silly Symphonies seien Kunst und Disney die bedeutendste Figur im Film. Disney war nicht beeindruckt. Er sah nur, dass sein Medium endlich laufen lernte, aber mit der Gangunsicherheit eines Kleinkinds."

Los Angeles County Museum of Art, Ausstellungskatalog, *Walt Disney*, 1940

4.07 ***In dieser langen Horizontalfahrt am Schluss von*** **Funny Little Bunnies** ***(1934) ergehen sich die Titelfiguren in allerlei Ostervorbereitungen.***
4.08 ***Story Sketch für*** **The Goddess of Spring (Die Frühlingsfee,** ***1934), ein kühnes Experiment in menschlicher Figurenanimation***

Was diese Serie in ihrer Anfangszeit so erstaunlich macht, ist die barocke Gleichzeitigkeit von Schönheit und Schrecken. Natürlich sind die Idyllen nicht immer durch Katastrophen bedroht, die – wie der Waldbrand in *Flowers and Trees* – für Drama sorgen. Viele Silly Symphonies

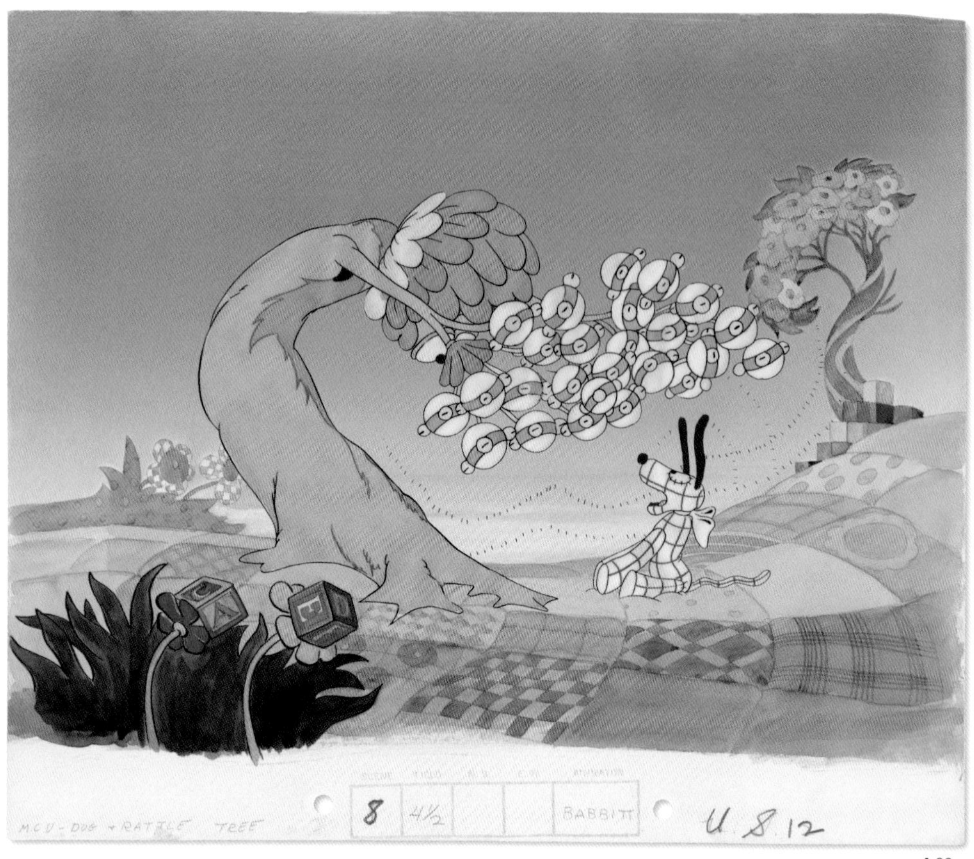

4.09

schwelgen in schierer Opulenz und sind organisiert wie verschwenderische Paraden: Die Arbeit der Osterhasen in *Funny Little Bunnies* (*Im Tal der Osterhasen*, 1934) oder die Wasserspiele der Hauptdarsteller in *Water Babies* (*Wasserbabys*, 1935) spielen vor überbreiten Hintergrundgemälden, die vor der Kamera vorbeiziehen. Die Weihnachtsfilme wie *Santa's Workshop* (*Die Werkstatt vom Weihnachtsmann*, 1932) und *The Night Before Christmas* (*Der Weihnachtsmann kommt*, 1933) verdanken ihren größten Reiz ebenfalls der Detailfülle in den Einstellungen. Manchmal wurden nach Beendigung der Dreharbeiten dekorative Kunstwerke aus den Überbleibseln der Produktion hergestellt, indem Cels oder daraus ausgeschnittene Figuren auf diese Hintergründe geklebt wurden (siehe Abbildung 4.07 zu *Funny Little Bunnies*).

Disney hatte bereits in seinen frühen Stummfilmen mit simulierten Kamerafahrten experimentiert. So zum Beispiel in *Trolley Troubles* (*Oswald und die Straßenbahn*, 1927), wo zyklische Wiederholungen von Hintergrundbildern im Filmraum die Illusion eines sich öffnenden Schienenstrangs vor einer fahrenden Straßenbahn erzeugen. Doch wie viel nuancierter gestaltet sich die subjektive Kamera in *Egyptian Melodies* (*Ägyptische Melodien*, 1931). Wenn der Betrachter aus der Perspektive einer neugierigen Spinne in einen Sarkophag kriecht, scheint dies die Videospielästhetik

4.09 ***Cel-Setup aus* Lullaby Land *(1933), die den „verbotenen Garten" und die Traumlandschaft eines Babys zeigen***
4.10 ***Cel-Setup aus* King Neptune *(König Neptun, 1932), der zweiten* Silly Symphony *in Technicolor***

vorwegzunehmen. Die Multiplankamera erlaubte in späteren Filmen den Ausbruch aus der Flächigkeit und ein Eintauchen in die Tiefe des Bildraums.

Die Gedichtadaption *Wynken, Blynken and Nod* (*Das Zauberschiff*, 1938) nach Eugene Field folgt in ähnlich einfacher Dramaturgie wie die früheren Idyllen der Wolkenreise dreier Babys, die sich einen Spaß daraus machen, goldfischförmige Sterne zu angeln. Doch die Zweidimensionalität ist vergessen: Die virtuose Schlusseinstellung folgt ihnen aus dem Himmel hinab in eine nächtliche Dorfstraße und schließlich in die Wiege eines Kindes, dessen Traum sie entsprungen waren. Es ist ein Vorgriff auf die berühmten virtuellen Kamerafahrten in *Pinocchio*.

Zuvor hatte *The Old Mill* (1937), eines der großen Meisterwerke der Serie und des Animationsfilms schlechthin, die Vorzüge der Multiplankamera zur Schau gestellt. Die Filmhistoriker Russell Merritt und J. B. Kaufman, die mit dem gleichnamigen Buch das Standardwerk über die Silly Symphonies geschrieben haben, sprechen diesem Film in seiner feierlichen Naturbetrachtung quasireligiöse Obertöne zu. Zugleich verweisen sie darauf, dass Disney auch einen pragmatischen Grund hatte, derartige Stimmungsfilme zu realisieren. So wichtig sie auch als Vorstudien zu den abendfüllenden Filmen waren, die wichtigen Charakteranimatoren waren ja zeitgleich für diese eingespannt und standen damit nicht mehr zur Verfügung.[5] Eine überragende Filmfigur jedoch machen sie dennoch in diesem Film fest: „Was diesen Film vor zeitweiligem Kitsch rettet, ist die Mühle selbst ...“[6] In der Tat: Welche Tragik liegt in diesem Gebäude, das trotz seiner Gefahren den unterschiedlichsten Tieren eine Heimat bietet – und dann, während eines schweren Unwetters, seine Lebensader, die

4.10

gewaltigen Windräder, verliert. Inspiriert wurde die altmeisterliche Gestaltung der Szenerie durch Miniaturaquarelle Gustaf Tenggrens.

Mit dem Schweden Tenggren hatte Disney einen bedeutenden Illustrator ins Studio geholt, andere Vorbilder fanden die Künstler in Buchform. Merritt und Kaufman verweisen auf den Einfluss des populären Illustrators Harrison Cady, der den Comic *Peter Rabbit* zeichnete. Im Sommer 1935 hatte Disney bei einer Europareise Hunderte illustrierter Kinderbücher gesammelt und anschließend der Studiobibliothek übergeben. In einem Memo an Ted Sears und das Story Department vom 23. Dezember 1935 führt er aus: „Einige dieser kleinen Bücher, die ich aus Europa mitgebracht habe, haben sehr faszinierende Illustrationen kleiner Menschen, Bienen und kleiner Insekten, die in Pilzen oder Kürbissen leben, und so weiter. Diese urige Atmosphäre fasziniert mich, und ich habe mir Gedanken gemacht, wie wir irgendeine kleine Geschichte aufbauen könnten, die all diese niedlichen Figuren enthält. Bianca Majolie hat damit angefangen, aber sie hat es noch nicht geschafft, etwas Konkretes zu entwickeln."[7]

Bianca Majolie war Disneys erster weiblicher Inspirational Artist und hatte großen Einfluss auf die „Nutcracker Suite" („Nussknacker-Suite") in *Fantasia*. Bedauerlicherweise entstanden viele ihrer schönsten Entwürfe für nicht realisierte Silly Symphonies wie *Ballet des Fleurs* und *Japanese Symphony*.[8]

> ***„Die Silly Symphony kann eine künstlerische Würde für sich beanspruchen, mit der wenige andere Produkte des Hollywood-infernos mithalten können."***
> Fortune, 1934

Der Einfluss der europäischen Bilderbücher ist unübersehbar. Neben Heinrich Kley, dessen anthropomorphe Tiere etwa in *Elmer Elephant (Elmer, der Elefant)* ihren Nachhall finden, scheinen die Bücher der deutschen Illustratorin Else Wenz-Viëtor von besonderem Einfluss gewesen zu sein. Disney erwarb mindestens zehn ihrer Bücher. Nicht nur das ästhetische Repertoire von Disneys Langfilmen wird in den 75 Kurzfilmen bis zur Vollendung gebracht, auch die thematischen Leitlinien werden ausformuliert. Ein immer wieder aufgenommenes Motiv sind kindliche Einsamkeit und die Ausgrenzung des Andersartigen.

Bevor diese Themen in *Pinocchio* und *Dumbo* zu überwirklichen Dramen entwickelt wurden, erlitten die kleinen Symphony-Helden ähnliche Qualen: das hässliche Entlein, Hänsel und Gretel (aus *Babes in the Woods / Abenteuer im Zauberland*, 1932), ein aus dem Nest gefallener Vogel (*Birds in the Spring / Der Lenz ist da*, 1933), das durch ein Albtraumland irrendes Kleinkind in *Lullaby Land* (1933) oder die als Freak verachtete *Flying Mouse* (*Die fliegende Maus*, 1934). Selbst der Besitz eines arttypischen Rüssels reicht in *Elmer Elephant* aus, um den tragischen Helden in einer anrührenden Spiegelszene verzweifeln zu sehen. Doch kindliche Einsamkeit konnte auch

4.11

Stärke und Freiheit evozieren – wie die überwältigende Kanufahrt von *Little Hiawatha* (*Klein Adlerauge*, 1937) in einem der visuell prächtigsten Filme der Serie und Wunderwerk der Special-Effects-Animation zeigt.

Keiner dieser Outcasts aber war so liebenswert wie Stier Ferdinand. Offiziell firmiert *Ferdinand the Bull* (*Ferdinand, der Stier*, 1938), die warmfarbige Hommage an Friedfertigkeit in einer spanischen Arena, freilich nicht als Silly Symphony. Es ist das erste jener Specials, mit denen Disney die Form eigenständiger Kurzfilme kontinuierlich weiter pflegte.

Obwohl die Serie ohne Stars auskam, brachte sie unvergessliche Protagonisten hervor wie in *The Tortoise and the Hare* (*Die Schildkröte und der Hase*, 1934), die sich im gleichnamigen Film erst ein ungleiches Rennen und später, in *Toby Tortoise Returns* (*Boxkampf*, 1936), einen ebensolchen Boxkampf liefern. Oder die niedlichen Protagonisten in *Three Orphan Kittens (Drei kleine Kätzchen)*, die im oscargekrönten Cartoon von 1935 eine noble Wohnung verwüsten. Wer könnte *The Country Cousin* (*Der Cousin vom Lande*, 1936) vergessen und sein von Art Babbitt animiertes Champagnerbad, das den Oscar zwingend einforderte? Entstanden im selben Jahr wie die klassische Rags-to-Riches-Komödie *My Man Godfrey* (*Mein Mann Godfrey*, Regie: Gregory La Cava), positioniert sich auch diese moderne Fabel an der Schnittstelle sozialer Gegensätze.

Keine einzige dieser Figuren hat über die Jahrzehnte etwas von ihrem Charme verloren. Und doch konnte es geschehen, dass die meisten von ihnen bis zur Veröffentlichung zweier

4.11 The Wise Little Hen (Die kluge kleine Henne, *1934*) *ist heute vor allem als Debütauftritt von Donald Duck in Erinnerung. Oben ist ein Hintergrundgemälde seines Hausbootes zu sehen.*

4.12

on Leonard Maltin herausgegebenen DVD-Sets, erschienen 2001 und 2006, jahrzehntelang unsichtbar blieben. Lediglich die oscargekrönten Filme waren 1937 und 1966 als *Academy Award Revue of Walt Disney Cartoons* im Kino wiederaufgeführt worden (in Deutschland: *Kleiner Micky, große Maus*) und teilweise im Schmalfilmformat erschienen. Nur eine einzige Silly Symphony blieb stets präsent: *Three Little Pigs (Die drei kleinen Schweinchen)*, der vielleicht berühmteste kurze Cartoon der Filmgeschichte überhaupt.

Statt sich mit den Sorgen eines Einzelnen zu identifizieren, konnte sich 1933 jeder verstanden fühlen, der in der Großen Depression nicht seinen Mut verloren hatte. Der Song *Wer hat Angst vor dem bösen Wolf?* (orig. *Who's Afraid of the Big Bad Wolf?*) – komponiert von Frank Churchill, der nach dem Ausscheiden Carl Stallings 1930 zum wichtigsten Musiker des Studios aufgestiegen war – begründete eine lange Linie von Disney-Hits. Der Erfolg von *Three Little Pigs* übertrug sich auf ganz Europa. Und selbst die Kommunisten verstanden seine Botschaft, wenngleich man sie auch sofort gegen das Gesellschaftssystem wendete, das diesen Film 1935 zum ersten Moskauer Filmfestival entsandt hatte. „Dieser optimistische Aufschrei konnte nur gezeichnet werden", war sich Sergei Eisenstein sicher, der es für unmöglich hielt, mit fotografischen Mitteln ein optimistisches Bild der kapitalistischen Wirklichkeit zu generieren. „Aber glücklicherweise gibt es Linien und Farben. Musik und Cartoons. Das Talent von Disney und den ‚großen Tröster' – das Kino."[9]

4.12 ***Zwei der drei Waisenkätzchen aus* Three Orphan Kittens *(1935) lassen sich zum Song* Kitten on the Keys *von einem mechanischen Klavier in Schwung bringen.***
4.13 ***Cel-Setup einer aufwendigen Ensemblenummer aus* Cock o' the Walk (Hahnenkampf, *1935*)**

5-31
18
SCENE
FLD
N.S.
E.W.
ANIMATOR
McMANUS
PEACOCKS
SIDE PAN

Schneewittchen und die sieben Zwerge

Snow White and the Seven Dwarfs (1937)

Synopsis

Produziert trotz enormer Schwierigkeiten, erwies sich *Snow White and the Seven Dwarfs* als revolutionär: Es war der erste abendfüllende Animationsfilm mit synchronisiertem Ton. Kritiker hatten den Film als „Disneys Irrsinn" verworfen, aber bei seiner Erstaufführung wurde alle Kritik beiseitegewischt und *Snow White* als Triumph der filmischen Erzählkunst anerkannt. Disney hatte zunächst vorgehabt, *Alice in Wonderland (Alice im Wunderland)* zu seinem ersten Film in Spielfilmlänge zu machen, aber die Entscheidung zugunsten des grimmschen Märchens war perfekt für Disneys Spielfilmdebüt: eine weltweit bekannte Geschichte mit klar definierten Charakteren, die sich für eine visuelle Präsentation von Komik, Pathos, Liebe und Schrecken eignete, die ebenso mitreißend war wie die eines jeden Realfilms. Eine ausgefeilte Animation, der raffinierte Einsatz von Farbe und überwältigende visuelle Effekte erhoben den Zeichentrick zu einer Kunstform und eröffneten eine neue Zukunft für Disney und sein Studio.

WELTPREMIERE 21. Dezember 1937 (Los Angeles)
ERSTAUFFÜHRUNG D 17. Dezember 1938 (Schweiz) / 24. Februar 1950 (Deutschland)
LAUFZEIT 83 Minuten

Stimmen

SCHNEEWITTCHEN ADRIANA CASELOTTI
DER PRINZ HARRY STOCKWELL
DIE BÖSE KÖNIGIN LUCILLE LA VERNE
PIMPEL SCOTTY MATTRAW
CHEF ROY ATWELL
BRUMMBÄR, SCHLAFMÜTZ PINTO COLVIG
HAPPY OTIS HARLAN
HATSCHI BILLY GILBERT
DER ZAUBERSPIEGEL MORONI OLSEN
DER KÖNIGLICHE JÄGER STUART BUCHANAN
VOGELSTIMMEN MARION DARLINGTON
JODELN JIM MACDONALD

Stab

SUPERVISING DIRECTOR DAVID HAND
SEQUENZREGISSEURE PERCE PEARCE, LARRY MOREY, WILLIAM COTTRELL, WILFRED JACKSON, BEN SHARPSTEEN
LEITENDE ANIMATOREN HAMILTON LUSKE, VLADIMIR TYTLA, FRED MOORE, NORMAN FERGUSON
STORY-ADAPTATION TED SEARS, OTTO ENGLANDER, EARL HURD, DOROTHY ANN BLANK, RICHARD CREEDON, DICK RICKARD, MERRILL DE MARIS, WEBB SMITH, NACH DER VORLAGE DER GRIMMSCHEN MÄRCHEN
ARTDIRECTORS CHARLES PHILIPPI, HUGH HENNESY, TERRELL STAPP, MCLAREN STEWART, HAROLD MILES, TOM CODRICK, GUSTAF TENGGREN, KENNETH ANDERSON, KENDALL O'CONNOR, HAZEL SEWELL
CHARACTER DESIGNERS ALBERT HURTER, JOE GRANT
ANIMATOREN FRANK THOMAS, DICK LUNDY, ARTHUR BABBITT, ERIC LARSON, MILTON KAHL, ROBERT STOKES, JAMES ALGAR, AL EUGSTER, CY YOUNG, JOSHUA MEADOR, UGO D'ORSI, GEORGE ROWLEY, LES CLARK, FRED SPENCER, BILL ROBERTS, BERNARD GARBUTT, GRIM NATWICK, JACK CAMPBELL, MARVIN WOODWARD, JAMES CULHANE, STAN QUACKENBUSH, WARD KIMBALL, WOOLIE REITHERMAN, ROBERT MARTSCH
HINTERGRÜNDE SAMUEL ARMSTRONG, MIQUE NELSON, MERLE COX, CLAUDE COATS, PHIL DIKE, RAY LOCKREM, MAURICE NOBLE
MUSIK FRANK CHURCHILL, PAUL SMITH, LEIGH HARLINE

HIS FIRST FULL LENGTH FEATURE PRODUCTION

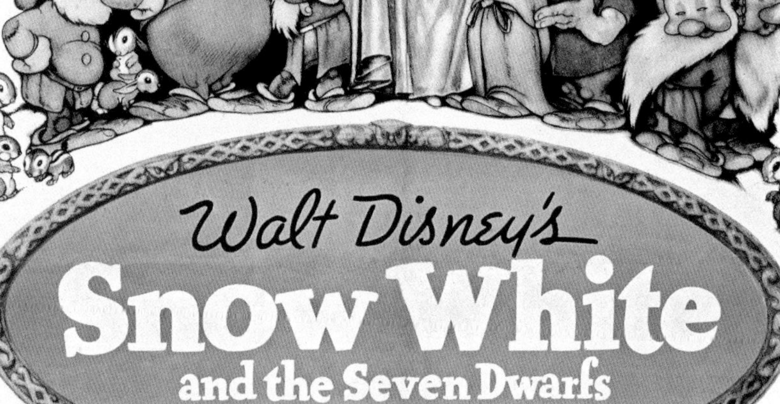

Distributed by RKO Radio Pictures, Inc.

Snow White and the Seven Dwarfs

5.02

5.05

5.03

5.04

5.06

5.07

Der schönste aller Filme

Von Robin Allan

Der Film *Snow White and the Seven Dwarfs* war nicht nur ein Produkt des Studiosystems, er hat dieses System auch beeinflusst, und sein Einfluss verbreitete sich in Wellen weit über das Kino hinaus. Er ergoss sich in die populäre Musik, die Literatur, die Kunst und die Wirtschaft.

Wie viele Filme jener Zeit können Massen in die Kinos locken und fortlaufend in jedem neuen Heimkinoformat für ein neues Publikum neu aufgelegt werden?

Die Arbeit des Studios an den Silly Symphonies diente als künstlerische und technische Vorbereitung für *Snow White*, und die Anwerbung von Mitarbeitern von Kunsthochschulen und Universitäten sorgte für eine akademische Dimension im kreativen Input.

Das Vertriebssystem des gesamten Wirtschaftszweigs stieß mit seinen neuen Double-Feature-Paketen Kurzfilme aus. Trotz seines Erfolgs beim Publikum, insbesondere mit Micky Maus (orig. Mickey Mouse), musste Disney genau wie Chaplin oder auch Laurel und Hardy abendfüllende Spielfilme produzieren, um überleben zu können. Seine Kurzfilme, egal, wie erfolgreich sie sein mochten, spielten nicht genug ein. Nachdem er *Snow White* zunächst als Kurzfilmprojekt in Betracht gezogen hatte, entschied er 1933, seinen ersten abendfüllenden Film daraus zu machen.

5.08

Disney erinnerte sich daran, wie seine Großmutter ihm die Märchen der Brüder Grimm und Hans Christian Andersens vorgelesen hatte. „Das war die beste Zeit des Tages für mich", erzählte er, „und die Geschichten und Figuren schienen für mich ebenso wirklich zu sein wie meine Schulfreunde und unsere Spiele. Von allen Figuren in den Märchen mochte ich Schneewittchen am liebsten."[1]

„Es hieß, niemand könne so eine Sache durchhalten. Es gab aber nur einen Weg, wie wir Erfolg haben könnten, und das war, uns hineinzustürzen und alles auf eine Karte zu setzen. Es konnte keine Kompromisse bei Geld, Talent oder Zeit geben."

Walt Disney

5.09

An Disneys Enthusiasmus für die Schneewittchen-Geschichte erinnert sich auch einer der Artdirectors des Films, Ken Anderson: „Wir gingen zur Tonbühne, wo es eine Reihe Sitze gab, und Walt erzählte uns die Geschichte von Schneewittchen ... Wir waren fasziniert. Alle Scheinwerfer waren eingeschaltet und auf uns gerichtet, nicht auf ihn. Er saß da ganz allein und trug uns diese fantastische Geschichte vor. Er wurde zur Königin, er verwandelte sich in die Zwerge. Er war ein unglaublicher Schauspieler, ein geborener Mime."[2]

In einem Artikel für das Magazin *Photoplay Studies* erläuterte Disney, weshalb er *Snow White* gewählt hatte. Er erinnerte sich, die Geschichte als kleiner Junge als Theaterstück gesehen zu haben. „Ich hatte etwas von dem Geld gespart, das ich beim Zeitungenaustragen verdient hatte, um es mir ansehen zu können, und ich war so beeindruckt, dass ich es mir immer wieder hätte anschauen können."[3]

Die Geschichte besitze zudem eine universelle Anziehungskraft, sagte er weiter, und die Zwerge

5.01 ***Ein Poster mit frühen Darstellungen von Figuren und Szenen aus Snow White von Concept Artist Gustaf Tenggren***
5.02 ***Bilder aus dem Film: Die Titelkarte selbst schrieb Filmgeschichte.***
5.03 ***Der Sklave im Zauberspiegel, heraufbeschworen von der Königin***
5.04 ***Die böse Königin mit der Schatulle, die das Herz des ermordeten Schneewittchen enthalten sollte***
5.05 ***Schneewittchen wirft einen ersten Blick in die Hütte der sieben Zwerge.***
5.06 ***Die sieben Zwerge, angeführt von Chef, auf dem Nachhauseweg von der Arbeit in ihrer Diamantmine***
5.07 ***Der Prinz weckt Schneewittchen mit einem ersten Kuss der Liebe.***
5.08 ***„Dieses ist mein Zauberbrunnen hier. Wünsch dir was am Brunnenrand, sodass es widerhallt ..."***
5.09 ***Die Tänzerin Marjorie Belcher wurde im Kostüm gefilmt, um die Animatoren mit Referenzmaterial in Realfilm zu versorgen.***

5.10

seien äußerst reizvoll für eine Animation. Auch liebliche „kleine Tiere und Vögel von der Sorte, mit der wir schon früher Erfolg hatten", könne man einführen.

Tatsächlich hatte Disney kein Theaterstück, sondern einen Film aus dem Jahr 1916 mit Marguerite Clark in der Hauptrolle gesehen. Er besuchte eine Gratisvorstellung, die gleichzeitig auf vier Leinwänden gezeigt wurde: für 16.000 Kinder, von denen sich im 12.000 Plätze fassenden Kansas City Convention Center zum Teil zwei auf einen Sitz quetschen mussten.

Somit schöpfte Disney also aus einem Produkt der Populärkultur ein weiteres Produkt derselben Kultur und reicherte die neue Version dabei mit Feinheiten an, die ihre Beliebtheit wiederaufleben ließen und in der Folge aufrechterhielten. Diese Beliebtheit hat einerseits mit den europäischen Ursprüngen der Geschichte und mit der Art und Weise zu tun, wie Disney diese nutzte, genauso viel jedoch mit der Resonanz, die sie bei Disney und seinen Mitarbeitern hervorrief.

Das Märchen von Grimm wurde erheblich verändert. Disney strich zwei Versuche der Königin, Schneewittchen zu töten – zuerst mit einem vergifteten Kamm und dann mit einem Mieder. Er ersetzte das traditionelle, sich wiederholende narrative Element durch Running Gags und wiederholte komische Einlagen, sowohl visuelle als auch verbale. Hierzu gehören der Sprachfehler von Chef (orig. Doc), Brummbärs (orig. Grumpy) Frauenfeindlichkeit und die Witze über die langsame Schildkröte. In der Grimm-Version tanzt sich

5.10 ***Das archetypische Märchenschloss wurde ein Disney-Erkennungszeichen in Filmen und später in Themenparks (Story Sketch).***
5.11 ***Adriana Caselotti, Schneewittchens Stimme, posiert für den Disney-Animator Ken Walker.***

die Königin auf der Hochzeit in roten Schuhen zu Tode. Bei Disney fällt sie in einen Abgrund. Die grimmsche Zeile „Und die wilden Tiere sprangen an ihm vorbei, aber sie taten ihm nichts" wurde erweitert zu der Szene, in der die Tiere Schneewittchen helfen und sie mit zur Hütte der Zwerge nehmen. Nach ihrem Tod heißt es in Grimms Märchen: „Und die Tiere kamen auch und beweinten das Schneewittchen, erst eine Eule, dann ein Rabe, zuletzt ein Täubchen." Dies wurde dahingehend erweitert, dass alle Wesen der Natur rings um den Sarg trauern, was im Disney-Film von zentraler Bedeutung ist.

Disney war ein instinktiver Künstler. James Algar, ein enger Mitarbeiter, der an dem Film mitwirkte, erinnert sich: „Er war eine intuitive Person, sehr intuitiv. Er hatte Ideen für zwei im Hinterkopf, und er war uns ein ziemliches Rätsel. Wir arbeiteten für ihn, weil wir es liebten. Wir liebten die Arbeit. Wir liebten *Snow White*, und wir wussten, dass wir etwas Sagenhaftes schufen."

„Ich kannte die Geschichte aus meiner Kindheit und mochte sie. Die Zwerge faszinierten mich. Ich dachte, die Handlung sei gut und überaus beliebt. Sie war nicht allzu fantastisch. Das ist das, was man braucht: eine ziemlich bodenständige Geschichte, zu der die Menschen eine Beziehung knüpfen können."

Walt Disney

Snow Whites Stärke liegt im visuellen Narrativ. Es gibt keinen Erzähler, nur einen kurzen Opening-Credit-Titel in Form eines Buches. Disney war ein Geschichtenerzähler in der Tradition der großen Märchenerzähler, und er benutzte das Medium Film für seine Erzählkunst. Wenn wir Geschichten verleugnen, das Bedürfnis nach Erzählungen, dann verleugnen wir die Vorstellungskraft und das, was Laurens van der Post „die Weisheit des

5.11

5.12

Verbunden mit der narrativen Sparsamkeit ist die Stärke der Charakterisierung – insbesondere der Zwerge und der Königin/Hexe und in geringerem Maße auch Schneewittchens. Es war Disneys Fähigkeit, mit grafischen Mitteln überzeugende Charaktere zu erschaffen, die den Film so interessant für diejenigen von uns macht, die heutzutage Animation praktizieren oder genießen. Die Investition in die Glaubwürdigkeit dieser Charaktere ist überragend, und damit einher gehen Szenen von lyrischer Zartheit und Ausgelassenheit. Obgleich diese die Handlung nicht voranbringen (ich denke vor allem an Schneewittchen und die Tiere, die die Hütte der Zwerge säubern, und an die abendliche Party

Dunklen ... die Nacht, in der unser Sein ist, die Grundlage, von der aus wir uns in den Tag erheben"[4] nennt.

5.13

5.14

der Zwerge), stärken sie doch das komische Element, welches in engem Zusammenhang mit der Charakterisierung und dem gesamten Reichtum an Spezialeffekten steht. Die expressionistischen Szenen von Macht und Schrecken (Schneewittchens Flucht und die Verwandlung der Königin) mit ihrer Flüssigkeit und filmischen Gewissenhaftigkeit im Design haben zu guter Letzt immer noch die Fähigkeit, unsere durch Horror und Gewalt abgestumpften neuzeitlichen Sinne zu schockieren.

Narrative Sparsamkeit, visueller Reichtum und Humor sind also die Qualitäten, die dem Film seine Stärke verleihen.

Die Geschichte ist zudem stringent erzählt. Alle Sequenzen, die den erzählerischen Schwung nicht transportierten, wurden gestrichen oder fallen gelassen. Dennoch verbirgt sich hinter dem Anschein der Einfachheit eine immense Komplexität und Kontrolle. Im Dezember 1937 waren 650 Künstler zuweilen sieben Tage in der Woche damit beschäftigt, in konzertierter Entschlossenheit den Film zu vollenden. Nichts, nicht einmal zu jenem späten Zeitpunkt, wurde dem Zufall überlassen. Jeder Pinselstrich, jede Farbabstimmung, jeder Winkel, jede Komposition, jeder Spezialeffekt unterstand prinzipiell Disneys Aufsicht. Die Künstler, die an *Snow White* arbeiteten,

5.12 ***„Ich seh' ein Mägdelein … Lippen rot wie Blut, Haar schwarz wie Ebenholz, Haut wie Schnee" (Story Sketch).***
5.13 ***„Wer ist die Schönste im ganzen Land?" Die Königin konsultiert ihren Zauberspiegel von Ferdinand Horvath (Story Sketch).***
5.14 ***Concept Art für die Szene, in der Schneewittchen Blumen pflückt und dabei von den Jägern der Königin beobachtet wird.***

schwammen, wie Disney selbst, gleichsam in Filmen. Disney forderte sie auf, sich Filme anzuschauen, er selbst ließ sie sich vorführen, sowohl im Studio als auch zu Hause. Marc Davis, ein bedeutender Animator und einer der Nine Old Men des Studios, erinnert sich:

„Wir sahen jedes Ballett, wir sahen jeden Film. Wenn ein Film gut war, schauten wir ihn uns fünfmal an. Walt mietete ein Studio in North Hollywood, und wir schauten uns eine Auswahl von Filmen an, alles von Chaplin bis hin zu ungewöhnlichen Themen. Alles, was einen

Nutzen haben, anregend sein könnte, die Schnitte der Szenen, die Inszenierung, die Art und Weise, wie eine Gruppe von Szenen zusammengefügt wurde. *The Cabinet of Dr. Caligari (Das Cabinet des Dr. Caligari), Nosferatu (Nosferatu – Eine Symphonie des Grauens)*

5.16

waren Filme, die wir uns anschauten. Ich erinnere mich an *Metropolis*. Ich würde mir diesen Film niemals wieder anschauen wollen, denn er hinterließ einen starken Eindruck auf mich. Ich habe ihn mir eingeprägt, und dabei möchte ich es belassen. Das war Walts Einstellung, immer auf der Suche nach etwas Neuem."[5]

5.15

Eine Reihe von Filmen, die keineswegs von der Originalität des Films ablenken, aber seine sorgfältige Entwicklung in einen Kontext stellen, findet Widerhall in *Snow White*. Zunächst sind da die Hollywoodfilme, die ihm vorausgingen: Die Fredric-March-Version von *Dr. Jekyll and Mr. Hyde* (*Dr. Jekyll und Mr. Hyde*, 1932) schimmert in der Transformationsszene der Königin im Labor durch. Die Operettensammlung, die Hollywood in den späten 1920er- und frühen 1930er-Jahren produzierte – man denke an *The Vagabond King* (*Der König der Vagabunden*, 1930) und *The Merry Widow* (*Die lustige Witwe*, 1934) –, ist in der Sequenz mit Schneewittchen und dem Prinz am Wunschbrunnen deutlich präsent. Sie ist auch die Grundlage für viele der rezitativen

5.15 ***Erschöpft bricht Schneewittchen in einer Waldlichtung zusammen, beobachtet von den wachsamen Augen der Tiere im Wald (Concept Art).***
5.16 ***Während sie um ihr Leben läuft, glaubt Schneewittchen, angsteinflößende Augen in der Dunkelheit leuchten zu sehen (Hintergrundgemälde).***

und gesungenen Sequenzen, obgleich das Lied im Film, anders als in einer Operette, stets die Handlung und/oder eine Figur betont. Während einer Storykonferenz im Oktober 1935 gab Disney folgenden Rat: „Lasst unseren Dialog nicht gereimt oder von Rhythmus bestimmt sein, sondern lasst das Versmaß zum richtigen Zeitpunkt Verbindung zur Musik aufnehmen, sodass alles ein musikalisches Muster hat. Dialog und Musik greifen ineinander. Setzt den Dialog ein, um in natürlicher Weise in die Lieder hineinzuführen ... draußen im Wald greift sie (Schneewittchen) Worte von den Vögeln auf, die ihr Lieder vorschlagen ... vermeidet nur, abrupt in den Gesang zu wechseln. Führt stattdessen in die Lieder hinein."

Schneewittchens Flucht durch den Wald und die Transformation der Königin sind in kraftvoll expressionistisch. Für die Albtraumflucht greifen die Künstler die Verwendung von Ton zur Unterstützung der Montage in *Private Worlds* (*Oberarzt Dr. Monet*, 1935) auf, einem Psychiatriedrama für ein erwachsenes Publikum. Die unheimlichen Elemente erinnern an Langs *Metropolis* (1927) sowie Murnaus *Nosferatu* (1922) und *Sunrise* (*Sonnenaufgang – Lied von zwei Menschen*, 1927).

Brian Sibley weist auf die Ähnlichkeit der Hexe mit Lionel Barrymores Schurken in Tod Brownings *The Devil Doll* (*Die Teufelspuppe*, 1936) hin, der sich als alte Hausiererin mitsamt Umhang und Korb verkleidet.

Die melodramatischen Gesten und stilisierten Bewegungen der Stummfilme beeinflussten *Snow White* ebenfalls. Besonders die Königin steht in einer langen Tradition von Schurkencharakteren, die vom Stummfilm bis zum Melodrama des viktorianischen Theaters zurückreicht. Stilistisch ähnelt sie der von Helen Gahagan gespielten She in dem gleichnamigen RKO-Film. Altgediente Animatoren bestritten jedoch 1986 auf einem Seminar in Los Angeles den direkten Einfluss von *She* (*She – Herrscherin einer versunkenen Welt*, 1935) oder irgendeinem anderen Film auf Disneys oder ihre eigene Arbeit. Nichtsdestotrotz ist uns die Königin so furchterregend vertraut, sowohl in ihrem Ausdruck als auch in der Tradition ihrer Rolle. Wenn sie ihr steinernes Treppenhaus hinunterfegt, begleitet von Frank Churchills Musik mit schrillen, die Tonleiter hinabsteigenden Bläsern, ist das klare lineare Design atemberaubend. Ihr Umhang bläht sich auf in einem Wirbel des Zorns – und die Ratten huschen in ihre Verstecke.

In den Storykonferenzen im Oktober 1934 bestimmte Disney, „dass sie im Stil der Benda-Masken ... als Schönheit mit hohem Kragen"

gezeichnet werden solle. Er umriss ihren Charakter und die Atmosphäre ihrer Burg und des Kerkers: „Wenn die Königin wütend wird, dann wird ihr Gesichtsausdruck bedrohlich. Große Augen, verzerrte und fratzenhafte Gesichtszüge ... Die Königin in ihrem Labor ... damit beschäftigt, das Gift für den Kamm vorzubereiten (die Eliminierung der grimmschen Facetten war noch nicht abgeschlossen), der Kessel blubbert, und die Farben in den Flammen verändern sich. Tief unten im Kerker ... eine Treppe führt hinab – baut, so viel ihr könnt, gruselige dunkle Schatten ein, lasst es klamm und tropfnass aussehen –, moderig mit Spinnweben und Skeletten in Ketten ..." Es ist die lineare, cartoonartige Qualität ihrer Bewegung, die sie und den Film – und die Zuschauer – den zeitlichen Rahmen von 1937 vergessen lässt. Wären es Realfilmcharaktere gewesen, so wären sie so tot wie die Charaktere aller Realfilme jener Zeit. Aber weil sie gezeichnet und gemalt sind, entkommen sie dem abtötenden Effekt des „Realismus", der alle Auftritte auf Bühne und Leinwand vergehen lässt. Die Königin ist gleichzeitig real und gezeichnet. Ihre Bedrohlichkeit entsteht durch eine Reihe schneller Schnitte zwischen ihr und dem Spiegel,

5.17

5.18

5.17 ***Schneewittchens erster flüchtiger Blick auf die Hütte der Zwerge in diesem Story Sketch***
5.18 ***Story Sketch für die Panoramakamerafahrt, in der die Tiere Schneewittchen zur Hütte führen.***

5.19

Kane erscheint und ein staunenswertes Xanadu abgibt: „Nicht nur die Totalaufnahme des Schlosses auf dem Berg, sondern die nahezu gleiche Überblendung zu einem nahezu identischen Gitterfenster in der folgenden Nahaufnahme."[6]

Weitere, direkt von *Snow White* beeinflusste Filme sind unter anderem *Gulliver's Travels* (*Gullivers Reisen*, 1939), *The Wizard of Oz* (*Der Zauberer von Oz*, 1939), *The Bluebird* (1940) und Hitchcocks *Rebecca* (1940). Es ist zu bezweifeln, ob Fantasy- und Science-Fiction-Filme wie die *Star-Wars*-Saga sich ohne *Snow White* so hätten entwickeln können, wie sie das taten.

Ein weiterer Aspekt des Films ist die reichhaltige Bildgestaltung. Jack Cutting, ein enger Mitarbeiter von Disney, der 47 Jahre lang für das Unternehmen gearbeitet hat, erinnert sich, wie begeistert er von den üppig illustrierten Bilderbüchern war, die aus Europa kamen:

„Als Jugendlicher war ich verrückt nach illustrierten Büchern, Märchen mit Bildern von Rackham und Wyeth. Ich konnte mir eine Rackham-Illustration anschauen und war gefesselt von ihr, aufgesogen von der Szene. Nach einem Jahr im Studio (das war 1930) brachte ich einige von diesen Büchern mit und sagte: ‚Walt, wäre es nicht wunderbar, wenn wir Animationen machen könnten wie diese Bücher?' Er war vielleicht nicht sehr gut darin, darüber zu reden, aber er hatte eine angeborene

die enthüllen, dass Schneewittchen „die Schönste im ganzen Land" ist. In einer Geste des Schreckens legt die Königin ihre Hand an die Kehle und streckt dann in ihrer Wut über das Wort „Schneewittchen" den Arm aus. Es folgt eine Überblendung, und wir sehen Schneewittchen, die die Treppe am Wunschbrunnen wischt.

Snow White schuldet dem Theater des 19. Jahrhunderts – vermittelt durch das Stummfilmkino – viel und hat im Gegenzug Hollywoods nachfolgende Produktionen beeinflusst, nicht zuletzt auch Disneys eigene Arbeiten, von *Pinocchio* (1940) bis hin zu *Sleeping Beauty* (*Dornröschen*, 1959). Obwohl Orson Welles dies stets bestritt, verdankt die Atmosphäre der ersten Szene in *Citizen Kane* (1941) vieles dem Anfang von *Snow White*. Das Märchenschloss, klärt uns Jonathan Rosenbaum auf, enthält so viele Anregungen, dass ein Beinahenachbau, an dem ehemalige Disney-Beschäftigte mitgearbeitet hatten, in den kraftvollen Einstellungen zu Beginn von *Citizen*

5.19 ***Cel-Setup und Hintergrund zur Szene mit den Zwergen, in der sie vorsichtig in das auf rätselhafte Weise besetzte Haus eintreten.***
5.20 ***Frühe Interpretationen von Schneewittchen und den Zwergen in der Sequenz „Some Day My Prince Will Come" (Story Sketch)***

Sensibilität dafür. Ich zeigte ihm *East of the Sun, West of the Moon (Östlich der Sonne und westlich des Mondes)* von Kay Nielsen, *The Story of King Arthur and his Knights (König Arthur und die Ritter der Tafelrunde)* von Howard Pyle und Bücher von Arthur Rackham und Edmund Dulac. Er schaute sie durch und sagte, das wäre sehr schwierig. Aber dann meinte er: ‚Vielleicht. Eines Tages.'"

Bis Mitte der 1930er-Jahre waren viele der von Disney engagierten Künstler ehrgeizige, an der Kunsthochschule ausgebildete Illustratoren. Die prunkvollen Auftaktaufnahmen des Schlosses zeigen diese Einflüsse. Wunderschön gemalt, steht das Schloss hoch oben über einem Flusstal, eingerahmt von Bäumen, sogar mit Fliegenpilzen im Vordergrund und der Andeutung von Hügeln in der Ferne. Eine detailreiche Bebilderung wie diese findet sich niemals im Übermaß überall im Film, und sie unterstützt stets die Handlung. Die Königin als Hexe, die in ihrem Kanu in die dunstige Morgendämmerung paddelt, ist ein weiteres Beispiel für den Bilderreichtum, der den Fortgang der Handlung unterstützt. Die gütige Natur schläft, während die Kräfte des Bösen wach und bei der Arbeit sind. Nur zwei Geier sind sich über die Absichten der Königin im Klaren, während sie der Hütte der Zwerge entgegengeht, durch eine trostlose Landschaft mit toten Bäumen und verdorrtem Gestrüpp, die die Sterilität der bösen Königin symbolisieren.

Albert Hurter, ein Schweizer Künstler in der Tradition der europäischen Illustrationskunst, war das grafische Genie hinter dem größten Teil der Detailarbeit. Er hatte von Disney freie Hand

5.20

5.21

erhalten, um eine Reihe von Inspirational Sketches anzufertigen. Ihm gebührt große Anerkennung für die Gestaltung der Zwergenhütte (Brummbärs Orgel ebenso wie die Treppe, die Betten und die Holzschnitzereien). Auch Gustaf Tenggren, ein Schwede, der großen Einfluss auf *Pinocchio*, den darauffolgenden abendfüllenden Zeichentrickfilm Disneys, hatte, beeinflusste das Bilddesign von *Snow White*.

Und was ist mit Schneewittchen selbst, die von zeitgenössischen Rezensenten mit so viel Kritik bedacht wurde? Sie kommt nur in sieben der 20 Sequenzen des Films nicht vor. Sie hält den Film zusammen, und dank der außerordentlich geschickten Animation durch Hamilton Luske und Grim Natwick hat sie unsere Aufmerksamkeit, wenn nicht sogar unsere ungeteilte Loyalität. Sie bleibt alterslos und lässt dabei sowohl ihre Zeitgenossinnen in Fleisch und Blut als auch die Launen der Mode hinter sich. Ihre Art-déco-Plastizität hat die Patina von Gold angenommen, ihr gelbes Kleid, die runden Puffärmel und ihr leuchtend rotes Haarband passen zum runden Babyface und dem staunenden Blick des durch und durch amerikanischen unschuldigen Kindes. Es gibt wenig von Gillray oder Rowlandson in Schneewittchens Stammbaum, viel von Burne-Jones und Mabel Lucie Attwell. Wären ihre Vorfahren jedoch nur diese, dann

wäre sie in der Tat schwach. Glücklicherweise verleiht ihr eine gesunde Transfusion transatlantischen Blutes aus dem Stummfilmkino einiges an Stärke und Vitalität. Mary Pickford und Janet Gaynor sind ihre Patentanten. Disney selbst gab im Herbst 1934 ein Rundschreiben heraus, in dem es heißt: „Schneewittchen ist ein Janet-Gaynor-Typ von 14 Jahren."

Obgleich Rotoskopie zum Einsatz kam, stellte es sich für die Künstler als unmöglich heraus, Realfilm direkt zu übertragen. Einige der gelungensten Szenen mit Schneewittchen sind diejenigen voller gefühlvoller Zartheit oder Ausgelassenheit – man denke nur an die Abendparty und die Hausputzsequenz. Hier kam die gesamte Palette des einfallsreichen künstlerischen Ausdrucks zum Einsatz. Man mag sich daran erinnern, wie Schneewittchen einen Besen aufhebt, den Staubwedel aus dem Fenster schüttelt, dem Reh die Kleidung der Zwerge auflädt, mit Seppl (orig. Dopey) tanzt, die Kerze die Treppe hinaufträgt. Und auch während ihrer Albtraumflucht durch den Wald, der ihren Sturz in einen Sumpf und ihre Flucht vor den Holzalligatoren beinhaltet (eine Passage, die vom British Board of Film Censors gestrichen wurde, als der Film von „A" für „Adult" auf „U" für „Universal" neu eingestuft wurde), ist die Animation sicher und selbstbewusst.

Grim Natwick erinnert sich an die Schwierigkeiten bei der Animation von Schneewittchen. „Wir gingen über Rotoskop hinaus. Und selbst wenn wir eine Rotoskopzeichnung nahmen, reichte ihr Kinn fast bis zur Brust, und so mussten wir den gesamten Körper umkonstruieren. Wir machten das, indem wir sie mit sehr kurzem Oberkörper darstellten. Sehen Sie, Schneewittchen war nur etwa fünf Kopf groß. Ich erinnere mich an eine Szene, in der es 101 rotoskopierte Pausen gab. Ich benutzte Zeichnung Nummer 1 und Zeichnung Nummer 101 und fügte den Rest ein, denn es gab nicht genug darin, als dass wir irgendwas zum Animieren gehabt hätten."[7]

5.21 ***Zunächst sahen alle Zwerge gleich aus, wie in dieser Zeichnung der Tanzsequenz zu sehen ist.***
5.22 ***„Wer bei der Arbeit pfeift": Mit Unterstützung der Tiere aus dem Wald räumt Schneewittchen die Hütte der sieben Zwerge auf.***

5.22

5.23

5.24

5.25

5.26

5.27

Natwick berichtet weiter: „All die große französische heroische Kunst ist sehr nahe dran an Illustration, und hier etwas zum Thema Illustration: Als ich mich damit beschäftigte, bekam ich ein ziemlich gutes Gefühl für Zeichenkunst, denn als wir ins Disney-Studio kamen, konnten etwa 90 Prozent der Animatoren dort Schneewittchen noch nicht einmal zeichnen. Ich hatte sehr viel Glück. Sie fingen an, die besseren Künstler von den Kunsthochschulen zu nehmen, und ich hatte sie als Assistenten. Sie konnten nicht animieren, aber sie zeichneten sehr gut."

Die Zwerge und die Tiere stehen im Kontrast zu Schneewittchen. Wenn die Zwerge zu viel reden, werden sie lästig. Chefs Wörterverwechslungen und Verwirrungen sind veraltet und erinnern uns an die Radiosendungen, aus denen sie auch tatsächlich hervorgegangen sind. Eine weitere Schwäche war der Prinz, der gnädigerweise

5.28

5.23–27 ***„Komm, du Zauberwort! Lass Schönheit vergehen in Hässlichkeit!" Eine Serie von Story Sketches stellt die dramatische Sequenz dar, in der die Königin ihren Zaubertrank zusammenmischt und sich anschickt, ihn zu trinken.***
5.28 ***Concept Art der Königin und der Hexe von Joe Grant zeigt die Ähnlichkeiten in ihren Rollen.***
5.29 ***Ein eindrucksvoller Story Sketch, der den Moment darstellt, in dem der Apfel in das giftige Gebräu getaucht wird.***

5.29

5.30

WITCH in dial: "YES, ONE BITE AND ALL YOUR DREAMS WILL COME TRUE" - S.W. o.s. "REALLY?" Witch: "YES, GIRLIE, NOW MAKE A WISH AND TAKE A BITE"

5.31

Witch laughing as she exits from house - sees dwarfs

zusammengestrichen wurde, denn Disney wusste, dass die Künstler ihn nicht angemessen darstellen konnten.

Die Zwerge sind Kinder von Schneewittchen als Mutterfigur, Erwachsene für sie als Kind. Sie können Zuschauer auf vielen Ebenen ansprechen, und obwohl ihre recht robuste Charakterisierung und die elegante Skizzierung der Säugetiere und Vögel von den Rezensenten über die Jahre hinweg gelobt wurden, sind diese Elemente der Heldin untergeordnet und unterstützen sie. Ihre zentrale Position ist zu stark, als dass der Erfolg des Films von seinen Einzelteilen abhängen könnte. Heute funktioniert *Snow White and the Seven Dwarfs*, weil die Protagonistin ihre Rolle ausfüllt, und das tut sie teils wegen ihrer großen Plastizität und teils, weil sie lebt und sich bewegt und ein Wesen hat, mit ihrem pfeifenden, melodischen Zwitschern, als gezeichnete und idealisierte Figur. Allein gelas-

sen im Wald und zum Tode verurteilt, wird sie von der Natur in Gestalt von Tieren, von Vögeln gerettet. Dies ist die Standardform einer Wunscherfüllung seitens einer Person, der Unrecht zugefügt wurde, und wird von den Disney-Künstlern durch den ganzen Film hindurch übermittelt. Als die Zwerge an Schneewittchens Bett weinen und glauben, sie sei tot, spiegeln Kerzentropfen „die Tränen der Zwerge sowohl in Form und Bewegung wider, so wie die Tränen im Gegenzug das tropfende Wachs widerspiegeln. Die Figuren, ob Mensch oder Tier, und Schauplatz sind gleich, alle aus demselben Material. Alle Dinge sind buchstäblich vom selben Geist animiert"[8], schreibt William Paul 1973 in einem scharfsinnigen Aufsatz.

Es gibt ein emotionales Zentrum im Charakter von Schneewittchen, das das Publikum in einem Maße einbezieht, welches uns einen ausgeprägten Verlust empfinden lässt. Dieser zeigt sich, als die Zwerge und die Tiere an ihrer Bahre trauern, doch eine komplexere emotionale Reaktion stellt sich am Ende des Films ein, wenn wir Erwachsene als Kinder oder Kinder als künftige Erwachsene Schneewittchen verlieren – wir identifizieren uns an dieser Stelle ganz stark mit den Zwergen –, während sie zur Hochzeit schreitet, in einer Maxfield-Parrish-Landschaft mit Bäumen, Sonnenuntergang und Luftschloss. Wir und die Zwerge werden zurückgelassen, um alt zu werden und zu sterben, während Schneewittchen, wiederauferstanden, fortschreitet ins ewige Leben.

Die andauernde Anziehungskraft von *Snow White and the Seven Dwarfs* liegt in der Art und Weise, wie der Film filmische und künstlerische Tradition kombiniert, um eine Geschichte über fundamentale Wahrheiten mit Gehalt und Humor zu erzählen. Der erste abendfüllende amerikanische Animationsfilm berührt tiefe und gewaltige Gefühle, wie kein anderer animierter Spielfilm – von Disney oder sonst jemandem – es seither vermocht hat.

5.30 ***„Na los! Beiß mal rein!" – Storyboard Sketch von der lächelnden Hexe, die den vergifteten Apfel anbietet***
5.31 ***Nachdem es ihr gelungen ist, Schneewittchen dazu zu bringen, den Apfel zu essen, verlässt die Hexe triumphierend die Hütte (Story Sketch).***
5.32 ***Story Sketch für die Panoramaeinstellung von Seppl, der sich auf ein Reh schwingt, um sich der Rettungsaktion anzuschließen.***

5.32

Pinocchio

(1940)

Synopsis
„Die lose Handlungsfolge in (Carlo) Collodis Buch verwandelte Disney auf geschickte Weise in eine klar strukturierte Geschichte. Pinocchios Wunsch, ein richtiger Junge zu werden, bleibt auch im Film das eigentliche Thema. Doch ‚ein richtiger Junge' bedeutet nun nicht mehr, brav und anständig zu sein, sondern groß und erwachsen zu werden. Unsere größte Angst ist, dass Pinocchio seine Abenteuer nicht heil übersteht und nicht das erhält, was ihm wirklich zusteht ... Etwa zwei Jahre lang wurde an *Pinocchio* gearbeitet. Er ist nicht nur der beste Film, den das Disney-Studio je produziert hat, er ist gewiss auch der mutigste und gefühlvollste. Über eine Million Zeichnungen erscheinen auf der Leinwand, hinzu kamen Zehntausende Vorstudien, Entwürfe zur Handlung, zu Hintergründen und Figuren ... Der Film enthält so viele unvergessliche Szenen, etwa die, in der Jiminy und Pinocchio sich auf dem Meeresgrund mit Luftblasen unterhalten und den Wal Monstro mit dem verschluckten Geppetto suchen ... Wenn ich mir heute *Pinocchio* ansehe, werde ich ein bisschen wehmütig. Solch ein Projekt zu finanzieren wäre heute sicherlich unmöglich. Den Film umgibt die goldene Aura einer vergangenen Zeit. Er ist ein Denkmal für eine Ära der Kunstfertigkeit und Qualität in Amerika."
Maurice Sendak, *Walt Disney's Triumph: The Art of Pinocchio*

WELTPREMIERE 7. Februar 1940 (New York)
ERSTAUFFÜHRUNG D 23. März 1951
LAUFZEIT 87 Minuten

Besetzung
PINOCCHIO DICKIE JONES
GEPPETTO CHRISTIAN RUB
JIMINY GRILLE CLIFF EDWARDS
DIE BLAUE FEE EVELYN VENABLE
EHRENWERTER JOHN WALTER J. CATLETT
LAMPWICK FRANKIE DARRO
STROMBOLI UND KUTSCHER CHARLES JUDELS
KARNEVALSBARKER DON BRODIE

Stab
LEITENDE REGISSEURE BEN SHARPSTEEN, HAMILTON LUSKE
SEQUENZREGISSEURE BILL ROBERTS, NORMAN FERGUSON, JACK KINNEY, WILFRED JACKSON, T. HEE
ANIMATIONSREGISSEURE FRED MOORE, FRANKLIN THOMAS, MILTON KAHL, VLADIMIR TYTLA, WARD KIMBALL, ARTHUR BABBITT, ERIC LARSON, WOOLIE REITHERMAN
STORY-ADAPTATION TED SEARS, OTTO ENGLANDER, WEBB SMITH, WILLIAM COTTRELL, JOSEPH SABO, ERDMAN PENNER, AURELIUS BATTAGLIA, NACH DEM ROMAN VON COLLODI (CARLO LORENZINI)
MUSIK UND SONGTEXTE LEIGH HARLINE, NED WASHINGTON, PAUL J. SMITH
ARTDIRECTION CHARLES PHILIPPI, HUGH HENNESY, KENNETH ANDERSON, DICK KELSEY, KENDALL O'CONNOR, TERRELL STAPP, THOR PUTNAM, JOHN HUBLEY, MCLAREN STEWART, AL ZINNEN
CHARACTER DESIGN ALBERT HURTER, JOE GRANT, JOHN P. MILLER, CAMPBELL GRANT, MARTIN PROVENSEN, JOHN WALBRIDGE
ANIMATOREN JACK CAMPBELL, BERNY WOLF, DON TOWSLEY, OLIVER M. JOHNSTON, DON LUSK, JOHN LOUNSBERY, NORMAN TATE, JOHN BRADBURY, LYNN KARP, CHARLES NICHOLS, ART PALMER, JOSHUA MEADOR, DON TOBIN, ROBERT MARTSCH, GEORGE ROWLEY, JOHN MCMANUS, DON PATTERSON, PRESTON BLAIR, LES CLARK, MARVIN WOODWARD, HUGH FRASER, JOHN ELLIOTTE
HINTERGRÜNDE CLAUDE COATS, MERLE COX, ED STARR, RAY HUFFINE

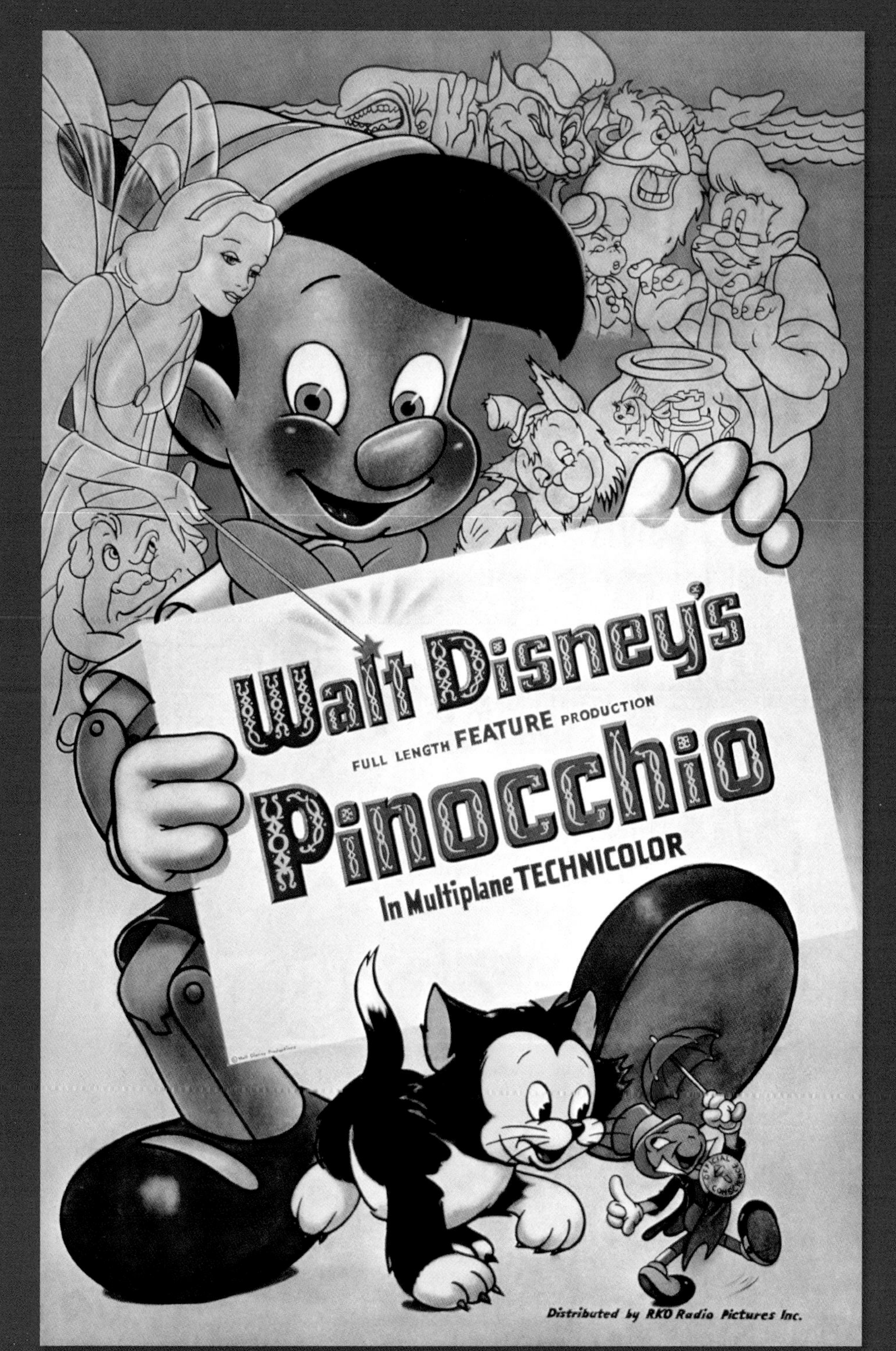
Walt Disney's
FULL LENGTH FEATURE PRODUCTION
Pinocchio
In Multiplane TECHNICOLOR
Distributed by RKO Radio Pictures Inc.

6.02

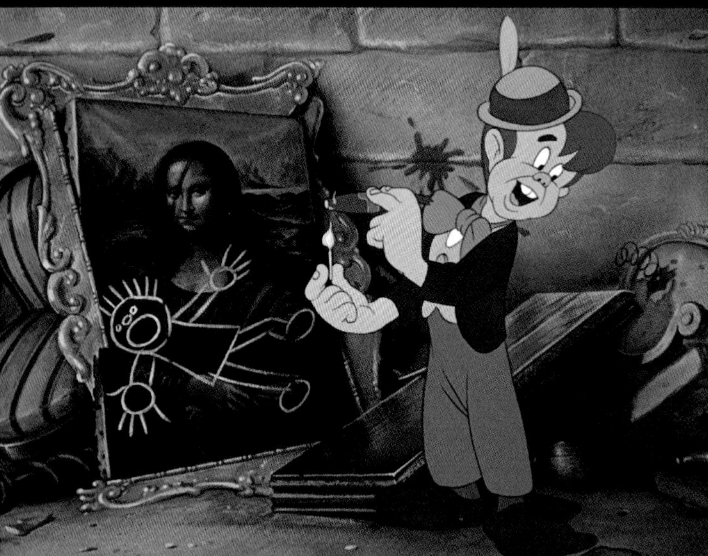

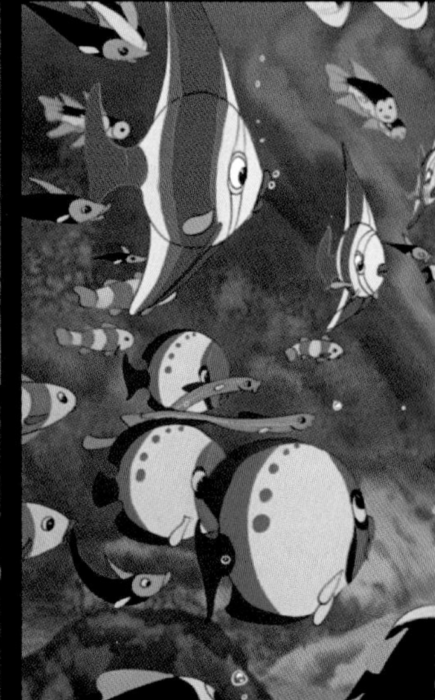

6.05

6.03

6.04

6.06

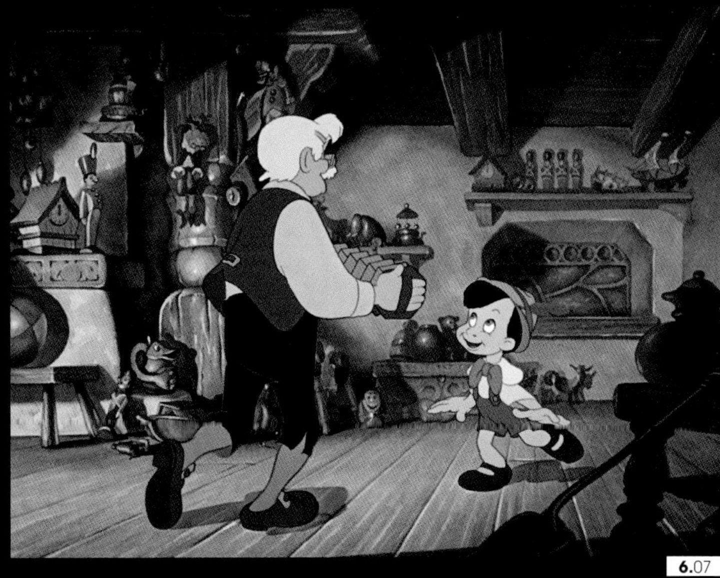

6.07

Ein Medium wird erwachsen

Von Daniel Kothenschulte

Unter den schönsten Eröffnungsszenen der Filmgeschichte verdient der Anfang von *Pinocchio* einen Ehrenplatz. Wenn sich Jiminy Grille (orig. Jiminy Cricket) in der ersten Einstellung als Sänger des Vorspannliedes *Wenn ein Stern in finst'rer Nacht (When You Wish upon a Star)* zu erkennen gibt, wenn er im Licht eines Scheinwerfers elegant den Deckel einer prächtigen Buchausgabe herunterrutscht, eine Seite aufschlägt und die Kamera in die erste Illustration eintaucht, hat uns der Film förmlich eingesogen. Und er wird während der folgenden knapp 90 Minuten ebenso wenig bereit sein, uns aus seiner Gefangenschaft zu entlassen. So wie seine legendären Schurken Stromboli, der Puppentheaterbesitzer, und Monstro, der Wal, niemals freiwillig wieder freigäben, was ihnen einmal untergekommen ist.

Das nächtliche Gebirgsdorf, in das die Multiplankamera in dieser ersten Szene gleitet, vom Sternenlicht geheimnisvoll erleuchtet, ist nicht einfach nur ein Abbild der Natur. Ebenso wenig ist die Szene ein Versuch, einen Kinoeffekt nach-

zuahmen, denn solche komplexen Aufnahmen waren im damaligen Realfilm gar nicht möglich. Disney geht es nicht um die Illusion des Lebens mit den Mitteln der Malerei, sondern um eine Verlebendigung der Kunst selbst.

Aber es ist nicht die Kunst der Museen, sondern die der bürgerlichen Kinderzimmer und der öffentlichen Bibliotheken. Es ist die Kunst der Bilderbücher. In ihren oft prächtigen Illustrationen waren vergangene Kunstströmungen des 19. Jahrhunderts noch lebendig, und sie sind die Quellen, aus denen sich die Ästhetik von *Pinocchio* speist. Noch zwei Jahrzehnte später, bei der Arbeit an *Sleeping Beauty (Dornröschen)*, sprach Walt Disney von seinem Ideal einer „moving illustration"[1], einer sich bewegenden Illustration.

Die Märchenbuchanfänge vieler Disney-Zeichentrickfilme verweisen nicht bloß auf die jeweiligen Vorlagen. Das Öffnen eines Buches wirkt wie ein sich hebender Theatervorhang, der den Blick auf eine Bühne der Worte und Bilder freigibt. Ebenso fällt auf, dass es sich stets um gewaltige Folianten handelt, selbst wenn wir wissen, dass etwa *Schneewittchen* in der Fassung der Gebrüder Grimm weniger als 3000 Wörter umfasst. Bücher waren in den USA der 1930er-Jahre keineswegs Massenartikel und allen Schichten zugänglich.

Kathy Merlock Jackson nennt sie in ihrem Buch *Walt Disney, from Reader to Storyteller* Prestigeobjekte, deren Besitz nicht nur Bildung, sondern

6.01 ***Das Filmplakat zur Erstveröffentlichung 1940***
6.02–07 ***Einzelkader aus* Pinocchio, *1940***
6.08 ***Layoutzeichnung von Geppettos Haus***

6.08

auch Wohlstand anzeigte.[2] Auch in *Snow White and the Seven Dwarfs (Schneewittchen und die sieben Zwerge)* kamen Märchenbuchanfänge zum Einsatz. Später verwendete Walt Disney einen ähnlichen Einstieg noch für die abendfüllenden Filme *Cinderella, Sleeping Beauty, The Sword in the Stone (Die Hexe und der Zauberer – Merlin und Mim)* und *The Jungle Book (Das Dschungelbuch).*

Doch nur in *Pinocchio* ist dieses Buch kein Realfilmrequisit, sondern bereits ein Teil der Animation. Im geheimnisvollen Kerzenschein erkennt man deutlich die Buchvorlagen zweier weiterer, bereits in Planung befindlicher Disney-Filme, *Alice in Wonderland (Alice im Wunderland)* und *Peter Pan.* Wenn sich der Zuschauer also gleich zu Beginn in einer animierten Welt befindet, passt das zum Anspruch dieses Films, mit seinen ausgeklügelten Tiefenwirkungen die Dimensionen von Zeichnung und Malerei gleich in zweifacher Weise zu erweitern – in der Bewegung ebenso wie im Raum. Und doch erklären sich die Bilder als Illustrationen innerhalb der Illustration. Sie sind Fenster zur Welt der Erzählung.

Mit seinem Plan, Carlo Collodis Kindergeschichten zu verfilmen, hatte sich Walt Disney ungewöhnlich früh an die Öffentlichkeit gewandt. Italienische Reporter waren die Ersten, die während seiner Europareise im Sommer 1935 davon erfuhren. Wie eine Zeitung berichtete, war es Hollywoodstar Douglas Fairbanks, der ihn auf die Idee gebracht hatte.[3]

„Als wir* Pinocchio *machten, haben wir versucht, alle Unterhaltungswerte einzubauen – Humor, Pathos, Spannung und Schönheit. Aber noch wichtiger: Wir haben uns aufrichtig bemüht, all den vielen Menschen überall auf der Welt gerecht zu werden, die das Buch gelesen haben und es lieben.“

Walt Disney

Konkret wurden diese Pläne allerdings erst im Herbst 1937 während der Endphase der Arbeit an *Snow White and the Seven Dwarfs.* Unter der Leitung von Otto Englander entwickelte eine

6.09

Gruppe von Story Artists ein erstes Szenario. Im Dezember wurde beschlossen, *Pinocchio* noch vor *Bambi* fertigzustellen, dessen naturalistische Animation große Anforderungen stellten. Ben Sharpsteen wurde zum Production Supervisor ernannt. Er sollte die Arbeit von Hunderten Künstlern in Absprache mit Walt organisieren. Zunächst einmal galt es, aus der komplexen episodischen Struktur eine stringente Handlung zu kondensieren und der Hauptfigur die für einen Leinwandhelden nötige Liebenswürdigkeit zu verleihen. In einer der ersten Storykonferenzen am 3. Dezember 1937 benannte Disney das Problem: „Eine Schwierigkeit bei *Pinocchio* ist, dass die Leute die Geschichte kennen, aber die Hauptfigur nicht mögen."[4]

Genau das ist natürlich die Crux bei Collodis Figur: Da er erst in einen Menschen verwandelt wird, wenn er die nötige moralische Reife erworben hat, erscheint er zu Beginn kalt und wenig menschlich. Schon zu Beginn der Geschichte bekommt das die wohlmeinende Grille zu spüren, nach der Pinocchio ein Holzscheit wirft. Selbst mit Attributen sympathischer Kindlichkeit ist Collodi ausgesprochen geizig, weshalb moderne Rezensenten wie der italienische Kulturwissenschaftler Giorgio Manganelli gar zum Schluss kommen, *Pinocchio* sei gar kein Kinderbuch und halte vielmehr seinen erwachsenen Lesern mit einer Narrenfigur den Spiegel vor.

„Man kann diesem Buch nicht trauen", schrieb auch der Schriftsteller und Philosoph Umberto Eco. „Es fängt an mit ‚Es war einmal' und spricht dann Kinder an, als wäre es ein Kinderbuch. Aber dann macht es eine unakzeptable Bewegung: Es widerspricht seinen kleinen Lesern (‚Nein, Kinder, ihr irrt euch'), und mehr noch, verweigert sich den Erwartungen der Erwachsenen, die sogar noch mehr als die Kinder erwarten, dass ‚Es war einmal' bedeuten muss, dass es irgendwann in einem Märchen auch einen König gegeben haben muss."[5]

6.09 *Eines der kostbarsten Kunstwerke in der Sammlung von Disneys Animation Research Library ist dieses Hintergrundgemälde eines Disney-Studiokünstlers, ausgeführt in Öl auf Hartfaserplatte in den Maßen 40,4 x 141 cm.*

6.10

Walt Disney und seinen Story Artists gelang es, ihrer Version von *Pinocchio* genau diese Märchenhaftigkeit einzuhauchen, die Collodi seinen Lesern vorenthält, ohne freilich die Geschichte zu überzuckern oder in irgendeiner Form in ihrer Aussage abzuschwächen.

Maurice Sendak geht in seinem Urteil so weit zu sagen: „Was mich angeht, ist Collodis Buch heute vor allem als Beweis für die Überlegenheit von Disneys Drehbuch von Interesse. Der Pinocchio im Film ist nicht die widerspenstige, schmollende, bösartige, verschlagene (wenn auch charmante) Marionette, die Collodi erschuf … Er ist vielmehr sowohl liebenswert als auch geliebt. Darin liegt Disneys Triumph … Disney hat einen schrecklichen Fehler korrigiert. Pinocchio, sagt er, ist gut; seine ‚Schlechtigkeit' lediglich eine Frage der Unerfahrenheit."[6]

Walt Disney selbst begann gegen Ende der Arbeit an *Pinocchio* daran zu zweifeln, ob es richtig gewesen war, sich so weit vom Buch entfernt zu haben. Eine der ersten Storykonferenzen zu *Alice in Wonderland* eröffnete er mit diesen Bedenken: „Glaubt ihr, man sollte sich diesmal so weit vom Buch entfernen? Wir haben das bei *Pinocchio* getan, und ich bedaure das heute. Wir haben nicht alles ausgeschöpft, was in *Pinocchio* steckte."[7]

Mit dem Flug über die Dächer erfindet Disney das, was heute als virtuelle Kamerafahrt in jedem mit computergenerierten Effekten arbeitenden Spielfilm obligatorisch ist. Und bricht doch im nächsten Moment das Irreale dieses Blicks und das Pathos der Verzauberung durch eine sprunghafte Kamerabewegung, welche die Kameraperspektive als Sicht der Grille ausweist. Welch ein Filmanfang – und wie hart wurde um ihn gerungen.

Erst im Sommer 1938, fast ein Jahr nach Beginn der Storyentwicklung im September 1937, erarbeiteten sich Disney und seine Künstler die Figur der Grille. „Jiminy Cricket!", Walts Namens(ein)-gebung, war zu jener Zeit ein geflügeltes Wort, das man verwendete, wenn man seinem Ärger Ausdruck verleihen wollte, ohne blasphemisch zu werden.

Die Idee, Jiminy Grille zu Pinocchios Begleiter und zur Verkörperung des Gewissens zu machen, das der Marionette noch fehlte, wurde erst im Januar 1939 geboren. Disneys Storykonferenz mit den Mitarbeitern Bill Cottrell, Dorothy Ann Blank, Ted Sears, Dick Creedon und Wilfred Jackson vom 16. Januar 1939 hatte kaum begonnen, als Walt der entscheidende Einfall kam: „Glaubt ihr, wenn wir einen kleinen Prolog hätten – er kommt raus und erzählt uns irgendetwas am Anfang –,

6.10 ***Jack Campbells Animation der Blauen Fee hatte Realaufnahmen der Schauspielerin Marge Champion zur Vorlage, die bereits als Schneewittchen posiert hatte. Es ist einer der wenigen Augenblicke im Film, der den geschmacklichen Idealen seiner Entstehungszeit verhaftet ist, als die meisten weiblichen Hollywoodstars Glamourschönheiten waren.***
6.11 ***Disneys Hintergrundzeichner erreichten durch feine Lichtsetzung und eine im Animationsfilm bis dahin unbekannte Detailtreue einen magischen Realismus.***

würde das zu sehr herausfallen? Gerade genug, dass wir wissen, wessen Stimme wir hören."[8]

„Es liegt etwas Bezwingendes in einer Figur, die verzweifelt versucht, ein wirklicher Mensch zu werden, die wir aber alle als ein Stück Holz viel interessanter finden."

Terry Gilliam

Als Walt Disney einige Zeit später in der Besprechung auf die Szene zurückkommt, fällt ihm dafür die subjektive Kameraperspektive ein: „Mir gefällt es, wenn er anfängt, in diesem kleinen Prolog die Geschichte zu erzählen. Wir haben diesen schönen Satz darin: ‚Dieses urige kleine Dorf' ... Er kommt da entlang. Man sieht die Grille nicht, vielleicht ist sie gar nicht drin. Und ein Licht brennt in diesem kleinen Haus. Er ist die Kamera bis zu diesem Punkt."[9]

Disneys spontane Idee findet sich im fertigen Film wieder. Die Sprünge aus der Sicht der Grille wirken umso wirkungsvoller, als sie die gegeneinander verschobenen Hintergründe der Multiplankamera in den wechselnden Raum übertragen.

Bemerkenswert an Walts Äußerung ist seine Wertschätzung des Adjektivs „urig": Bereits 1935 findet es sich in einem Memo über künftige Filmideen angesichts des altmodischen Charmes jener Bilderbücher, die er von seiner Europareise mitgebracht hatte: „Diese urige Atmosphäre fasziniert mich."[10] Im Kanon des Disneyesken sollte dieses nostalgische Attribut einen festen Platz einnehmen und sich später etwa in der Architektur von Disneyland manifestieren. In *Pinocchio* fand es seinen stärksten visuellen Ausdruck in den von Gustav Tenggren entworfenen Schauplätzen. Das reale Vorbild für das gemütliche Dorf fand dieser Inspirational Artist jenseits vom italienischen Spielort der Romanvorlage im bayerischen Rothenburg ob der

6.11

6.12

6.12 ***So wie die Blaue Fee in diesem Aquarell des schwedischen Illustrators Gustaf Tenggren ihren Zauber an Pinocchio erprobt, ließ Walts Meisterwerk eine klassische Kunstform lebendig werden.***

6.13

Tauber – berühmt für seine mittelalterlichen Häuser, wuchtigen Holztüren und schmiedeeisernen Beschläge, die Geppettos Welt eine märchenhafte und doch sehr bodenständige Atmosphäre geben. Eines der Bilderbücher, die Disney 1935 von seiner Europareise mitbrachte, wirkt wie ein direktes Vorbild für die Kopfsteinpflastergassen und holzverzierten Innenräume: Hermann Kaulbachs seit seinem Erscheinen 1906 hunderttausendfach verkauftes *Bilderbuch*, das im damals populären Biedermeierstil von Kinderstreichen erzählt. Wie alle Bücher, die Disney in

Europa kaufte, stand es den Künstlern in der Studiobibliothek zur Verfügung. Albert Hurter, der die wichtigsten Entwürfe für Geppettos Werkstatt lieferte, dürfte das populäre Buch aus seiner Schweizer Heimat geläufig gewesen sein.

„Gustaf Tenggren malte wunderschöne Farbillustrationen zur Inspiration, und der unvergleichliche Albert Hurter gab die Stile vor und brachte ungewöhnliche Hintergrundtechniken ein.“

Jack Kinney

Wenn man einen Filmemacher daran bemisst, was er auf dem Höhepunkt seiner Kreativität und unter idealen Arbeitsbedingungen zu leisten vermag, dann muss man Walt Disney an *Pinocchio* messen. Beflügelt vom Erfolg von *Snow White and the Seven Dwarfs*, investierte er alle Ressourcen in eine Arbeit, die keine Kompromisse machen musste. *Snow White and the Seven Dwarfs* erlaubt uns zu sehen, wie sehr sich die Fähigkeiten von Disneys Künstlern während der Arbeit verfeinerten. Nun aber standen sie im Überschuss zur Verfügung und wurden täglich erweitert – befeuert durch Walt Disneys unstillbaren kreativen Ehrgeiz.

Während die Kurzfilmproduktion weiterhin blühte, wurden gleich drei Langfilme in Angriff genommen und steckten einen weiten Radius unterschiedlicher künstlerischer Ziele ab. *Bambi* steigerte die Stimmungsmalerei der anspruchsvollsten Silly Symphonies zu einem vollendeten Gemälde mit Tieranimationen, die ebenso naturnah wie charakterstark waren.

Fantasia offerierte dagegen ein Feuerwerk stilistischer Experimente und feierte die Kunst um der Kunst willen. *Pinocchio* jedoch stellte erzählerisch die höchsten Ansprüche. Alle Möglichkeiten der Animation und unzählige Neuentwicklungen, insbesondere in den Spezialeffekten, stellten sich in den Dienst einer Geschichte von erhabener Größe. *Pinocchio* ist, wie es J. B. Kaufman kürzlich in seiner definitiven Monografie über den Film formulierte, „der Disney-Epos“[11], für den Disney-Historiker vergleichbar mit den monumentalen Epen der Stummfilmzeit, D. W. Griffiths *Intolerance* (*Intoleranz*, USA 1916), Erich von Stroheims *Greed* (*Gier*, USA 1924) oder *Napoléon* (*Napoleon*, Frankreich 1927) von Abel Gance.

Ob Walt Disney, der seinen Zeichnern viele bedeutende Stummfilme zu Studienzwecken zeigte, diesem Vergleich wohl zugestimmt hätte? In der Größe dieser Kinoepen lag stets etwas Tragisches: Geschaffen mit einem Aufwand, der sich nur bei einer Potenzierung durchschnittlicher Besucherzahlen rechnet, stellten sie auch künstlerisch hohe Ansprüche –

6.14

6.13 *Ward Kimballs Design und Animation von Jiminy Grille gilt bis heute als Meilenstein in der Geschichte der Figurenanimation.*
6.14 *Norm Ferguson animiert den Ehrenwerten John.*

und gerieten so in Gefahr, einen Teil das Massenpublikums, auf das sie angewiesen waren, zugleich zu überfordern.

Mehr als für jeden anderen Disney-Film mag für *Pinocchio* der Satz des Disney-Fans Sergei M. Eisenstein gelten: „Manchmal machen mir seine Filme Angst, wenn ich sie sehe. Wegen der absoluten Perfektion in seinem Tun. Dieser Mann scheint nicht nur die Magie all der technischen Möglichkeiten zu beherrschen, sondern auch die geheimsten Fäden des menschlichen Geistes, der Bilder, Ideen, Gefühle."[12]

„*Pinocchio* *ist der dunkelste aller Disney-Filme. Selbst nach heutigen Maßstäben ist der Film von einer unheimlichen Düsternis geprägt, die im kommerziellen Animationsfilm seiner Zeit völlig unbekannt war.*"
Russell Merritt

In der Tat: Die Wirkmacht von *Pinocchio* war ungeheuerlich. Mit seiner Premiere am 7. Februar 1940 bewies Disney der ganzen Welt, dass es fortan nichts mehr geben würde, was sich in der Kunst des Animationsfilms nicht darstellen ließe, und das betraf weit mehr als das äußere Erscheinungsbild der sichtbaren Wirklichkeit. Carlo Collodis Kinderbuchklassiker erschien ihm dazu die ideale Vorlage. „Jede Figur in der Geschichte ist ideal für eine Adaption ins Medium der Animation", schrieb er vier Monate vor Kinostart in einem Beitrag für die *Los Angeles Times*. „In der Tat ist es der einzige Weg, eine lebendige Holzpuppe auf die Leinwand zu bringen. Nicht zu vergessen eine sprechende Grille von winziger Größe, eine Sternschnuppe, die sich in eine wunderschöne Fee verwandelt, und einen monströsen und unglaublich bösen Wal, der die Hauptfiguren im Verlauf der Geschichte verschlingt."[13] Doch der Film, den Joe Grant *Snow White and the Seven Dwarfs* vorzog, und den Art Babbitt, der Chefanimator des liebenswerten Puppenvaters Geppetto, für den besten Disney überhaupt hielt, sollte auch sein dunkelster werden.

Schon *Snow White and the Seven Dwarfs* besaß ohne Zweifel auch einige unheimliche Elemente. In diesem Film jedoch erinnerte kaum noch etwas an die leuchtend warmen Farben und die Ausgelassenheit der komödiantischen Auftritte der sieben Zwerge. Als hätte Walt Disney vorausgeahnt, dass sein Medium zumindest in den USA einmal weitgehend auf die Genres der Kinder- und Familienunterhaltung reduziert werden würde, nutzte er die historische Chance, es in den Dienst eines großen Dramas zu stellen. Zwar vergeht auch in *Pinocchio* kaum eine Filmminute ohne eine Vielzahl kleinerer und größerer visueller Gags, doch der dunkle Hintergrund, auf dem diese heiteren Momente strahlen, ist ein spätromantisches Pathos. *Pinocchio* ist eine dunkle Fantasie, deren dramatische Höhepunkte auch Erwachsenen bis heute eine Gänsehaut einjagen können.

6.15

6.15 ***Ein Story Sketch vom Ehrenwerten John und Pinocchio***
6.16 ***Tenggrens Kombination mehrerer Perspektiven auf einem Bild zeigt ein tiefes Verständnis für Kamerabewegungen in der Animation (Concept Art).***

6.16

Der erste Schrecken ist noch recht leicht zu verdauen, wenn sich die kindliche Marionette, kaum zum Leben erwacht, aus Neugier den Zeigefinger an einer Kerze in Brand setzt – und das Spektakel bis zur Rettung durch Meister Geppetto gebannt und voll unschuldiger Neugier betrachtet. Das Wesen der Animation, die Verlebendigung, wird in dieser Szene selbst zum Thema. Die eben noch leblose Marionette ist nun zwar Herrin eines freien Willens – aber dennoch ein Stück Holz, das keinen Schmerz empfindet.

Für den Animator Andreas Deja, der zugleich ein Historiker seines Mediums ist, steckt in einem Bild, das kurz davor im Film zu sehen ist, „die Essenz der Disney-Animationskunst“[14]. Unmittelbar bevor ihn der Zauberstab der Fee zum Leben erwecken wird, lässt uns Milt Kahls Darstellung das Gewicht des unbelebten Holzkörpers spüren. Auch der Anstrich der Augen mit der in Unbeweglichkeit gefangenen Pupille verstärkt den Eindruck des toten Materials.

Später im Film kehrt dieses Motiv zurück in den stumpfen Marionettenkörpern, die im Wagen ihres finsteren Impresarios Stromboli wie Gehängte baumeln – eine Vision, die zuvor in einem der zahlreichen Aquarelle vorbereitet wurde, die Gustaf Tenggren für den Film anfertigte. Der Stil des aus Schweden eingewanderten Illustrators definierte den Look des Films entscheidend.

Als der Schausteller seinem frischgebackenen Star Pinocchio sein drohendes Ende bei mangelnder Gefügigkeit ausmalt, lässt er zur Bekräf-

6.17

tigung eine Axt auf eine ausgemusterte Puppe fallen, deren aufgemaltes Lächeln ihre Leblosigkeit noch einmal pointiert.

Eine Zeit lang hatten sich Disney und seine Künstler mit der Idee getragen, auch Strombolis Marionetten ein Eigenleben zu geben, so wie etwa in der Silly Symphony *The China Shop* Porzellanfiguren in Abwesenheit des Ladenbesitzers zum Leben erwachen.

In einer dieser Varianten hätte sich Pinocchio sogar in ein Puppenmädchen verliebt, das er während seines Auftritts vor einem Drachen gerettet hätte. Walt Disney selbst bereitete diesem Ansatz ein Ende, als er am 18. Januar 1938 in einer Storykonferenz erklärte: „Das Publikum weiß, dass wir alles mit einer Zeichnung anstellen können, und es interessiert sie kein bisschen. Dies ist eine Sequenz über Puppen an Fäden, und ich glaube, wir sollten diese Fäden nutzen. Sie können alles Mögliche anstellen, aber nur dank der Fäden. Das wird lustiger."[15]

In der Tat bot das Wechselspiel zwischen Pinocchio und den echten Marionetten reiche komödiantische Möglichkeiten – etwa wenn er staunend wie ein Kind, das dem Zauber bewegter Puppen erliegt, die Tänzerinnen bewundert. Oder sich in Frank Thomas' unsterblicher Animation zum Schlussvers seines Liedes *Mich hält kein Faden (I Got No Strings)* in ihren Fäden

6.17 ***Pinocchios Begegnung mit Stromboli, wie Tenggren sie sich vorstellte.***

verheddert, um zugleich zu triumphieren: „Ich tanze ohne Schnur!"

Aber wie so oft in diesem filmischen Wunderwerk treffen Humor und künstlerische Selbstreflexion aufeinander: Obwohl doch alles, was wir sehen, Animation ist, erleben wir, wie Lebendiges und lediglich Verlebendigtes aufeinanderstoßen. Im Zusammentreffen mit den toten Objekten empfinden wir Pinocchio als umso lebendiger und fühlen die Schutzbedürftigkeit des Kindes in einer feindlichen Welt. Und wie so oft erinnert Disney in der Verbindung von Humor und menschlicher Anteilnahme an sein Idol Charlie Chaplin. Am Ende, wenn Geppetto den leblosen Puppenkörper auf sein Bett legt, wird die Verlebendigung ein letztes Mal zum Thema. Dass die gute Fee Geppetto nun jedoch nicht die uns ans Herz gewachsene lebendige Puppe zurückgibt, sondern Pinocchio gleich als einen Jungen aus Fleisch und Blut erscheinen lässt, erleben viele Zuschauer als Enttäuschung.[16] In seiner naturalistischen Darstellung wirkt der Mensch Pinocchio wie ein Stilbruch in diesem sonst makellosen Film – und ironischerweise weit weniger lebendig.

Es gehört zu den schwierigsten Aufgaben in der Animation, die Bewegung von Gegenständen zu animieren. *Pinocchio* ist voller kaum je wiederholter Meisterleistungen – etwa bei den beweglichen Spiel- und Wanduhren. Nach Entwürfen Albert Hurters baute der Modellmacher und Puppenspieler Bob Jones gemeinsam mit dem 21-jährigen Wah Chang (später bekannt als Designer von Science-Fiction-Filmen wie *The Time Machine* (*Die Zeitmaschine*, USA 1960, Regie: George Pal) funktionierende Holzmodelle. Walt Disney, der auf seiner Europareise eine lebens-

6.18 ***Dieses frühe Concept Painting folgt Collodis Vorlage, als Pinocchio das märchenhafte Schlaraffenland besucht, das der Dichter Giovanni Boccaccio „Cuccagna" nannte.***
6.19 ***Story Sketch***
6.20 ***Story Sketch aus der Vergnügungsinselsequenz***

lange Liebe zu Miniaturen entwickelt hatte, bewunderte die Arbeit der beiden. Ein bewegliches Walskelett diente den Animatoren ebenso als Studienobjekt wie der hin und her schaukelnde Vogelkäfig, in dem Stromboli Pinocchio gefangen hält. Das in Bewegung gefilmte Modell wurde einzelbildweise auf Photostats ausbelichtet. Animator Bob McCrea pauste sie originalgetreu durch, um jede Aufweichung der Formen zu vermeiden, die sich bei freiem Zeichnen zwangsläufig eingestellt hätte.

6.19

Die unheimlichste Szene des Films findet sich im Produktionsplan unter der Sequenznummer 8.5: Ein nach dem Abend auf der Vergnügungsinsel desorientierter Pinocchio, meisterhaft animiert von Ollie Johnston, entdeckt am Kopf seines „besten Freundes" Lampwick Eselsohren. Für den Zuschauer ist die Verwandlung keine Überraschung, hat Jiminy Grille doch zuvor alles über das Schicksal des Jungen herausgefunden. Pinocchio, der inmitten seiner Odyssee noch nicht die Fähigkeit zur Empathie erlernt hat, erschüttert Lampwicks beginnende Verwandlung wenig. Dafür lässt ihn der schreckliche Anblick am Bier- und Zigarrengenuss zweifeln.

6.20

6.21 6.22 6.23 6.24 6.25 6.26

Der eigentliche Schreckensmoment aber ist der, in dem Lampwick zu lachen beginnt, aber nur wie ein Esel schreien kann. Dieser Augenblick ist so stark, dass ihn sogar die nun folgende Verwandlungsszene nicht an Wirkung übertreffen kann – obgleich sich Hamilton Luske, der diese Szene inszenierte, deutlich an einem Klassiker des Horrorfilms orientierte, der schon *Snow White and the Seven Dwarfs* beeinflusst hatte: *Dr. Jekyll and Mr. Hyde* (*Dr. Jekyll und Mr. Hyde*, USA 1931, Regie: Rouben Mamoulian). Unverkennbar zitieren sie die bekannte Großaufnahme der Hände, auf denen sich ein Fell ausbreitet, ebenso wie den Spiegel, vor dem der Junge sich selbst dabei beobachtet, wie er vom Menschen zum Tier wird. Fred Moore, der sich im Design des Lampwick selbst karikierte, gelang hier eine seiner eindrucksvollsten Animationen.

„In Schneewittchen halfen die Tiere, das Haus zu finden, aber hier ist die Sache anders: Sie sind nur so lange freundlich, bis [Monstros] Name fällt, und darauf müssen wir aufbauen."
Walt Disney

Die Grenze zwischen Dingwelt und Natur ist in *Pinocchio* ebenso klar definiert wie die Schnittstelle zwischen Realität und Überwirklichkeit, deren Überwindung den spärlichen Auftritten der Guten Fee vorbehalten ist. Dass gleichwohl nur einzelne Tierfiguren sprechen können, wirkt intuitiv plausibel. Waren für Kater Gideon noch Dialoge aufgenommen worden – *Looney-Tunes*-Sprecher Mel Blanc lieh ihm die Stimme –, verwandelte er sich während der Produktion zum stummen Sidekick des umso redegewandteren Verführers Ehrenwerter John (orig. Honest John). In der Animation unter der Leitung von Norman Ferguson wirkt er vom ersten Moment an glaubwürdig als Gegenfigur zum ehrlichen Tramp Jiminy Grille. Abermals denkt man an die frühen Filme Chaplins: Während die Noblesse des wahren Gentlemantramps Jiminy auch in größter Not nie korrumpierbar ist, ist der Fuchs Ehrenwerter John – gesprochen von Walter J. Catlett – auf eine derart durchsichtige Art halbseiden, dass es die Unschuld und Naivität seines hölzernen Opfers nur noch deutlicher zutage treten lässt.

Wie Pinocchios Gefährte Jiminy Grille ist auch Geppettos vierbeiniger Hausgenosse in Collodis Vorlage nur eine Randfigur. Vermutlich war es der Besuch einer Aufführung der Theateradaption von Yasha Frank, die Disneys Story Men auf den Gedanken brachte, Geppetto eine Katze an die Seite zu stellen. Im Stück sorgt das namenlose Tier, das Pinocchio von Anfang an mit Eifersucht begegnet, für komische Abwechslung. Deutlich angelehnt an die Helden der oscargekrönten Silly Symphony *Three Orphan Kittens (Drei kleine Kätzchen)*, entschied man sich für einen jungen Kater. Ursprünglich war Fred Moore für die Animation vorgesehen, doch dieser gab einem jungen Zeichner seinen Segen, der sein Talent mit einem Pencil Test bewiesen hatte: Für Eric Larson, später bekannt als einer von Disneys Nine Old Men, war der ebenso niedliche wie zänkische Figaro der Durchbruch.

Es gehört zu den Geheimnissen von *Pinocchio*, wie selbstverständlich dem Zuschauer die Koexistenz von anthropomorphen, sprechenden Tieren (den zweibeinigen Figuren Fuchs, Kater und Grille) und realistischer agierenden Haustieren

6.21–26 ***Eine herausgeschnittene Szene, die in meisterlichen Aquarellsketchen dokumentiert ist, einige davon signiert von Farbstilist Lee Blair.***
6.27 ***Walt Disneys Schauspieltalent genoss bei seinen Animatoren einen legendären Ruf.***

6.27

vermittelt wird. Aber war etwa jemals die Koexistenz von Micky (orig. Mickey) und Pluto infrage gestellt worden? Das Objekt von Figaros schelmischen Attacken ist eine weitere Ergänzung zum Roman, Goldfisch Cleo. Der Name und die Persönlichkeit der Zierfischdame geht auf Disney höchstpersönlich zurück, der sie sich in einer Storykonferenz vom 26. Mai 1938 als „teils Hund, teils Katze, teils Fisch, teils Mensch"[17] vorstellte. Ihre glamouröse Weiblichkeit verdankt Cleo in vielen ihrer Großaufnahmen Animator Don Lusk, der zum Zeitpunkt der Niederschrift dieses Essays 102-jährig als letzter überlebender Animator von *Pinocchio* in Kalifornien lebte.

Cleos größte Szene, im Abbildungsteil dieses Kapitels als Storyboard dokumentiert, wurde im Sommer 1939 aus dem Film geschnitten: Hungernd im Bauch des Wals, macht Figaro Anstalten, seinen Spielkameraden zu verspeisen. Geppetto, der sich zunächst empört, verfällt beinahe demselben Impuls und halluziniert schon über die besten Zubereitungsarten – bis ihn der Anblick des verängstigten Goldfischs wieder zur Vernunft bringt.

Deutlich inspiriert von Chaplins *The Gold Rush* (*Goldrausch*, USA 1925), wäre *Pinocchio* um ein weiteres tragikomisches, aber auch verstörendes Element reicher geworden. Doch die bereits in Teilen fertiggestellte Animation war nicht vergebens – 1943 wurde sie eingearbeitet in den ersten von sechs *Figaro*-Cartoons, *Figaro and Cleo (Figaro und Cleo)*.

6.28

6.29

***6.**28 Unterwasser-Story-Sketch eines Disney-Studiokünstlers*
***6.**29 Concept Art für einen nicht verwendeten Gag: Pinocchio ahnt nicht, welche Gefahr von hinten naht.*

Kaum von der Vergnügungsinsel gerettet, nimmt Pinocchios Weg eine noch dramatischere Wendung. Ganze drei Filmminuten liegen zwischen Pinocchios und Jiminys rettendem Sprung von den Klippen der Insel und ihrem abermaligen Abtauchen in das nächste Gewässer. Mehr Zeit brauchten Disneys Story Men nicht, um in einer weiteren dramatischen Nachtszene ihre Helden zu Geppettos verlassenem Haus zu führen, mit dem Brief einer magischen Taube dessen Notlage im Bauch eines Wals zu übermitteln und Pinocchio sogleich die unumstößliche Entscheidung treffen zu lassen, der Taube dorthin zu folgen. Ganze drei Sekunden steht eines der imposantesten Hintergrundgemälde des Films auf der Leinwand, die Untersicht der Klippe, von der sich Pinocchio herabzustürzen bereit ist, in dramatischer Morgendämmerung. Ausgerechnet unter Wasser findet der Film dann zu einer seiner strahlendsten und farbenprächtigsten Sequenzen – und lässt das Drama für einen

6.30 ***Gustaf Tenggrens Inspirational Painting für einen nicht verwendeten Augenblick in der Unterwassersequenz des Films***

Moment spielerischerer, aber doch geheimnisvoller Ruhe pausieren.

Visuelle Spezialeffekte sorgen für wässrige Unschärfen. Ähnliches erreicht auf der Tonebene die neuartige Butterfly Machine, eine Vorrichtung zum unebenen Abspielen von Lichttonschleifen. Walt Disney war auf der Stelle von den technischen Herausforderungen der Sequenz begeistert: „Die ganze Unterwasserszenerie ist fantastisch für die Multiplankamera, zum Streuen und um Dunstschleier zu verteilen, mit Lichtstrahlen, die nach unten kommen"[18], so sein in der Storykonferenz vom 15. März 1938 geäußerter Wunsch.

In der bunten Unterwasserwelt kehrt die verspielte Ornamentik der Silly Symphonies *Water Babies (Wasserbabys)* und *Merbabies (Meer-Babys)* zurück, in denen Disney die Choreografien der Busby-Berkely-Musicals mit Fischschwärmen parodiert hatte. Doch wie fragil ist dieser Zauber: Sobald Pinocchio den Tieren, die ihn so neugierig begleiten wie Schneewittchens Waldgefährten, verrät, wonach er sucht, bleiben von der freundlichen Gesellschaft nur noch ein paar Wasserbläschen übrig. Die Furcht ist nur allzu berechtigt: Monstro, der Wal, macht seinem Namen alle Ehre. Noch vor Pinocchio entdeckt ihn die Kamera, die

6.30

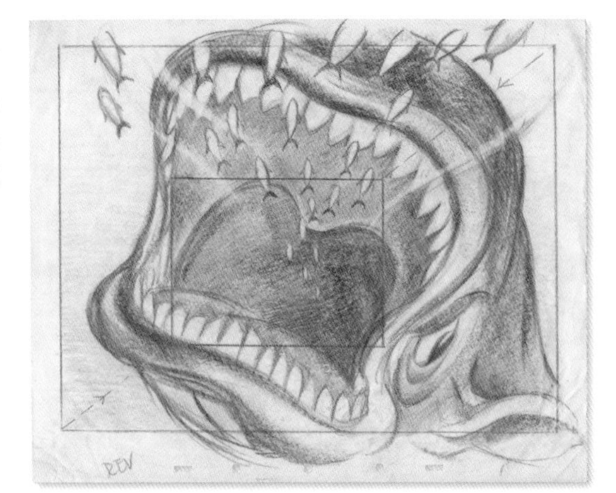

6.31

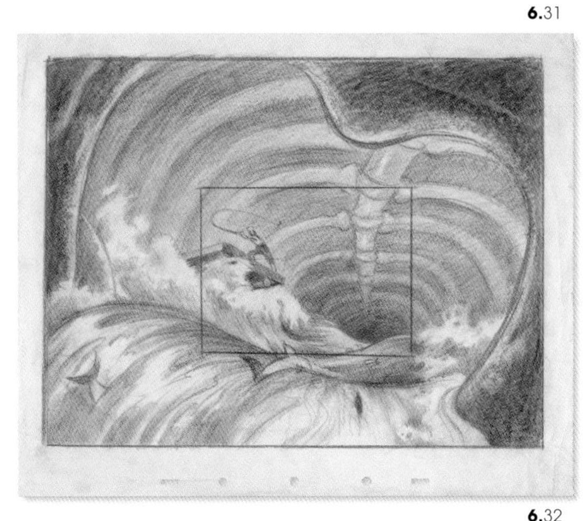

6.32

Animation erwacht und nach Beute schnappt, folgt auch schon ein wagnerianisches Furioso. Die Nahansicht des Auges, das den Thunfisch erblickt, einen Moment von fast surrealer Wirkung, animierte Disneys Spezialist für das Unheimliche und Monströse Bill Tytla.

„Wir haben verschiedene Möglichkeiten ausprobiert, um den Figuren eine Anmutung von mehr Tiefe und Rundheit zu geben – oder mehr Dreidimensionalität … Wir haben es sogar geschafft, unter der glänzenden, bedrohlichen, dunklen Oberfläche [des Wals] Muskeln spielen zu lassen.“

Walt Disney

Nie zuvor und nur selten wieder hat der Animationsfilm eine Sequenz von vergleichbarer Dramatik und kolossaler Wucht hervorgebracht. In der Darstellung Monstros gehen Realismus und Karikatur eine einzigartige Verbindung ein, zu deren Realisierung jede Cel wie ein Gemälde behandelt wurde. Herman Schultheis, Fotograf und Techniker im Process Laboratory, war an der Entwicklung einer Wash-off-Technik beteiligt, bei der Elemente fotomechanisch auf die Cels übertragen und anschließend malerisch weiterverarbeitet wurden. Einzelne Schattierungen wurden mit trockenem Pinsel hinzugefügt. Ihre menschliche Wärme erhält die Sequenz freilich einmal mehr durch Elemente chaplinesker Tragikomik. In der Storykonferenz vom 13. März 1938 entwickelte Disney viele komische Details, um das

sich seinem zunächst nur schemenhaft aufscheinenden Körper vorsichtig nähert.

Die Filmkomponisten Leigh Harline und Paul J. Smith, die in ihrer später mit einem Oscar gekrönten sinfonischen Partitur gerade noch in einem spielerischen Impressionismus schwelgten, beantworten das fast abstrakte Wesen mit atonalen Klängen experimenteller Effektinstrumente, die sich über Kontrabassakkorde legen. Die anschließende Fahrt ins Innere des Wals zum hungernden Geppetto in seinem Schiffswrack wird mit einem intimen Klarinettensolo unterlegt. Erst allmählich verteilt sich das anrührende Motiv auf die weiteren Orchesterstimmen. Doch als die Bestie in Wolfgang Reithermans naturalistischer

6.31–32 ***Story Sketches von Monstro, den später Wolfgang Reitherman animierte.***
6.33 ***Die Wiedervereinigung von Vater und Sohn, wie Gustaf Tenggrens Concept Art sie vorwegnahm.***

anrührende Wiedersehen von Geppetto und seinem Marionettensohn zu brechen: Da er gerade beim Fischen ist, bemerkt Geppetto Pinocchio zunächst nicht. Der entscheidende Gag beruht allerdings auf einer Idee Wilfred Jacksons: „Der alte Mann könnte etwas sagen wie: ‚Ich bin in einer Minute bei dir, Pinocchio.' Dann erkennt er, was eigentlich los ist, und schreit: ‚Pinocchio!'"[19]

Diese Geschichte vom Erwachsenwerden bedeutete auch das Coming of Age eines Mediums, des „Walt Disney Medium", wie das Los Angeles County Museum of Art im Jahr der Erstveröffentlichung des Films eine Ausstellung nannte.

Auf umjubelte Premieren in New York und Hollywood folgten hymnische Kritiken, und sie bestätigten Disney in seinen kühnen Ambitionen: „Man kann es jetzt machen", schrieb Archer Winsten in der *New York Post*. „Alle Fantasien, alle hochfliegenden Werke einer Imagination jenseits dieser Welt, alle kühnen Träume stehen bereit, auf dass Disney sich ihrer annehme."[20]

Aber würde Walt Disney dieses Versprechen an die Zukunft auch künftig einlösen können? Orson Welles nannte die Studiotechnik Hollywoods einmal „die größte elektrische Eisenbahn, die sich ein Junge nur erträumen kann"[21]. Disney hatte sich eine noch komplexere Spielzeugeisenbahn geschaffen, eine Kreativmaschine endloser Möglichkeiten.

Doch bald nach dem Kinostart schwand die Hoffnung, mit einem aufwendigeren Film auch einen entsprechend größeren Umsatz zu erzielen. Laut einem Geschäftsbericht aus dem Jahr 1941[22] hatte der Film mit einem Budget von 2.289.000 Dollar rund eine Million Dollar mehr verschlungen als sein Vorgänger. Am Ende des Jahres 1940 waren weniger als eine Million Dollar eingespielt worden. Der Auslandsmarkt war während des Zweiten Weltkriegs weitgehend

6.33

zusammengebrochen. Walts enger Mitarbeiter Joe Grant erinnert sich, Walt Disney „sei sehr, sehr unglücklich"[23] über das schlechte Einspielergebnis gewesen.

„Alles, was heute Morgen zählt, ist, dass Pinocchio endlich da ist und ganz genauso gut, wenn nicht noch besser geworden ist, als wir es uns ausgemalt hatten. Und dass es eine so beglückende und kluge und entzückende Fantasie geworden ist, wie sie sich ein gut erzogenes Kind oder ein übersättigter alter Mann nur zu sehen erhoffen konnten."

Frank S. Nugent

Nur ein Jahr nach der umjubelten Premiere schien er bereits den finanziellen Verlust mit einem künstlerischen Versagen gleichgesetzt zu haben, als er gegenüber einem Reporter nach einer Erklärung suchte: „Aber *Pinocchio* fehlte irgendetwas." Und als sollte es eine Lehre für die Zukunft des Studios sein, fügte er hinzu: „Wir dürfen nicht mehr all unsere Hoffnungen in einen einzigen Film versenken. Es zahlt sich nicht aus."[24]

Walt Disneys Genie betraf bekanntlich beide, sonst so selten gemeinsam anzutreffende Talente, die Kunst und das Management. Und man kann dankbar sein, dass der Manager den Künstler so oft gewähren ließ. Noch heute herrscht in Hollywood das Mantra, kommerzielle Erfolge für Qualitätsbeweise und Verluste für Belege des Scheiterns zu halten.

Zeitlebens sollte Disney *Pinocchio* als Misserfolg betrachten, so zufrieden er mit ihm auch bis weit nach der Premiere gewesen zu sein schien. Ein winziger Schatten auf einigen der ansonsten überschwänglich positiven Kritiken muss bei ihm den Finger in eine offene Wunde gelegt haben – die gegenüber dem Vorgängerfilm enttäuschende Resonanz auf die Filmmusik. Der Kritiker der *New York Times* Frank S. Nugent kleidete seine Bedenken in freundliche Worte: „Auch wenn die Filmmusik fröhlich und angenehm ist, ist sie doch nicht so ansteckend melodisch wie die Chöre der sieben Zwerge in *Snow White and the Seven Dwarfs* – aber da diese ja

6.34

nun einmal auch nicht vorkamen, wollen wir es *Pinocchio* nicht zum Vorwurf machen."[25] Gerade einmal zwei Monate vor der Premiere von *Pinocchio*, während einer Storykonferenz zu *Peter Pan* am 1. Dezember, hatte Disney einen ähnlichen Vergleich gezogen: „Ich glaube, wir müssen den Film für die Musik entwerfen. Das haben wir bei *Pinocchio* nicht getan, und er leidet darunter – man spürt den Verlust. Und zu viel Dialog gibt es da auch. Ich glaube, die Leute hören gerne Songs, die auch hineingehören. Wie bei *Snow White* – die meisten Lieder darin brachten unsere Geschichte weiter."[26]

Als sein Studio im Folgejahr *Dumbo (Dumbo, der fliegende Elefant)* als Rückkehr zu den Qualitäten von *Snow White and the Seven Dwarfs* bewarb, vermied man jeden Hinweis auf *Pinocchio*. Dagegen sahen die Kuratoren der Disney-Ausstellung im Los Angeles County Museum of Art, die im Dezember 1940 auch zahlreiche *Pinocchio*-Originale präsentierte, den Film als Erfolg: „Die Geschichte der Marionette, die ein echter Junge wurde, war der zweiterfolgreichste Film des Jahres 1940."[27] Auch so konnte man es also sehen und sich fragen, ob nicht die kommerziellen Erwartungen schlichtweg unrealistisch gewesen waren. Tatsächlich erwirtschaftete auch der erfolgreichste Film der Kinosaison 1940, das heute fast vergessene Bing-Crosby-Musical *The Road to Singapore* (*Der Weg nach Singapur*, USA 1940, Regie: Victor Schertzinger), mit 1,6 Millionen Dollar nur wenig mehr als *Pinocchio*.

Wer *Pinocchio* gesehen hatte – und das war die breite Masse –, der hatte etwas Einzigartiges erlebt. Als der große Bilderzähler Maurice Sendak 1988 in der *Washington Post* über den Film schrieb, den er als Kind gesehen hatte, urteilte er: „Die Details der Produktion sind überwältigend, doch am Ende sind sie nur Statistiken. Nach einem halben Jahrhundert ist der Film der lebendige Beweis, dass alle Menschenkraft, Technik und finanziellen Mittel eingesetzt wurden, um ein Werk außerordentlicher Fertigkeit, Schönheit und Rätselhaftigkeit zu schaffen."[28]

6.34 *Hintergrundgemälde des Walinneren, ausgeführt von einem Disney-Studiokünstler*

Fantasia

(1940)

Synopsis
Dieses Experiment, das Musik sichtbar macht, beginnt mit einer semiabstrakten Visualisierung von Bachs „Toccata und Fuge in d-Moll", gefolgt von Tschaikowskis „Nussknacker-Suite", die von einem Ballett der Feen, Blumen und Pilze begleitet wird. Micky Maus (orig. Mickey Mouse) spielt eine Starrolle als Paul Dukas' „Der Zauberlehrling" und verwendet in Abwesenheit des Meisters das Gelernte für fatale Zwecke. Zu Igor Strawinski „Le Sacre du Printemps" wird die frühe Erdgeschichte erzählt. Beethovens „Sinfonie Nr. 6 (Pastorale)" inspiriert eine mythologische Sequenz rund um den Olymp. Ponchiellis „Tanz der Stunden" wird als klassisches Ballett von Elefanten, Straußen, Krokodilen und Nilpferden aufgeführt. Die beiden gegensätzlichen Kompositionen „Nacht auf dem kahlen Berge" (Mussorgski) und „Ave Maria" (Schubert) geben den Ton an für einen Danse macabre zu Ehren der bösen Gottheit Chernabog, bevor zu guter Letzt eine Prozession einen Wald in eine gotische Kathedrale verwandelt.

WELTPREMIERE UND ROADSHOW-AUFFÜHRUNG 13. November 1940 (New York)
ERSTAUFFÜHRUNG D 10. Oktober 1952
LAUFZEIT 125 Minuten

Besetzung
ALS ER SELBST LEOPOLD STOKOWSKI
ORCHESTER THE PHILADELPHIA ORCHESTRA
ERZÄHLER DEEMS TAYLOR

Stab
PRODUCTION SUPERVISION BEN SHARPSTEEN
LEITUNG STORY JOE GRANT, DICK HUEMER
MUSIKALISCHE LEITUNG (ungenannt) EDWARD H. PLUMB
MUSIKSCHNITT (ungenannt) STEPHEN CSILLAG
TONAUFNAHME WILLIAM E. GARITY, C.O. SLYFIELD, J.N.A. HAWKINS

„Toccata und Fuge in d-Moll" von Johann Sebastian Bach
REGIE SAMUEL ARMSTRONG

„Die Nussknacker-Suite" von Pjotr Iljitsch Tschaikowski
REGIE SAMUEL ARMSTRONG

„Der Zauberlehrling" von Paul Dukas
REGIE JAMES ALGAR

„Le Sacre du Printemps" von Igor Strawinski
REGIE BILL ROBERTS, PAUL SATTERFIELD

„Sinfonie Nr. 6 (Pastorale)" von Ludwig van Beethoven
REGIE HAMILTON LUSKE, JIM HANDLEY, FORD BEEBE

„Der Tanz der Stunden" von Amilcare Ponchielli
REGIE T. HEE, NORMAN FERGUSON

„Eine Nacht auf dem kahlen Berge" von Modest Moussorgsky und „Ave Maria" von Franz Schubert
REGIE WILFRED JACKSON

Walt Disney's

TECHNICOLOR FEATURE TRIUMPH

FANTASIA

Distributed by RKO Radio Pictures, Inc.

7.01

7.02

FANTASIA

COPYRIGHT MCMXL WALT DISNEY PRODUCTIONS (INC.)

IN TECHNICOLOR

RKO
RADIO
PICTURES

SOUND  SYSTEM

7.05

7.03

7.04

7.06

7.07

Hear the Pictures! See the Music!

Von Daniel Kothenschulte

Als Lillian Disney 1986 der Stadt Los Angeles eine Spende von 50 Millionen Dollar für den Bau einer Konzerthalle anbot, brauchte sie nicht viele Worte: „Ich hatte immer eine tiefe Liebe und Verehrung für meinen Mann und wollte eine Möglichkeit finden, ihn zu ehren und ebenso Los Angeles etwas zu schenken, das lange währt. Der Gedanke, dass eine Konzerthalle gebaut werden könnte, die das Publikum mit dem besten Musikangebot unterhält, hätte ihn außerordentlich gefreut."[1]

Nur selten hatte sich Walts Witwe in ihrem Leben öffentlich geäußert. Nun aber erinnerte sie mit einer der größten privaten Spenden für eine Kultureinrichtung in der US-Geschichte an eine Leidenschaft ihres Mannes, die weit weniger im Blickfeld der Öffentlichkeit stand als seine Lebensleistung in der Film- und Unterhaltungskultur, obwohl sie davon nicht zu trennen war – die Liebe zur Musik.

Diese Leidenschaft entwickelte und vertiefte sich während der Arbeit an seinen Animationsfilmen und strahlte darüber hinaus weit in sein Familienleben hinein.

Während der Entwicklung von *Fantasia* schickte ihm sein Mitarbeiter in der Storyabteilung, Bob Carr, kontinuierlich Schallplatten für mögliche Episoden direkt in sein Privathaus, sodass der

7.08

Soundtrack der Inspiration kaum jemals verstummte.[2]

Fantasia gilt als größter Experimentalfilm der Filmgeschichte. Doch er ist nicht nur das aufwendigste ästhetische Experiment in der langen Geschichte von visualisierter Musik, das in unendlicher Ideenfülle Klänge in bewegte Bilder umsetzte und damit die Grundlagen legte für eine heute allgegenwärtige audiovisuelle Kultur. Seiner Zeit weit voraus, erreichte der Film erst bei seiner zweiten Wiederaufführung im Jahr 1956 – nun auf Breitbild beschnitten im Superscope-Format – das erhoffte Massenpublikum und gelangte in die Gewinnzone. Spätere Wiederaufführungen erschlossen neue Zielgruppen – wie die Version von 1969, die sich mit einem psychedelischen Posterdesign an die Flower-Power-Generation wandte.

7.09

Der visuelle Reichtum von *Fantasia* lässt sich auch bei wiederholtem Sehen kaum ganz erschließen. Handwerklich und technisch erweiterte der Film die Ausdrucksform des Animationsfilms in einer Weise, die selbst die hohen Erwartungen Walt Disneys immer wieder übertraf. Doch es lag auch eine Tragik in diesem Triumph. Sosehr Disney gehofft hatte, in künftigen Filmen das Know-how von *Fantasia* nutzen zu können, war vieles daran unwiederholbar. In den wirtschaftlich schwierigen Folgejahren wäre es absurd gewesen, fünf Arbeitsstunden auf das Bemalen einzelner Cels zu verwenden, wie es etwa für einige Szenen der „Nussknacker-Suite" („The Nutcracker Suite") geschehen war. Geplante *Fantasia*-Erweiterungen hätten einen kreativen Fluss am Leben halten sollen, der zugleich aus anderen Gründen verebbte: Mit dem Studiostreik von 1941 fielen einige der besten Disney-Animatoren in Ungnade – Ausnahmetalente wie Art Babbitt, der in besagter Sequenz unter anderem das Ballett der Pilze animierte, oder Bill Tytla, der mit dem monströsen Chernabog in „Eine Nacht auf dem kahlen Berge" („Night on Bald Mountain") sein Meisterwerk

7.01 ***Das Alternativplakat (Motiv B) für die ursprünglichen Vorführungen von Fantasia: Mickey wird hier besonders hervorgehoben.***
7.02 ***Einzelbilder aus der digital restaurierten Erstaufführungsversion. Das Orchester ist als stark stilisierte Realaufnahme eingefangen.***
7.03 ***„Nussknacker-Suite" (Einzelbild)***
7.04 ***„Der Zauberlehrling" (Einzelbild)***
7.05 ***In der originalen Roadshow-Version von Fantasia erschien die Titelkarte im Art-déco-Stil nicht am Anfang, sondern erst zu Beginn der Pause.***
7.06 ***„Tanz der Stunden" (Einzelbild)***
7.07 ***„Ave Maria" (Einzelbild)***
7.08 ***Stellvertretend für das Philadelphia Orchestra machen sich Attrappen auf den Weg zu einer Probe des Drehs von „Toccata und Fuge in d-Moll".***
7.09 ***Dieser farbige Story Sketch stammt von Color Stylist Lee Blair.***

schuf. Umso mehr erscheint *Fantasia* heute als der Zenit von Disneys Kunst.

Doch der Anspruch von *Fantasia* ging weit darüber hinaus. Walt Disney verstand sein Werk als eine Bildungsoffensive. Im aufwendigen Programmheft, das Kinobesuchern 1940 mit der Eintrittskarte angeboten wurde, überließ er die ersten, programmatisch klingenden Worte dem Dirigenten und musikalischen Pfadfinder bei dieser Reise, Leopold Stokowski: „Die Schönheit und Inspiration von Musik darf nicht nur einer kleinen Schar Privilegierter vorbehalten sein, sondern sie müssen jedem Mann, jeder Frau und jedem Kind zugänglich gemacht werden ... Wir können nicht ermessen, welch einen großartigen Beitrag Musik und Film leisten können für einen höheren Lebensstandard und eine gesteigerte Lebensqualität, während sie das Wohlergehen jedes Einzelnen wie unserer ganzen Nation fördern, indem sie uns nicht nur Entspannung und Vergnügen bereiten, sondern auch Anregung und Nahrung sind für Geist und Verstand."[3]

Disney selbst machte keinen Hehl daraus, dass ihm die Liebe zur sogenannten klassischen Musik nicht in die Wiege gelegt worden war. „Ich mochte dieses Zeug nie", erklärte er noch nach der umjubelten New Yorker Premiere einem Reporter des *New York World-Telegram*: „Ehrlich gesagt, ich konnte das gar nicht anhören. Aber jetzt kann ich das. Es scheint mir jetzt sehr viel mehr zu bedeuten. Vielleicht kann ich das auch anderen schenken. Als ich die Musik hörte, erzeugte sie Bilder in meinem Kopf."[4]

Und wie als eine erste Antwort auf die Ressentiments aus der Klassik-Community schränkte er ein: „Der Film ist nicht für Musikliebhaber gemacht. Die Leute müssen es mögen. Sie müs-

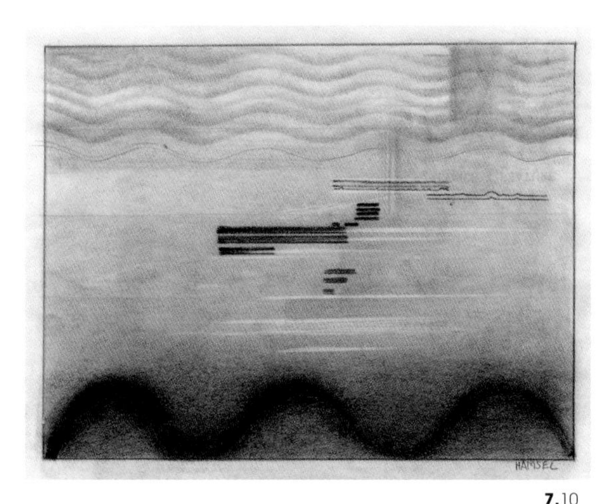

7.10

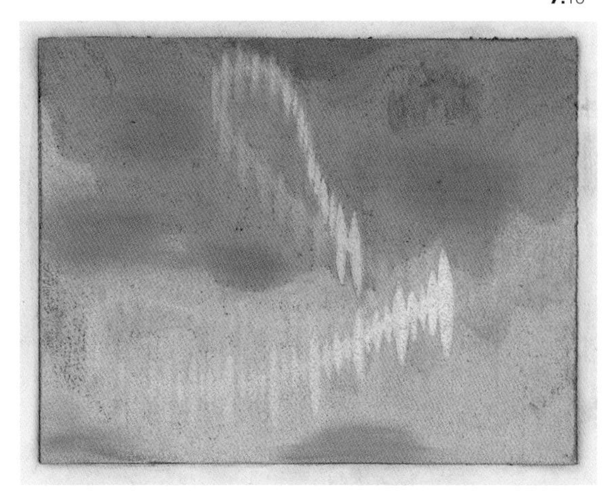

7.11

7.10–12 ***Anders als die meisten anderen Musikstücke in* Fantasia *besitzt Bachs „Toccata und Fuge in d-Moll" keine programmatische Vorgabe, sondern ist der Absoluten Musik zuzurechnen. Man entschied sich für eine abstrakte Umsetzung und engagierte den deutschen Avantgardefilmemacher Oskar Fischinger, dessen ungegenständliche Filme international bewundert wurden. Doch sein Storyboard erschien Disney zu radikal. Als unter der Leitung des Regisseurs Sam Armstrong gegenständliche Elemente in den Film eingewoben wurden, kündigte Fischinger seinen Vertrag, dennoch verrät der fertige Film noch seinen Einfluss. Es ist heute nicht mehr festzustellen, von wessen Hand diese Entwürfe sind; neben Fischinger arbeiteten daran Lee Blair, Elmer Plummer, Robert Cormack und Phil Dyke.***

7.12

sen sich unterhalten fühlen. Wir verkaufen Unterhaltung, und genau das tut *Fantasia*, hoffe ich: Es unterhält. Ich hoffe, hoffe, hoffe."[5]

> ***„Unser Ziel ist es, genau die Leute zu erreichen, die aus ‚Toccata und Fuge' hinausgegangen sind, weil sie sie nicht verstanden haben. Ich bin einer von den Leuten, aber wenn ich sie verstehe, mag ich sie."***
>
> Walt Disney

Unterhaltung und Kunsterfahrung waren für Disney freilich keine Gegensätze. Die zahlreichen Mitschriften von Storykonferenzen zu *Fantasia*, die im Disney-Archiv erhalten sind, lassen nacherleben, wie sich Walt und seinen Zeichnern in der Begegnung mit den musikalischen Werken neue Horizonte eröffneten, indem sie ihren Assoziationen freien Lauf ließen.

Walt hatte zwei Künstler, die über eine besondere musikalische und allgemeine Bildung verfügten, Dick Huemer und Joe Grant, mit einer musikalischen Vorauswahl beauftragt. Im September 1938 trafen die drei mit Stokowski und dem populären Musikvermittler und Komponisten Deems Taylor zusammen, um innerhalb von drei Wochen über 100 Aufnahmen zu hören, eine Auswahl zu treffen und anschließend Ideen einer möglichen Umsetzung zu sammeln. Es sind Dokumente eines kreativen Brainstorming, offen in alle Dimensionen und aufseiten der Disney-Künstler von keiner kulturellen Schwellenangst beschwert. Dem entsprachen seitens der Musikspezialisten eine entsprechende Neugier und Aufgeschlossenheit gegenüber der Praxis des Animationsfilmemachens.

7.13

Auch in späteren Konferenzen blieb dieser Geist lebendig. Im Bezug auf Bachs „Toccata und Fuge in d-Moll" („Toccata and Fugue") etwa bekennt Disney am 2. August 1939: „Es ist fast so, als ob ich eingeschlafen wäre bei dieser Musik und plötzlich aufgewacht. Dann wurde ich mir ihrer bewusst. So nehme ich eben Musik auf, um euch eine Vorstellung von mehr oder weniger unbewussten Prozessen zu geben." Aus dieser unbewussten Erfahrung entwickelte sich die Idee zur Visualisierung, wie sie im fertigen Film eine Form finden sollte. „Es ist für mich die am nächsten liegende Möglichkeit, abstrakte Dinge mit Bedeutung zu füllen."[6]

Diesen Ansatz vermittelte er in allen Interviews, die er zu *Fantasia* gab – der Film als Einladung an den Zuschauer, sich auf die Assoziationen seiner Künstler einzulassen. Damit ermunterte er zugleich das Publikum, sich eigene Vorstellungen zu klassischer Musik zu machen – ein für die Zeit hochmoderner Ansatz in der Kunstvermittlung und vielen Gralshütern des Musikbetriebs entsprechend suspekt.

Denkbar breit gefächert war die stilistische Bandbreite in der visuellen Gestaltung: von der Abstraktion bei „Toccata und Fuge in d-Moll" führt der Bogen über märchenhaft-romantische Illustrationen („Der Zauberlehrling" / „The Sorcerer's Apprentice", „Ave Maria" zu Art-déco-

7.14

Designs („Sinfonie Nr. 6 (Pastorale)" / „The Pastoral Symphony", „Tanz der Stunden" / „The Dance of the Hours"), dem pastellfarbenen Impressionismus der „Nussknacker-Suite" sowie dem verwendeten „Clair de Lune" bis zum dramatischen Expressionismus von „Eine Nacht auf dem kahlen Berge". Im Urzeitszenario von „Le Sacre du Printemps" („Rite of Spring") fand sich schließlich sogar Raum für die Bildwelten naturhistorischer Darstellungen. Auch diese ästhetische Vielfalt macht *Fantasia* in Disneys Werk einzigartig. Dennoch steckt bei allem, was die Episoden voneinander unterscheidet, noch genug „Disney" in diesem Film, um ihn als zentrales Werk im Golden Age des Studios zu verorten.

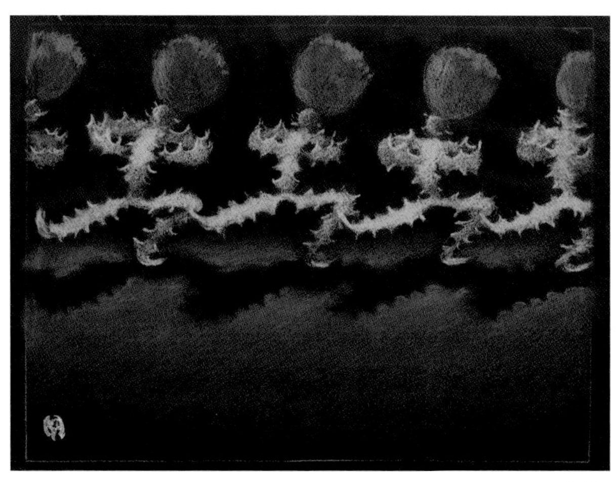

7.15

„Tschaikowski war für die Wiederbelebung meines kreativen Instinkts verantwortlich, und meine Gemälde für die ‚Zuckerfee'-Sequenz waren meine Antwort auf die Musik."

Bianca Majolie

Dies ist vor allem das Verdienst einer tief empfundenen Figurenanimation und einer genauestens austarierten Mischung aus Humor und Pathos. Die majestätische Erscheinung des Dirigenten Leopold Stokowski im Schattenriss wird erst gebrochen, als ihm Micky Maus (orig. Mickey Mouse) nach getaner Arbeit als Hauptdarsteller in „Der Zauberlehrling" herzlich die Hand schüttelt. Erst in diesem Moment ist der Brückenschlag zwischen Pop- und Hochkultur symbolisch gelungen.

Walt Disneys Liebe zur Musik ist schon seinen frühen Stummfilmen anzusehen und wird im Tonfilm zum festen Bestandteil. Bereits 1929 persifliert *The Opry House* die Etikette des Konzertbetriebs, wenn Micky Maus bei einer ernsthaften Interpretation von Liszts „Ungarischer Rhapsodie Nr. 2" mit dem etwas populäreren Geschmack seines Flügels zu kämpfen hat. Der haut mit den eigenen Beinen lieber selbst in die Tasten, um mit einem kindlichen Marsch seinem Hocker die Vorlage zu einem Stepptanz zu liefern. In den 1930er-Jahren gehörte das Ehepaar Disney zu den regelmäßigen Besuchern des Hollywood Bowl. Walts fortschreitendes Interesse an klassischer Musik machte aus einem Unwissenden einen Kenner. Die Entstehung von *Fantasia* ermöglichte ihm in kürzester Zeit eine intensive Beschäftigung mit Tradition und Gegenwart der klassischen Musik.

Ein zündender Impuls muss die Entscheidung gewesen sein, für das Projekt eines Kurzfilms zu Paul Dukas' Konzertstück „Der Zauberlehrling" nach dem Gedicht von Johann Wolfgang von Goethe die musikalische Grundlage nicht parodistisch verfremdet anzugehen, wie noch bei Rossinis „Wilhelm-Tell"-Ouvertüre oder in *The Band Concert* (*Micky spielt auf*, 1935), sondern absolut ernsthaft und in bester technischer Qualität.

7.13 ***Der vom Impressionismus eines Edgar Degas beeinflusste Pastellstil dieser Studie bestimmte den Look der Sequenz.***
7.14 ***Ein Inspirational Painting für das Blumenballett in der Sequenz „Tanz der Rohrflöten"***
7.15 ***Ein Story Sketch für den von Disteln aufgeführten „Russischen Tanz"***

7.16

Mit seiner visionären Idee, die technischen Mittel des Kinotons derart zu vervollkommnen, dass der Besuch eines Films einem Konzerterlebnis für jedermann gleichkam, traf Disney bei Stokowski auf offene Ohren. Technisch interessiert wie kein zweiter führender Dirigent, hatte Stokowski bereits 1932 die erste bis heute erhaltene Stereowachsplatte bespielt.

Für die Filmmusik von *One Hundred Men and a Girl (100 Mann und ein Mädchen)* hatte er eine von RCA entwickelte 9-Kanal-Mehrspurtechnik verwendet und die Mischung auf eine finale Monospur selbst überwacht. Für „Der Zauberlehrling" wurde mit dieser Technik die erste Stereotonaufnahme der Filmgeschichte hergestellt, indem die Musikinformation anschließend auf einen Mittel- und zwei Seitenkanäle verteilt wurde. Zugleich erlaubte die Mischung eine Akzentuierung einzelner Instrumentengruppen, die in einem Livekonzert weit weniger gut herauszuhören gewesen wären.

Man könnte sagen, er war ein „Disney" der Musik mit seinem Bewusstsein für alles Erzählerische und seinem unverkennbaren Stil, dem selbst etwas Magisches anhaftete.

Am Ende des großen Experiments von *Fantasia*, bei der Premiere am 13. November 1940 in New Yorks Broadway Theater, wurden die drei Tonkanäle auf 68 Lautsprecher verteilt, die im ganzen Saal aufgestellt waren. Das Publikum befand sich im Zentrum eines virtuellen Klangraums, wie es ihn nie zuvor gegeben hatte. Parallel zum Filmstreifen lief ein zweiter Lichttonstreifen durch ein spezielles Abspielgerät der

7.16 ***Dieses Inspirational Painting der Frostfeen ist, auch für sich betrachtet, eine perfekte Komposition.***
7.17 ***Diese Aquarellstudie von Sylvia Holland verrät den Einfluss des Impressionisten Edgar Degas auf das Design dieser Sequenz.***

Technik, die Disney „Fantasound" getauft hatte. Darauf befanden sich drei Tonspuren für jeden Tonkanal sowie eine vierte Spur mit Steuersignalen, die für ihre Verteilung und Lautstärke wichtig waren.

Dirigierte der gefilmte Stokowski nach links, drangen die Klänge aus der entsprechenden Richtung und bespielten dabei auch den Raum außerhalb der Bildfläche, deren Proportionen sie in unsichtbare Sphären zu erweitern schienen. Nicht von ungefähr hatte Disney Bachs „Toccata und Fuge in d-Moll" als Eröffnung gewählt – ein Musikstück, das er bei einer Storykonferenz sofort für eine abstrakte Visualisierung empfohlen hatte. Derart plastisch erschienen ihm Bachs musikalische Läufe, dass er zeitweilig sogar überlegte, die abstrakten und semiabstrakten Bildzeichen, die seine Zeichner daraus ableiten würden, für die Zuschauer auf 3-D-Film abzubilden, um sie scheinbar frei im Raum schweben zu lassen.

7.18–19 ***Walt Disneys Lob artikulierte sich selten so deutlich wie gegenüber den farbigen Bildern, mit denen Tom Codrick und andere Disney-Studiokünstler Mickys magisches Abenteuer in ein visuelles Treatment übertragen hatten. Die visuelle Umsetzung hatte sich früh in Disneys Vorstellung verfestigt: vom tänzelnden Schritt, den der zum Leben erwachte Besen seinem neuen Meister Micky nachmacht, über die schnelle Montage der Traumsequenz, wenn sich Einstellungen des dirigierenden Zauberlehrlings mit denen tosender Wellen abwechseln. Auch die Idee, den Traum bei Nacht spielen zu lassen, hatte Walt bereits entwickelt. Viele der kleinformatigen Aquarelle finden sich in Komposition und Farbigkeit nahezu identisch im fertigen Film wieder – auch wenn aufwendige Spezialeffekte notwendig waren, um ihr Potenzial zu entfalten: von den Blitzen im Moment der Verzauberung bis zur aufwendigen Cel-Malerei der Meereswogen, wie sie ähnlich auch in*** **Pinocchio** ***Verwendung fanden.***

7.17

7.18

Musik und Bild sollten einander kontrapunktisch ergänzen und sich zu einer intermedialen Komposition vereinen. „Wenn es einen Kontrapunkt in der Musik gibt, dann sollte es auch einen Kontrapunkt im Bild geben", erklärte Stokowski in einer Storykonferenz am 8. November 1938. „Die Musik erklärt die Leinwand, und die Leinwand erklärt die Musik. Wir müssen es klarmachen."[7]

Nicht nur in der Walt Disney Concert Hall von Los Angeles werden musikalische Darbietungen heute von „visuals" begleitet, die auf große Leinwände über den Konzertbühnen projiziert

7.19

werden. Überall auf der Welt hat visualisierte Musik in den Konzerthallen einen festen Platz gefunden. Und das ist nicht zuletzt der Nachwirkung eines Films zu verdanken, der am Anfang seiner Entwicklung den schlichten Titel „Concert Feature" trug.

Fantasia – Stück für Stück

Disneys Entscheidung, Bachs „Toccata und Fuge in d-Moll" mit abstrakten Bildern zu begleiten, war vielleicht eine weniger radikale Unternehmung als oft angenommen. Abstrakte Filme waren bei einem anspruchsvollen Publikum seit Mitte der

7.20

1930er-Jahre populär. 1944 erwähnte er, dass man schon vor *Fantasia* an einen abstrakten Film gedacht habe, und zählte mehrere Einflüsse auf: die Verbindung von Farbe und Bewegung im Handmade-Film *A Colour Box* (UK 1935) des Neuseeländers Len Lye sowie ein bei einer Studiovorführung enthusiastisch aufgenommenes Programm mit Filmen des Deutschen Oskar Fischinger, der bei Disney einen Vertrag als Effects Animator erhielt. Die Idee eines abstrakten Films, so erklärte Disney, sei „hervorgegangen aus unserer Effects-Abteilung, die wir aufgebaut hatten, lange bevor Stokowski zu uns kam. Die Idee von Farbe und Musik ist sehr alt. Die Farborgel war der Schlüssel zu allem, und das datiert lange zurück. Ich erinnere mich, schon 1928 so eine Vorführung gesehen zu haben."[8]

7.20 ***Ein Story Sketch für „Der Zauberlehrling". Dieser Kurzfilm wurde so teuer, dass man entschied, ihn innerhalb eines abendfüllenden Konzertfilms herauszubringen.***
7.21 ***Ein illustrierter Animationsplan listet jeden der Animatoren an jeder einzelnen Einstellung von „Der Zauberlehrling" auf.***

Zumindest Stokowski muss jedoch die unmittelbar zuvor entstandene, erste abstrakte Verfilmung von Bachs „Toccata und Fuge in d-Moll" durch die Amerikanerin Mary Ellen Bute (1938) bekannt gewesen sein – seine Orchestrierung ist auf dem Soundtrack zu hören. Bute war zu jener Zeit die erfolgreichste abstrakte Filmemacherin in den USA. Ihre Arbeiten liefen regelmäßig vor Tausenden von Zuschauern in New Yorks Radio City Music Hall, wo man sie im Vorprogramm großer Hollywoodfilme platzierte. Dennoch konnte der Erfolg von abstrakten Filmen im Vorprogramm großer Filmpaläste selbst bei einem unvorbereiteten Publikum Disneys Sorge

BACKGROUND COPY

PROD. NO. RX-1 PROD. TITLE SORCERER'S APPRENTICE DRAFT NO. 4 PAGE NO. 6 DATE 7-11-38

SEQ. NO. SEQ. TITLE DIR'S PICKUP DATE 12-30-37

DIRECTOR Jim Algar ASST. DIR. Jim Baumeister LAYOUT MAN Zack Schwartz SEC'Y Letty

SCENE No.	ARTIST	SCREEN FOOTAGE	ANIM. FOOTAGE	DATE START	B. G. DATA	DESCRIPTION OF ACTION
51	BLAIR UGO	10.09				M.S. BROOM STARTS POUR - Mickey lifted into vat - truck down and pan to see him get second bucket of water in face. Cut to: (SEE WALT'S NOTES ON THIS SCENE)
52	MOORE LOVE	5.10				M.S. BROOM UP STAIRWAY TO COURTYARD - Mickey enters - gives excited command - dashes up after broom. Cut to: MULTIPLANE WATER EFX
53	MOORE EFFX	28.03				M.L.S. MIC[illegible]O STOP AT TOP OF stairs - loo[illegible] broom - grabs ax runs out - s[illegible] door show chopping outside - light changes flash thru door-way - Mickey re-enters scene exhausted. Cut to:
53A	LOVE CHECK TECHNICOLOR PRINT ON THIS SCENE	7.00				M.C.U. SPLINTERS OF BROOM SCATTERED beside fountain - breathe twice - Cut to: (New sc. on Draft 3 was part of 56. Sc. 54 is out as of Draft 3)
55	MOORE	7.11				M.S. INTERIOR - MICKEY PANTING - leans against door - Cut to: ALL GREY
56	LOVE X-DISSOLVES OF COLORS	19.03				M.S. BROOM SPLINTERS COME TO LIFE IN A series of four reviving phrases, begin to march toward left foreground. Cut to: (SAME BACKGROUND - NEW PAINTING) INTRODUCE WEAK COLOR
57	MOORE	13.02				M.C.U. MICKEY TRUDGES AWAY FROM DOOR - pauses for listening take - rushes back to door and peeks out. Cut to:
58	LOVE	6.12				M.L.S. BROOM ARMY ADVANCING TOWARD DOOR. Cut to: AIR BRUSH SEE SAM ART. EFEXS
59	LOVE	10.07				M.S. MICKEY BRACES AGAINST DOOR - it edges open - Mickey falls backwards - brooms scurry in - trample him - pan camera slightly - Cut to:
59A	LOVE	4.14				C.U. MICKEY'S HEAD - BROOMS TRAMPLING on him. Cut to: ← RED (New Scene)
60	LOVE	6.05 See on this				RED VIOLET M.S. LEADER BROOMS FROM OPPOSITE ANGLE stepping off bottom step - surging toward vat. Cut to:

FORM P-100 (R-2)

bezüglich einer allgemeinen Akzeptanz dieses neuen Genres nicht mindern.

„Pastellmalerei und andere technische Innovationen werden eingeführt, um Schönheit und Charme zu schaffen, wie sie nie zuvor in der Animation zu sehen gewesen waren.“
Walt Disney

Obwohl Oskar Fischinger als Effects Animator angestellt wurde, arbeitete er neun Monate lang an der Storyentwicklung und bekam die Gelegenheit, ein abstraktes Storyboard zu entwickeln und zumindest einen gefilmten Test aufzuzeichnen, den Walt am 21. August 1939 positiv aufnahm: „Ich finde, Oskar erreicht einen pulsierenden Effekt in diesem Test.“[9] Federführend bei dieser Sequenz war Cy Young, Sam Armstrong fungierte als Regisseur.

Doch Disneys Haltung zur Abstraktion war im Verlauf des Jahres immer reservierter geworden: „Ich glaube nicht, dass sich der Durchschnittskinogänger für Abstraktion begeistern kann, aber vielleicht irre ich mich.“

Am 28. Februar warnte er vor „wilder Abstraktion“: „Ich würde eine nur in Ansätzen abstrakte

7.22 ***Von der beseelten Natur ist es ein weiter Weg zu den wissenschaftlich fundierten Szenen vom Ursprung des Lebens in „Le Sacre du Printemps“ (Concept Art).***
7.23 ***Der Komponist Igor Strawinski (Mitte) beklagte sich in späteren Jahren über Disneys Umsetzung von „Le Sacre du Printemps“. Gut gelaunt bewundert er hier mit dem Choreografen George Balanchine ein Sauriermodell.***
7.24 ***Dem Zeichner Robert Sterner gelang es mit seinen großformatigen Pastellen, die prähistorische Natur als expressives, farbiges Drama umzusetzen.***

7.22

7.23

Umsetzung bevorzugen."[10] Cy Youngs Storyboards führten das Konzept zurück zu einer weniger radikalen Semiabstraktion: Wo zuvor Linien auf farbigen Flächen agiert hatten, sah man nun Geigenbögen durch Wolken gleiten. Oskar Fischinger sah für seine künstlerischen Ideen keinen Platz mehr. Nach nur einem Jahr im Studio stimmte er zum 31. Oktober 1939 der Auflösung seines Vertrags zu.

Dennoch spürt man seinen Geist in der fließenden Musikalität der Abfolge elementarer Kreis- und Linienfolgen. Insbesondere die plastisch auf- und abrollenden Hügelformen tragen seine Handschrift. Man mag die Übersetzung abstrakter Formen ins Gegenständliche kompromissbereit finden, aber sie verortet „Toccata und Fuge in d-Moll" auch thematisch im Gesamtfilm: Wenn hier Sonnenstrahlen aufblitzen und Wasserströme glänzen, ist das nur der Auftakt einer endlosen Reihe überwirklicher Naturdarstellungen, die in jeder einzelnen Episode von *Fantasia* wiederkehren.

Wer in der Bach-Episode noch das Disney-Typische vermisste, bekam im folgenden Tschaikowski-Segment alle erhofften Wunder doppelt nachgereicht. Wenn man *Fantasia* in seiner Gesamtheit als monumentalen Abschluss der

7.24

Silly Symphonies betrachten mag, dann ist die „Nussknacker-Suite" die letzte und schönste unter den vielen Naturfantasien der Filmserie. Was 1935 als Silly Symphony *Ballet des Fleurs* begonnen wurde, entwickelte sich unter dem Einfluss dreier Story- und Inspirational Artists zugleich zum ultimativen Naturballett in der Geschichte des Animationsfilms. Neben Disneys ehemaliger Schulfreundin und Symphonies-Veteranin Bianca Majolie und der Engländerin Sylvia Holland komplettierte die damals 27-jährige, aus New York stammende Ethel Kulsar als Hollands Assistentin das Trio.

Schon früh in der Produktion hatte man entschieden, die Suite, die Tschaikowski aus seinem damals noch weit weniger populären Ballett destilliert hatte, umzustellen und um zwei Sektionen, die Miniatur-Ouvertüre und den Marsch, zu kürzen. Dabei hatte sich Walt Disney zunächst sehr dafür begeistert, die Idee einer musikalischen Miniatur durch ein Insektenorchester zu spiegeln. Zunächst sollte Stokowski wie in den anderen Sektionen das reale Philadelphia Orchestra vor der Kamera dirigieren. Dann wollte man über seinen Schatten ins Fairyland überblenden, wo er das Insektenorchester dirigieren würde. Stokowski begegnete der Idee eines zweiten Klangkörpers mit Gelassenheit: „Haben die auch kleine Gewerkschaftskarten? Sonst kann ich es nicht machen. Mir gefällt es, von einem zum anderen hin- und herzuschweben."[11] Der am 24. Januar beschlossene Wegfall betonte schließlich nur die Geschlossenheit der endgültigen Fassung. Auch wenn seine Protagonisten Feen („Tanz der Zuckerfee" / „Dance of the Sugar Plum Fairy"), Pilze („Chinesischer Tanz" / „Chinese Dance"), Blüten („Tanz der Rohrflöten" / „Dance of the Reed Flutes"), Fische („Arabischer Tanz" / „Arabian Dance"), Disteln („Russischer Tanz" / „Russian Dance") und

7.25 Ein früher farbiger Story Sketch eines Pegasus aus der ursprünglich zum Ballett „Cydalise et le chèvre-pied" des Komponisten Gabriel Pierné, später zu Beethovens „Sinfonie Nr. 6 (Pastorale)" angelegten Sequenz
7.26 Ken Anderson und J. Gordon Legg prägten den Stil der Art-déco-Hintergründe der „Sinfonie Nr. 6 (Pastorale)".

7.25

7.26

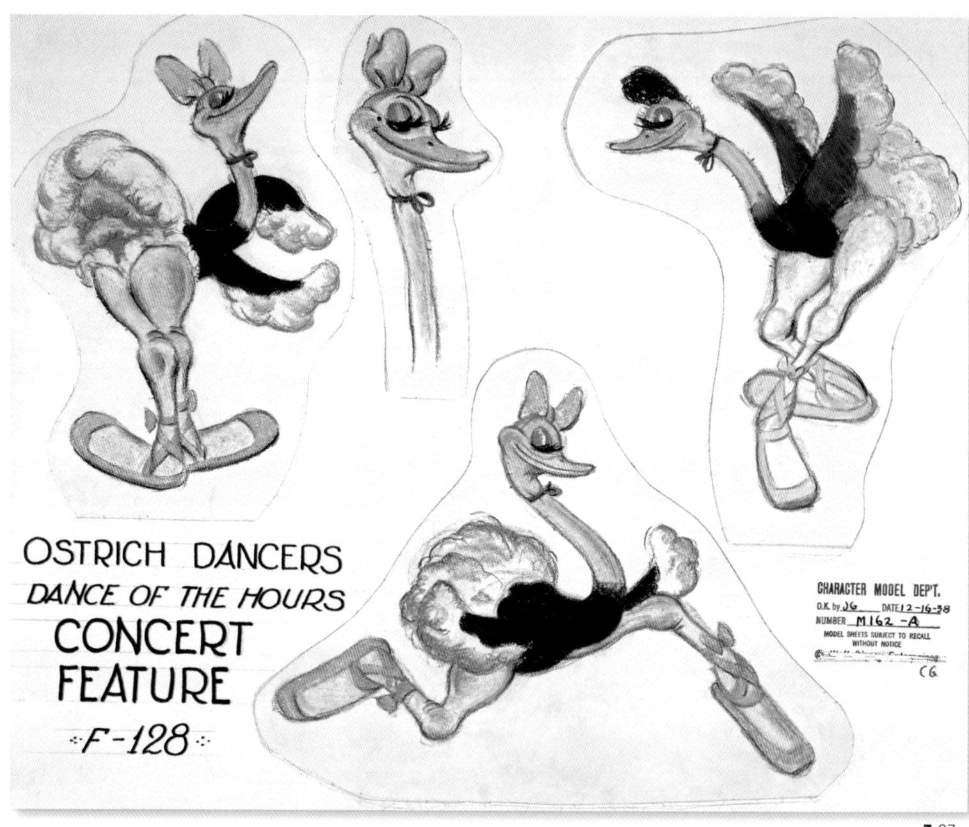

7.27

schließlich herbstliche Blätter sind („Blumenwalzer" / „Waltz of the Flowers"), lässt sich der Film auch als abstrakte Komposition aus Farben und Bewegungen verstehen. So wie „Toccata und Fuge in d-Moll" eine Abstraktion mit figurativen Andeutungen ist, verbirgt sich in der „Nussknacker-Suite" die gleiche moderne Auffassung von visueller Musik als Farb- und Formentanz. Stokowski vermochte die Sequenz bereits nach den Storyboards vom 23. Januar 1939 als reines Lichtspiel zu lesen: „Ich mag das farbige Licht, das aus der Dunkelheit kommt. Es ist ein wenig wie Rembrandts Malerei, wenn er seine Highlights aus einem schwarzen Hintergrund sausen lässt ... Das Design kann tanzen."[12]

Heimlicher Star im „Chinesischen Tanz" ist der kleine Pilz Hop Low, für dessen minimalistisches und dennoch höchst ausdrucksvolles Design John Walbridge verantwortlich zeichnete. Doch erst in der Animation Art Babbitts vollendete sich die Idee, Pilze tanzen zu sehen, indem ihr Stiel wie eine weite Kutte erschien, unter der sich Füßchen erahnen ließen. Der Künstler Jules Engel, der sich später mit abstrakten Gemälden und als renommierter Professor für Animation einen Namen machte, steuerte das Farbdesign der Szene bei, das auf die kontrastierende Wirkung schwarzer Hintergründe setzte. Ein spezieller Airbrush-Farbauftrag bewahrte den Pastellcharakter der Zeichnungen. Der Spezialeffekt von Tautropfen steigerte den Eindruck der roten und gelben Schirme ins Magische. Der unschul-

7.27 ***Ein Model-Sheet der grazilen Straußentänzerinnen, gezeichnet von Campbell Grant***
7.28 ***Hyacinth Hippo brachte eine anrührende Eleganz in den „Tanz der Stunden", hier entworfen von Joe Grant.***

dige Reiz der Tautropfenfeen im „Tanz der Zuckerfee" vervollkommnet sich in Les Clarks Animation ihrer im Art-déco-Stil ästhetisierten, überlängten Körper. Noch verführerischer ist der Tanz der Schleierschwanzfische im „Arabischen Tanz", in dem der leitende Animator Don Lusk die Zuschauer in einen imaginären Harem entführt. Zur Überraschung der Special-Effects-Abteilung geriet schließlich das winterliche Finale. Special-Effects-Entwickler Leonard Pickley hatte Eiskristalle auf festere Cels übertragen lassen und diese dann zu einem kinetischen Modell arrangiert, das einzelbildweise fotografiert wurde. Während einer Storykonferenz am 2. März 1939 bemerkte Walt Disney: „Ich wünschte, wir könnten den ganzen Film mit Pastelleffekt machen."[13]

Es waren nicht nur wirtschaftliche Gründe, die Walt dazu brachten, seinen Bruder Roy von einem ganzen Konzertfilm zu überzeugen, als klar war, dass der Micky-Maus-Kurzfilm alleine seine Kosten nie würde einspielen können. Wie ein perfekt geschliffener Diamant nach einer angemessenen Fassung verlangt, brauchte „Der Zauberlehrling" ein Umfeld, in dem er strahlen konnte. Was lag also näher, als dieses Juwel – den aufwendigsten und schönsten Disney-Film seit *Snow White* – Teil einer ganzen Schatzkiste werden zu lassen? Nichts anderes sollte *Fantasia* schließlich werden.

Ein Continuity Treatment vom 6. November lieferte bereits die Deutung der Geschichte: „Es geht um den typischen kleinen Mann, der sich nach der Kontrolle über die Erde und die Elemente sehnt."[14] 1928 hatten die Fleischer Brothers in ihrem klassischen Cartoon *Koko's Earth Control* das Schicksal der Welt in die Hände des Hündchens Fitz gelegt, doch alles, was daraus erwuchs, war ein anarchisch-destruktives Feuerwerk.

Mickys Ehrgeiz hingegen ist der eines Künstlers, der das Meer und die Sterne in einem kosmischen Ballett dirigiert. Die Traumsequenz, Disneys originäre Hinzufügung zur Ballade Johann Wolfgang von Goethes, findet innerhalb von Dukas' Musikstück, das sein markantes 6-Ton-Motiv in unzähligen Variationen in höchste Dramatik steigert, nach etwa dreieinhalb Minuten ihren idealen Platz. Intoniert von den Streichern, erscheint das Thema besonders lyrisch und verführerisch. Inhaltlich erweitert Disney Goethes Warnung vor einer entfesselten Wissenschaft („Die ich rief, die Geister, werd' ich nun nicht los") um ein utopisches Ideal künstlerischer Selbstverwirklichung. Unmöglich, hier nicht an die Kunst des Animationsfilms zu denken, deren grenzenlose Möglichkeiten Micky Maus von seinem eigenen Schöpfer borgt. Immer wieder hatten zeitgenössische Kulturjournalisten die Wirkmacht des „Disney-Mediums" gepriesen.

Der Kunsthistoriker Robert D. Feild fand darin nichts weniger als „die vielleicht mächtigste Form des künstlerischen Ausdrucks, die je erfunden wurde, um sich vor unseren Augen zu entfalten – und wir haben noch nicht mal einen

7.28

Namen dafür"[15]. Doch nicht nur in Micky ist Walt Disney hier präsent, auch die Figur des Zauberers trägt seine Züge – unter dem Namen „Yen Sid" (Disney rückwärts buchstabiert) ging er ins Ensemble der Disney-Stars ein. Bereits in Joe Grants frühen Character Designs ist der strenge Blick des Chefs verewigt. Darin liegt eine wortlose Autorität, eine Macht, die sich ihrer Einschüchterungskraft so sehr bewusst ist, dass sie keiner Worte bedarf, um gehört zu werden. Die Leitung der Animation der beiden Protagonisten übertrug Disney zwei Künstlern, die er besonders hoch schätzte. Micky Maus trägt die Handschrift von Fred Moore, der auch das neue Design dieser Figur verantwortete, die sich nun plastisch modelliert und mit Pupillen in den Augen zeigte. Yen Sid wurde von Bill Tytla animiert.

Doch auch die Tragik des Zauberlehrlings, die Verhinderung der Verwirklichung seiner Träume, sollte Disney zu spüren bekommen, als er sich nach der New Yorker Premiere erstmals mit kritischer Presse konfrontiert sah. Dass die negativsten Stimmen von konservativen Musikkritikern stammten, während es an Lobeshymnen aus der Filmkritik nicht mangelte, war für ihn kein Trost. Wie sehr er selbst erhoffte, persönlich als Teil der Musikwelt wahrgenommen zu werden, lässt sich aus einer Mitteilung seines Mitarbeiters Bob Carr erahnen. Dieser hatte ihm einen dicken Ordner mit Informationen über Musikstücke für eine mögliche *Fantasia*-Erweiterung ins Gepäck seiner Reise mitgegeben und fügte hinzu: „Sie werden sich (das prophezeie ich) plötzlich als Schlüsselfigur in der Musikwelt der Gegenwart

7.29 ***Meisteranimator Bill Tytla mit seinem filmischen Alter Ego Chernabog***
7.30 ***Die Kreideentwürfe zeugen besonders deutlich vom Einfluss des deutschen Expressionismus.***

7.29

7.30

wiederfinden – und vielleicht als Zentrum musikalischer Kontroversen."[16]

> ***„Wie Puck in* Ein Sommernachtstraum *kommen diese Feen herab und öffnen die Pilze, und alle werden lebendig."***
> Walt Disney

„Das ist phänomenal!"[17] Walt Disneys Begeisterung für Strawinskis *„Le Sacre du Printemps"*, eines der umstrittensten Musikwerke des 20. Jahrhunderts, war spontan und unumstößlich. Auf der Suche nach einem Musikstück, das sich für eine Bebilderung der frühen Erdgeschichte eignete, hatte Deems Taylors Vorschlag offensichtlich ins Schwarze getroffen: „Die Möglichkeiten sind grenzenlos."[18] Noch anderthalb Jahre später, bei einer Besprechung über künftige *Fantasias*, erinnerte Walt Disney Leopold Stokowski an seine grundlosen Bedenken. „Du sagtest, ‚Le Sacre du Printemps' wäre schwer zu verstehen, erinnerst du dich? Vielleicht sollten wir uns diesen Dingen öffnen, anstatt die Möglichkeiten unseres Mediums oder unser Publikum zu unterschätzen. Das ist doch das, was uns am liebsten ist, eine Herausforderung."[19] Laut Artdirector John Hubley wünschte sich Disney einen Film wie ein „wissenschaftliches Dokument", „als ob das Studio eine Expedition sechs Millionen Jahre zurück in die Erdgeschichte geschickt hätte."[20] Filmhistorisch ist Disneys Umsetzung sein erster bedeutender Beitrag auf dem Gebiet dokumentarischer Animation. Während des Zweiten Weltkriegs sollte dies ein festes Standbein der Studioproduktion werden und später in zahllosen Lehr- und Fernsehfilmen fortleben. Den Stil der Sequenz, der an die naturalistischen Illustrationen in Naturkundemuseen erinnert, gaben die detaillierten Pastelle des Disney-Künstlers Robert Sterner vor. Der Kontrast der Primärfarben Rot und Blau betont die Dramatik und reflektiert damit zugleich die Urgewalt von Strawinskis Musik. Der Komponist drückte bei einem Besuch im Studio sein Wohlwollen gegenüber der nicht gerade naheliegenden visuellen Umsetzung aus, fand jedoch später in seiner Autobiografie kritische Worte, insbesondere gegenüber Stokowskis Bearbeitung des Scores. Wolfgang Reithermans Dinosaurieranimation hat stets die gewaltigen Proportionen der Riesenechsen im Blick und vermeidet jede cartoonhafte Überzeichnung. Schon die Weltraumszenen zu Beginn, ein Wunderwerk von Cy Youngs Special-Effects-Team, ließen im Faktischen das Erhabene erahnen. Reithermans Kampf zwischen Tyrannosaurus Rex und Stegosaurus erfährt im Zusammenklang mit Strawinskis Musik eine majestätische Überhöhung, welche die Gegensätze von Wissenschaft und Kunst zu einer größeren Harmonie vereinigt.

„Mir gefallen diese Samen, die in der Luft Ballett tanzen. Ich würde sie gerne verwenden, denn so können wir vom Boden abheben und unser Ballett in der Luft stattfinden lassen."
Walt Disney

7.31

7.31 ***Hintergrundmalerin und Character Designer Ethel Kulsar arbeitete eng mit Sylvia Holland an der „Nussknacker-Suite".***
7.32 ***Die sakrale Anmutung der finalen „Ave-Maria"-Sequenz wirkte wie eine Läuterung nach dem Totentanz der Mussorgski-Episode.***

7.32

In die Roadshow-Aufführungen von *Fantasia*, die eine Konzertatmosphäre im Kinosaal simulieren sollten, war eine Pause eingebaut. Disney hatte extra dafür ein filmisches Zwischenspiel produzieren lassen, und dazu gehört das heimliche Improvisieren der Musiker in Abwesenheit des Dirigenten, die sich dazu die Nummer *Bach Goes to Town* von Alec Templeton aussuchen, die Benny Goodman 1938 bekannt gemacht hatte. Während sich die Unruhe auf der Leinwand – und möglicherweise auch im Kinosaal – langsam legte, präsentiert Deems Taylor *Fantasias* unsichtbaren Star, den Soundtrack. Zwar waren es nicht gleich alle vier Lichttonspuren des „Fantasound"-Streifens, dafür aber eine farbige Interpretation, die Joshua Meador animiert hatte. Diese zweite semiabstrakte Sequenz in *Fantasia* ist ebenso amüsant wie lehrreich, wenn Taylor den Soundtrack ermuntert, Ursache und Wirkung umzukehren und selbst die Instrumente darzustellen, die sonst ihre akustischen Spuren auf ihm hinterlassen.

Was folgt, ist die seinerzeit umstrittenste *Fantasia*-Episode: „Sinfonie Nr. 6 (Pastorale)". Und bis heute hält die Diskussion darüber an, ob Disneys leichtfüßiger Ausflug ins Liebesleben der Zentauren und Zentauretten zu Beethovens feinfühliger Sinfonik passt. Walt Disney war begeistert von der Idee, Figuren aus der griechischen Mythologie auf die Leinwand zu bringen und gleich nach der Urzeitwelt von „Le Sacre du Printemps" abermals ein Terrain zu erobern, das mit konventionellen filmischen Mitteln nicht darstellbar wäre.

Während einer Storykonferenz vom 2. November 1938 entwirft er mit Worten, was bis heute einer der ikonischen *Fantasia*-Momente bleiben sollte – den Flug der Pegasus-Familie und ihre Landung auf dem Wasser, wie sie dann Don Towsley animierte. „Mir gefällt das Weiße vor der Farbe des Himmels ... Ich finde das großartig,

7.33

7.33–34 ***„Ride of the Valkyries": Auch als sich der kommerzielle Misserfolg von*** **Fantasia** ***bereits abzeichnete und der US-amerikanische Eintritt in den Krieg mit Hitler-Deutschland näher rückte, arbeiteten Kay Nielsen, Bill Wallett, Sam Armstrong und Sylvia Holland weiter an ihrem kunstvollen Storyboard über ein Thema aus der germanischen Sagenwelt: Aus den Wolken reiten Brunhild und die Walküren hinab auf ein Schlachtfeld und geleiten die gefallenen Recken nach Walhalla. Am 14. August 1941, weniger als vier Monate vor dem Kriegseintritt der USA, erklärten sie anlässlich einer internen Präsentation: „Wir haben uns bewusst vom germanisch-opernhaften Inszenierungsstil entfernt und uns von älteren nordischen Legenden und antiken Gebräuchen inspirieren lassen." Nachdem Disney im Januar dargelegt hatte, einen solchen Film nur mit einem begrenzten Budget machen zu können, versprachen die Künstler eine sparsame Umsetzung. So sollten zum Beispiel die Schlachtszenen als Massenbewegung von Speeren, Schilden und fliegenden Pfeilen inszeniert werden, wodurch man sie als Effektanimation hätte behandeln können. Für den Ritt der Walküren sah man vor, ihn in den meisten Fällen mit einer einzelnen, geschobenen Cel zu erreichen, gespiegelt an gebogenem Blech, so wie dies bei „Eine Nacht auf dem kahlen Berge" gemacht worden war. Erst zwei Jahre später, am 9. Juli 1943, schien das Thema nicht mehr akzeptabel zu sein. „Ich frage mich, ob das Motiv des Heldentods auf dem Schlachtfeld und die Fahrt nach Walhalla in die Arme einer bewaffneten Blondine heute von der Öffentlichkeit akzeptiert werden würde", erklärte Bob Carr aus dem Story Department in einem Memo.***

wie das Pferd herunterkommt und mit ausgestreckten Füßen auf dem Wasser landet. Wenn es landet, sähe ich gerne, wie sich die Flügel wie die eines Schwans falteten."[21]

Zu diesem Zeitpunkt arbeitete man noch auf der musikalischen Grundlage von Gabriel Piernés Ballett *Cydalise et le chèvre-pied*. Am 17. Oktober 1938 hörte man die Schallpatten gemeinsam an und suchte nach bildlichen Assoziationen und Anknüpfungspunkten. Im Bestreben, die Handlung nicht über die Musik dominieren zu lassen, machte Walt eine für die Konzeption des ganzen Films bedeutsame programmatische Ansage: „Üblicherweise legen wir die Musik unter die Handlung, aber hier sollen sie auf gleicher Ebene sein ... Wir sollten die Musik abbilden, nicht die Musik der Handlung anpassen ... Um das zu erreichen, müssen wir unser Material so aufbauen, dass eine ausgewogene Balance entsteht."[22] Dick Huemer brachte schließlich Beethovens „6. Sinfonie" ins Spiel. Das populäre Meisterwerk der deutschen Klassik verfehlte seine Wirkung auf die Zeichner nicht. Nur für Stokowski schien es nicht zum mythologischen Setting zu passen.

Für Walt Disney hingegen gab es keinen Grund, warum eine Natursinfonie nicht zugleich im mythologischen Griechenland spielen könne: „Die Pastoralidee ist da, wir setzen sie bloß mit mythologischen Figuren um. Wir werden mehr auf Schönheit setzen als auf Slapstick. Aber ich finde, wir haben alle Freiheit, humorvoll zu sein."[23] Hier gab ihm Stokowski recht: „Beethoven ist definitiv humorvoll." Er hatte dennoch Bedenken: „Es ist so, dass ich Ihnen und dem Film gegenüber loyal sein, gleichzeitig aber auch sicherstellen möchte, dass wir nicht die Art Verehrung beleidigen, die Beethoven in aller Welt entgegengebracht wird."[24]

Walts recht entwaffnende Antwort auf Stokowskis Einwände ist sehr häufig zitiert worden: „Ich glaube, das hier wird Beethoven bekannt machen."[25] Stokowski – ein Meister der Diplomatie – gab Disney recht. „Das stimmt, in gewisser Weise wird es das auch. Menschen, die nie seinen Namen gehört haben, werden das sehen." Und als hätte er nie Bedenken gegenüber einer mythologischen Szenerie geäußert, fügte er kurz darauf hinzu: „Je mehr Fantasie, desto besser."[26]

In der Tat besitzen besonders Ken Andersons und Gordon Leggs Hintergrundentwürfe eine fantastische Poesie: Mit Farben, als hätte Henri Matisse einen Bonbonladen ausgestattet, führen sie in irreale Art-déco-Landschaften. Das unvergessliche Schlussbild der Mond- und Jagdgöttin Diana, die mit ihrem Pfeil einen Kometen abschießt, ist einem Entwurf von Legg, einem Meister der Airbrush-Technik, zu verdanken. Musik und Animation verschmelzen vorzüglich, wenn die Animatoren Fred Moore und Art Babbitt aus dem in Beethovens Partitur angelegten Gewitter eine punktgenaue Actionsequenz gestalten, in der Göttervater Zeus den weinseligen Bacchus mit Blitzen verfolgt.

Weniger glücklich gestalteten sich die Szenen mit dem Liebesspiel der Zentauren, die für eine spätere Wiederveröffentlichung des Films leicht abgeändert wurden. Die Wahl für die Animationsleitung des zweiten Satzes fiel auf Fred Moore, der sein in unzähligen Zeichnungen dokumentiertes Talent für die Darstellung von Frauenfiguren bislang in keinen Disney-Film hatte einbringen können. Moores Entwürfe liebäugelten mit dem weltlichen Schönheitsideal amerikanischer Pin-up-Girls, deren Reiz freilich auf das von der Filmzensur

7.34

7.35

tolerierte Minimum zurückgefahren wurde. „Das lastet mir auf der Seele", gestand Eric Larson, der an diesen Szenen gearbeitet hatte, gegenüber dem Filmhistoriker Robin Allan. „Wir haben unsere Recherche nicht ordentlich gemacht. Das war meine Aufgabe, und ich habe sie mir zu leicht gemacht, wie es Menschen eben tun. Am Ende waren sie weder Menschen noch Tiere."[27]

Kaum ein *Fantasia* gegenüber kritisch gestimmter Rezensent vergaß, die „Sinfonie Nr. 6 (Pastorale)" und ihre Zentauren zu erwähnen. Disneys Ideal, ein Gleichgewicht zwischen Musik und Visualisierung zu schaffen, schien zumindest in diesem Segment zu Beethovens Leidwesen gescheitert. Selbst Deems Taylor räumte dies ein, als er 1943 *Fantasia* in seinem enzyklopädischen Filmbuch *A Pictorial History of the Movies* vorstellte: „Beethovens ‚Pastoral-Sinfonie' ... entzündete heftige Debatten über ihren Mangel an Geschmack."[28]

„Einfachheit ist etwas, an das ich immer geglaubt habe."

Jules Engel

„Ich fände es wirklich gut, wenn das Ballett etwas symbolisieren würde, denn dann wäre es doppelt so effektvoll",[29] warf Walt Disney ein, nachdem man sich in der Storykonferenz an diesem 17. Oktober 1938 bereits etliche Gags zugeworfen hatte. Die Prämisse war klar: Nilpferde und Elefanten sollten in aller Ernsthaftigkeit ein klassisches Ballett aufführen. Das allein barg schon genug Komik für eine ungekürzte Umsetzung von Amilcare Ponchiellis „Tanz der Stunden".

Eine symbolische Aufladung steigerte allerdings noch einmal das Gefälle zwischen Ambition und Wirklichkeit der tierischen Ballettkunst. Mit einem Mal hatte sich die Sequenz für Walt gerundet und beschrieb nun auch tatsächlich einen „Tanz der Stunden": „Die Morgendämmerung ist der Strauß. Der Tag wären, sagen wir, die Nilpferde, der Abend die Elefanten. Die Nacht die Krokodile. Dann, wenn sie die Stunden der Nacht verjagen, holt sie alle herein, denn das ist das Finale."[30]

„Immerhin haben wir einen Weg gefunden, um in unserem Medium die größte Musik aller Zeiten zu benutzen ... Bach und Beethoven mögen ja mit Micky Maus ein seltsames Gespann abgeben, aber es hat alles sehr viel Spaß gemacht."

Walt Disney

Disney hätte keine besseren Regisseure finden können als T. Hee, der als Karikaturist zu Disney gekommen war, und Norm Ferguson, dessen legendäre Fliegenpapiersequenz aus *Playful Pluto* die Character Animation auf eine neue Stufe gehoben hatte: Sie konnten Kultiviertheit und Slapstick als zwei Seiten einer Medaille denken. Die Animatoren, darunter John Lounsbery, Hicks Lokey (der bald darauf mit den rosa Elefanten in *Dumbo* sein Meisterstück liefern sollte) und Preston Blair (dem der Höhepunkt zufiel, in dem sich Ben Ali Gator an Hyacinth Hippo verhebt), übertrafen sich gegenseitig. Mit ihrer jeweiligen Persönlichkeit brachten die Künstler eine Lebendigkeit in die Sequenz, die deren homogenem Gesamtcharakter nicht entgegenstand. Die Tänzerin Marjorie Belcher – zum Zeitpunkt der Manuskriptlegung dieses Buches 101 Jahre alt –, die schon für Schneewittchen Modell gestanden hatte, brachte die Künstler auf die Idee, sich an einer aktuellen Hollywoodtanznummer zu orientieren.

Für *The Goldwyn Follies* hatte der berühmte Choreograf George Balanchine, der die russische Tanztradition in den USA etabliert hatte, eine elegische Choreografie vor griechischen Säulen inszeniert. Nicht nur der spektakuläre Auftritt der Ballerina Vera Zorina, die einem spiegelnden Pool entsteigt, wiederholt sich in der glamourösen Einführung Hyacinth Hippos. Auch das Farbdesign und viele Elemente der Choreografie kehren im Disney-Film wieder. Zeichnerische Vorlagen fanden die Disney-Künstler in den Cartoons von T. S. Sullivant, der anthropomorphe Nilpferde und Krokodile liebte, sowie im Werk des Deutschen Heinrich Kley.

Schon das Anfangsbild von „Eine Nacht auf dem kahlen Berge" des mächtig seine Schwingen über einer nächtlichen, mittelalterlichen Stadt ausbreitenden Chernabog schlägt einen in seinen Bann. „Ein gewaltiger Effekt würde es aussehen lassen, als hätten wir diesen riesigen Schatten", wünschte sich Walt in einer Storykonferenz am 28. September 1938. „Den riesigen Schatten dieses Teufels."[31] Im Film sieht man ihn schließlich gespenstisch den Berg hinab über die Häuser schleichen.

7.35 ***Ein weiterer Satz in dieser „Insect Suite", bestehend aus mehreren Stücken, hätte Edvard Griegs Klavierstück „Schmetterling" in Bilder umsetzen sollen: Es entstanden zarte, schwarz-weiße Pastellzeichnungen, die Ethel Kulsar in einem japanischen Stil ausführte.***
7.36 ***Sylvia Hollands Liebesspiel unter Libellen war von Chopins „Minutenwalzer" inspiriert.***

7.36

7.37

7.38

Das Unheimliche und Dämonische hatte immer einen festen Platz in Disneys Filmen, doch „Eine Nacht auf dem kahlen Berge" übertraf alles Dagewesene und sollte sich nie mehr in derartig apokalyptischer Wucht wiederholen. Walt schuf hier ein Urbild von Furcht und Schrecken, verkörpert im schwarzen Teufel Chernabog, dessen Anrufung schon der Komponist Mussorgski in den ursprünglichen Programmnotizen als Thema seines Stücks benannt hatte. Nach der Erweckung von Chernabog vermag jedoch eine kleine Kirchenglocke den Teufel zu vertreiben. In der dreidimensionalen Tonmischung von „Fantasound" war die Glocke hinter den Zuschauern platziert: „Es war irgendwie gruselig, als dieser Klang gleich um einen herum auftauchte", erinnerte sich später Regisseur Wilfred Jackson. „Es war ein wunderschöner Soundtrack."[32]

In *Fantasia* geht die Läuterung noch weiter: Mit der anschließenden „Ave-Maria"-Sequenz, einer Lichterprozession durch einen Wald, dessen Bäume an gotische Kirchenbauten erinnern, wendet sich die Stimmung ins Verklärende und entlässt den Zuschauer mit dem aufbauenden Bild eines Sonnenaufgangs. Die recht aufwendige Plansequenz wurde unter ziemlich großen Schwierigkeiten mit einem horizontalen Multiplanaufbau realisiert.

Schon die erste Silly Symphony, *The Skeleton Dance (Tanz der Skelette)*, hatte einen Totentanz zum Thema, doch diesmal sollte kein Anflug von Komik das Pathos brechen. Es ist das stärkste Bekenntnis zur Ernsthaftigkeit dessen, was Disney „unser Medium"[33] nannte. Dieses zeigte sich zugleich in der breiten Vielfalt seiner Ausdrucksformen: von der fotomechanischen Übertragung von Kreidezeichnungen auf die Cels über die in einem Blechspiegel und durch geschliffenes Glas verzerrten, statischen Cels der Geister bis hin zur traditionellen Animation der Hauptfigur. Doch die lag in den Händen eines so außerordentlichen Künstlers, dass man sie schon nicht mehr traditionell nennen konnte: Bill Tytla, ukrainischer Abstammung, identifizierte sich mit dem Mythos von Chernabog. Seine Kollegen, die ihn ausnahmslos bewunderten, beschrieben ihn als hochemotionalen Kraftmenschen. Keinen Geringeren als Dracula-Darsteller Bela Lugosi hatte ihm Walt als Modell geschickt, doch Tytla beeindruckte dieser wenig. Lieber überredete er den etwas unscheinbaren Wilfred Jackson, der diese und die folgende „Ave-Maria"-Sequenz inszenierte, sich filmen zu lassen. Mit freiem Oberkörper tat er fortan sein Bestes, um die expressiven Gesten Chernabogs zu formen. Das Design dieses Monsters stammte selbstverständlich – wie das des gesamten Films – vom dänischen Illustrator Kay Nielsen.

Nielsens künstlerische Wurzeln – eine Mischung aus Symbolismus, Jugendstil und Expressionismus – lagen in der Zeit vor dem Ersten Weltkrieg. Sein Stil besaß wenig „Disneyeskes". Dennoch konnte ihn das Disney-Studio mit seinen experimentellen Möglichkeiten in Animation verwandeln. „Ich stellte mir vor, dass ich so groß wie ein Berg wäre und aus Stein gemacht und trotzdem fühlen und mich bewegen könnte"[34], beschrieb Tytla seine Selbstwahrnehmung als Animator. Nur das Disney-Studio auf dem Höhepunkt seiner Kunst konnte dem Ausdruck verleihen.

7.37–39 ***Babys gehörten zu den Stars der Silly Symphonies, wo sie sich sogar Meere und Himmel eroberten. Die geplante Fantasia-Sequenz „Baby Ballet" hätte die beliebten Säuglinge auf der Flucht vor Windeln und Sicherheitsnadeln zum Tanzen gebracht, bevor sie von Störchen gerettet worden wären. Als mögliche musikalische Begleitung nahm Stokowski seine Orchesterbearbeitung von Tschaikowskis „Humoresque" mit einem Studioorchester auf. Die hier gezeigten Storyboard-Gemälde von 1941 stammen von Mary Blair. Unter der Leitung von Joe Grant und Sylvia Holland war Blair mit ihrer Arbeit nicht sehr glücklich. Wenig später sollte sie Walt auf seiner Reise nach Südamerika begleiten – und gehörte für mehr als ein Jahrzehnt zu den einflussreichsten Disney-Künstlern.***

7.39

Das Studio der Träume: Der Bau der Burbank-Studios 1939–1940

Von Daniel Kothenschulte

Studiobauten sind im Allgemeinen keine besonderen Sehenswürdigkeiten. Anders die im Stil der Stromlinienmoderne gehaltenen Walt Disney Studios an der Buena Vista Street im kalifornischen Burbank. Vermutlich sind sie die einzige Filmproduktionsstätte der Welt von architektonischem Rang.

Erbaut zwischen 1939 und 1940, zeigen sich ihre zentralen Gebäude noch heute im Originalzustand, auch wenn sie seit dem Auszug der Animationsabteilung 1985 nicht mehr ihre ursprüngliche Funktion erfüllen. Herzstück ist das – nach einer Idee von Walt Disney – auf dem Grundriss eines „Doppel-H" errichtete, achtflügelige Animation Building zwischen der Mickey und der Minnie Avenue. Die gegenüberliegende Gebäudezeile, die ursprünglich das Filmlabor, die Ink-&-Paint-Abteilung sowie die Kamera- und Schnitteinrichtungen beherbergte, hat sich äußerlich ebenso wenig verändert wie das Main Theatre jenseits des Dopey Drives: In dem einstigen Previewkino mit 419 Plätzen werden noch immer Filme gezeigt.

„Disneys Studio war eine wunderbare Renaissancewerkstatt. Die jungen Leute erhielten die Chance, Zeichnen, Komposition, Animation und Handlung zu studieren."
John Hubley

Zwischen den von Rasenflächen umsäumten Gebäuden laden Parkbänke zum Verweilen ein, und man kann sich gut vorstellen, dass die all-

gegenwärtigen Eichhörnchen einmal die Inspiration für Donalds ewige Quälgeister A- und B-Hörnchen (orig. Chip und Dale) gegeben haben mögen. Das modernistische Credo einer Einheit von Funktionalität und Schönheit erfüllt sich in dieser Architektur, ohne dass sie dabei kühl oder abweisend wirken würde.

Selten hat sich Walt Disney in seinem Schaffen so konsequent für den Modernismus entschieden wie bei der Entwicklung seines ersten großen Architekturprojekts 15 Jahre vor der Eröffnung von Disneyland. Im Glauben an die Entwicklungsfähigkeit eines Mediums, das er auf die Stufe einer anerkannten Kunstform gehoben hatte, plante und realisierte er das ultimative Animationsfilmstudio.

Kaum etwas charakterisiert die Disney-Ästhetik besser als Walt Disneys Fähigkeit, Tradition und Moderne in einem zu denken. In einem Film wie *Fantasia* treffen romantische Malereitraditionen des 19. Jahrhunderts auf zeitgenössische Strömungen wie Art déco und Abstraktion. In der Arbeitsatmosphäre des alten Hyperion-Studios konnte man diese Mischung auch in den Räumen spüren. Selbst wenn fortwährend neue Einrichtungen hinzukamen, verströmte das Hauptgebäude einen gemütlich-altmodischen

8.01 ***Eine Konzeptzeichnung von Kem Weber für den Haupteingang des Studios. Das Wort „Enterprises" wurde möglicherweise irrtümlich benutzt, da der Name „Walt Disney Enterprises" im Herbst 1938 in „Walt Disney Productions" aufging. Weber wählte Rot und Weiß, Farben, die eher typisch für den deutschen Bauhausstil waren.***

8.02 ***Die Campusatmosphäre in der Minnie Avenue 1940. Links sind die Ink-&-Paint- und die Camera-Gebäude, gegenüber das Animationsgebäude, das Herz des Studios.***

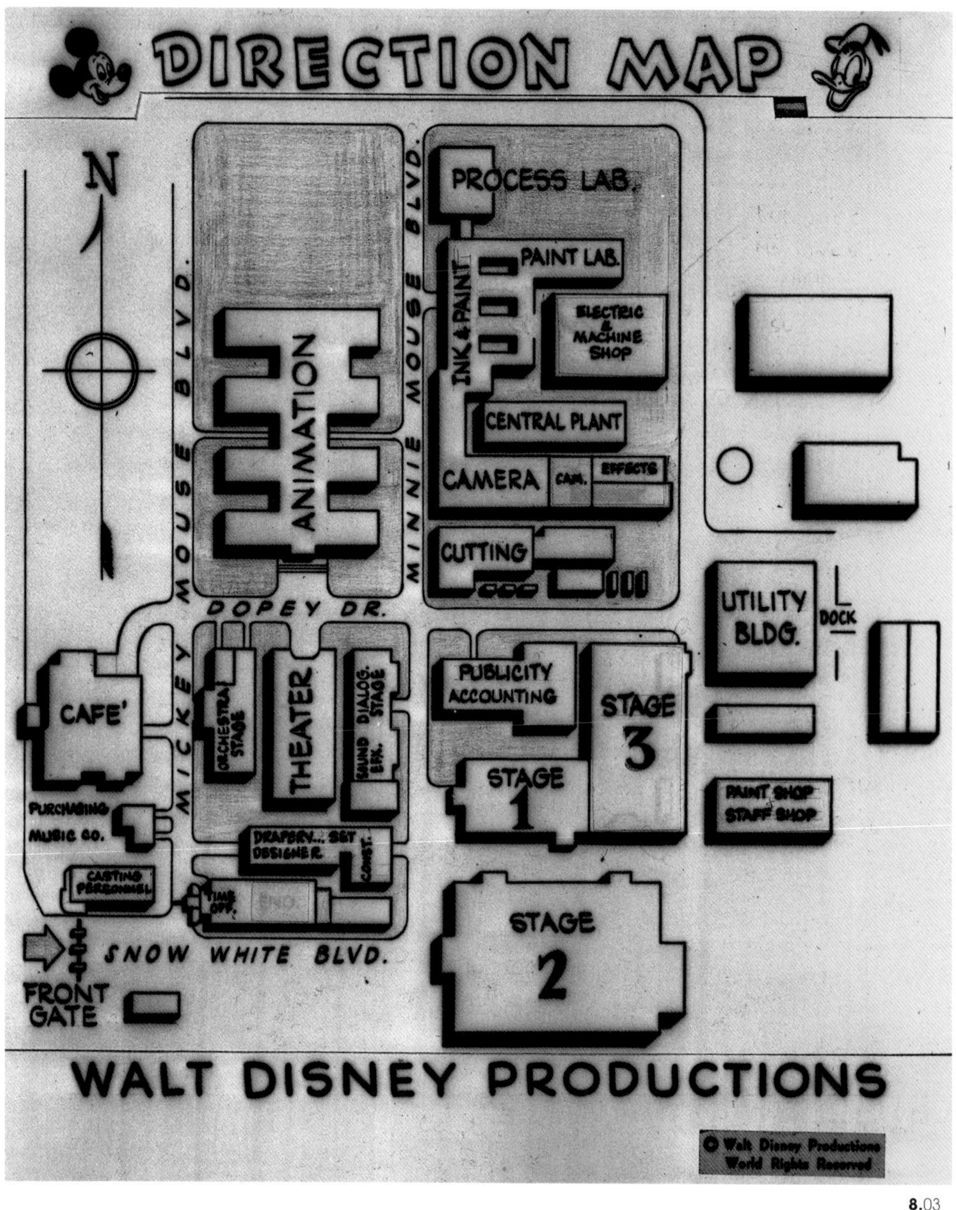

8.03

Herrenhauscharme, während zugleich an bahnbrechenden technischen Neuerungen gearbeitet wurde. Als die Disney-Brüder Ende der 1930er-Jahre beschlossen, mithilfe der Gewinne aus *Snow White and the Seven Dwarfs (Schneewittchen und die sieben Zwerge)* einen Studioneubau anzugehen – tatsächlich reichten diese Mittel bei Weitem nicht –, sollte es zwar weiterhin eine Arbeitsstätte zum Wohlfühlen sein, das jedoch in einem gänzlich modernen Ambiente, das eher einem Uni-Campus glich.

Kunstunterricht hatte Walt Disney seinen Zeichnern schon lange angeboten, und er selbst hatte einmal bemerkt, sein Studio gleiche mehr einer Schule als einem Gewerbebetrieb.[1] Disneys Wertschätzung für ausgleichende Erholungsmöglichkeiten am Arbeitsplatz war seiner Zeit um viele Jahrzehnte voraus. So gehörten Freizeit- und Sporteinrichtungen ebenso zu seinem Konzept wie ein Restaurant und ein Friseursalon. Eine innovative Klimaanlage – in den 1930er-Jahren ein seltener, in Hyperion noch ungekannter Luxus – sollte die Arbeitsbedingungen für ein Filmstudio jener Zeit in unerhörter Weise vervollkommnen. Bis heute erfüllt die historische Technik noch immer verlässlich ihre Funktion.

Das Design dieser Architektur und seiner ursprünglichen Einrichtung stammt vom Deutschen Karl Emanuel Martin, genannt Kem, Weber (1889–1963), einem Schüler des wegweisenden Modernisten Bruno Paul. Heute ist Weber vor allem für seine Möbel bekannt, darunter nicht zuletzt die für das Disney-Studio entworfenen Arbeitsmittel: Ein Weber-Animationstisch gilt unter Zeichnern als Rolls-Royce seiner Art. Disney hatte zuvor Animator Frank Thomas um einen Entwurf nach seinen Wünschen gebeten, die Weber beherzigte.

Walt Disney bewunderte seinen Airline Chair (1934–1935), von dem er für das Studio 300 Stück anschaffte. Während seiner Storykonferenzen genoss er die Bequemlichkeit des extravakanten Armsessels im Streamline-Stil, der nicht zuletzt wegen seiner pragmatischen Fertigungsweise in die Designgeschichte einging: Als erstes Möbelstück wurde er platzsparend in Einzelteilen verkauft und konnte auch ohne besonderes

8.03 ***Eine Studiokarte von 1956, entworfen von einem Disney-Künstler***
8.04 ***Showman, der er war, ließ Walt dieses Straßenschild als Requisite für den Film*** **Walt Disneys Geheimnisse** ***entwerfen. Es ist heute noch eine große Attraktion.***

8.04

Geschick von jedermann zusammengesetzt werden. Auch wenn Jahrzehnte später ein schwedisches Möbelhaus ein immens erfolgreiches Geschäftsmodell aus dieser Idee entwickeln sollte, fanden sich seinerzeit nur eine Handvoll Käufer. Disney selbst wurde allerdings von einem seiner Story Men, Otto Englander, einmal dabei angetroffen, wie er interessiert ein Weber-Möbelstück auseinandernahm, um seine Funktionsweise zu studieren.

> ***„Walt plante die Gebäude sehr gewissenhaft ... Er gab sich damit so viel Mühe wie mit der kreativen Seite von vielen seiner Filme.“***
> Ben Sharpsteen

Webers Architekturstil war stark vom Altmeister der amerikanischen Moderne, Frank Lloyd Wright, beeinflusst, den er seit 1931 auch persönlich kannte. Wright wiederum war ein Bewunderer Walt Disneys, mindestens zweimal besuchte er das Hyperion-Studio, wo er am 25. Februar 1939 eine Vorlesung gab. Eindringlich predigte er dort den Zeichnern die Modernität ihres Mediums: „Was ihr hier macht, ist taufrisch. Lasst euch nicht durch Sentimentalitäten verführen.“[2]

Es ist gut möglich, dass Wright seinen jüngeren Kollegen gegenüber Disney empfahl, doch ein genauer Beleg, wie der Studiochef auf den elf Jahre älteren Deutschen aufmerksam wurde, konnte nicht gefunden werden. Auch die eleganten Filmkulissen, die Weber zwischen 1932 und 1933 für Paramount-Produktionen entworfen hatte, darunter für Cecil B. DeMilles *This Day and Age* (*Revolution der Jugend*, 1933), mögen den passionierten Kinogänger Disney für Weber eingenommen haben.

Dass Disney den Mut aufbrachte, einen in Großprojekten noch unerfahrenen Mann zum Chefarchitekten zu ernennen, ist nicht untypisch für seinen Führungsstil. Ein Beispiel aus späterer Zeit ist die Entscheidung, den jungen Regisseur Richard Fleischer mit dem sehr kostspieligen Abenteuerfilm *20.000 Leagues Under the Sea* (*20.000 Meilen unter dem Meer*, 1954) zu betrauen.

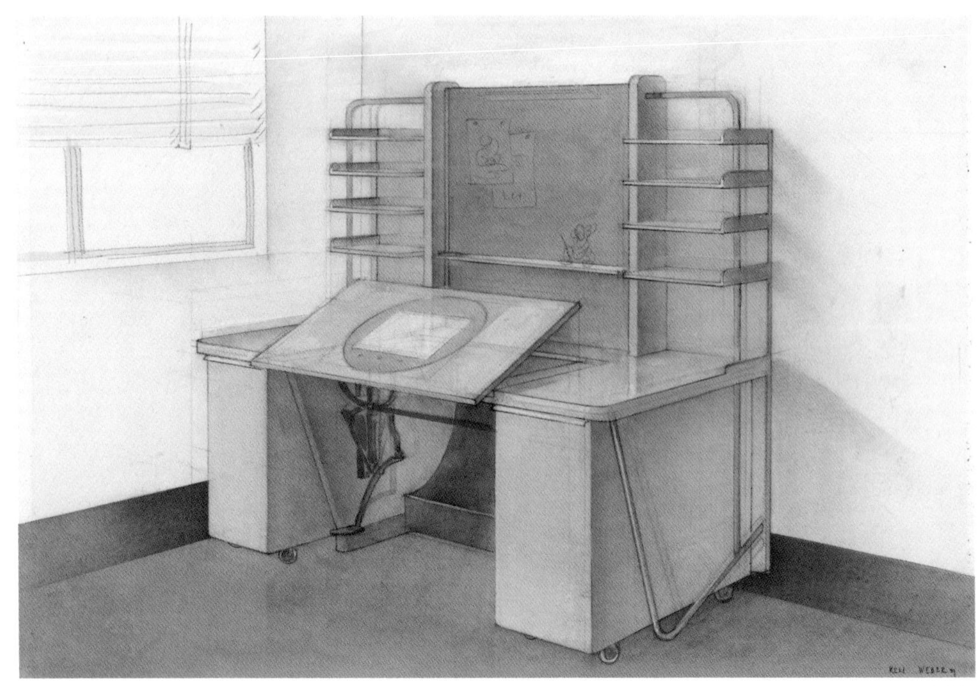

8.05

8.06

Die Planung und der Bau des Walt-Disney-Studios forderte Weber in seiner ganzen Vielseitigkeit. Eine der erstaunlichsten und einflussreichsten Erfindungen von Weber und seinem Team ist das Farbdesign für die Gebäude.

In jüngeren Jahren wurde sein Farbakkord auf immer weitere Disney-Produktionsstätten in Burbank und Glendale aufgetragen: Disney hatte sich von Weber leuchtende, aufbauende Töne gewünscht, und dieser ließ sich von der Palette der kalifornischen Wüste zu einem Akkord aus Pastelltönen in Beige, Ocker und einem Kaktusgrün inspirieren, konterkariert durch farbige Ziegelsteine in Rot und Rosa.

Wie bei seinen Filmen überwachte Walt auch hier den gesamten kreativen Prozess und brachte ständig eigene Ideen ein. „Er machte Pläne von den Gebäuden, baute Attrappen der Einheiten auf dem Boden des alten Studios und lud alle dazu, die sich mit Ideen einbringen wollten", erinnert sich Ben Sharpsteen. „Er machte sich so viel Arbeit damit wie bei der kreativen Seite seiner Filme."[3]

Wahrscheinlich wäre es nicht übertrieben, den Bauherrn selbst als einen Architekten seines Studios zu bezeichnen. Jedenfalls erschien es Kem Weber noch Anfang 1944, als er einen Artikel über seine Arbeit am Disney-Studio veröffentlichen wollte, geboten, bei Walt die Genehmigung einzuholen, sich als „Supervising Architect" zu bezeichnen. Walt hatte nichts dagegen – wie seine Unterschrift auf Webers Brief in den Walt Disney Archives belegt.

1939 hatte sich der Kunstkritiker Arthur Millier von Disney über die Neubaupläne informieren lassen. In seiner Kolumne „Brush Strokes" schrieb er am 17. September 1939 in der *Los Angeles Times*: „Walt hat uns die Entwürfe für sein neues Studio gezeigt, mit Sonnenbädern für die Animatoren, Malzmilchbars und weiß Gott welchen technischen Einrichtungen ... Sagte Walt: ‚Ich wünschte, ich hätte Weber früher ins Spiel bringen können. Er erfasst das, was wir wollen, so schnell wie der Blitz.'"[4]

Aber auch Weber wusste die kreative Einflussnahme der Studiobelegschaft zu schätzen, auch wenn die Pläne täglich oft mehrmals angepasst werden mussten. 1940 schrieb er in der Januar-Ausgabe der Zeitschrift *Arts and Architecture*, ohne Disney und sein Team direkt zu erwähnen: „Neben dem tatsächlichen Arbeitsprozess hängen das geistige Wohlbefinden und das Glück am Arbeitsplatz nicht nur von den rein praktischen und funktionalen Lösungen ab, sondern auch von ihrer Erscheinung. Dies zu erkennen gehörte zur psychologischen Weisheit der Leitung dieses Unternehmens. Die ganze Anlage und ihre Ausstattung ist aus den Menschen hervorgegangen, die dort arbeiten und diese Einrichtung aufgebaut haben."[5]

8.05–06 ***Webers Entwurf für ein Background Desk***

8.07

Im August 1939 wurde das Kameragebäude für die Arbeit an *Pinocchio* in Betrieb genommen, die meisten anderen Abteilungen zogen zwischen dem 26. Dezember und dem 5. Januar 1940 um. Als Letzte schafften die Ink-&-Paint-Abteilung und Roys Büro im April den Umzug, der offiziell am 6. Mai beendet war. Das Sodium Process Building für Aufnahmen, die Real- und Animationsszenen kombinierten, kam später als letztes Studiogebäude hinzu. Bis zum Herbst 1940 waren alle Abteilungen in ihre neuen Räume umgezogen.

Allein das Animation Building war mit 46.330 Quadratmetern dreimal so groß wie sein Vorgänger im Hyperion-Studio und verfügte über bestes Nordlicht. Darüber hinaus hatte Weber darauf verzichtet, das Gebäude wie sonst üblich parallel zu den angrenzenden Boulevards zu platzieren. Im Inneren wirkten die gleichen warmen Pastelltöne wie außen. Die Farben im Inneren wurden von Walt Disney und Kem Webers Bauleiter Frank Crowhurst nach dem von Weber vorgelegten Farbschema festgelegt. „Alles, worum Walt bat, war, dass es keine Düsternis und keine Monotonie geben solle", erklärte Crowhurst 1940 in einem Interview. „Zum Beispiel wollte er nicht in zwei Flügeln die gleichen Farben haben, und er wollte unterschiedliche Farben für die Fußböden. Er wollte, dass jemand, der sein Zimmer verließ, in einen Flur mit einer anderen Farbe treten konnte. Ich glaube nicht, dass Weber so etwas je zuvor gemacht hatte. Es hat uns sofort gefallen."[6]

In den Konferenzräumen waren die Wände mit Kork verkleidet, was es leicht machte, Zeichnungen an die Wand zu heften. Walt Disneys Büro befand sich – neben dem Story Department – in

8.07 *Weber führte seine Entwürfe selbst mit Bleistift und Wasserfarbe auf Karton aus, meist im Format 38 x 56 cm. Hier zu sehen ist Walts offizielles Büro.*
8.08 *Kem Weber (links) während einer seiner vielen Diskussionen mit seinem Klienten*

einer Suite im dritten Stock ganz am nordöstlichen Ende des Animation Building im Flügel H. Besucher durchschritten erst ein Empfangsbüro und dann das Sekretariat, bis sie in das Allerheiligste vordrangen, das freilich keinerlei Schwellenangst erweckte. Mit seinen bunten Teppichen und den gemütlichen Sesseln und Couchtischen erinnerte es eher an unsere moderne Idee eines Home Office als an ein repräsentatives Chefzimmer. Selbst den Flügel hatte Weber aus Teilen eines günstig erworbenen Knabe-Pianos von 1914 entworfen und gebaut. Es war ein Instrument wie kein zweites – „und doch einige Hundert Dollar billiger als ein neues"[7], wie sich Weber in *Arts and Architecture* rühmte.

Langjährige Mitarbeiter konnten im Penthouse Club, den Walt Disneys Jugendfreund Walt Pfeiffer managte, Massagen und Sonnenbäder genießen. Doch die Zeiten waren vorbei, da die Künstler sich frei und ohne an Hierarchien zu denken im Studiogebäude bewogen und voneinander lernen konnten. So trauerten viele der – trotz der Intensität der Arbeit – so beglückenden Zeit in Hyperion nach. „Man konnte verloren gehen bei Disney", erinnert sich Hawley Pratt gegenüber Michael Barrier an seine Zeit als Assistenzanimator: „Man war einen Korridor tiefer, in seinem kleinen Zimmer, und niemand wusste, wer man war oder was man tat. Man wusste nicht, was ‚oben' abging, wie wir sagten. In den zweiten Stock kam man ab und zu, aber in den dritten – das war wie in den Himmel kommen."[8] Die unterschiedliche Ausstattung der Räume – die Assistenten bewegten sich auf geräuschvollem Linoleum, während die Animatoren über Teppiche schritten – sollte später zu einem Argument im Arbeitskampf werden, der das Studio während des Streiks 1941 für immer verändern sollte. Kem Weber nannte 1940 in einem Interview praktische Gründe: „(Walt) wollte eine bestimmte Wohnzimmerqualität. Er bestand zuerst auf Läufern und Teppichen, aber weil die Leute malen, rauchen, mit Pastell und Bleistift und anderen Techniken hantieren, würde natürlich alles auf die Teppiche fallen. Dennoch sagte er: ‚Die Jungs müssen es gemütlich haben!' So haben wir uns entschieden, die (Arbeitsräume) teilweise mit Teppichen und teilweise mit Linoleum auszustatten."[9]

Der Anspruch dieses schönsten aller Filmstudios gebar seine eigene Tragik. Kem Weber, dessen Werk erst ein halbes Jahrhundert später in seiner ganzen Bedeutung erkannt wurde, konnte nie wieder ein Projekt ähnlicher Größe realisieren. Bereits am 31. Oktober 1940 bewarb er sich bei Disney um einen Job als Designer möglicher Live-Action-Filme und Sets. Wie in seiner Architektur berief er sich auf ein Prinzip der Moderne, die Untrennbarkeit von Farbe und Form. In einem Brief an Walt schrieb Kem: „Man kann und darf sie nicht trennen, so wenig wie von beidem den Ton."[10] Eine Anstellung für Weber fand sich nicht. Die Kulissen des einzigen Realfilms, den Disney in jener Zeit in Angriff nahm – *The Reluctant Dragon (Walt Disneys Geheimnisse)* –, hatte er längst geschaffen. Sein Spielort ist das Walt-Disney-Studio.

8.08

Walt Disneys Geheimnisse

The Reluctant Dragon (1941)

Synopsis
Der Humorist Robert Benchley hat einen Termin bei Walt Disney. Er möchte ihn davon überzeugen, eine Kurzgeschichte des Autors Kenneth Grahame zu adaptieren. Sie handelt von einem Drachen, der lieber Gedichte rezitiert, als furchterregend zu sein. Auf seinem Weg durch die neuen Walt-Disney-Studios stolpert er durch die verschiedensten Abteilungen. Er platzt unter anderem in eine Unterrichtsstunde im Aktzeichnen hinein, schaut bei Aufnahmen von Filmmusik zu, erhält eine Einführung in die Funktionsweise der Multiplankamera, lässt sich das Ink-&-Paint-Verfahren erklären und blickt den Künstlern im Character Model Department über die Schulter. So lernt er eine Menge über die Kunst der Animation. Es handelt sich überwiegend um einen teils in Schwarz-Weiß und teils in Farbe gedrehten Realfilm mit kurzen animierten Sequenzen, die die Story würzen, darunter drei Technicolor-Cartoons: „Baby Weems", „How to Ride a Horse" („Goofys Reitschule") und „The Reluctant Dragon" („Der Drache wider Willen").

ERSTAUFFÜHRUNG USA 20. Juni 1941
ERSTAUFFÜHRUNG D 8. April 1952
LAUFZEIT 73 Minuten

Besetzung
ALS ER SELBST ROBERT BENCHLEY
DORIS FRANCES GIFFORD
MRS. BENCHLEY NANA BRYANT
HUMPHREY (BESUCHERFÜHRER IM STUDIO) BUDDY PEPPER
ALS SIE SELBST / CLARA CLUCK FLORENCE GILL
ALS ER SELBST / DONALD DUCK CLARENCE NASH
ANIMATOR (STORYBOARD ARTIST) ALAN LADD
STUDIOMITARBEITER JOHN DEHNER
STUDIOMITARBEITER TRUMAN WOODWORTH
LEHRER DER KUNSTKLASSE HAMILTON MACFADDEN
STUDIOMITARBEITER MAURICE MURPHY
STUDIOWÄCHTER HENRY HALL
ORCHESTERCHEF FRANK FAYLEN
SLIM (KÜNSTLER IN DER KAMERABTEILUNG) LESTER DORR
WÄCHTER GERALD MOHR
ALS SIE SELBST WALT DISNEY, WARD KIMBALL UND NORMAN FERGUSON

Stimmen
DRACHE / VATER BARNETT PARKER
SIR GILES CLAUD ALLISTER
JUNGE BILLY LEE
ALS SIE SELBST THE RHYTHMAIRES
DONALD DUCK CLARENCE NASH
GOOFY PINTO COLVIG
„BABY WEEMS"-ERZÄHLER GERALD MOHR
BABY WEEMS (BABY) RAYMOND SEVERN
BABY WEEMS (ÄLTER) LEONE LEDOUX
MR. WEEMS ERNIE ALEXANDER
MRS. WEEMS LINDA MARWOOD
ERZÄHLER / BÜRGERMEISTER J. DONALD WILSON
ROOSEVELT ART GILMORE
WALTER WINCHELL EDWARD MARR
BOTE VAL STANTON

Stab
REGIE DER REALAUFNAHMEN ALFRED L. WERKER
REGIE CARTOON HAMILTON LUSKE, JASPER BLYSTONE
REGIEASSISTENZ CARTOONSEQUENZEN JIM HANDLEY, FORD BEEBE, ERWIN VERITY
DREHBUCH REALFILM TED SEARS, AL PERKINS, LARRY CLEMMONS, BILL COTTRELL, HARRY CLORK
STORY „DER DRACHE WIDER WILLEN" („THE RELUCTANT DRAGON") ERDMAN PENNER, T. HEE, NACH DEM BUCH VON KENNETH GRAHAME
STORY „BABY WEEMS" JOE GRANT, DICK HUEMER, JOHN PARR MILLER
KAMERA (REALFILM) BERT GLENNON, WINTON HOCH
ARTDIRECTOR GORDON WILES
TECHNICOLOR FARBBERATUNG NATALIE KALMUS
CARTOON ARTDIRECTORS KEN ANDERSON, HUGH HENNESY, CHARLES PHILIPPI
SPEZIALEFFEKTE UB IWERKS, JOSHUA MEADOR
ANIMATOREN WARD KIMBALL, FRED MOORE, MILT NEIL, WOLFGANG REITHERMAN, BUD SWIFT, WALT KELLY, JACK CAMPBELL, CLAUDE SMITH, HARVEY TOOMBS
HINTERGRÜNDE RAY HUFFINE, ARTHUR RILEY
FILMSCHNITT PAUL WEATHERWAX
PRODUKTIONSLEITUNG EARL RETTIG

The
BIG FEATURE SHOW
WITH A THOUSAND SURPRISES!

© Walt Disney Productions

Walt Disney's
THE
RELUCTANT
DRAGON

WITH
Robert BENCHLEY

SEQUENCES IN
MULTIPLANE TECHNICOLOR

DISTRIBUTED BY RKO RADIO PICTURES, INC.

Walt Disney
PRESENTS
The Reluctant Dragon
BASED ON THE STORY BY KENNETH GRAHAME
COPYRIGHT MCMXLI WALT DISNEY PRODUCTIONS

9.02

Dancing Ducks (Degas)

9.05

9.03

9.04

9.06

9.07

EXTRA!
The Daily Sun
BABE SPEAKS
TINY TOT TALKS
STOP
1¢
BABE
TINY TOT TALKS
SENSATIONAL
FUN IN A HOSPITAL

76

9.08

9.09

9.01 ***Das Originalfilmplakat. Es zeigt Baby Weems und den Drachen.***
9.02 ***Vorspann (Einzelbild)***
9.03 ***Walt Disney gehörte zu den ersten Filmproduzenten, die begriffen, welches Potenzial darin steckte, wenn man das Publikum mit „hinter die Kulissen" nahm, wie man das in diesem Vorspanntitel und dem Einzelbild sehen kann.***
9.04 ***Das Disney-Studio schuf seine Farben im eigenen Farblabor, das vom Chemiker Emilio Bianchi geleitet wurde (Einzelbild).***
9.05 ***Tanzende Enten des Disney-Künstlers Ray Patin, der das Gemälde*** Sich verbeugende Tänzerinnen ***von Edgar Degas parodiert (Einzelbild).***
9.06 ***Eine der Szenen aus dem umwerfend komischen Goofy-Kurzfilm „How to Ride a Horse" (Einzelbild)***
9.07 ***Staranimator Norman Ferguson studiert Plutos Gesichtsausdruck (Einzelbild).***

„Die Sequenz ‚The Baby Weems' […] war der erste der Restricted-Animation-Filme und wahrscheinlich der beste, der je produziert wurde."

Chuck Jones

9.08 ***Eine der herausragenden Pastellzeichnungen des Künstlers John Parr Miller für den Kurzfilm „Baby Weems"***
9.09 ***Eine weitere Zeichnung aus „Baby Weems" zeigt John Parr Millers Talent für kraftvolle Kompositionen und fesselnde Charaktere.***
9.10 ***„Baby Weems" wurde ein Favorit sowohl der Kritiker als auch des Publikums und ist bis heute das Highlight des Films geblieben.***

9.10

9.11

9.12

9.11 ***Dritte Reihe: Larry Clemmons, Ted Sears, unbekannt, Bill Cottrell; mittlere Reihe: Hamilton Luske, Walt, Robert Benchley, Buddy Pepper; erste Reihe: Erdman Penner, Lance Nolley.***
9.12 ***Animationszeichnung des Drachen, der nach Robin Allans Worten „an Oskar Wilde erinnert, in der Form, wenn nicht sogar im Witz“.***
9.13–14 ***Zwei Story Sketches von T. Hee***
9.15 ***Model-Sheet für* Reluctant Dragon *von Disneys erstem Concept Artist Albert Hurter***

„Das ist mein Mann. Einer, der von Rothschild zu Rax gleiten kann, ist der Richtige für mich.“

Walt Disney über den Regisseur Alfred Werker

9.13

9.14

„Er merkte erst nach der dritten oder vierten von diesen [Goofy-Nummern], dass wir ihn [John McLeish] zum Narren hielten. Doch da machte es ihm nichts mehr aus. Er war selbst ein Star.“

Jack Kinney

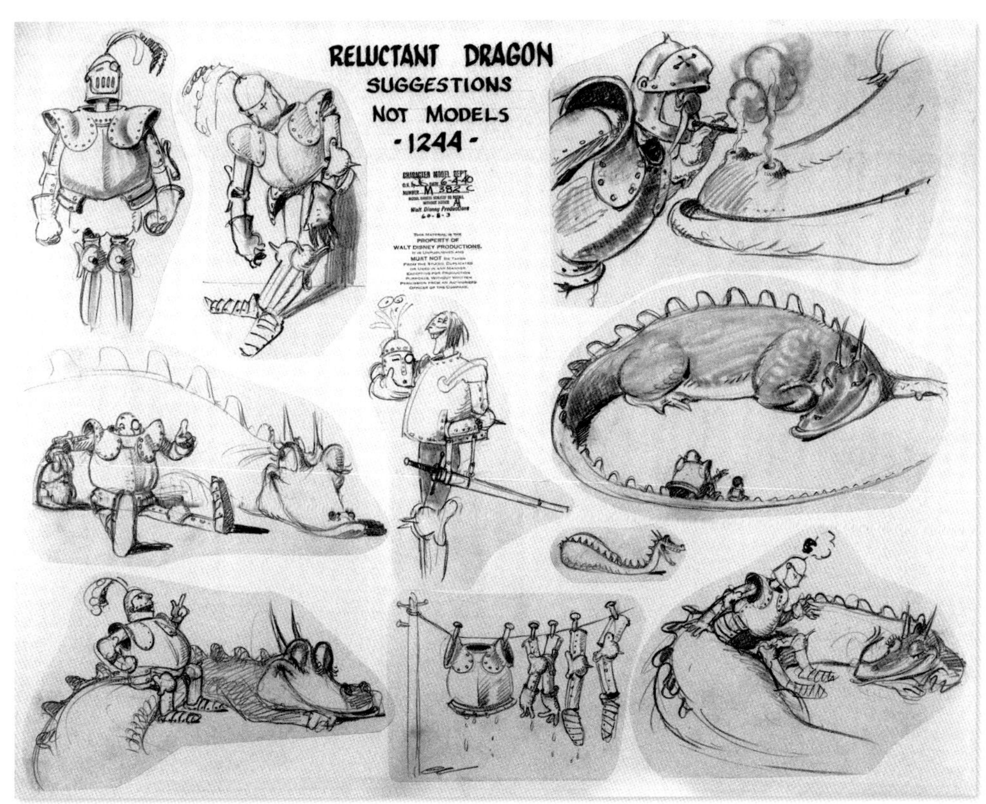

9.15

Dumbo

(1941)

Synopsis
„Dumbo hat große Ohren. Das ist sein Problem. Er wurde so geboren. Man verlacht ihn. Er muss versuchen, damit zurechtzukommen. Er gewinnt Freunde, die ihm in diesem klassisch anmutenden Märchen helfen. (Märchen zu studieren kann für Regisseure sehr nützlich sein.) Dumbo lernt fliegen. Er entwickelt eine Fähigkeit, von der er gar nichts wusste, und lernt etwas über sich: Er ist nicht schlechter als seine Kameraden. Vielleicht auch nicht besser, aber er ist anders und muss zu sich selbst stehen. Als ihm dies klar wird, ist er am Ziel. Das Problem seiner großen Ohren wird durch Selbsterkenntnis gelöst, nicht weil sie kleiner werden – und damit ist die Geschichte zu Ende."
David Mamet: *On Directing Film*

WELTPREMIERE 23. Oktober 1941 (New York)
ERSTAUFFÜHRUNG D 8. April 1952
LAUFZEIT 64 Minuten

Stimmen
TIMOTHEUS EDWARD BROPHY
ZIRKUSDIREKTOR HERMAN BING
MATRIARCH VERNA FELTON
STORCH STERLING HOLLOWAY
PRISSY SARAH SELBY
GIDDY DOROTHY SCOTT
FIDGITY NOREEN GAMILL
JIM CROW CLIFF EDWARDS
BACKING VOCALS, KRÄHEN HALL JOHNSON CHOIR
KRÄHEN (TIEFE STIMME) JIM CARMICHAEL
STIMMEN DER CLOWNS BILLY SHEETS, BILLY BLETCHER,EDDIE HOLDEN
ERZÄHLER DER EINLEITUNG JOHN MCLEISH

Stab
LEITENDER REGISSEUR BEN SHARPSTEEN
FÜR DIE LEINWAND GESCHRIEBEN VON JOE GRANT, DICK HUEMER, NACH EINER GESCHICHTE VON HELEN ABERSON UND HAROLD PEARL
LEITUNG STORY OTTO ENGLANDER
SEQUENZREGISSEURE NORMAN FERGUSON, WILFRED JACKSON, BILL ROBERTS, JACK KINNEY, SAM ARMSTRONG
LEITENDE ANIMATOREN VLADIMIR TYTLA, FRED MOORE, WARD KIMBALL, JOHN LOUNSBERY, ARTHUR BABBITT, WOOLIE REITHERMAN
STORY-ENTWICKLUNG BILL PEET, AURIE BATTAGLIA, JOE RINALDI, GEORGE STALLINGS, WEBB SMITH
CHARACTER DESIGNERS JOHN P. MILLER, MARTIN PROVENSEN, JOHN WALBRIDGE, JAMES BODRERO, MAURICE NOBLE, ELMER PLUMMER
ARTDIRECTORS HERB RYMAN, KEN O'CONNOR, TERRELL STAPP, DON DAGRADI, AL ZINNEN, ERNEST NORDLI, DICK KELSEY, CHARLES PAYZANT
ANIMATOREN HUGH FRASER, HOWARD SWIFT, HARVEY TOOMBS, DON TOWSLEY, MILT NEIL, LES CLARK, HICKS LOKEY, CLAUDE SMITH, BERNY WOLF, RAY PATTERSON, JACK CAMPBELL, GRANT SIMMONS, WALT KELLY, JOSH MEADOR, DON PATTERSON, BILL SHULL, CY YOUNG, ART PALMER
HINTERGRÜNDE CLAUDE COATS, AL DEMPSTER, JOHN HENCH, GERALD NEVIUS, RAY LOCKREM, JOE STAHLEY
MUSIK OLIVER WALLACE, FRANK CHURCHILL
TEXTE NED WASHINGTON
ORCHESTRIERUNG EDWARD PLUMB

WALT DISNEY'S

Full length **FEATURE** *production*

DUMBO

IN TECHNICOLOR

DISTRIBUTED BY-
RKO RADIO PICTURES INC.

1A

41/454

10.01

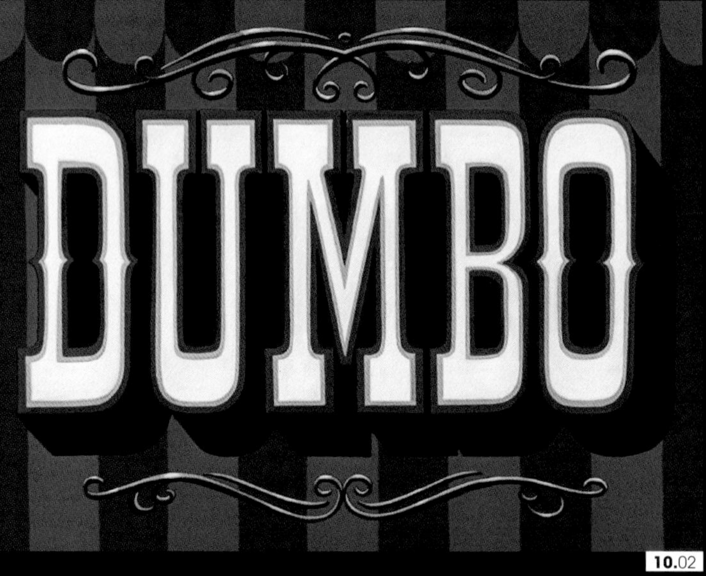

10.02

10.05

10.03

10.04

10.06

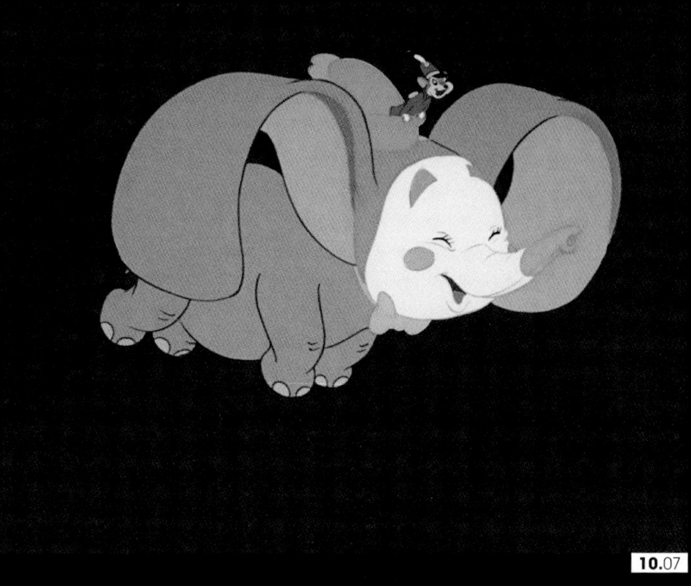

10.07

Wenn Ideen Flügel wachsen: *Dumbo*, das unverhoffte Meisterwerk

Von Daniel Kothenschulte

Als Walt Disney am 14. September 1955 die zweite Staffel seiner Fernsehshow *Disneyland* mit einer leicht gekürzten Ausstrahlung von *Dumbo* eröffnete, überraschte er seine Zuschauer mit einem Geständnis: „Immer wieder werde ich gefragt, welcher Ihrer Filme ist Ihnen der liebste? Nun, das ist der, den Sie jetzt in diesem Programm sehen werden: die Geschichte des kleinen Elefanten mit den großen Ohren, *Dumbo*."

„Von Beginn an war Dumbo ein glücklicher Film. Es begann mit einer sehr einfachen Idee, und dann … wuchs sie einfach weiter. Wir hatten keine Beschränkungen durch einen festgelegten Handlungsverlauf und konnten stattdessen unserer Imagination freien Lauf lassen. Anders ausgedrückt: Wann immer uns etwas Gutes einfiel, steckten wir es einfach in die Geschichte."

Walt Disney

10.08

Es ist selten, dass große Filmemacher ein einzelnes Werk in ihrem Schaffen über alle anderen stellen. Doch wenn sie es tun, geben sie häufig kleinen Filmen den Vorzug vor ihren aufwendigeren und oft auch renommierteren Lebensleistungen. Alfred Hitchcock etwa entschied sich für das überschaubare Familiendrama *Shadows of a Doubt (Im Schatten des Zweifels)*, John Ford wählte auf ähnliche Weise keinen seiner weltbekannten Western, sondern ein kleines Stück Americana namens *The Sun Shines Bright (Wem die Sonne lacht)*.

Wenn so etwas wie Perfektion in einem derart arbeitsteiligen und so vielen Unwegsamkeiten ausgesetzten Prozess wie dem Filmemachen überhaupt möglich ist, dann wohl eher in überschaubaren als in monumentalen Dimensionen. So hatte Walt Disney mit einem Abstand von 14 Jahren vielleicht tatsächlich diesen kleinen Film, der ihm fast nebenbei geglückt war, in besserer Erinnerung behalten als die hochkomplexen Meisterwerke, die ihm vorausgingen: *Snow White and the Seven Dwarfs (Schneewittchen und die sieben Zwerge)*, *Pinocchio*, *Fantasia*. Welche Kraftanstrengung hatte er diesen Meisterwerken gewidmet, bei deren Herstellung nicht nur er selbst und die beteiligten Künstler über sich selbst hinausgewachsen waren, sondern ein ganzes Medium zur anerkannten Kunstform herangereift war.

An *Dumbo* war – einschließlich der Vorarbeiten – nur anderthalb Jahre gearbeitet worden. Die eigentlichen Animationsarbeiten dauerten nur von Frühling bis Herbst 1941. Ein großer Teil der Produktion fiel in die Zeit seiner Reise nach Mittel- und Südamerika, auf die ihn viele seiner engsten Mitarbeiter begleiteten. Aber

10.09

tatsächlich: Der nur 64-minütige Film erscheint vielen seiner Bewunderer heute als makellos. „*Dumbo* ist ein Beispiel für einen perfekten Film"[1], schrieb der Regisseur und Bühnenautor David Mamet in seiner Abhandlung *On Directing Film*, in der er den Film als lobendes Bespiel analysiert. „Perfekt" ist auch das Adjektiv, das Disney-Forscher John Canemaker für das Werk anführt.[2] Dick Huemer, der mit Joe Grant das Drehbuch schrieb, drückte dasselbe etwas wortreicher aus: „Ich kann mir nichts in diesem Film vorstellen, das man hätte anders machen können."[3]

Und Ward Kimball, einer der Hauptanimatoren an diesem Film, rühmte ihn im Gespräch mit Leonard Maltin: „Wir haben sicherlich Dinge gemacht, die mit mehr Politur, Glasur oder geschickter Fußarbeit daherkamen, aber was das Grundsätzliche angeht, glaube ich, erreichte der Disney-Zeichentrick seinen Zenit mit *Dumbo*. Für mich ist es der eine abendfüllende Zeichentrickfilm mit einer narrensicheren Handlung."[4]

Dumbo ist nicht nur der – nach *Saludos Amigos (Drei Caballeros im Sambafieber)* – zweitkürzeste unter den animierten Disney-Features, sondern erwies sich bei seinem geringen Budget auch als äußerst profitabel.[5] Am Ende der ersten Kinoauswertung hatte er etwa eine halbe Million Dollar Profit erwirtschaftet. Nachdem sowohl *Pinocchio* als auch *Fantasia* defizitär abgeschlossen hatten, kam der Erfolg von *Dumbo* für das Disney-Studio im stark eingeschränkten Filmmarkt der Kriegszeit einer Erlösung gleich. Den Fernsehzuschauern gegenüber erklärte Walt seine besondere Wertschätzung

10.01 ***Filmplakat der ersten Kinoauswertung 1941***
10.02–07 ***Einzelbilder aus Disneys fünftem Langfilm***
10.08–09 ***Pastell-Story-Sketches von Timothy und „glamour boy Dumbo", wie es Jim Crow am Ende des Films formuliert.***

ALA.
MISS.
GA.
FLORIDA

gegenüber diesem Films freilich allein mit der Leichtigkeit seiner Entstehung.

„Von Beginn an war *Dumbo* ein glücklicher Film. Es begann mit einer sehr einfachen Idee, und dann (...) wuchs sie einfach weiter. Wir hatten keine Beschränkungen durch einen festgelegten Handlungsverlauf und konnten stattdessen unserer Imagination freien Lauf lassen. Anders ausgedrückt: Wann immer uns etwas Gutes einfiel, steckten wir es einfach in die Geschichte."

Gegenüber Pete Martin und Diane Disney Miller ergänzte er 1956:

„Ich habe *Dumbo* aufgebaut und bin dann einfach hinterhergelaufen. Es fing mit einer kleinen Idee an. Und dann habe ich sie einfach erweitert. Zuerst wollte ich es als 30-Minuten-Film angehen. Aber als es sich entwickelte und bevor ich wusste, was geschah, hatte ich einen 62-Minuten-Film, der 700.000 Dollar gekostet hat. Und als dieser Punkt erreicht war, sagte ich: ‚Weiter kann ich es nicht ausdehnen.' Sie sagten: ‚Kannst du nicht noch zehn Minuten hinzufügen, Walt?', und ich sagte: ‚Nein. Diese zehn Minuten könnten eine halbe Million Dollar kosten.' Man kann eine Sache eben nur bis zu einem bestimmten Punkt in die Länge ziehen, sonst wird sie nicht halten. Ich habe also Nein gesagt. Diese Länge ist es."[6]

„Dumbo war das Spontanste, was wir je gemacht haben ... Es fing an mit einer kleinen Idee, und während wir daran weiterarbeiteten, fügten wir immer mehr hinzu, und ehe wir uns versahen, hatten wir einen Spielfilm."

Walt Disney

Welche Befreiung muss diese Storyarbeit nach den Mühen von *Pinocchio* gewesen sein. Viele Monate lang hatte sich Walt mit dem Problem befassen müssen, ein umfangreiches Werk einerseits zu reduzieren und anderseits um differenziertere Charakterzeichnungen zu erweitern.

Der Ausgangspunkt war diesmal kein weltbekanntes Märchen wie *Schneewittchen* oder ein von mehreren Generationen verschlungener Kinderbuchklassiker. *Dumbo* führte keine eigene

10.10 ***Dieses Still aus der Anfangsszene von Dumbo zeugt von der perfekten Verbindung der beiden Stile, die für die Entwicklung der Disney-Animation prägend waren: Während die Störche und ihre Tierlieferungen plastisch ausgeführt wurden, steht die Karte Floridas für einen eher cartoonhaften Stil, wie er für die frühen Disney-Kurzfilme typisch ist, aber nicht mehr für die Langfilme.***
10.11–12 ***Ein Niesen bringt – in Bill Peets präziser Zeichnung – die Jumbogröße von Dumbos Ohren zum Vorschein.***

10.11

10.12

10.13

10.14

Ikonografie im Schlepptau, der man sich hätte stellen müssen. Kein Zuschauer würde diesmal mit einer festen Vorstellung ins Kino kommen. Die Vorlage, *Dumbo the Flying Elephant*, war eine kurze Kindergeschichte, geschrieben von Helen Aberson und ihrem Ehemann, Harold Pearl, die, bevor Disney die Rechte daran erwarb, nicht einmal in gedruckter Form publiziert worden war.

Wie Joe Grant später der *New York Times* erzählte, erreichte sie das Studio in Form eines neuartigen Spielzeugs namens „Roll-A-Book". 16 Zeichnungen ließen sich in der kleinen Schachtel, unterbrochen von dem in Miniaturformat gesetzten Text, abrollen und durch ein Bildfenster betrachten. Grant erinnert sich: „Wenn man an diesen Rädchen oben drehte, erschienen die Bilder wie in einem Film."[7]

Bislang ist kein Exemplar des originalen „Roll-A-Book" wiederaufgetaucht, und es gibt keinen Nachweis darüber, dass es tatsächlich je auf den Markt kam; auch im Disney-Archiv hat man nie eines gesehen. Erhalten sind dafür einige der ersten Dumbo-Illustrationen der Künstlerin Helen Durney, die wie die beiden Autoren aus Sycracuse im Staat New York stammte. Durney war von der modernen Kunst beeinflusst, und ihre fast kubistische Behandlung des Elefanten ist weit entfernt von der späteren Disney-Version. Als sie erfuhr, dass das Disney-Studio die Rechte am Stoff erworben hatte, wandte sie sich in einem Brief vom 27. Juni 1939 persönlich an „Walter Disney" und fügte eine ihrer Dumbo-Zeichnungen bei – nicht ohne indirekt ihr Interesse an einer Anstellung im Studio zu signalisieren. Mit Schreiben vom 7. Dezember bedankte sich der Adressat höflich – ohne auf das Angebot einzugehen.[8]

Elefanten, die die Schwerkraft verachteten, hatten Künstler allerdings schon früher fasziniert. Heinrich Kleys Zeichnungen anthropomorpher Dickhäuter trugen maßgeblich zur Inspiration der *Fantasia*-Episode „Tanz der Stunden" („The Dance of the Hours") bei, in *Dumbo* wird man in der Sequenz „Pink Elephant on Parade" genau wie in Zeichnungen des deutschen Künstlers Elefanten sehen, die Schlittschuh laufen.

Doch noch vor Kley hatte der ebenfalls in München wirkende Illustrator Adolf Oberländer (1845–1923) mit anthropomorphen Tierzeichnun-

10.13–14 ***Story Sketches von Bill Peet***
10.15 ***Ein meisterliches Aquarell eines Disney-Studiokünstlers***

gen großen Erfolg. Zwei seiner Bilderbücher erwarb Disney 1935 auf seiner Europareise. Auch wenn Oberländer heute fast vergessen ist, war er zu Lebzeiten so populär, dass seine Werke in Massenauflagen erschienen. In einer seiner bekanntesten Bildgeschichten zeigt er einen fliegenden Elefanten, der sich dazu allerdings mächtiger Flügel bedienen muss. Der Vers, den er dazustellte, könnte auch für Walt Disneys *Dumbo* werben: „Wie niedlich wär's und interessant/ Wenn fliegen könnt' der Elefant."

Doch Niedlichkeit alleine erklärt noch nicht die Faszination dieses Films, der ursprünglich nur als längerer Kurzfilm konzipiert war. Die Geschichte, die Grant und Huemer in ihrem Treatment in Romanform ausformulierten, war ebenso reich an Tragik wie an Humor. Als Tragikomödie steht sie in der Tradition Chaplins, der mit dem Drama um das Waisenkind *The Kid* (*Der Vagabund*, USA 1920) den Status der Slapstickkomödie so radikal veränderte wie Walt Disney spätestens mit *Snow White* den des Animationsfilms.

„Die meisten Ausdrücke und Eigenarten hatte ich von meinem eigenen Kind. Sie sind echt und aufrichtig ... Ich legte all diese Dinge in Dumbo hinein."
Bill Tytla

Mit allem Sinn für Dramaturgie schickten die Autoren Walt ihre Kapitel wie eine Fortsetzungsgeschichte, um so die Spannung zu schüren. Joe Grant, der als Leiter des Character Model Department auch für Literaturrecherche zuständig war, erinnert sich im Gespräch mit Michael Barrier, dass ihm meist schon ein Titel genügte, um sich mit einer Idee auseinanderzusetzen. „Er brauchte nie den Inhalt, nie. Ich konnte ihn nicht dazu kriegen, *Pinocchio* oder so etwas zu lesen. Das einzige (Treatment), das er jemals gelesen hat, war das, was Dick und ich zu *Dumbo* machten."[9]

Dick Huemer beschrieb gegenüber Joe Adamson die Tricks, mit denen sie dabei vorgingen: „Ich zeichnete zum Beispiel eine Träne auf die Seite, die sagte: ‚Lesen Sie nicht weiter, es sei denn, Sie sind hart im Nehmen, denn was wir Ihnen erzählen werden, ist unglaublich – bis morgen!'... Schon etwas schmieriger Stil, aber wir dachten, es wäre eine gute Art, ihn da hineinzuziehen."[10] Der komplette Text umfasst in der fertigen Fassung vom 22. Januar 1940 102 mitreißend formulierte Seiten, die den Leser auf eine emotionale Berg-und-Tal-Fahrt schicken.[11]

Wie im späteren Film entwickelt der Leser eine besondere Empathie für die wortlose Hauptfigur, gerade weil sie ihre Geschicke nicht selbst steuern kann. Als Fracht des Klapperstorchs wird der Babyelefant buchstäblich hineingeworfen in eine Welt, die es abwechselnd gut und schlecht mit ihm meint: Ersehnt von Mrs Jumbo, erlebt er das Glück absoluter Mutterliebe umso mehr, als diese ihn vor den Anfeindungen ihrer überheblichen Artgenossinnen verteidigt. Virtuos spielen die Autoren mit den Klischees einer vom Standesdünkel geprägten Artistenwelt, die sie auf die Tierwelt übertragen. Hollywood hatte schon zur Stummfilmzeit den Zirkusfilm fast zu einem eigenen Genre entwickelt. Auch im fertigen Film

10.15

haben diese Klassiker ihre Spuren hinterlassen: Chaplins *The Circus* (*Der Zirkus*, USA 1928), die Tragikomödie, die Disneys Idol Charles Chaplin einen Oscar eingetragen hatte. Oder das Melodram *Laugh, Clown, Laugh (Lach, Clown, lach)*, dessen Regisseur Herbert Brenon auch die *Peter-Pan*-Verfilmung geschaffen hatte, die man im Disney-Studio ausgiebig studierte.

Der Zirkus erscheint in diesen Filmen als eine Subkultur, deren Freiheitsversprechen durch strenge Hierarchien und moralische Codes in enge Schranken verwiesen wird. Die Arroganz der Elefantendamen musste man dem zeitgenössischen Publikum also nicht erklären: Ihr Status als Artistinnen rangiert haushoch über dem eines „Freak", wie sie Dumbo titulieren – was nach damaligem Sprachgebrauch nichts anderes bedeutete als eine jener Missgeburten, von denen Tod Brownings gleichnamiger Horrorfilm aus dem Schaustellermilieu erzählte. Die in ihrem Verständnis unterste Stufe aber erreicht der kleine Elefant erst, als man ihm ein Clownsgesicht schminkt.

Doch dies ist keine einfache Opfergeschichte, und die Empathie des Publikums ist mehr als Mitleid. Dumbos kindliche Unwissenheit schützt ihn ein Stück weit vor aller Erniedrigung. Etwas in ihm scheint ihn davor zu bewahren, vor dem Übel zu kapitulieren. Das Geheimnis der Faszination dieser Figur liegt in seiner Animation durch den Meisteranimator Bill Tytla.

Selbst von athletischer Erscheinung, pflegte er einen energetischen Zeichenstil von größter Dynamik. Es kam nicht selten vor, dass sich sein Bleistift durch das Papier der Rough Animation hindurchbohrte. Walt bewunderte Tytlas Talent und betraute ihn mit überwirklichen Schurkenfiguren, die seiner kraftstrotzenden Ausstrahlung entsprachen – neben dem bösen Puppenspieler Stromboli in *Pinocchio* hatte er *Fantasias* mächtigen Dämon Chernabog zum Leben erweckt. Tytla, der die Schauspieltheorien Stanislawskis verinnerlicht hatte, identifizierte sich mit den Rollen, in die er mit dem Zeichenstift schlüpfte.

In diesem Zusammenhang erklärt er bereits 1936: „Es tut mir fast körperlich weh, eine Figur zu

10.16

skizzieren und auf eine bestimmte Weise zu platzieren und zu versuchen festzuhalten, was in ihrem Kopf steckt, und mich dann einer anderen Figur zuzuwenden."[12]

Nun wollte er sein Talent am denkbaren Gegenstück zu diesen Finsterlingen beweisen, dem unschuldigen Elefantenbaby. Erst nach einer Probeanimation war Disney bereit, ihm den Auftrag zu geben. Am Ende animierte Tytla auch die wichtigsten Szenen der übrigen Elefanten. „Ich habe ihn da, wo ich ihn hinbekommen wollte", erklärte Tytla 1941 seinen Anspruch. „Es ist einfach passiert. Ich kenne mich mit Elefanten nicht besonders aus, daran konnte es nicht gelegen haben. Ich dachte in menschlichen Termini, und ich erkannte meine Möglichkeit, eine Figur zu erschaffen ohne billige Theatralik. Viel vom Ausdruck und von den Manierismen hatte ich von meinem eigenen Kind. Es gibt nichts Theatralisches an einem Zweijährigen."[13]

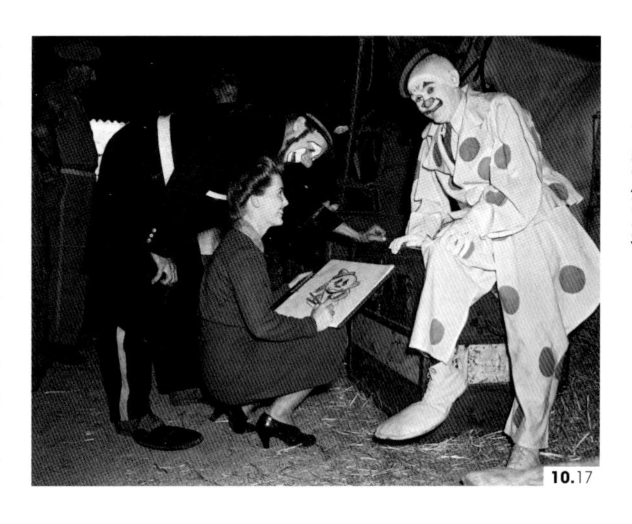

10.17

„Durch all die Jahre, in denen ich den Zirkus gezeichnet und gemalt hatte, war ich gut auf Dumbo vorbereitet."

Bill Peet

Dumbos einziger Freund Timothy wurde von Fred Moore entworfen, der auch die Animation der Figur leitete und ihm trotz der geringen Größe eine starke Persönlichkeit verlieh: „Das größte Problem mit Timothy war, ihn nicht zu niedlich erscheinen zu lassen. Wir brauchten einen harten Typen mit einem großen Herzen. Ich habe einfach mit ihm herumgespielt, ließ ihn ein paar Dutzend Schritte in zwölf Einzelbildern laufen, dann in acht ... bis ich die richtige Großspurigkeit bekam ... Als ich es einmal raushatte, war er der leichteste Kerl, den ich je gemacht habe."[14]

Huemer beschreibt den Erfindungsprozess des Autors als eine stete Suche nach Extremen:

Der emotionale Höhepunkt des Films ist ganz und gar sein Werk. Geführt von seinem neuen ungleichen Freund, der ihm so unverhofft zugetanen Maus Timothy (dt. Timotheus), macht er sich zum Gefängniswagen der Mutter auf, die sich zuvor gegen den Angriff eines brutalen Jungen verteidigt hatte.

Wie leicht wäre es gewesen, bei einem dicke Tränen weinenden Elefanten den Grat der Vermenschlichung zu überschreiten und ihre Stimmigkeit als Tierfigur preiszugeben. Wenn es ein Vorbild zur „Mother of Mine"-Sequenz von *Dumbo* gibt, dann ist es das weinende Entlein in der letzten Silly Symphony *The Ugly Duckling* (*Das hässliche Entlein*, 1939).

„Wenn man etwas schreibt oder macht, analysiert man es, um den effektivsten Zugang und/oder den ungewöhnlichsten zu bekommen, etwas, das man noch nie zuvor versucht hat. Oder etwas, das immer die Spannung hält oder überraschend ist oder das Lustigste, wenn das Ziel Komik ist. Oder, wie im Fall von *Dumbo*, wenn seine Mutter eingesperrt ist: Was ist das Traurigste, was man machen kann? Man kann sie einsperren in einen Käfig,

10.16 ***Aus Natur wird Kunst: Story Man Bill Peet vor Ort.***
10.17 ***Werbefoto von Disney-Künstlern auf einem Rechercheausflug zum Ringling Bros. and Barnum & Bailey Circus***

10.18

den geschmeidigen Westküstenstil, den Disney maßgeblich hervorgebracht hatte. Frank Thomas und Ollie Johnston, zwei Vertreter dieser Schule, prägten in ihrem grundlegenden Buch *Animation: The Illusion of Life* für ihr Credo den Terminus „The Illusion of Life". Hatte *Pinocchio* diese Mischung aus subtilster Karikatur und malerischem Naturalismus zur Perfektion getrieben, durften sich in *Dumbo* noch einmal die New Yorker mit flächiger oder mitunter gummihafter Animation ausleben. Die Stile wechseln nahezu Sequenz

bei Nacht, sie rasselt mit ihren Ketten ... Das ist die wehmütigste Situation, die man sich ausdenken kann."[15]

In den meisten Pressemitteilungen, die zum Filmstart von *Dumbo* verschickt wurden, wurde der Film als Rückkehr zu den Qualitäten von *Snow White* beworben. Sosehr er sich äußerlich wie inhaltlich von diesem Märchenfilm unterschied – in Bezug auf seinen emotionalen Appeal erscheint der Vergleich berechtigt. Sowohl *Fantasia* als auch *Pinocchio* waren vielfach als kühl empfunden worden. Nun fanden Grant und Huemer die perfekte Balance zwischen Tragik und Komik, indem sie den dramatischen Handlungsbogen durch episodische Einschübe aufbrachen.

Doch auch wenn die durchorchestrierte emotionale Wirkung *Dumbo* stringent erscheinen lässt, ist er ästhetisch alles andere als homogen. Der Filmhistoriker Mark Langer hat darauf hingewiesen, dass im Disney-Studio damals zwei unterschiedliche Animationstraditionen sichtbar aufeinanderstießen: ein Ostküsten- und ein Westküstenstil.[16] Stärker als in anderen Disney-Features spielen sie ihre Unterschiede aus – und ergänzen einander kontrapunktisch.

Die älteren, aus New York stammenden Zeichner, die zu den Cartoonpionieren zählten, trafen mit ihrem verspielten, antinaturalistischen Stil auf

für Sequenz: Der Flug der Störche, der zum Filmbeginn sogar die Multiplankamera zu einem kurzen Einsatz bringt, ist im Westküstenstil gehalten, die flächige Zirkusparade in dem der Ostküste. Die gefühlvolle Sequenz „Baby Mine" ist wiederum ein Beispiel für den nicht nur äußerlich glaubhafteren, sondern auch an Psychologie und Plausibilität geschulten Hollywoodstil. Doch die wohl berühmteste Szene des Films, eine Sternstunde der gesamten Animationsfilmgeschichte, verdankt sich dem Einsatz des New Yorkers Norm Ferguson. Als Ausschnitt hat sie eigene Berühmtheit erlangt: „Pink Elephants on Parade".

„Ich denke, der Disney-Zeichentrick hat mit Dumbo seinen Zenit erreicht ... Als ich das erste Mal hörte, wie Walt die Handlung umriss, wusste ich, dass der Film eine große Einfachheit und ein Zeichentrickherz hat."

Ward Kimball

Eine Sektflasche, die in Dumbos Wasserbehälter fällt, liefert die Motivation für einen surrealen Farben- und Formenrausch, wie man ihn nie zuvor auf der Leinwand gesehen hatte. Aus einer Luftblase, die Dumbo mit seinem Rüssel aus der Flüssigkeit pustet, entsteht ein rosafarbener

Elefant, der sich sogleich vervielfacht, indem er seinerseits Luftelefanten aus dem eigenen Riechorgan ausstößt. Zu den schrägen Harmonien eines auf Perkussionsinstrumenten gespielten Marsches beginnen sie ihre Parade, übernehmen dann selbst mit ihren Rüsseln das Trompetenthema. Die Wandlungsfähigkeit, die sie in Sekundenbruchteilen die Formen von Würmern, Pyramiden, Kamelen oder Autos annehmen oder sich in Punkt- und Streifenmuster kleiden lässt, wirkt ebenso selbstverständlich wie ihre gummiartige Anatomie: Schließlich haben wir sie aus einer Luftblase entstehen sehen. Der geschmeidige Pas de deux auf Schlittschuhen beschwört kurzzeitig die Eleganz ihrer Artgenossen in der „Tanz der Stunden"-Sequenz von *Fantasia*. Doch wie viel reduzierter ist ihre Darstellung in plastisch ausgeformten Umrisslinien, die in ihren Farben das Licht unsichtbarer Scheinwerfer reflektieren. Der Hintergrund ist dabei reines Schwarz, bald darauf flakkert er einzelbildweise in Rot und Blau.

Der daraus resultierende Effekt wird im Avantgardefilm der späten 1960er-Jahre als „Flicker" berühmt werden, erfunden wurde er freilich noch im Animationsfilm der New Yorker Stummfilmstudios. Als er 1928 als Hauptanimator für den Disney-Konkurrenten Max Fleischer arbeitete, nutzte Dick Huemer die schnelle Abfolge von schwarzen und weißen Bildkadern im berühmten Koko-the-Clown-Cartoon *Koko's Earth Control*, einer anarchischen Endzeitfantasie, deren Lust am Chaos hier noch einmal übersteigert wird. Sogar ein amouröser Subtext ist erlaubt, wenn es zwischen den Rüsseln eines Elefantenpaares gewaltig funkt und sich eines der Tiere mit dem daraus entstandenen Blitz genüsslich den Hintern reibt. Als er den Pfeil auf einen seiner Gefährten schleudert, vermehrt sich die Sippe auf 22 tanzende Elefantenpaare.

Liest man Grants und Huemers Treatment, findet sich die Stimmung bereits sehr genau erfasst:

> „Sie schienen überall zu sein! Rosa Elefanten eroberten die Welt! Nun wurde alles Vertraute verschwommen und vage – blendete sich weg in eine samtene Dunkelheit, vor der die hellen, rosa Elefantengeister leuchtend hervorstachen ... Und nun zog die wild tanzende Elefantenherde, die bis dahin gleichförmig rosa gewesen war, durch die wahnwitzigsten

10.18 ***Story Sketch eines Disney-Studiokünstlers***
10.19 ***Animator Ward Kimball skizziert den Sprecher und früheren Vaudeville-Star Cliff Edwards als Jim Crow.***

DUMBO MODEL

10.20

10.21

Farbveränderungen. Zuerst erschienen bläuliche Elefanten in den langen Reihen der Tänzer, und wenn sich die rosafarbenen und blauen überkreuzten, ließen sie lila Elefanten zurück."[17]

Ein besonders wirkungsvoller Einfall der Autoren fiel leider unter den Tisch – ein radikaler Wechsel von Heiterkeit in eine burleske Melodramatik: „Im rosa Lichtschein erschien nun der traurigste, bluesigste rosa Elefant, den man sich nur vorstellen kann, und während gewaltige Krokodilstränen, groß wie Eier, aus seinen Augen rollten und die Musik klagend dröhnte, jammerte er den folgenden Song: ‚OH, WARUM KANN EIN ELEFANT NIEMALS VERGESSEN ...?'"

Diese surreale Parodie einer Musicalchoreografie traf mit dem Regisseur dieser Sequenz Norm Ferguson auf einen erklärten Liebhaber des Vaudeville. Der gebürtige New Yorker gehörte in den 1930er-Jahren zu den Vätern von Pluto. Seine genialische Animation in *Playful Pluto* (1934), die Mickys (orig. Mickey) treuesten Gefährten einen ungleichen Kampf mit einem

10.20 ***„Die anderthalb Jahre, die ich an*** **Dumbo** ***arbeitete, waren eine glückliche Zeit", schrieb Bill Peet in seiner Autobiografie. „Ich ging zur Arbeit an dem Film, und mein kleiner Junge hatte definitiv Einfluss darauf, wie ich Babyelefanten zeichnete."***
10.21 ***Diese frühe Zeichnung aus dem Disney-Studio trägt die Signatur Ward Kimballs, der später die Krähen animieren sollte – möglich, dass es sich bei der Unterschrift um einen späteren Irrtum handelt.***
10.22 ***Dieser hinreißende Aquarellentwurf eines Disney-Studiokünstlers gibt eine klare Vorstellung von der späteren Szene.***

Bogen Fliegenpapier austragen lässt, gehört zu den meistgepriesenen der Animationsfilmgeschichte – man konnte dem überforderten Tier förmlich in seinen hilflosen Kopf schauen. „Es war das erste Mal, dass eine Trickfigur auf der Leinwand zu denken schien, und obwohl es nur 65 Sekunden dauerte, öffnete es doch das Tor für die Animation wirklicher Charaktere mit echten Problemen"[18], schrieben Thomas und Johnston. Dass Ferguson nie eine Kunstausbildung genossen hatte und wenig von Anatomie verstand, machte seine Situationskomik nur umso unbeschwerter. Diese Qualitäten zeigt auch seine Regie in dieser Szene, während die Animationen, soweit bekannt ist, hauptsächlich von Hicks Lokey und Howard Swift übernommen wurden.

„*Lange Zeit konnte* Dumbo *wegen der Krähen nicht mehr gezeigt werden. Am Ende brach der Film aus dem Käfig der Zensur aus, als er 1967 bei der Weltausstellung in Montreal lief; jeder verstand nun, dass er nicht versteckt werden sollte.*"

Ward Kimball

Ein Behind-the-Scenes-Foto (Bild 10.25 auf Seite 184) zeigt Künstler der einflussreichen New Yorker Galerie „Associated American Artists", darunter Thomas Hart Benton und Grant Wood, in Bewunderung vor den Pastell-Storyboards für diese Sequenz.

So ungewöhnlich die gestalterische Freiheit dieser Sequenz im Disney-Kontext anmutet, scheint es doch zu kurz gegriffen, ihre Existenz auf Walts Desinteresse und längere Studioabstinenz zurückzuführen, wie bei Mark Langer nachzulesen.[19] Mitschriften von Storykonferenzen zu *Dumbo*, die Walts Einflussnahme dokumentieren, waren bislang nicht bekannt. Erst bei der Recherche zu diesem Text fand sich im Disney-Archiv ein als Pressetext abgefasster Auszug aus einer Konferenz zu „Pink Elephants on Parade", der am Ende des Kapitels vollständig dokumentiert wird.

Disney zeigt sich darin ausgesprochen begeistert vom surrealen Potenzial der Szene; sogar der Name des damals in den USA sehr bekannten Salvador Dalí fällt – 1946 sollte er für drei Monate Mitarbeiter der Walt Disney Studios werden. Angesichts der enttäuschenden Rezeption von *Fantasia* mag es verwundern, dass Disney weiterhin an modernistischen Filmexperimenten interessiert war. Tatsächlich wurde der Effects Animator Cy Young, der bei *Fantasia* und *Pinocchio* Enormes geleistet hatte, noch vor Ende der Dreharbeiten von *Dumbo*, wo er noch einige Spezialeffekte verantwortete, aus Spargründen

10.22

entlassen. Andere jedoch probierten weiterhin neue ästhetische Experimente an der Schnittstelle zur modernen Kunst.

James Bodrero, ein Künstler in Joe Grants Character Model Department, erzählte Michael Barrier, dass er im Vorführraum Testvorführungen abgehalten habe, bei denen er lediglich Farbverläufe auf die Leinwand warf, und die Wirkung auf das Publikum mit einem Raumthermometer erfasste. Auch ein abstraktes Storyboard konnte er gestalten, das jedoch nicht verfilmt wurde.[20]

„Wir versuchten uns schon an der Abstraktion, als noch niemand sonst an reine Abstraktion dachte. Ich habe ein ganzes Storyboard und ein bisschen Animation hergestellt zu einer Nummer von Benny Goodman und seinem Quintett. Das war seiner Zeit zu weit voraus und wurde deshalb verworfen."[21]

Doch so stark die „Pink Elephants"-Sequenz auch sein mag, in diesem an Höhepunkten so reichen Film findet sie nur wenige Minuten später ein auf seine Weise ähnlich radikales Gegenstück: die leichtfüßig vorgetragene Song-and-Dance-Nummer der Krähen „When I See an Elephant Fly". Die Krähen haben Dumbo in einem hohen Baum aus seinem Alkoholrausch erwachen sehen, und als Timothy mit der Erklärung aufwartet, sein Freund müsse dank der Kraft seiner Ohren hinaufgeflogen sein, äußern sie ihren Unglauben in einem Song, der sowohl musikalisch als auch in seinem pointierten Text auf der Höhe der besten Swingstandards ist. Der Titel entspringt (ähnlich dem Namen „Jiminy Cricket") einer längst vergessenen umgangssprachlichen Wendung, wie Dick Huemer erklärt: „Ich glaub das, wenn Elefanten fliegen' war ein geflügeltes Wort in den 1910er-Jahren. Ja, das war der Ausdruck: ‚Das wird passieren, wenn Elefanten fliegen.'"[22]

„Ich glaub das, wenn Elefanten fliegen' war ein geflügeltes Wort in den 1910er-Jahren. Ja, das war der Ausdruck: ‚Das wird passieren, wenn Elefanten fliegen.'"

Dick Huemer

Ward Kimball erreichte mit der Animation der fünf individuell charakterisierten Krähen eines der besten Beispiele jener Ausdrucksform, die unter Walt als „caricature" bekannt und gepriesen war. Dass der Gegenstand der Karikatur das Posing schwarzer Bühnenkünstler war, wie sie in den Klubs von Harlem gefeiert wurden, hatte sich aus Storydiskussionen ergeben. Dieses Segment war als unterhaltsame Hommage an die damalige Populärkultur zu verstehen. In den 1960er-Jahren war es Gegenstand von Kontroversen, in deren Folge das Studio von weiteren Wiederaufführungen absah. Doch *Dumbo* wurde weitgehend rehabilitiert. Kimball: „Lange Zeit konnte *Dumbo* wegen der Krähen nicht mehr gezeigt werden.

10.24

10.23 ***Ein Still von Dumbos tragischem frühen Ruhm***
10.24 ***Das ist nicht Fliegen, sondern Fallen mit Stil (Cel-Setup).***

10.25

Am Ende brach der Film aus dem Käfig der Zensur aus, als er 1967 bei der Weltausstellung in Montreal lief; jeder verstand nun, dass er nicht versteckt werden sollte."[23]

Die Krähen sind ohne Zweifel Karikaturen, aber sie sind sympathische Außenseiter, die einem anderen Außenseiter mit ihrer Flugstunde zu Hilfe kommen, nachdem sie erkannt haben, dass sie ihn zuvor zu Unrecht geneckt hatten. Auch die Studio-Publicity betonte den sympathischen Charakter dieser „flachsenden Vögel". Ward Kimball, der später als Posaunist der Disneyland-Jazzband Firehouse Five Plus Two bekannt wurde, hatte die Idee, Cliff Edwards als Jim Crow (dt. Jim Krähe) zu besetzen, und brachte ihn mit dem angesehenen Gospelchor von Hall Johnson zusammen. Von der entstandenen Aufnahme war Kimball begeistert – auch wenn Textdichter Ned Washington gegen die improvisierten Texteinschübe des Johnson-Chors protestierte. Kimball erinnert sich:

> „Was diese Sequenz auszeichnete, war die Art, wie Cliff Edwards Jim Crow seine Stimme lieh, hatte er sich doch schon auf seinen alten Platten mit Kazoo-Solos hervorgetan. Er konnte Musikinstrumente einfach mit der Stimme imitieren. Viele der Instrumentaleffekte auf der Tonspur wurden von Edwards gemacht. Wenn die Stimmen einmal feststehen, hat man schon eine ziemlich gute Idee, wie die Figuren in der Szene aussehen, reagieren und funktionieren."[24]

In der seriösen Konzertatmosphäre von *Fantasia* war dem Jazz lediglich eine kurze Pausenmusik vorbehalten, wenn sich die Musiker des ehrwürdigen Philadelphia Orchestra zu einer

10.25 Im Mai 1940 besuchte eine Gruppe namhafter amerikanischer Künstler das Studio (von links nach rechts): Ernest Fiene, Thomas Hart Benton, Galerist Reeves Lowenthal, George Schreiber, George Biddle und Grant Wood.
10.26 William „Hicks" Lokey animierte die erste Hälfte dieser meisterlichen Sequenz, die zweite Howard Swift.
10.27 Story Sketch eines Disney-Studiokünstlers

10.26

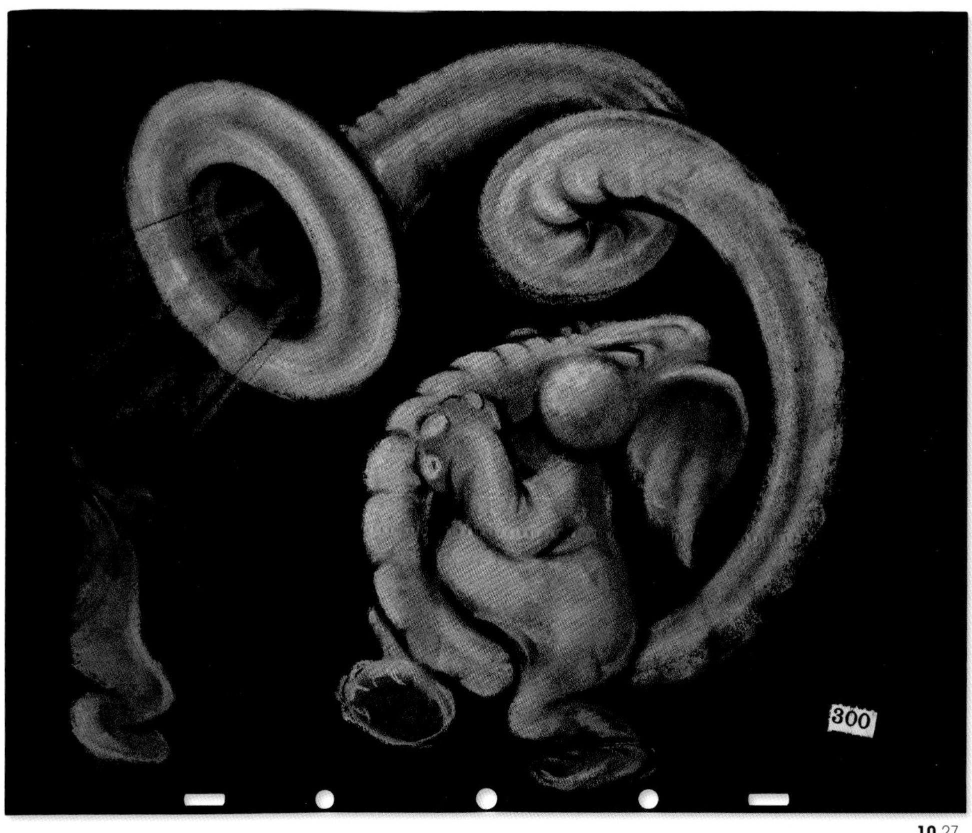

10.27

eher gesetzten als enthemmten Improvisation zu *Mr. Bach Goes to Town* zusammenfanden. In *Dumbo* kehrte das „Jazz Age" der frühen Micky-Maus-Filme nun zurück und bildete den Auftakt zu den vielfältigen Auseinandersetzungen mit zeitgenössischer Musik in den innovativen Pakkage-Filmen der 1940er-Jahre.

Bosley Crowther, seinerzeit berühmter Kritiker der *New York Times*, versetzte sich in die Rolle eines Zirkusansagers, um *Dumbo* angemessen anzukündigen:

> „Meine Damen und Herren, kommen Sie nur herein ins Broadway-Kino, und sehen Sie den genialsten, liebenswertesten und kostbarsten abendfüllenden Zeichentrickfilm aller Zeiten aus den Pinseln von Walt Disneys wundertätigen Künstlern erwachsen! Sehen Sie den bemerkenswerten Babyelefanten, der mit größter Leichtigkeit fliegen kann. Sehen Sie die fantastischsten Tierdarbietungen in der größten kleinen Show der Welt. Sehen Sie das Wunderland, das Sie aus den Bilderbüchern kennen. Meine Damen und Herren, sehen Sie *Dumbo*, einen Film, den Sie nie mehr vergessen werden."[25]

Nach der New Yorker Uraufführung am 23. Oktober 1941 gab es für den Rezensenten kein Halten mehr, als er den Film in Disneys Werk einordnet.

> „Vielleicht denken Sie, wir nehmen den Mund hier voller, als wir sollten. Aber das ist unsere nüchterne Ansicht, glauben Sie uns, eingedenk der reinen Frische von *Snow White*, der funkelnden Schönheit von *Pinocchio* und der reichen, zauberhaften Vielfalt des kürzlich erschienenen *Fantasia*. Diesmal haben sich Mr Disney und sein Genie in gemütlichere, vertrautere Gefilde begeben. Dieses Mal haben sie einen Film hervorgebracht, der nicht gewinnender sein könnte und der einen mit dem wärmsten Glühen entlässt."

Eine schönere Aufnahme seines Filmes hätte sich Walt Disney nicht erhoffen können. *Pinocchio* und *Fantasia*, seine ehrgeizigsten und persönlichsten Filme, fanden in den Veröffentlichungen seiner Presseabteilung keine Erwähnung mehr. Sie hatten dem Studio enorme Verluste eingebracht; das Geschäftsjahr 1940 war mit einem schweren Defizit abgeschlossen worden. Lieber erinnerte man an den sagenhaften Erfolg von *Snow White and the Seven Dwarfs*. Die Unschuld und Wärme des kleinen Zirkuselefanten, der wegen seiner großen Ohren zum Clown degradiert wird, inspirierte den Vergleich mit dem liebenswerten Außenseiter unter den sieben Zwergen, dem kindlichen Seppl (orig. Dopey). Doch was wäre ein Rezensent wert, der nicht wenigstens ein einziges Haar in der Suppe fände? Unglaubwürdig findet Crowther lediglich den von Komiker Sterling Holloway gesprochenen Klapperstorch und seine Helfer: „In der Anfangssequenz bringt eine Armee von Störchen Babys zu den Zirkustieren. Moderne Eltern werden sich mit der Erklärung schwertun."

Bei aller Ironie rüttelt der Kritiker hier an einem Wesensmerkmal des Disney-Animationsfilms, dem Walt 1956 eine ganze Fernsehsendung widmete – dem „Glaubwürdig-Unmöglichen": Erstaunlich selten stellen wir dieses unausgesprochene Gesetz infrage und wundern uns darüber, dass sich eine Maus einen Hund als Haustier hält.

Tatsächlich liegen Realismus und Fantasie bei Disney selten so nah beieinander wie in *Dumbo*, der statt eines prächtigen Märchenbuches mit bunt leuchtenden Zirkusplakaten beginnt – komplett mit einem Solo für Jahrmarktorgel.

> **„Dumbo *ist der netteste, freundlichste Disney-Film bisher.*"**
> Cecilia Ager

Noch zwei Monate nach dem erfolgreichen Kinostart widmete das *Time Magazine* Disneys Erfolgsfilm eine umfassende Hintergrundstory, und fast hätte der kleine Elefant sogar das Cover als „Mammal of the Year" geschmückt. Ein würdiges Porträt mit einem ob der Ehre bescheiden dreinblickenden Dumbo hatte das Studio bereitgestellt. Doch die Zeichen der Zeit setzten ande-

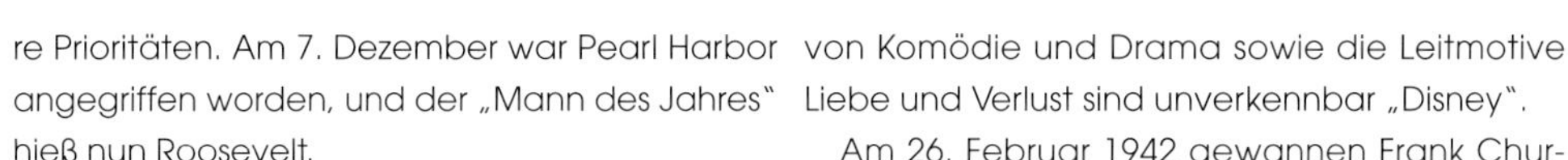

10.28

re Prioritäten. Am 7. Dezember war Pearl Harbor angegriffen worden, und der „Mann des Jahres" hieß nun Roosevelt.

In der letzten *Time*-Ausgabe 1941 erschien schließlich doch noch eine ausführliche Würdigung des jüngsten Disney-Helden, dem das Magazin patriotisch attestiert: „Der Kriegsanbruch machte ihn mehr denn je zu einem Ausdruck der demokratischen Lebensart. Nur hier war er möglich." Ausführlich würdigt der Text die Leistung der führenden Animatoren am Gesamtwerk, während Walt, „der Ideengeber, Gag Man, Visionär und das ungeduldige Genie"[26], fast im Hintergrund zu agieren scheint.

„Der *Time*-Artikel vermittelte wirklich den Eindruck, dass Walt damit nicht viel zu tun gehabt habe, und darüber war Walt wirklich böse"[27], erinnerte sich später Dick Huemer. Davon kann trotz der künstlerischen Vielfalt, die in *Dumbo* steckt, freilich keine Rede sein. Der Gesamteindruck von alledem ist klassisch, seine Verbindung von Komödie und Drama sowie die Leitmotive Liebe und Verlust sind unverkennbar „Disney".

Am 26. Februar 1942 gewannen Frank Churchill und Oliver Wallace einen Oscar für ihre Filmmusik, die so reich an unterschiedlichen Stilen ist wie die visuelle Ebene eines Films, in dem sich Disneys Goldenes Zeitalter ein letztes Mal in allen Facetten zeigt: in der spielerischen Freude der Silly Symphonies, in der perfekten Balance aus Humor und Pathos der großen Zeichentrickfilme. Und in jener ungehemmten Gier nach dem nie Dagewesenen. Dem, was der Zirkus „Sensation" nennt oder „novelty". Und die Kunstwelt „die Avantgarde".

10.28 ***„Ich hab viel geseh'n, doch ganz bestimmt doch nie, wie ein Elefant fliegt." Unter der fachkundigen Anleitung der Krähe Jim und seiner Crew hat Dumbo endlich seine wahre Bestimmung gefunden (Cel-Setup).***

Bambi

(1942)

Synopsis

Dieser Film benutzt das Medium der Animation, um das Leben eines Rehs im Wald aufzuzeichnen. Wir treffen Bambi als neugeborenes Kitz, betrachten seine ersten Gehversuche und erkunden die Welt um ihn herum. Wir teilen sowohl seine Begeisterung als auch seinen Kummer, während er die wichtigen Lektionen des Lebens lernt. Am Ende übernimmt er die Führungsrolle, die zuvor sein Vater innehatte, der Große Prinz des Waldes. *Bambi*, dessen Produktion mehr als fünf Jahre in Anspruch nahm, stellte eine enorme technische Herausforderung für die Disney-Künstler dar. Ganz besonders die Animation der Rehe basierte auf einem umfassenden Studium der Anatomie und der Bewegung echter Rehe. Diese natürlichen Prinzipien wurden kombiniert mit dem bereits hohen Standard des Studios bei der Figurenanimation, um eine visuelle Fantasie von außerordentlicher Klasse zu produzieren.

WELTPREMIERE 9. August 1942 (London)
ERSTAUFFÜHRUNG USA 13. August 1942
ERSTAUFFÜHRUNG D 19. Dezember 1950
LAUFZEIT 69 Minuten

Stimmen (ungenannt)
JUNGER KLOPFER (THUMPER) PETER BEHN
JUGENDLICHER BAMBI HARDIE ALBRIGHT
ERWACHSENE (FELINE) FALINE ANN GILLIS
HASENMÄDCHEN, FRAU WACHTEL, ÄNGSTLICHER FASAN THELMA BOARDMAN
JUGENDLICHER UND JUNGER ERWACHSENER BLUME (FLOWER) STERLING HOLLOWAY
FREUND EULE BILL WRIGHT
VÖGEL MARION DARLINGTON
JUNGER BLUME STAN ALEXANDER
JUGENDLICHER KLOPFER, JUGENDLICHER BLUME TIM DAVIS
JUNGER BAMBI DONNIE DUNAGAN
JUNGER ERWACHSENER KLOPFER SAM EDWARDS
MAULWURF OTIS HARLAN
EICHHÖRNCHEN EDDIE HOLDEN
JUNGE FELINE CAMMIE KING
TANTE ENA, FRAU POSSUM, STINKTIERMÄDCHEN, FASAN MARY LANSING
FRAU HASE MARGARET LEE
OCHSENFROSCH CLARENCE NASH
HIRSCH FRED SHIELDS
BAMBI ALS BABY BOBBY STEWART
ERWACHSENER BAMBI JOHN SUTHERLAND
BAMBIS MUTTER, FASAN PAULA WINSLOWE

Stab
LEITENDER REGISSEUR DAVID HAND
LEITUNG STORY PERCE PEARCE
STORY-ADAPTION LARRY MOREY, NACH DEM BUCH VON FELIX SALTEN
STORY-ENTWICKLUNG GEORGE STALLINGS, MELVIN SHAW, CARL FALLBERG, CHUCK COUCH, RALPH WRIGHT
SEQUENZREGISSEURE JAMES ALGAR, BILL ROBERTS, NORMAN WRIGHT, SAM ARMSTRONG, PAUL SATTERFIELD, GRAHAM HEID
ARTDIRECTORS TOM CODRICK, ROBERT CORMACK, AL ZINNEN, MCLAREN STEWART, LLOYD HARTING, DAVID HILBERMAN, JOHN HUBLEY, DICK KELSEY
LEITENDE ANIMATOREN FRANK THOMAS, MILT KAHL, ERIC LARSON, OLLIE M. JOHNSTON JR.
ANIMATOREN MARC FRASER DAVIS, BILL JUSTICE, BERNARD GARBUTT, DON LUSK, RETTA SCOTT, KENNETH O'BRIEN, LOUIS (LOUIE) SCHMITT, JOHN BRADBURY, JOSHUA MEADOR, PHIL DUNCAN, GEORGE ROWLEY, ART PALMER, ART ELLIOTT
HINTERGRÜNDE MERLE COX, TYRUS WONG, ART RILEY, ROBERT MCINTOSH, TRAVIS JOHNSON, W. RICHARD ANTHONY, STAN SPOHN, RAY HUFFINE, ED LEVITT, JOE STAHLEY
MUSIK FRANK CHURCHILL, EDWARD H. PLUMB
ORCHESTRIERUNG CHARLES WOLCOTT, PAUL J. SMITH
DIRIGENT ALEXANDER STEINERT
CHOR-ARRANGEMENTS CHARLES HENDERSON

TWITTERPATED?

A WISE OLD OWL
TALKS ABOUT LOVE!

IF
you're walking on air because she looks at you "THAT" way . . .

WHEN
your head's in the clouds because your heart's in a whirl . . . . . .

AND
if you can't eat, can't sleep, can't think because the love bug's got you . . . . .

BROTHER, you're
TWITTERPATED!
and when you're "Twitterpated" you're sunk! . . .

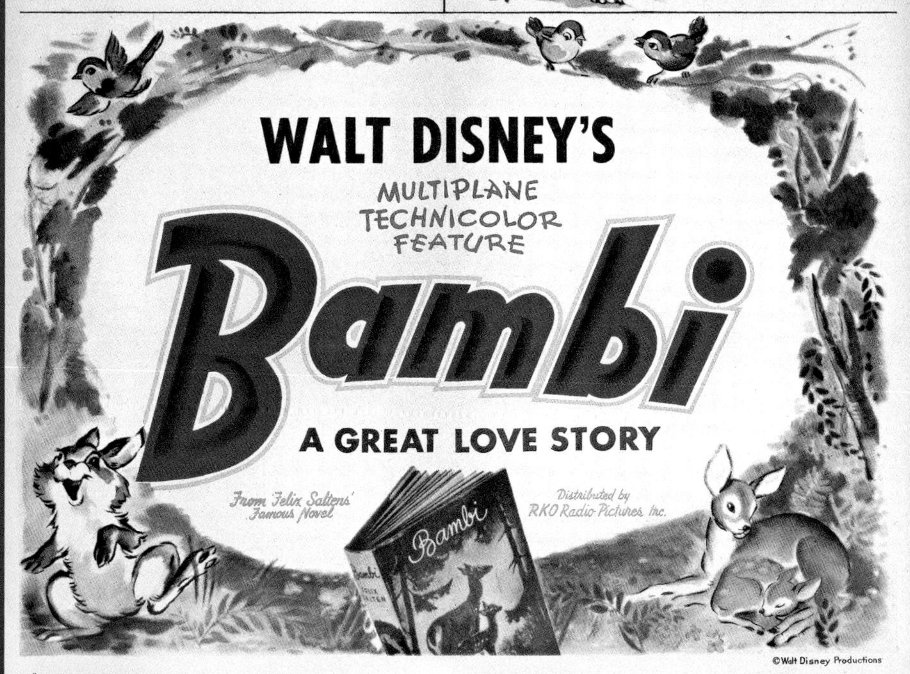

11.02

11.05

11.03

11.04

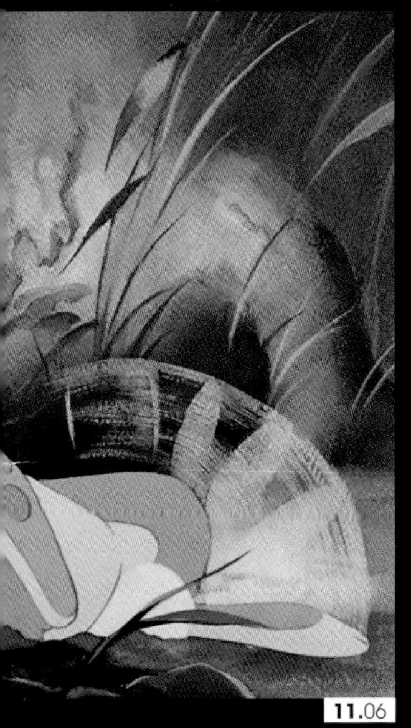

11.06

11.07

Naturlyrik

Von J.B. Kaufman

11.08

Im Pantheon der abendfüllenden Disney-Animationsfilme ist *Bambi* ohnegleichen: ein Film in grandioser technischer Ausführung und, in seinen besten Momenten, eine unvergessliche, poetische Schönheit. Dieser Klassiker entstand nicht einfach über Nacht, sondern, ganz im Gegenteil, in einem langen evolutionären Prozess. In jahrelanger Entwicklung wurde die Story nach und nach ausgefeilt, ihr Konzept wurde transformiert und verfeinert, die Künstler entwickelten ihre Fertigkeiten und unterzogen sie einer Neubestimmung. Wie viele der besten Kunstwerke, im Filmgenre ebenso wie auf anderen Gebieten, erreichte es den Gipfel seiner Eloquenz erst mittels einer langen kreativen Reise.

Die Entstehungsgeschichte des Projekts hat Sidney Franklin viel zu verdanken, dem herausragenden Realfilmregisseur, der das Thema an Walt herangetragen hatte. Der ursprüngliche Roman, Felix Saltens *Bambi: A Life in the Woods (Bambi. Eine Lebensgeschichte im Walde)* war 1923 in Österreich erschienen und 1928 ins Englische übersetzt worden. Sidney Franklin erwarb die Filmrechte 1933. Saltens Roman, ganz und gar kein Kinderbuch, beschrieb die Welt der Natur aus einer Reihe von Blickwinkeln, mal zart und lieblich, dann rau und unwirtlich. Etwas an diesem dramatischen Ansatz regte Franklins Fantasie an, und er begann, das Leinwandpotenzial auszuloten. Aber je mehr er darüber nachdachte, umso mehr gelangte er zu der Überzeugung, dass der wahre Geist des Romans nur mit dem Mittel der Animation einzufangen sei.

Aus der Studiokorrespondenz geht hervor, dass Franklin das Projekt bereits im Herbst 1933 mit

11.01 ***Eines von zwei Filmplakaten von 1942. Während das verbreitetere Poster „1-Sheet A" die Reproduktion des Buchcovers verwendete, setzte das „1-Sheet B"-Poster mehr auf das Liebesmotiv.***
11.02–07 ***Einzelbilder***
11.08 ***Werbemotiv für die Erstaufführung 1942***
11.09 ***Walt Disney füttert ein lebendes Reh, das im Burbank-Studio Modell stand.***

Disney erörterte, ein Umstand, der viel über die erblühende Expertise des Disney-Studios zu jener Zeit aussagt und auch über Franklins Voraussicht. Schließlich fing Walt 1933 gerade erst an, mit dem Gedanken an einen abendfüllenden Animationsfilm zu spielen, von dem gewaltigen Ausmaß an ausgefeilter Technik, die erforderlich sein würde, um eine Story wie *Bambi* auf die Leinwand zu bringen, ganz zu schweigen.

Wie wir wissen, entschied sich Walt tatsächlich, einen abendfüllenden Film in Angriff zu nehmen, und wählte *Snow White and the Seven Dwarfs (Schneewittchen und die sieben Zwerge)* als erstes Thema. Mitte 1934 hatte er sich auf sein *Snow-White*-Projekt festgelegt, das schließlich im Dezember 1937 fertiggestellt war und Geschichte schreiben würde – eine Geschichte, die an anderer Stelle detailliert behandelt wird. *Bambi* und Sidney Franklins Ideen dazu behielt er jedoch im Hinterkopf. Im April 1937, *Snow White* war noch weit von der Fertigstellung entfernt, unternahm er den kühnen Schritt, Franklin die Filmrechte abzukaufen und mit ihm vertraglich seine Unterstützung im Story Development zu vereinbaren. Dann verpflichtete er eine Story Crew unter Leitung von Perce Pearce und Larry Morey, um mit der aktiven Arbeit an dem Projekt zu beginnen. Im Mai gab Walt gegenüber der Fachpresse bekannt, dass *Bambi* der zweite abendfüllende Disney-Film werden würde.

Welche Sorte Film wäre *Bambi* geworden, wenn er zu diesem Zeitpunkt produziert worden wäre? Frühe Konferenzen, von denen einige sich auszugsweise am Ende dieses Artikels finden, liefern einige Antworten. Teile der Story basieren unmittelbar auf der Romanvorlage. Salten hatte eine herbstliche Szene geschildert, in der sich die letzten zwei Blätter an einem Baum, wie ein älteres Paar, gegenseitig stützen, während sie darauf warten zu fallen. Das Disney-Team bemühte sich, diese Episode für den Film zu adaptieren. Andere Ideen waren Originale, von der Story Crew für den Film erdacht. Eine Zeit lang werden zwei Figuren gezeigt, ein Eichhörnchen und ein Backenhörnchen, die in Gagsequenzen als Comedyteam erscheinen (wie etwa, als das Eichhörnchen versucht, dem Backenhörchen beizubringen, wie man eine Nuss fachgerecht knackt). Eine weitere vorgeschlagene Sequenz hätte Bambi beim versehentlichen Verschlucken einer Biene gezeigt, wobei die anderen Tiere ihm Anweisungen ins Ohr hineinrufen, wie die unglückliche Kreatur wieder ins Freie zu befördern sei. Diese Sorte Gag wäre in einer der Silly Symphonies angemessen gewesen, vielleicht sogar in *Snow White*.

Nach und nach jedoch wurden diese und andere Einfälle aussortiert, da Walt, Franklin und die Autoren ihr Konzept der Story überarbeiteten. (Einzelne Überbleibsel finden sich jedoch noch im fertigen Film: Das Eichhörnchen und das Streifenhörnchen sind zuweilen flüchtig zu sehen, und während der „Herbstmontage" sehen wir zwei Blätter gemeinsam herabfallen, ohne jedoch etwas von ihrem vorherigen Dialog zu hören.)

An ihre Stelle trat eine Story, die zwar Saltens Original etwas abmilderte, aber dennoch seine grundsätzlichen Themen übernahm: das gesamte Panorama der Natur mit ihrer Schönheit und ihren Gefahren sowie den geordneten Lebenszyklen. Um den Film nun attraktiver zu

11.09

machen, fügten die Autoren neue Charaktere ein – Thumper (dt. Klopfer), das Kaninchen, und Flower (dt. Blume), das Stinktier – und beseitigten einige der brutaleren Aspekte der Originalstory. Disneys *Bambi* behielt jedoch ebenso wie Saltens eine dezidiert nachdenkliche und reife Sensibilität bei.

Während die Arbeiten am Drehbuch weitergingen, wurde das *Bambi*-Team nach und nach erweitert und irgendwann zu groß für seine Räumlichkeiten im Studio. Angesichts der schieren Masse der Aktivitäten im Disney-Studio in den späten 1930er-Jahren wurde der Hyperion-Komplex immer enger, und kleinere Außenposten schossen an anderen Standorten empor. Im Herbst 1938 war das *Bambi*-Team in ein Gebäude in der Seward Street in Hollywood ausquartiert worden, ein Gebäude, das zuvor das Harman-Ising-Animationsstudio beherbergt hatte. Die Künstler und Autoren, die ihre Trennung vom Rest der Disney-Belegschaft zunächst als irritierend empfanden, begriffen schnell, dass dieses abgelegene Quartier einen Vorteil hatte: Es bot die passende Ruhe für die Verwandlung dieser ungewöhnlichen Story in einen Animationsfilm. Auf seinem isolierten Außenposten machte sich das Team mit Hochdruck daran, die Bambi-Story zum Leben zu erwecken.

Visueller Stil

Ein bedeutender Teil des Prozesses war die visuelle Entwicklung. Hätte man den Film im Jahre 1937 produziert, dann wäre *Bambi* ein opulenter, schöner Film geworden, schließlich war 1937 das Jahr von *The Old Mill (Die alte Mühle)*. Walt war jedoch daran interessiert, jenen Standard von bildlicher Schönheit mit einer ausgefeilteren Darstellung der Natur zu kombinieren. Im Frühsommer des Jahres 1938 machte sich das künstlerische Multitalent Maurice „Jake" Day mit

11.10

der Kameraausrüstung in der Hand auf in die Wälder seiner Heimat Maine, mit dem Auftrag, die Wälder im Wechsel der Jahreszeiten und unter allen Wetterbedingungen zu fotografieren. Im Studio nahmen Concept Artists und Hintergrundmaler Days Aufnahmen unter die Lupe und unternahmen selbst Exkursionen, auf denen sie sich intensiv mit dem Studium pflanzlichen Lebens und anderer Naturphänomene beschäftigten. Gustaf Tenggren, der einen außerordentlich großen Einfluss auf andere zeitgenössische Disney-Filme hatte, begann, Konzeptgemälde für *Bambi* zu produzieren, die reich waren an Atmosphäre – und in Details erstickten.

11.11

11.12

Der Wendepunkt kam im weiteren Verlauf des Jahres 1938, als Tyrus Wong in das Projekt einbezogen wurde. Der junge chinesische Künstler war kurz zuvor vom Disney-Studio engagiert worden, und wie die meisten Neuverpflichtungen hatte er im Animation Department als Phasenzeichner angefangen. Aber Wong war bereits ein erfahrener Maler mit einer Vorliebe für Naturthemen und einem starken, asiatisch beeinflussten Bildsinn. Als er sich mit dem *Bambi*-Projekt beschäftigte, visualierte er einen grafischen Ansatz, der sich radikal von dem Tenggrens unterschied. Statt überreicher Details stellte Wong einen Stil auf der Grundlage klassischer Einfachheit dar, wobei er die Stimmung und Atmosphäre des Schauplatzes Wald andeutete. Er machte sich daran, seine Ideen zu demonstrieren, leistete Überstunden, um schlichte Gemälde von poetischer Feinheit zu erschaffen. Artdirector Tom Codrick war von den Ergebnissen beeindruckt und Walt ebenfalls. Wong wurde rasch vom Phasenzeichner zum Concept Artist befördert und schuf Hunderte Miniaturdarstellungen in Wasserfarbe und Pastell, die den visuellen Stil von *Bambi* prägten.

11.10 ***Im Aktmalereikurs zeichnet Mo Gollub ein überaus freundliches Modell.***
11.11–12 ***Tyrus Wong ist hauptsächlich für seine Malerei in Erinnerung geblieben, aber er war vielseitig begabt. Hier sind zwei seiner Rehstudien, angefertigt mit Blei- und Buntstift.***

Diese Entscheidung bestimmte schließlich über weite Strecken den einzigartigen Charakter des Films. Während dieser Blütezeit des Disney-Studios hatten niemals zwei Filme den gleichen visuellen Stil. Eine Szene aus *Snow White* könnte nie mit einer Szene aus *Pinocchio* verwechselt werden,

11.13

und *Fantasia* mit seinen einzelnen Sektionen wies eine Vielzahl eigener Stile auf. Jetzt, mit der Ankunft von Wongs ausgefeilter Einfachheit, fand *Bambi* zu seinem einzigartigen Erscheinungsbild. Layout- und Backgroundkünstler folgten Wong und entwarfen Settings, die die Atmosphäre von Bambis Welt hervorhoben: die atemlose Stille vor einem Regenschauer, das üppige Grün des Sommers, die bittersüße Melancholie des Herbstes.

Diese Entwicklung stellte sich als doppelt brillant heraus, denn sie funktionierte auch auf praktischer Ebene. Altgediente Künstler wiesen später darauf hin, dass es zu lange gedauert und die gesamte Produktion verzögert hätte, wenn alle Hintergründe des Films mit jedem Blatt und jedem Zweig in mühsamer Kleinarbeit aufwendig gemalt worden wären. Darüber hinaus hätten derart ausgeschmückte Hintergründe technische Probleme heraufbeschworen: Die animierten Figuren, als Blickpunkt einer Szene vorgesehen, hätten an Wirkung verloren, wenn sie vor überladene, unruhige Hintergründe gesetzt worden wären. Mit vereinfachten, zurückgenommenen Settings wurden beide Probleme nun aus der Welt geschafft. Sowohl von einem ästhetischen als auch von einem praktischen Standpunkt aus betrachtet, war Tyrus Wongs bildlicher Ansatz ein Schlüsselfaktor, der *Bambi* verwandelte.

Character Design und Animation

Von allen Aspekten der Produktion war der bei Weitem schwierigste die Animation der Hauptfiguren. Disneys Künstler hatten Hirsche und andere Huftiere in *Snow White* und anderen Filmen mit völlig akzeptablen Ergebnissen animiert. Jene Hirsche waren generell in Nebenrollen aufgetreten, und ihre spielzeughafte Erscheinung war für die Storybook-Welt eines Films wie *Snow White* vollkommen angemessen. Wie wir bereits gesehen haben, spielte *Bambi* in einem völlig anderen animierten Universum, einem, das auf der authentischen Welt der Natur basierte. Darüber hinaus würden die Hirsche dort nicht nur im Vorbeigehen zu sehen sein, sondern im Zentrum der Handlung des Films. Bevor sie Hirsche entwerfen und animieren konnten, die in der Lage sein würden, die Geschichte zu tragen, brauchten die Disney-Künstler eine gründliche Einweisung in die Anatomie und die Bewegungen der Tiere.

Das Studio ging dieses Problem aus einer Reihe von Blickwinkeln an. Einer davon waren Skizzen am lebenden Objekt. Mitte 1938, etwa zu der Zeit, als Jake Day seine Fototour durch die Wälder von

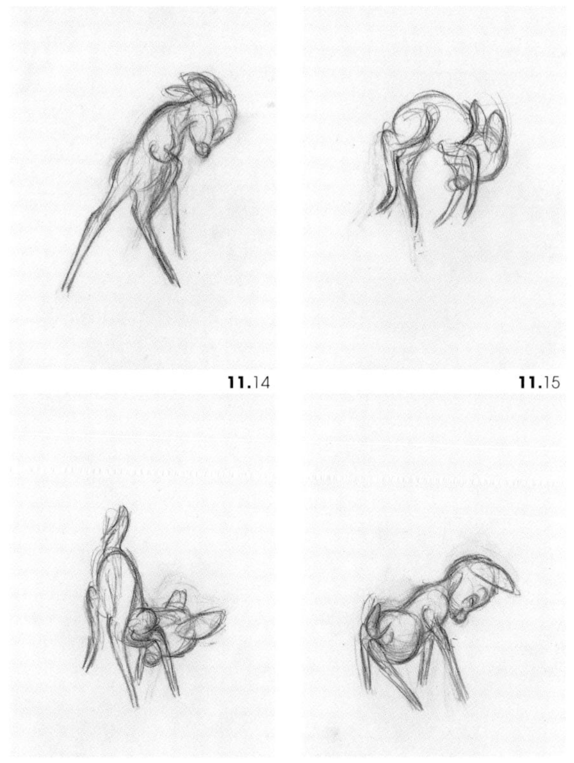

11.14 **11**.15 **11**.16 **11**.17

11.13 ***Art Elliott konsultiert ein Model-Sheet, während er den kleinen Bambi animiert.***
11.14–17 ***Diese Animationsrohskizzen von Milt Kahl für eine Szene, die später aus dem Film herausgeschnitten wurde, zeigen, wie die Prinzipien der Anatomie der Tiere in die Animation eingepasst wurden.***

Maine unternahm, entschloss sich die Maine Development Commission ihrerseits zu einer Geste und schickte zwei lebende Hirschkälber quer durchs Land zum Disney-Studio. Die Hirsche – ihre Namen waren Bambi und Faline – wurden zu Haustieren des Studios und in einem Gehege im Hyperion-Komplex untergebracht. Mit dem Fortgang der Produktion in den folgenden Jahren wurden beide erwachsen und gestatteten es den Künstlern, sie in jedem Stadium ihrer Entwicklung zu beobachten und zu zeichnen. Das Studio entlieh zudem zehn Rollen von eingelagertem Bildmaterial aus dem Naturdrama *Sequoia* von MGM (Regie führte 1934 Chester Franklin, der Bruder von Sidney Franklin), damit die Künstler die Bewegungen von Hirschen in ihrem natürlichen Habitat beobachten konnten.

Führend bei dieser Bildungsmaßnahme war Rico Lebrun, ein landesweit bekannter Tierkünstler, der engagiert worden war, um das *Bambi*-Trainingsprogramm zu leiten. Bis Ende 1939 veranstaltete Lebrun spezielle abendliche Unterrichtsstunden im Studio. Alle Künstler waren zur Teilnahme eingeladen, aber Lebrun arbeitete vorrangig mit denjenigen, die sich auf Tiere spezialisierten. Ein bedeutender Künstler war beispielsweise Bernard Garbutt, der Hirsche und Pferde in früheren Disney-Filmen animiert hatte. Spezialisten wie Lebrun und Garbutt war es zu verdanken, dass die anderen Teilnehmer ein grundlegendes Verständnis für die Anatomie von Hirschen entwickelten. In ihren Zeichnungen waren jene langen, staksigen Beine nicht nur eine reine Ansammlung von Stöcken, sondern artikulierte Gliedmaßen mit Gelenken und Muskeln.

Diese Betonung des „Realismus" ist häufig missverstanden worden. Gerade durch die Konzentration auf die authentische Anatomie sowie Bewegung von Hirschen, so die Argumentation einiger Kritiker, habe Disney den animierten Film aus seinem wahren Metier hinweggeführt und durch eine Imitation des wahren Lebens ersetzt, etwas, das weitaus effektiver durch das Mittel des Realfilms hätte erreicht werden können. Tatsächlich jedoch gelang Walt etwas weitaus Anspruchsvolleres mit *Bambi*. Die Beherrschung der Feinheiten der tierischen Anatomie war für die Disney-Künstler erst der Anfang. Ihr nächster Schritt war, die realistischen Hirsche an die Bedürfnisse der Animation anzupassen, indem sie ihnen ausdrucksvolle

11.18

Gesichter gaben, die Dialoge sprechen oder Gefühle erkennen lassen und somit ihre lebensechten Bewegungen mit Grundhaltungen verbinden konnten, die für die menschlichen Zuschauer unmittelbar begreifbar wurden. Das Ergebnis war zwar Fantasy, aber eine hochgradig ausgefeilte Art von Fantasy, fußend auf einer deutlich erkennbaren Realität und somit in doppelter Weise überzeugend.

Diese ultraspezifische Form der Kunst verlangte nach Künstlern von besonderem Temperament und besonderen Fähigkeiten. Eine zentrale Gruppe von Animatoren formierte sich im Herzen des *Bambi*-Produktionsteams: Experten, die im Verlauf der Arbeit eine Art spezialisiertes Handwerk schufen, das nichts glich, was jemals zuvor ausprobiert worden war. Milt Kahl und Eric Larson hatten zu der „Animal Unit" bei *Snow White* gehört. Frank Thomas hatte seine Fähigkeit gezeigt, eine Vielzahl von Herausforderungen im Bereich der Animation zu bewältigen. Ollie Johnson hatte bei der Produktion von *Pinocchio* mit einem ähnlichen Niveau von Vielseitigkeit geglänzt. Diese vier Künstler wurden die Hauptanimatoren von *Bambi*. Alle waren Teil der in Entstehung begriffenen Gruppe von Animatoren, die innerhalb des Studios als die Nine Old Men bekannt wurden, und alle zementierten ihre Positionen in jener herausgehobenen Gruppe durch ihre bahnbrechende Arbeit an diesem Film.

Es wurde schnell deutlich, dass die extrem spezialisierte Animationskunst, die für diesen Film verlangt wurde, mehr Zeit erfordern würde. *Bambi*, einst als zweiter abendfüllender Film des Studios vorgesehen, wurde zurückgehalten, damit *Pinocchio* abgeschlossen und zuerst herausgebracht werden konnte. Schon bald wurden weitere Filmprojekte in die Produktionsplanung aufgenommen, und wieder wurde *Bambi* nach hinten geschoben. Einige Filme konnten beschleunigt werden, indem ihre Produktionsteams vergrößert wurden. Der Schlüssel zu *Bambi* hingegen war, eine kleine Anzahl hingebungsvoller Spezialisten beizubehalten und ihnen die Zeit zu gewähren, ihre akribische, gewissenhafte Arbeit abzuschließen.

11.19

„Bambi ist einer dieser seltenen Filme, die ein überschwängliches Gefühl inspirieren, das noch für Stunden bleibt, nachdem man das Kino verlassen hat."

Samuel Goldwyn

Wie der Titel „Hauptanimator" andeutet, animierten Kahl, Larson, Thomas und Johnston einen Großteil der bedeutenden Handlung selbst und delegierten einige Szenen an ihre jeweiligen Teams. Die Animatoren wurden mit Sorgfalt ausgewählt, um den größtmöglichen Nutzen aus ihren individuellen Fähigkeiten ziehen zu können. Bernard Garbutt, der Anatomiespezialist, wurde zum Beispiel für lange Einstellungen ausgewählt,

11.18 ***Songprobe mit dem Arrangeur Edward Plumb und dem Komponisten Frank Churchill mit den Sängerinnen Thelma Peck, Joy Andrews, Jackie Walker und Nora Cocreham***
11.19 ***Bambis Stimme wurde gemäß den verschiedenen Altersstufen von vier verschiedenen Schauspielern gesprochen. Donnie Dunagan war seine Kinderstimme.***

die die Hirsche in Aktion zeigten, Szenen, die die Anatomie der Tiere statt ihrer Persönlichkeiten hervorhoben. Die Sequenz, die die männlichen Hirsche auf der Wiese zeigt, „Bucks on the Meadow", in der die entfernten Hirsche stolz über die Leinwand stürmen, bietet eine großzügige Portion von Garbutts Animation.

In jüngster Zeit ist Retta Scotts Animation in *Bambi* zu großer Wertschätzung gelangt. Frauen wurden in den frühen 1940er-Jahren selten als Animatorinnen beschäftigt, egal, in welchem Studio, und Scotts Aufstieg aus dem Story Department zum Status einer vollwertigen Animatorin machte sie zu einer Pionierin im Disney-Studio. Ihre Arbeit in diesem Film hatte nichts Weiches oder „Feminines": Sie animierte die bösartigen Jagdhunde mit angespannten Muskeln, wilden Augen und zuschnappenden Reißzähnen, wie sie Faline (dt. Feline) in einer der Höhepunktszenen verfolgen.

Erwähnt werden sollte auch die Mannschaft der Effektanimatoren, die ihr Handwerk während der jahrelangen Arbeit an der *Bambi*-Produktion verfeinerte und sie durch die Blitze, fallenden Blätter, aufprallenden Regentropfen und andere Naturphänomene unter Beweis stellte. Die „Little April Shower"-Sequenz ist ein Tour-de-Force-Ritt dieser Künstler, in dem sie die eindringliche Poesie eines plötzlichen Frühlingsregens einfangen. Ein weiterer Glanzpunkt ist die dramatische Waldbrandsequenz. Das Feuer beginnt als kleine Flamme und verbreitet sich mit erschreckender Geschwindigkeit, verschlingt rasch große baumbestandene Flächen und erfüllt den Himmel mit einem unheimlichen Glühen: ein gleichermaßen großartiges wie schreckliches Schauspiel.

Die Arbeit der Effektanimatoren wurde wiederum durch das Camera Department mit fotografischen Spezialeffekten hervorgehoben. Die gefeierte Multiplankamera des Studios konnte in *Bambi* ihre volle Wirkung entfalten, besonders in der Eröffnungssequenz des Films, einer weiten, gemächlichen Heranfahrt durch den Wald im noch frühen Morgenlicht. Diese liebliche Szene, die die Atmosphäre schafft, die als Grundlage für den Rest der Geschichte dient, wurde zu einem der bekanntesten Marksteine in der Geschichte der Multiplankamera.

Musik

Seit *Steamboat Willie (Ein Schiff streicht durch die Wellen)* haben Disneys beste Filme alle enorm von ihrer Filmmusik profitiert. *Bambi* war keine Ausnahme, und Walt machte von Anfang an klar, dass die Musik einen Großteil des dramatischen Gewichts des Films tragen solle – dass eine Fülle von musikalischer Substanz einem Übermaß an gesprochenem Dialog vorzuziehen sei.

Die fertige *Bambi*-Filmmusik ist eine Teamleistung, eine Zusammenarbeit zwischen meh-

11.20

reren von Disneys Spitzenmusikern. Der wichtigste Mitwirkende war der legendäre Frank Churchill. Churchill, als Musiker ein Autodidakt mit sehr wenig formeller Ausbildung, gehörte seit Dezember 1930 zur Belegschaft des Studios und erarbeitete sich mit seiner Musik für Disney-Filme schnell seinen Platz in der Geschichte. Andere Musiker waren ernsthafter und musikalisch ausgefeilter als er, aber Churchills Talent für eingängige, ansprechende Melodien hatte bereits zahlreiche Hits für das Studio hervorgebracht.

Doch 1937, noch bevor die Filmmusik für *Snow White* abgeschlossen war, hatte er das Disney-Studio für einige Monate verlassen. Im April 1938 kehrte er zurück, gezielt engagiert, um die Musik für *Bambi* zu komponieren. Bis Oktober hatte er einen vorläufigen Entwurf erstellt, und dieser sollte schließlich die Grundlage für die fertige Filmmusik werden. Andere Musiker aus dem Stab, besonders Edward H. Plumb und Paul Smith, brachten Churchills Melodien in ihre endgültige Form, und in einigen Fällen verwarf Plumb lange Sektionen

11.21

11.20 ***Multiplanglasmalerei für Bambi. Man achte auf die freien Stellen links, wo auf einer anderen Ebene animiertes Wasser hinzugefügt werden sollte.***
11.21 ***Gustaf Tenggren bei der Arbeit. Er produzierte einige aufwendige, detailfreudige Gemälde.***

von Churchills Entwurf (zum Beispiel den Kampf der Hirsche und den Waldbrand) und erneuerte sie von Grund auf. Viele jener Originalmelodien jedoch, wie etwa das unverwechselbare „Spaziergang"-Motiv des jungen Bambi, in dem er den Wald erkundet, blieben im fertigen Film und bekräftigen Churchills Umgang mit einer Melodie. Seine frische, bewegende musikalische Sensibilität, gepaart mit der formelleren Raffinesse von Plumb, Smith und Charles Wolcott, verleihen *Bambi* gemeinsam seine einzigartige musikalische Struktur.

Der Textdichter für Churchills Songs war Larry Morey, der bereits als einer der Hauptautoren der Story etabliert war. Morey hatte zuvor eine ähnliche Rolle in *Snow White* gespielt und gleichzeitig dazu beigetragen, sowohl der Musik als auch der Geschichte eine Form zu geben. Er war der Hauptverantwortliche dafür, das eine mit dem anderen in Einklang zu bringen. Alle *Bambi*-Songs waren nichtdiegetisch: Keine der Figuren des Films trägt je einen Song vor, was möglicherweise die delikate Balance der Filmfantasie zerstört hätte. (Die einzige Ausnahme ist Friend Owls (dt. Freund Eule) „gesprochenes" Lied während der „Twitterpated"-Sequenz, mehr darüber später.) Stattdessen wurden die Lieder von anonymen Solisten und Chören gesungen, zu hören als Voice-over-Begleitung zu ausgedehnten visuellen Passagen. Das ergreifende Lied *Love Is a Song (Liebe ist mehr als nur ein Wort)*, zu hören zu Beginn des Films, sowie später *I Bring You a Song (Ich singe mein Lied)* während Bambis und Falines romantischem Zwischenspiel, erinnern uns daran, wie eloquent Churchills scheinbare Einfachheit sein konnte.

Bis heute hat eine Demoaufnahme eines frühen Morey-Churchill-Songs für die fallenden Regentropfen überlebt, ein weiteres Motiv, ausgeliehen von Salten, das auf den wiederholten Worten „I like falling, I like falling ... have to keep falling, have to keep falling" aufbaut. Dieser Song wurde jedoch schließlich verworfen und durch den Song *Little April Shower (Kleiner Regen im April)* ersetzt, der wiederum von einem nicht sichtbaren Chor gesungen wird und ein denkwürdiges visuelles und musikalisches Highlight des Films darstellt.

11.22

Weiterhin lief die Produktion in einem wohlüberlegten Tempo. *Pinocchio*, der *Bambi* in der Produktionsreihenfolge vorgezogen worden war, wurde plangemäß fertiggestellt und kam im Februar 1940 ins Kino. Das „Concert Feature", später *Fantasia* genannt, wurde nicht viel später begonnen und ebenfalls abgeschlossen. Er feierte gegen Ende des Jahres Premiere. Beide waren keineswegs zusammengeschludert, ganz im Gegenteil, sie waren überaus aufwendige und ausgefeilte Produktionen und sind schon seit langer Zeit als Klassiker anerkannt. Keiner der beiden Filme erforderte jedoch die Art langsamer, methodischer Detailarbeit einer kleinen Mannschaft spezialisierter Künstler, die *Bambi* kennzeichnete. Sie durchliefen die Produktion relativ schnell und wurden in die Kinos gebracht, während neue Film-

11.23

projekte nach ihnen in die Produktion genommen wurden. Während der gesamten Zeit schritt das *Bambi*-Team langsam voran.

Derweil fanden ringsumher überall Veränderungen statt, wovon einige ermutigend waren. *Snow White and the Seven Dwarfs*, Anfang 1938 herausgebracht, war nicht einfach nur erfolgreich, sondern extrem erfolgreich. Der Film brach Kassenrekorde in den USA und in der ganzen Welt. Mit den weiterhin fließenden Einnahmen schien die Zukunft des Disney-Studios gesichert. Durch diesen Erfolg optimistisch gestimmt, gaben Walt und Roy den Bau eines fabelhaften hochmodernen neuen Animationsstudios in Burbank in Auftrag. Dieses genau auf die Bedürfnisse zugeschnittene Arbeitsumfeld wurde Anfang 1940 fertiggestellt, und die gesamte Disney-Belegschaft, einschließlich des *Bambi*-Teams, war wieder an einem einzigen Standort vereint, von seinem einsamen Außenposten in der Seward Street zurückberufen zu ihren Kollegen in den funkelnden neuen Räumlichkeiten.

Aber es gab noch weitere Veränderungen, von denen einige weit weniger herzerfrischend waren. *Pinocchio* und *Fantasia*, die im Abstand von neun Monaten 1940 herausgebracht worden waren, gelang es nicht, den Kassenerfolg von *Snow White* zu verdoppeln, wie weithin erwartet worden war. Tatsächlich verloren beide Filme nach ihrem Ersterscheinen Geld, und diese alarmierende Entwicklung warf ein völlig anderes Licht auf die Zukunft des Studios. Walt und Roy

11.22 ***Tom Codrick, der Artdirector des Films, beaufsichtigt die Hintergrundmalerei.***
11.23 ***Diese Skizze von Joe Stahely betont den Schutz und die Sicherheit durch die Ricke.***

11.24

Anfang 1942 schlich *Bambi* dann der Vollendung entgehen, aber in einer ganz anderen Welt als derjenigen, in der das Projekt begonnen worden war. Nun, da der Film so weit gediehen war, lehnte es Walt rundweg ab, bei der Qualität Kompromisse zu machen. *Bambi* sollte keiner der neuen Low-Budget-Filme werden. Der brillante Standard von visueller Exzellenz, der mit so großer Mühe erreicht worden war, sollte auch im fertigen Film aufrechterhalten werden. Die Schwierigkeiten der frühen 1940er-Jahre zeigten sich jedoch an anderer Stelle. Im März 1941 unterbrach Walt die *Bambi*-Produktion aus vollem Lauf, um den aktuellen Status einer Inventur zu unterziehen. „Ich würde sehr ungern einen weiteren Film machen, der Verluste einspielt"[1], sagte er seinen Mitarbeitern. Er sah den Film Rolle für Rolle durch, und er und seine Autoren prüften genau, welche Szenen prinzipiell fertig waren, mit welchen noch gar nicht begonnen worden und wie notwendig jede einzelne Szene für das Funktionieren der Geschichte war.

Nun wurden zahlreiche Szenen, unvollendet oder noch gar nicht begonnen, aus dem Gesamtwerk herausgeschnitten. Eine geplante Sequenz, die Bambis letztes Treffen im verkohlten Wald mit dem Great Prince (dt. Großer Fürst des Waldes) zeigen sollte, wurde ganz und gar eliminiert. Massenszenen mit vielen sich bewegenden

ergriffen Sofortmaßnahmen, um ihr Unternehmen zu stärken. Ein allgemeiner Sparkurs erfasste das Studio, und Walt verordnete eine Palette von Low-Budget-Filmen, die schnell und preiswert produziert werden sollten, um rasch Geld an der Kinokasse einzuspielen.

Weiteres Ungemach traf das Studio im April 1941, als sich bereits lange schwelende Spannungen in einem Streik entluden, der mehrere Monate andauerte und zunehmend bitter wurde. Diese Unruhe forderte Opfer unter allen laufenden Disney-Produktionen, zu denen auch *Bambi* zählte. Einige der wichtigsten Künstler des Films standen loyal zu dem Studio, aber andere schlossen sich den Streikenden an. Im Herbst wurde ein wackeliger Friedensschluss herbeigeführt, doch das Jahresende brachte eine neue Krise mit sich: Im Dezember 1941 sah sich die Nation in den Zweiten Weltkrieg hineingezogen. Praktisch über Nacht wurde ein Großteil von Disneys Unterhaltungsproduktionen zurückgestellt, und ein neues Programm von Trainingsfilmen und anderen kriegsbezogenen Produktionen nahm deren Platz ein.

11.25

11.26

Figuren, immer die teuerste Art von Animation, wurden gestrichen. Die im Film verbleibenden Sequenzen waren jedoch immer noch durch exquisite Schönheit und eine ganz ungewöhnliche Beherrschung der animierten Bewegung gekennzeichnet. Es gab nur schlicht und einfach weniger davon. Die Story, behutsam umgeformt, um diese Veränderungen zu verkraften, behielt ihre reibungslose Kontinuität, nun aber in einer strammeren und ausgefeilteren Gangart. Unter den Disney-Enthusiasten hat sich *Dumbo*, mit einer Laufzeit von ganzen 64 Minuten, seit Langem einen Ruf als Klassiker im Miniaturformat erworben. Weit weniger oft wird jedoch beachtet, dass *Bambis* Laufzeit diejenige von *Dumbo* nur um fünf Minuten übersteigt.

Während *Bambi* im Frühling 1942 den letzten Feinschliff erhielt, wurde seine Weltpremiere in der Radio City Music Hall in New York angekündigt, was ihn zum ersten Disney-Film machte, dem dies seit *Snow White and the Seven Dwarfs* im Januar 1938 zuteilwurde. Die *Bambi*-Premiere, ursprünglich angekündigt für den 30. Juli, wurde verschoben, um Rücksicht auf die vorhergehende Attraktion der Music Hall zu nehmen, MGMs *Mrs. Miniver* (zufälligerweise produziert von Sidney

11.24 ***Eine frühe Charakterstudie von Friend Owl***
11.25 ***Die ursprüngliche Idee der Autoren, ein erwachsenes Kaninchen darzustellen, brachte die Figur Thumper, das kleine Kaninchen, hervor.***
11.26 **Bambi, *der ursprünglich Walt Disneys zweiter abendfüllender Spielfilm werden sollte, wurde schließlich im Jahre 1942 als sein sechster abgeschlossen.***

Franklin), eine Attraktion mit aktueller Kriegsthematik, die sich unerwartet als so beliebt herausstellte, dass ihre Laufzeit verlängert wurde. Schließlich wurde Walt Disneys *Bambi* im August 1942, nach einer langen, schwierigen Reise, die deutlich länger als fünf Jahre gedauert hatte, der Welt präsentiert.

Die Kritiker, die so viele Jahre auf den Film gewartet hatten, begrüßten ihn mit Enthusiasmus, der gelegentlich jedoch durch unterschiedliche Vorbehalte gedämpft war. Die allgemein milde Kritik konzentrierte sich zumeist auf den Umgang des Films mit dem Realismus. Bosley Crowther lobte die comicartigeren Figuren im Film, wann immer jedoch die Hirsche die Szene beträten, sei „Schluss mit der Kraft der Vorstellung. Die Disney-Künstler malen ganz grauenhaft das Leben ab."[2] Manny Farber wurde in *The New Republic* unerwartet ungestüm: „Die Kunstfälschung, die sich in die Disney-Filme eingeschlichen hat, wird einem hier regelrecht eingehämmert ... Micky würde dort nicht mal tot über dem Zaun hängen."[3]

Wie die meisten Filme erscheint *Bambi* heute in einem ganz anderen Licht als zur damaligen Zeit. Der (zumeist sanfte) Tadel einiger Kritiker trifft den Nagel nicht auf den Kopf – obgleich der Film nicht völlig fehlerfrei ist. Aus der Perspektive dieses Autors erscheint *Bambi* dort am enttäuschendsten, wo der Film am stärksten versucht, seinem Publikum zu gefallen. Die Einführung des Stinktierbabys Flower ist solch ein Fall. Flower ist nicht einfach nur niedlich, sondern gnadenlos zuckrig.

Die Szenen des zweiten Frühlings, als Bambi und seine kleinen Freunde in die Pubertät kommen – ein Zustand, der von Friend Owl als „Twitterpated" bezeichnet wird, und dem

11.27

Thumper und Flower, aus denen nun ungeschickte Teenager geworden sind, sofort zum Opfer fallen –, sind ebenso irritierend.

Diese Fehler erscheinen jedoch angesichts der Erfolge des Films so unbedeutend, als wären sie gar keiner Erwähnung wert. An seinen besten Stellen ist *Bambi* zweifellos eine der größten Leistungen des animierten Films. Jene ambitionierte ursprüngliche Version, von Sidney Franklin und Walt gemeinsam ausgebrütet, der Einsatz der einzigartigen Eigenarten der Animation, um die Welt der Natur auf der Leinwand abzubilden, wurde in brillanter Weise verwirklicht. Die viel diskutierte Konzentration auf die realistische Anatomie und Bewegung der Tiere wird durch ihre Ergebnisse in diesem Film gerechtfertigt: Es handelt sich um animierte Kreaturen, die Dialoge sprechen und Gefühle zeigen – und sich häufig auf eine Art und Weise bewegen, die kein echter Hirsch jemals reproduzieren könnte. Die Fantasie steht jedoch derart fest auf dem Boden natürlicher Prinzipien, dass das Auge überzeugt ist. Das Element des Realismus beherrscht an keiner Stelle die Arbeit der Filmemacher, aber es versetzt sie in die Lage, das gesamte Gewicht der Story zu übermitteln.

Und die Story, das ist allen Betroffenen zugutezuhalten, hält sich an Walts und Franklins ursprüngliche Absicht und beschränkt sich nicht auf süße Tierbabys im Wald, sondern folgt dem vollen, majestätischen Lauf der Natur. Der Film geht sparsam mit Dialog um und stützt sich stattdessen auf verschwenderische Bilder und Musik, um den wiederkehrenden Zyklus von Leben, Tod und Wiedergeburt aufzuzeichnen. Die verhängnisvolle Präsenz des Menschen, der Tod und Zerstörung im Wald verbreitet, wird zwar gegenüber ihrer Darstellung in Saltens Roman abgeschwächt, ist jedoch auch im Film noch ein mächtiges Element. Besonders der Tod von Bambis Mutter ist seit Langem berüchtigt für seine traumatische Wirkung auf die Zuschauer. Dennoch ist diese Episode ein weiteres Beispiel für das „Weniger ist mehr" in Disney-Filmen: Statt den Tod der Mutter als grausigen Exzess darzustellen, übermittelt der Film ihn durch Understatement, wodurch das Ergebnis doppelt eindrucksvoll wirkt.

Der impressionistische visuelle Stil der Hintergründe, eingebracht durch Tyrus Wong, leistet seinen eigenen Beitrag zu der Gesamtwirkung. Niemals aufdringlich, fügen sich die Hintergrundgemälde in subtiler Form zu einem fesselnden Bild von Bambis Welt zusammen, in der sonnige und dunkle Elemente, Grünes und Kahles, Beschützendes und Bedrohliches zu finden sind. Sie werden ergänzt durch den Einsatz der Farben im Film, der zu gedämpften Braun- und Grüntönen neigt, aber gelegentlich in Richtung Abstraktion ausschert, um eine Stimmung oder Gefühle zu übermitteln. Während der „Introduction of Man"-Sequenz, in der die Hirsche vor den herankommenden Jägern flüchten, werden sie zu Gestalten aus reiner Farbe, braune und gelbe Silhouetten, die in Panik vor einem unsichtbaren Feind davonstürmen. Als Bambi mit dem rivalisierenden Hirsch um Faline kämpft, macht das Element des Realismus Platz für eine albtraumhafte Vision des Konflikts: beide Kombattanten im Schatten verdunkelt und umrissen durch grellen Wechselblitz. Die allumfassende Kraft von *Bambi* als Kunstwerk liegt in der meisterlichen Mischung all dieser Elemente. In seinen besten Szenen – wie der „Little April Shower"- oder der „Two Winds"-Sequenz (unterstrichen durch *I Bring You a Song*) – stellt der Film einen außerordentlichen künstlerischen Kraftakt dar: ein wunderschönes, bewegendes impressionistisches Gemälde der Natur selbst.

Im Jahr 1942 dürfte diese Leistung Walt nur wenig getröstet haben. Leider wurde *Bambi* nicht der Kassenerfolg, den er erhofft hatte. *Snow White* war fünf Wochen lang in der ausverkauften Radio City Music Hall gelaufen, *Bambi* wurde nach zwei Wochen nicht verlängert. Die Marketingabteilung des Studios, die wohl den Eindruck hatte, dass die Zuschauer in Kriegszeiten

11.27 ***Die abgeschlossene Sequenz „Two Winds", in der Bambis und Falines romantisches Intermezzo gezeigt wird, fängt die Stimmung dieses Concept Paintings ein.***

11.28

etwas anderes wünschten als eine zarte Naturfantasie, versuchte das Publikum zu überzeugen, dass *Bambi* etwas ganz anderes sei. „Zuerst sollte man die Attraktivität dieses Films für Erwachsene verkaufen“[4], schrieb ein Publicitymanager des Studios an den Disney-Vertrieb. Das war vielleicht der Grund, warum der Kinotrailer des Films einen merkwürdigen Ansatz hatte. Zu Beginn wurde laut verkündet, Saltens *Bambi* sei der Welt größte Liebesgeschichte, und im weiteren Verlauf unablässig betont, in dem Film gehe es um nichts anderes als um die Liebe. Wie *Mrs. Miniver* und andere Unterhaltungsfilme für die Heimatfront wurde *Bambi* als Film beworben, der Sicherheit vermittelnde, familiäre Werte transportiert.

Das nützte nichts. Nach der enttäuschend kurzen Laufzeit in der Radio City Music Hall kam *Bambi* im ganzen Land in die Kinos und spielte dort ebenfalls enttäuschend wenig ein. Schließlich ließ diese meisterhaft gefertigte Fantasie vom Leben in den Wäldern Walts Befürchtungen wahr werden: Genau wie *Pinocchio* und *Fantasia* zuvor spielte der Film bei seinem Ersterscheinen in den Kinos Verluste ein.

Und genau wie bei jenen Filmen wendete sich sein Schicksal Jahre später dramatisch zum Besseren. Alle Disney-Filme bekamen ihren Neustart am Ende des Krieges und wurden sowohl auf dem heimischen als auch auf dem internationalen Markt wiederaufgeführt, als die weltweiten Vertriebswege sich wieder öffneten. Jetzt wurde *Bambi* von einem entzückten weltweiten Publikum entdeckt und genoss sogar seinen ganz eigenen Ruhm. Für sein Erscheinen in Indien wurde der Film nicht nur in Hindi synchronisiert, sondern erhielt auch eine neue Filmmusik. Für die Aufführung wurde die Filmmusik von Frank Churchill und Edward H. Plumb, die uns als solch integraler Bestandteil des Films erscheint, beseitigt und durch eine neu aufgenommene Begleitung mit indischer Filmmusik ersetzt. Walt schien dieses Experiment mit besonderem Stolz erfüllt zu haben. In der zeitgenössischen Fachpresse wurde viel darüber berichtet und ein Ausschnitt später in ein Disney-Fernsehspecial aufgenommen.

Im Laufe der Zeit haben alle frühen abendfüllenden Disney-Filme die unmittelbaren Sorgen ihrer Zeit überwunden und sind als zeitlose Klassiker anerkannt worden. *Bambi*, aus dieser späteren Perspektive betrachtet, besetzt unter ihnen eine unangreifbare Position. Zwei seiner bedeutendsten Künstler, Frank Thomas und Ollie Johnston, dokumentierten Erinnerungen in einem Buch über die Entstehung des Films.[5] In ihrem Bericht erweist sich *Bambi* als der evolutionäre Höhepunkt der Disney-Animation, als das künstlerische Ziel, auf das die früheren Filme kontinuierlich hinarbeiten.

Der Autor dieser Zeilen widerspricht respektvoll: *Bambi* ist kein ultimatives Ziel, sondern ein unverwechselbarer, exklusiver Abzweig, sorgfältig abgesetzt von der Hauptachse der Geschichte der Animation. In seiner gewissenhaften handwerklichen Perfektion ist es ihm gelungen, eine besondere, eigene Nische zu besetzen. Der Film ist ein seltener geschliffener Edelstein der Animationskunst wie kein anderer Film vor ihm oder nach ihm.

11.28 ***Bambis Kampf mit dem rivalisierenden Rehbock inspirierte die Concept Artists zu einem dramatischen bildlichen Ansatz.***
11.29 ***Concept Art des großartigen David Hall. Obgleich die Zeichnung nicht im Stil von Tyrus Wong angefertigt wurde, ist sie dennoch, für sich gesehen, recht beeindruckend.***

Ruf des Südens

(1942/1944)

Grüß' Euch / Drei Caballeros im Sambafieber / Saludos Amigos

Saludos Amigos (1942)

Synopsis

Die Disney-Künstler, inspiriert von einer Reise nach Südamerika, präsentieren in vier fantasievollen Teilen sowohl bekannte als auch neue Figuren. Die Abenteuer spielen in Bolivien, Peru, Chile, Argentinien und Brasilien.

WELTPREMIERE 24. August 1942 (Rio de Janeiro)
ERSTAUFFÜHRUNG USA 6. Februar 1943
ERSTAUFFÜHRUNG D 17. März 1953
LAUFZEIT 42 Minuten

Stimmen

DONALD DUCK CLARENCE NASH
JOE CARIOCA JOSÉ OLIVEIRA
GOOFY PINTO COLVIG
ERZÄHLER FRED SHIELDS

Stab

LEITUNG REGIE (ungenannt) NORMAN FERGUSON
STORY HOMER BRIGHTMAN, RALPH WRIGHT, ROY WILLIAMS, HARRY REEVES, DICK HUEMER, JOE GRANT
STORY-RECHERCHE TED SEARS, WILLIAM COTTRELL, WEBB SMITH
MUSIKALISCHE LEITUNG CHARLES WOLCOTT
ARTDIRECTION MARY BLAIR, HERB RYMAN, LEE BLAIR, JIM BODRERO, JACK MILLER, HINTERGRÜNDE FÜR „EL GAUCHO GOOFY" INSPIRIERT VON F. MOLINA CAMPOS
SEQUENZREGISSEURE BILL ROBERTS, JACK KINNEY, HAM LUSKE, WILFRED JACKSON
ANIMATOREN FRED MOORE, WARD KIMBALL, MILT KAHL, MILT NEIL, WOOLIE REITHERMAN, LES CLARK, BILL JUSTICE, BILL TYTLA, JOHN SIBLEY, HUGH FRASER, PAUL ALLEN, JOHN MCMANUS, ANDREW ENGMAN, DAN MACMANUS, JOSH MEADOR
HINTERGRÜNDE HUGH HENNESY, AL DEMPSTER, CLAUDE COATS, KEN ANDERSON, YALE GRACEY, AL ZINNEN, MCLAREN STEWART, ART RILEY, DICK ANTHONY, MERLE COX
ORCHESTRIERUNG ED PLUMB, PAUL SMITH
LIEDTEXT „SALUDOS AMIGOS" NED WASHINGTON
MUSIK „SALUDOS AMIGOS" CHARLES WOLCOTT
KOORDINATION FREMDSPRACHEN JACK CUTTING
MITARBEIT GILBERTO SOUTO, ALBERTO SORIA, EDMUNDO SANTOS

WALT DISNEY Goes South American
IN HIS GAYEST MUSICAL TECHNICOLOR FEATURE
SALUDOS AMIGOS
(HELLO FRIENDS)
Introducing JOE CARIOCA
THE BRAZILIAN JITTERBIRD
© W.D.P.
DISTRIBUTED BY RKO RADIO PICTURES INC.

A CARTOON FIESTA of FUN and FANTASY!

WALT DISNEY presents

The Three Caballeros

starring

DONALD DUCK
JOSE CARIOCA
and PANCHITO

Technicolor®

Re-released by BUENA VISTA DISTRIBUTION CO., INC. © Walt Disney Productions

12.02

Drei Caballeros

The Three Caballeros (1944)

Synopsis
Der amerikanische Tourist Donald Duck, Joe Carioca aus Brasilien und der mexikanische Hahn Panchito sind zusammen die Drei Caballeros. Die farbenfrohe musikalische Reise führt durch Südamerika und Mexiko.

WELTPREMIERE 21. Dezember 1944 (Mexiko City)
ERSTAUFFÜHRUNG USA 3. Februar 1945
ERSTAUFFÜHRUNG D 14. Dezember 1954
LAUFZEIT 71 Minuten

Besetzung
AURORA MIRANDA, CARMEN MOLINA, DORA LUZ, NESTOR AMARAL, ALMIRANTE, TRIO CALAVERAS, ASCENCIO DEL RIO TRIO, PADUA HILLS PLAYERS

Stimmen
DONALD DUCK CLARENCE NASH
JOE CARIOCA JOSÉ OLIVEIRA
PANCHITO JOAQUIN GARAY
ERZÄHLER FRED SHIELDS, FRANK GRAHAM, STERLING HOLLOWAY
„MEXICO" GESUNGEN VON CARLOS RAMIREZ

Stab
PRODUCTION SUPERVISION UND REGIE NORMAN FERGUSON
STORY HOMER BRIGHTMAN, ERNEST TERRAZAS, TED SEARS, BILL PEET, RALPH WRIGHT, ELMER PLUMMER, ROY WILLIAMS, WILLIAM COTTRELL, DEL CONNELL, JAMES BODRERO
SEQUENZREGISSEURE CLYDE GERONIMI, JACK KINNEY, BILL ROBERTS
LEITUNG DER REALAUFNAHMEN (PÁTZCUARO, VERACRUZ, ACAPULCO) HAROLD YOUNG
KOORDINATION FREMDSPRACHEN JOHN CUTTING
MITARBEIT GILBERTO SOUTO, ALOYSIO OLIVEIRA, SIDNEY FIELD, EDMUNDO SANTOS
ASSISTENZ PRODUCTION SUPERVISOR LARRY LANSBURGH
ANIMATOREN WARD KIMBALL, ERIC LARSON, FRED MOORE, JOHN LOUNSBERY, LES CLARK, MILTON KAHL, HAL KING, FRANKLIN THOMAS, HARVEY TOOMBS, BOB CARLSON, JOHN SIBLEY, BILL JUSTICE, OLLIE JOHNSTON, MILT NEIL, MARVIN WOODWARD, DON PATTERSON
SPECIAL-EFFECTS-ANIMATION JOSH MEADOR, GEORGE ROWLEY, EDWIN AARDAL, JOHN MCMANUS
HINTERGRÜNDE ALBERT DEMPSTER, ART RILEY, RAY HUFFINE, DON DOUGLASS, CLAUDE COATS
LAYOUT DONALD DAGRADI, HUGH HENNESY, MCLAREN STEWART, YALE GRACEY, HERBERT RYMAN, JOHN HENCH, CHARLES PHILIPPI
ARTDIRECTION MARY BLAIR, KENNETH ANDERSON, ROBERT CORMACK
KAMERA REALAUFNAHMEN RAY RENNAHAN, A.S.C.
ARTDIRECTION REALAUFNAHMEN RICHARD F. IRVINE
CHOREOGRAFIE BILLY DANIELS, ALOYSIO OLIVEIRA, CARMELITA MARACCI
TECHNICOLOR FARBBERATUNG NATALIE KALMUS
MITARBEIT MORGAN PADELFORD
WEITERER FARBBERATER PHIL DIKE
SPEZIELLE KOPIERPROZESSE UB IWERKS
TECHNISCHE MITARBEIT RICHARD JONES
MUSIK UND ARRANGEMENTS CHARLES WOLCOTT, PAUL J. SMITH, EDWARD PLUMB
LIEDTEXTE RAY GILBERT
TECHNISCHE BERATUNG GAIL PAPINEAU
FILMSCHNITT DON HALLIDAY
TONINGENIEUR C.O. SLYFIELD
PRODUKTIONSLEITER DAN KEEFE

12.03

12.06

12.04

12.05

12.07

12.08

Die lateinamerikanischen Filme

Von J. B. Kaufman

12.09

Eines der ungewöhnlichsten Kapitel in der Geschichte Disneys begann 1940, als die neue US-Behörde CIAA (Office of the Coordinator of Inter-American Affairs) an das Studio herantrat. Um den zunehmenden politischen Einfluss der Achsenmächte in den lateinamerikanischen Ländern zu bekämpfen, startete das CIAA ein Good-Neighbor-Programm, welches die Beziehungen zwischen den USA und den süd- und mittelamerikanischen Ländern festigen sollte. Auch die Unterhaltungsindustrie war aufgerufen, ihren Beitrag zu leisten, und so bat man Hollywoodstudios, zu den lateinamerikanischen Ländern Kontakte zu knüpfen.

Walt und sein Studio waren von dieser Aufforderung begeistert, und so begaben sich Disney und ausgesuchte Künstler im Herbst 1941 auf eine zweimonatige Goodwill-Tour durch Südamerika. Auch andere Hollywoodprominenz war schon zu solchen Touren nach Südamerika aufgebrochen (zum Teil erfolglos), aber keiner hatte je eine Reise wie diese organisiert. Da Disneys Trickfilme auch in jenen Ländern überaus beliebt waren, wurde er überall begeistert empfangen. Die Künstler, die ihn begleiteten – und die sich bald selbst den Spitznamen „El Grupo" verpassten –, schlossen zudem Freundschaften auf allen Ebenen der Gesellschaft. Gleichzeitig dokumentierten sie ausführlich ihre visuellen, musikalischen und kulturellen Eindrücke der besuchten Länder. All das wollte man in einer neuen Reihe von Disney-Filmen mit lateinamerikanischen Themen verarbeiten, was von der Regierung als Teil des Good-Neighbor-Programms so gewünscht war.

Weil es die Aufgabe mit sich brachte, bestand El Grupo zu einem großen Teil aus Story und

Concept Artists und aus nur einem Animator, nämlich Frank Thomas. Zu den weiteren bedeutenden Künstlern und Autoren gehörten Ted Sears, Herb Ryman, Jack Culting und William Cottrell. Charles Wolcott, der erst kurz zuvor begonnen hatte, für Disneys Musikabteilung zu arbeiten, war der Musiker unter ihnen. Seine Aufgabe bestand darin, die besonderen musikalischen Einflüsse der besuchten Länder zu absorbieren, und in der Folgezeit drückte er sämtlichen Lateinamerika-Filmen von Disney seinen Stempel auf.

„Disneys Art überzeugte selbst die größten Skeptiker davon, dass er bislang der beste Botschafter hier unten [in Argentinien] war.“
The Hollywood Reporter

Ein besonderes Mitglied von El Grupo war Mary Blair, die zusammen mit ihrem Mann Lee

12.01 ***Filmplakat für amerikanische Erstaufführung von*** **Saludos Amigos**
12.02 ***Dieses Plakat für die Wiederveröffentlichung von*** **The Three Caballeros** ***1977 präsentiert die drei Hauptfiguren Joe Carioca, Panchito und Donald Duck. Ebenfalls zu sehen sind Bilder zu den Weihnachtsfeierlichkeiten Las Posadas und eines aus „The Cold-Blooded Penguin“.***
12.03–05 ***Einzelbilder aus*** **Saludos Amigos** ***mit El Gaucho Goofy, Donald Duck und Joe Carioca***
12.06–08 ***Einzelbilder aus*** **The Three Caballeros** ***mit Donald Duck, der in eine Tonspur geraten ist.***
12.09 ***Den Chor der Tukane, den dieser Entwurf von Mary Blair zeigt, sah man später in „Aquarela do Brasil“.***
12.10 ***Ein Hintergrundbild für die Szene, in der das Flugzeug von El Grupo über den südamerikanischen Kontinent fliegt.***

12.10

Blair reiste. In den darauffolgenden Jahrzehnten sollte sich Mary Blair zu einer höchst einflussreichen Disney-Künstlerin entwickeln. Sie war bereits eine außerordentliche Malerin, doch die Goodwill-Tour 1941 bedeutete einen Wendepunkt. In Südamerika blühte ihr einzigartiges künstlerisches Talent vollends auf.

Zwischen Mitte August und Mitte Oktober 1941 besuchten die Künstler Brasilien, Argentinien und Chile und füllten dabei zahlreiche Skizzenbücher mit ihren Eindrücken. Dann teilten sie sich in kleinere Teams auf, um weitere Länder zu besuchen. Nach ihrer Rückkehr nach Kalifornien entstand aus diesen Eindrücken eine Reihe bemerkenswerter Filme.

Saludos Amigos

Laut der Vereinbarung mit dem CIAA sollte das Studio zwölf kürzere Trickfilme produzieren, die sich jeweils mit einem bestimmten Land oder einer bestimmten Gegend befassten, die El Grupo besucht hatte. Je vier dieser Filme sollten zusammen produziert und veröffentlicht werden. Als die ersten vier im Frühjahr 1942 fertig wurden, sah man jedoch, dass diese Einzelfilme als Langfilm doppelt so attraktiv wären. Dieser Film erhielt den Titel *Saludos Amigos* und bestand aus den folgenden vier Teilen:

„Lake Titicaca"

Dieser Film steht exemplarisch für Disneys Good-Neighbor-Mission: Ein Nordamerikaner besichtigt den Titicacasee. Tatsächlich könnte es sich um einen ganz normalen Reisebericht handeln, wäre der „berühmte amerikanische Weltreisende" nicht Donald Duck, der so ziemlich alles falsch macht. In einem Boot aus Balsaschilf zieht er prompt an einem losen Schilfblatt und lässt das Boot in sich zusammenfallen. Als er auf ein Lama trifft, versucht er, es mit Flötentönen zu dirigieren. Er reitet mit ihm schließlich über eine Hängebrücke und entgeht nur knapp dem Sturz in die schwindelerregende Tiefe. So bleibt der kurze Film höchst amüsant, ohne irgendjemanden zu beleidigen. Immer ist Donald, der nordamerikanische Besucher, das Opfer der Slapstick-Nummern.

Mary Blair und Jack Miller entwickelten die Geschichte und folgten dabei vor allem Blairs Skizzen aus den an den Titicacasee grenzenden Ländern Bolivien und Peru. Sie schufen außerdem die Hintergrundgemälde für den Film. Die Animation erfolgte durch ein kleines, aber ausgesuchtes Team. Zu diesem zählten Milt Neil, einer der „Duck Men" des Studios (Künstler, die sich auf die Animation von Donald spezialisiert hatten), und Milt Kahl, der seit seiner Arbeit an den frühen Disney-Langfilmen als einer der besten Animatoren galt.

12.11

„Pedro"
(„Pedro, das kleine Flugzeug")

Schon vor der Südamerika-Reise hatten die Autoren Joe Grant und Dick Huemer eine Geschichte mit dem kleinen vermenschlichten Postflugzeug Petey O'Toole geschrieben, so genannt nach dem Code auf seinen Tragflächen:

12.12

12.11 ***Dieses Gemälde eines peruanischen Kindes von Mary Blair hing später in Walt Disneys Haus.***
12.12 ***Pedro, das kleine Postflugzeug, wird von einem verspielten Condor abgelenkt und vergisst seinen Auftrag.***

P-T O-2-L. Da seine Geschichte zu den vielen Flügen von El Grupo in Südamerika passte, wurde Petey unter der Leitung von Bill Cottrell zu Pedro und seine Abenteuer ein Teil des Good-Neighbor-Programms.

„Während die halbe Welt gezwungen wird, ‚Heil Hitler' zu schreien, ist unsere Antwort darauf ‚Saludos Amigos'."

Walt Disney

Im fertigen Film ist Pedros Vater das Flugzeug, das die Post von Santiago nach Mendoza über die Anden befördert. Als er eines Tages erkrankt, muss Pedro für ihn einspringen. Im Anschluss zeigt der Film seine Abenteuer. Die Good-Neighbor-Filme hatten im Disney-Studio eine hohe Priorität, und für die Geschichte von Pedro zog man einige der besten Animatoren heran. Fred Moore, ein Spezialist für reizende, süße Figuren, animierte die Szenen, die das kleine Flugzeug vorstellen. Ward Kimball zeigte ihn, wie er beim Rückflug durch die Berge übermütig vom Weg abweicht. Und Bill Tytla animierte – für ihn ungewöhnlich – Pedros verzweifelten Flug durch das Unwetter. Regie führte das Studiourgestein Hamilton Luske, auch einige Schlüsselszenen wurden von ihm animiert. Am Ende schließt der kleine Pedro seine Mission erfolgreich ab – wenngleich seine vermeintlich wertvolle Fracht sich als eine einzige Postkarte entpuppt.

„El Gaucho Goofy"

1940 hatte Regisseur Jack Kinney eine neue Kurzfilmreihe gestartet, in der Goofy jeweils vorführte, wie man eine Sportart oder andere Aktivitäten richtig ausführte – allerdings auf haarsträubend falsche Weise. Diese Reihe galt von Anfang an als etwas Besonderes. Die erste Folge „How to Ride a Horse" („Goofys Reitschule")

12.13

integrierte man in den Disney-Film *The Reluctant Dragon (Walt Disneys Geheimnisse)*. In die neue Folge mit dem Vorabtitel „How to Be a Cowboy" floss all das ein, was El Grupo bei den Gauchos in Argentinien beobachtet hatte. Das Resultat war „El Gaucho Goofy", Walt Disneys erster Argentinien-Film.

Trotz dieser ungewöhnlichen Entstehungsgeschichte enthält „El Gaucho Goofy" vermutlich mehr lateinamerikanische Tradition als die meisten anderen Teile. Details zur Kleidung des Gauchos, seinen Hilfsmitteln und seiner Arbeitsweise erklärt die Erzählerstimme mit ironischer Großspurigkeit, während Goofy jede Vorführung vermasselt. Ebenso wie in „Lake Titicaca" gibt es auch hier eine Menge Slapstick, doch da der Held hier ebenfalls ein Besucher aus Nordamerika ist, sind die Szenen lustig, ohne dabei diplomatischen Ärger zu erregen.

12.14

Eines der wichtigsten Mitglieder in Kinneys Team war Chefanimator Wolfgang „Woolie" Reitherman. Von ihm stammen die allermeisten der ausdrucksstarken Animationen von Goofy und seinem Pferd. (Für eine Szene griff er auf einen Schnipsel seiner früheren Animation „How to Ride a Horse" zurück.) Obwohl Kinney und sein Team bei den Studien von El Grupo aus dem Vollen schöpfen konnten, waren die Südamerikareisenden selbst nicht an dieser Produktion beteiligt.

Der argentinische Künstler F. Molina Campos besuchte allerdings tatsächlich Burbank und weilte während der Produktion im Studio. Sein Einfluss auf den Stil des Films wurde auch im Vorspann gewürdigt. Später bestätigte Kinney, dass die für Molina typische Einfachheit und tiefe Horizontlinie in die Hintergrundgemälde eingegangen waren.

„Aquarela do Brasil"

Der herausragende Teil der ersten vier Südamerika-Kurzfilme ist jener über Brasilien, „Aquarela do Brasil". Hier tritt Donald Duck erneut als nordamerikanischer Tourist auf, der dieses Mal die Sehenswürdigkeiten von Rio erkundet – genauso wie es El Grupo nur wenige Monate zuvor getan hatte. (Die Skizzen stammten dieses Mal von Lee Blair.) Das lebhafte und bunte „Aquarela do Brasil" bezog seinen Namen vom gleichnamigen Samba von Ary Barroso, einem brasilianischen Gesangsstar, der es nach diesem Film zu weltweiter Berühmtheit brachte. Auch das zweite

12.13 ***Donald Duck und Joe Carioca tanzen ausgelassen in „Aquarela do Brasil".***
12.14 ***In Jack Millers Karikatur interviewt die Journalistin Janet Martin peruanische Einheimische.***

12.15

brasilianische Lied, *Tico Tico*, profitierte von der weltweiten Verbreitung des Films.

„Aquarela" führt die neue Figur José Carioca ein, einen Papageien, der auf die *papagaío*-Geschichten zurückging, die El Grupo aufgeschnappt hatte. José lernt Donald kennen und brennt darauf, seinem neuen Freund die Sehenswürdigkeiten zu zeigen. Der Papagei (mal José, mal Joe genannt) erobert sofort das Herz des Zuschauers, vor allem dank der reizvollen Animation von Fred Moore und Bill Tytla. Milt Neil animierte auch hier Donald Duck, zusammen mit einem weiteren Duck Man des Studios, Paul Allen. Alles mündet in einer Explosion von Formen und Farben, die größtenteils Josh Meador zu verdanken ist. Sie zeigt die üppige Tropenwelt Brasiliens, wie nur der Trickfilm es kann, und in einem tatsächlichen, sich bewegenden Aquarell von Brasilien erwachen bunte Urwaldvögel, ein sprudelnder Wasserfall und singende Orchideen zum Leben.

Im Frühjahr 1942, als man diese vier Kurzfilme teils ganz, teils annähernd fertiggestellt hatte, entschied man sich, sie zu einem einzigen Langfilm zu verbinden. Ursprünglich war geplant, die Teile in der Reihenfolge zu zeigen, die dem Reiseverlauf des Disney-Teams 1941 entsprach. Somit hätte man mit dem stärksten der vier Teile, „Aquarela do Brasil", begonnen und mit „Lake Titicaca" aufgehört, was jedoch einen Antiklimax erzeugt hätte. Stattdessen kehrten Walt und seine Künstler die Reihenfolge um und arrangierten die Teile in der hier präsentierten Folge.

Schließlich schuf das Team Überleitungssequenzen, um die vier Kurzfilme zu verbinden. Die meisten dieser Szenen bestanden aus Real-

12.15 ***Einer von Mary Blairs Entwürfen für die „Baía"-Sequenz in* The Three Caballeros**
12.16 ***Ein weiteres „Baía"-Gemälde von Mary Blair. Dieser Entwurf wurde nicht realisiert.***

filmen, die El Grupo in Südamerika zeigten. Darunter waren authentische 16-mm-Aufnahmen der Reisenden, andere wurden nachgestellt und zeigen das Team, wie es Flugzeuge besteigt und aus den Bordfenstern blickt. F. Molina Campos, der noch immer im Disney-Studio weilte, spielte seine Begegnung mit Disney nach – vor Kulissen, mit denen man sein Atelier in Argentinien nachgebaut hatte. Zusammen mit neuen Trickfilmsequenzen von Flugzeugen, die über die Landkarte Südamerikas fliegen, verknüpften diese Szenen die vier Kurzfilme zu einem (relativ kurzen) Langfilm. Im Sommer 1942 feierte er Premiere in Brasilien (als *Alo Amigos*) und in Argentinien (als *Saludos*), danach in den USA und weiteren Ländern, nun unter dem endgültigen Titel *Saludos Amigos*.

Obwohl er oft vom sensationelleren *The Three Caballeros* überschattet wird, ist *Saludos Amigos* der in mancher Hinsicht gelungenere Film. Die ersten Eindrücke von Südamerika waren den Künstlern bei der Produktion noch frisch im Gedächtnis. Hinzu kamen der geschmeidige und üppige Stil des Disney-Studios der späten 1930er- und frühen 1940er-Jahre, die kurze Laufzeit des Films und die mitreißende Musik. All dies macht den Film zu einem immer wieder frischen, berauschenden Genuss.

The Three Caballeros

Saludos Amigos war in den Kinos ein Erfolg, und sowohl Disney als auch das CIAA waren überzeugt, dass diese neue Strategie – vier Kurzfilme zu einem abendfüllenden Film zu verbinden – besser war, als sie einzeln zu veröffentlichen. Also wurde der Vertrag geändert, und das Studio begann mit der Produktion des nächsten Kurzfilmpakets.

Dieses Mal fiel das Ergebnis deutlich anders aus. *Saludos* hatte man in letzter Minute zum Langfilm umgearbeitet, und das Studio hatte nie versucht, das Episodenhafte daran zu kaschieren.

12.16

Als man aber in den folgenden zwei Jahren am zweiten Paket arbeitete, hatten Walt und seine Künstler genügend Zeit, um ein homogeneres Ganzes daraus zu machen. Die ersten beiden Segmente waren im Wesentlichen bereits Mitte 1942 fertig.

„The Cold-Blooded Penguin"

Zu diesem überraschenden Titelhelden kam es, als Disney-Künstler von einer Pinguinart erfahren hatten, die auf den Galapagosinseln vor Ecuador lebt. Diese Pinguine regten schon vor der Reise von 1941 die Fantasie der Autoren an, und kaum war El Grupo zurück im Studio, begann man, an einer entsprechenden Geschichte zu arbeiten. Sie handelte von einem kleinen Pinguin am Südpol, dem es dort zu kalt ist und der sich nach wärmeren Gefilden sehnt. Nach mehreren gescheiterten Versuchen reist er schließlich entlang der südamerikanischen Westküste nach Norden, erreicht den Äquator, lässt sich dort nieder und wird vermutlich zum Gründer der Pinguinkolonie auf den Galapagosinseln.

„[The Three Caballeros ist] schöner, als ich es für möglich hielt. Hat viele der Qualitäten und Schönheiten eines Balletts."

Nelson Rockefeller

„The Flying Gauchito"
(„Der fliegende Gauchito")

Diese Geschichte sollte ursprünglich der erste Argentinien-Film sein, wurde aber durch „El Gaucho Goofy" ersetzt. Als man dann das zweite Film-

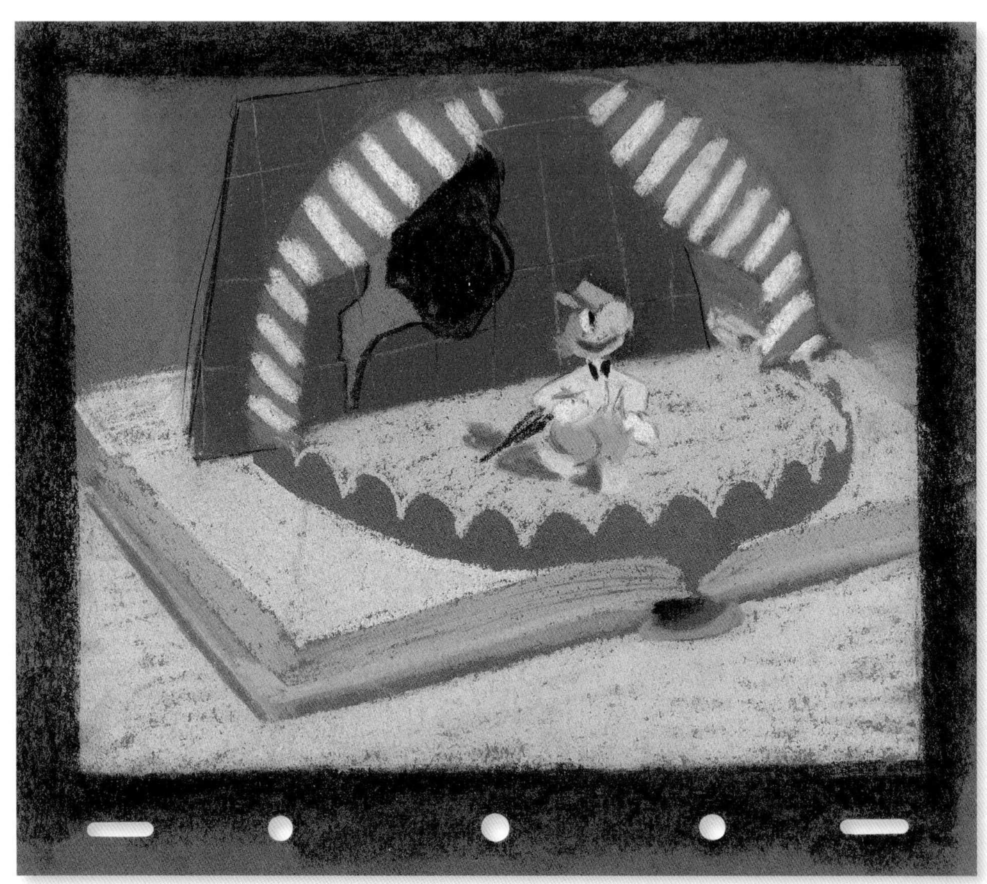

12.17

paket zusammenstellte, war „The Flying Gauchito" selbstverständlich mit dabei. Der Film erzählt die Geschichte eines kleinen Jungen, eines „Gauchito", der einen wundersamen fliegenden Esel entdeckt und diesen fängt und zähmt, um mit ihm ein Pferderennen zu gewinnen. Neben dem fantasievollen geflügelten Esel tritt auch ein echter argentinischer Vogel auf, der Hornero, mit dem man zunächst einen eigenen Film geplant hatte. „The Flying Gauchito" wurde von besonders erfahrenen El-Grupo-Künstlern produziert: Regie führte Norm Ferguson, das Drehbuch stammte von James Bodrero, die Hintergründe von Herb Ryman. Regieassistent war Larry Lansburgh, und Frank Thomas, der Animator, der 1941 mitgereist war, dominierte die Animation durch seine Schlüsselszenen mit dem Jungen und seinem Esel.

12.18

Diese beiden Teile, die parallel zu den *Saludos*-Sequenzen entstanden, hätten als in sich abgeschlossene Kurzfilme auch im ersten Film erscheinen können. Dahingegen hatte die Produktion der Brasilien- und Mexiko-Teile erst 1942 begonnen. Und so entwickelten sich diese beiden Filme auf ganz andere, unerwartete Weise.

„Baía"

El Grupo war mit einer Fülle von brasilianischem Geschichtenmaterial aus Südamerika zurückgekehrt, und der Brasilien-Teil von *Saludos Amigos* galt gemeinhin als Höhepunkt des Films. Besonders beliebt waren die Musik von Ary Barroso und die neue Figur José Carioca. Als sich das Studio nun an die Arbeit zum zweiten Brasilien-Film machte, war schnell klar, dass man wieder auf José Carioca und Musik von Barroso zurückgreifen würde. Doch während sich „Aquarela do Brasil" auf Rio de Janeiro konzentrierte, spielte dieser neue Film in der historischen Altstadt von Bahia. Im Spätsommer und Herbst 1942 entwickelte das Storyteam eine noch eher skizzenhafte Handlung.

Als sich jedoch der Plan zu einem Langfilm durchsetzte, wurden Walts Ideen und die seiner Künstler ehrgeiziger. In diesem neuen und größeren Rahmen konnte auch der aktuelle Brasilien-Film länger werden und mit aufwendigen Bildeffekten glänzen, wie man sie aus anderen

12.17 ***In diesem Pastellentwurf für „Baía" steht Joe Carioca auf der Bühne eines Pop-up-Buchs.***
12.18 ***Joe Carioca, Donald Duck und Panchito auf einem fliegenden Poncho – ein Werbemotiv für die erste Veröffentlichung von*** **The Three Caballeros**

Disney-Langfilmen kannte. Und das war erst der Anfang. Das Studio hatte Kontakte zu herausragenden südamerikanischen Musikstars geknüpft, und mit einigen von ihnen verhandelte Walt nun, um sie in seinen Filmen auftreten zu lassen. Die Idee wurde verwirklicht und entwickelte sich letztlich zu einer raffinierten Kombination von Real- und Trickfilm. Man zeigte nicht nur die real gefilmten Künstler auf der Leinwand, sie bewegten sich auch auf verblüffende Weise in einer Trickfilmwelt und interagierten mit den Trickfiguren. Seit der Stummfilmzeit hatten Walt und andere Produzenten Real- und Trickfilm kombiniert, hier jedoch erreichte die Illusion eine neue Perfektion und wurde zu einem der Markenzeichen des zweiten Good-Neighbor-Films.

All diese Ideen brachten schließlich den neuen Brasilien-Film „Baía" hervor. (Die portugiesische Sprache befand sich in den frühen 1940er-Jahren im Wandel, und man hatte dem Disney-Studio geraten, die aktuelle Schreibweise für die zuvor und danach besser unter dem Namen „Bahia" bekannte Region zu verwenden.) Gleich zu Beginn trifft Donald Duck auf Joe Carioca. Dieser beschreibt die Schönheit der Gegend, und man hört eines von Barrosos reizendsten Liedern, *Na baixa do sapateiro*, einen eindringlichen Samba, der für die amerikanische Filmversion einen englischen Text und den neuen, schlichten Titel *Baía* erhielt. Märchenhafte Bilder dienen der Untermalung: Tauben gleiten sanft durch den Urwald und lassen sich auf historischen (und authentischen) Gebäuden nieder. Boote segeln vor einem grandiosen Sonnenuntergang über glitzerndes Wasser. Weitere musikalische Höhepunkte sind Dorival Caymmis mitreißendes *Have You Ever Been to Bahia?* und eine volkstümliche Melodie, die die verrückten Streiche eines weiteren brasilianischen Vogels, des Aracuan, begleitet, den Joe nach Möglichkeit ignoriert. Donald und er reisen nach Bahia (in einem kleinen, von Mary Blair entworfenen Zug), und man hört dazu das Lied *Flauta e pandeiro* von Benedicto Lacerda – eine Aufnahme vom September 1941, als El Grupo Brasilien besuchte.

Donald Duck und Joe Carioca kommen in Bahia an, und die technische Überraschung, die der Film bislang zurückhielt, wird enthüllt: Eine real gefilmte Darstellerin bewegt sich inmitten von Trickfilmfiguren. Es ist die reizende Aurora Miranda, die jüngere Schwester der berühmten Sängerin, Tänzerin und Filmschauspielerin Carmen Miranda.

Während sie auf einer gemalten Straße näher kommt, singt Aurora ein weiteres bekanntes Lied von Barroso, das lebhafte *Os quindins de Yayá*. Sie interagiert direkt mit Donald und Joe, und vor allem Donald ist sofort von ihr hingerissen. Als Musiker hinzukommen, um Aurora zu begleiten, packt Donald rasende Eifersucht auf die möglichen Rivalen. Bald jedoch tanzen alle – die realen und animierten Figuren und sogar Gebäude und Straßenlaternen – zum Rhythmus von Barrosos unwiderstehlichem Samba.

„Für den geplanten Musicalfilm, der die kleine Inselrepublik würdigen soll, hat Kuba dem Walt Disney Studio jedwede Unterstützung zugesagt."

Brooklyn Eagle

Die Illusion ist nahezu perfekt und wurde während der Produktion sogar noch verbessert. Ursprünglich wurden die Szenen vor einer speziellen, für den Kopierprozess geeigneten Leinwand gefilmt: Erst stellte man den Trickfilm fertig, dann filmte man Aurora, während die Szenen mit Donald und Joe von hinten ins Bild projiziert wurden.

Doch Mitte 1943, als man noch an diesem Teil arbeitete, entwickelte Ub Iwerks, mittlerweile das Technikgenie des Studios, einen neuen optischen Drucker. Mit diesem ließen sich Trickfilmelemente viel einfacher und nahtloser in den Realfilm einbauen. Walt machte sich diese neue Technik sofort zunutze, und die bereits fertiggestellten Trickszenen von „Baía" wurden komplett überarbeitet und mit noch sensationelleren Effekten aufgepeppt. Auch heute noch ist der Eindruck grandios.

12.19

„La Piñata“

Saludos Amigos hatte sich ausschließlich auf Südamerika konzentriert, doch von Anfang an stand fest, dass Disneys Good-Neighbor-Projekt auch Mexiko umfassen würde. Und so arbeitete man im Sommer 1942 an einem mexikanischen Thema. Nach mehreren Erkundungsreisen und zwei Jahren Produktionszeit entstand schließlich „La Piñata“, der vierte und spektakulärste Teil von *The Three Caballeros.*

Wie die brasilianischen Filme enthält auch „La Piñata“ authentische Musik aus dem besuchten Land und führt eine neue Figur ein, die es verkörpert. Diese Figur ist der Hahn Panchito, und mit unbändiger Begeisterung und viel Geschrei heißt er seine neuen Freunde in Mexiko willkommen. Zur Musik gehört ein Lied von 1941, das ursprünglich den Titel *¡Ay, Jalisco, no te rajes!* trug. Mit neuem, englischem Text wurde daraus *The Three Caballeros,* ein Song, der das Thema des Films (und des Good-Neighbor-Projekts insgesamt) verkörperte: die Freundschaft dieser drei Figuren aus Nord-, Mittel- und Südamerika. Panchito singt das Lied in einer Szene, die Kultstatus erreicht hat. Sie enthält meisterhafte Animation von Ward Kimball, verrückte Action und Gags in jeder Sekunde. Schlussendlich wurde der neue Liedtitel zum Titel des ganzen Films.

„La Piñata“ folgt der Machart, die von den anderen Good-Neighbor-Filmen vorgegeben worden war: Er ist eine unbeschwerte, auf unterhaltsame Weise präsentierte Einführung in die mexikanische Kultur und deren Bräuche. In diesem Film gibt es Szenen voll stillen Zaubers, vor allem die kurze Sequenz, die die Weihnachtsbräuche der Las Posadas zeigt und dazu Mary

12.19 ***Panchito „umarmt“ die Caballeros Joe und Donald in einer Cel, die nicht weiterverwendet wurde.***

12.20

versah man mit englischem Text sowie mit dem neuen Titel *You Belong to My Heart*. Carmen, die in zwei typischen Trachten auftritt, zeigt die beiden volkstümlichen Tänze La Sandunga und Jesusita. Beide Darstellerinnen sind umgeben von einer Vielzahl von Trickeffekten – bei Carmen sind es unter anderem tanzende Kakteen – und natürlich von einem Casanova namens Donald Duck. Donalds Begeisterung, die in einem früheren Moment noch Aurora Miranda gegolten hatte, richtet sich nun auf Dora und Carmen, die er geradezu manisch verfolgt.

Blairs Bilder von Kindern mit weit aufgerissenen Augen. Doch still bleibt „La Piñata" nicht lange. Der Film ging kurz nach „Baía" in die Produktion, und in den folgenden zwei Jahren übernahm er etliche Entdeckungen und Innovationen des brasilianischen Teils.

Vor allem für die Mischszenen aus Real- und Trickfilm taten sich durch Iwerks optischen Drucker neue Möglichkeiten auf. Begeistert von den zusätzlichen Effekten, bauten Walt und sein Team die verschiedensten Realfilmelemente in „La Piñata" ein.

Die animierten Caballeros besteigen einen fliegenden Poncho und betrachten von oben die real gefilmten Sehenswürdigkeiten von Mexiko. Sie grüßen scheinbar die Autofahrer auf den Schnellstraßen und gleiten über den Pátzcuaro-See. Sie besuchen Tanzensembles, die volkstümliche Tänze aufführen, und Donald – auch in diesem Teil der tollpatschige Besucher aus Nordamerika – versucht, die Schritte selbst zu erlernen.

Diese Szenen wiederum leiten über zu großartigen Musiknummern. Für „La Piñata" engagierte das Studio nicht einen, sondern zwei Künstler: Dora Luz, eine reizende, zierliche Sängerin aus Mexico City, und die Tänzerin Carmen Molina, die ursprünglich in einem Tanztrio mit ihren beiden Brüdern aufgetreten war. Im Film singt Dora ein weiteres beliebtes mexikanisches Lied, Agustín Laras *Solamente una vez*. Auch dieses

„Donald, der ursprünglich nur irgendein Schreihals war, wurde zu einer Art internationalem Botschafter, einem Handelsreisenden für amerikanische Lebensart."

The New York Times

Als die Produktion voranschritt, wurde „La Piñata" immer mehr von diesen Mischeffekten dominiert. Noch im Januar 1944 schnitt man zwei Sequenzen mit Originalaufnahmen aus dem Film – eine mit den Schwimmenden Gärten von Xochimilco, die andere mit dem kurz zuvor ausgebrochenen Vulkan Paricutín –, um eine weitere Mischszene einzufügen. Darin besuchen die Caballeros, die noch immer auf ihrem Poncho unterwegs sind, den Strand von Acapulco. Dieser „Strand" war in Wahrheit der Parkplatz des Disney-Studios, den man freigeräumt und mit Sand bedeckt hatte. Hier sprang Donald vom fliegenden Poncho, um mit den badenden Schönheiten herumzutollen. Die Effekte in diesen Szenen waren besonders raffiniert: Die real gefilmten Frauen laufen vor ihrem Verfolger Donald davon und werfen ihn dann in einem realen Strandtuch mehrmals in die Luft.

Als man *Saludos Amigos* 1942 zum Langfilm umarbeitete, wurden in letzter Minute Übergangsszenen produziert, um die vier Teile zu verbinden. Diese Übergänge waren nett, aber eher pragmatisch. Bei *The Three Caballeros* hatte das Studio ganze zwei Jahre Zeit, und es gab sein Bestes, um die Anschlüsse so nahtlos wie möglich zu gestalten. Diese Überleitungen, bei denen Jack Kinney Regie führte, ergaben eine Rahmenhandlung, in der Donald von seinen neuen Freunden ein großes Geburtstagspaket erhält. Darin befinden sich vier Geschenke: die vier Filme, aus denen *The Three Caballeros* besteht. „The Cold-Blooded Penguin" und „The Flying Gauchito" sind Filmrollen, dazu gibt es Projektor und Leinwand. „Baía" wird Donald als Pop-up-Buch geschenkt. Aus diesem tritt ein winziger Joe Carioca heraus, der Donald auf seine eigene Größe schrumpft und in das Buch und zu einem Besuch von Bahia mitnimmt. Der Hahn Panchito platzt aus dem Paket, um das letzte Geschenk zu überreichen: „La Piñata", das tatsächlich eine Piñata ist, gefüllt mit den Sehenswürdigkeiten von Mexiko. Das Ende dieser überaus wilden Episode markiert zugleich das Ende des ganzen Films, und die drei Caballeros krönen Donalds Geburtstagsfeier mit einem Feuerwerk, das schließlich dreisprachig das Wort „Ende" in den Himmel schießt.

Das Publikum und die Kritiker, die schon *Saludos Amigos* gelobt hatten, waren überwältigt von *The Three Caballeros*, und mit der Zeit hat sich der Film einen ganz eigenen Platz im Disney-Kanon erobert. Filmfreunde bewundern ihn wegen seiner bahnbrechenden Animation, der extravaganten Effekte und der eigenwilligen Mischung aus authentischer lateinamerikanischer Musik und Kultur der frühen 1940er-Jahre. Spätestens seit der Film auf DVD erschienen ist,

12.20 ***Ein von Mexiko inspirierter Entwurf von Mary Blair***
12.21 ***Dieses Gemälde von Mary Blair erscheint in der Filmsequenz „Las Posadas". Die flackernden Kerzen animierte George Rowley.***

12.21

können wir die einzelnen Teile dieses unvergesslichen Werks noch einfacher bestaunen.

Kuba

Disneys ursprüngliche Vereinbarung mit dem CIAA, zwölf Kurzfilme zu produzieren, war längst hinfällig geworden. Stattdessen waren es nun drei Langfilme. Als der zweite dieser Filme, *The Three Caballeros*, Ende 1944 in die Kinos kam, arbeitete das Studio bereits am nächsten.

Dieser dritte Film wurde jedoch aus verschiedenen Gründen nie fertiggestellt. Zum einen war der Krieg zu Ende (und folglich auch das Good-Neighbor-Projekt), zum anderen hatte *The Three Caballeros* nur mäßigen Erfolg an den Kinokassen erzielt. Die übrigen Verpflichtungen gegenüber dem CIAA erfüllte man schließlich durch weitere Kurzfilme. Allerdings verraten noch erhaltene Produktionsunterlagen etwas von den Plänen für den geplanten dritten Langfilm: Er sollte neue Teile über Brasilien und Mexiko enthalten und darüber hinaus sogar eine Sequenz zu Kuba.

Die Idee zu einem Kuba-Film entsprach voll und ganz den Zielen der Good-Neighbor-Politik der frühen 1940er-Jahre. Außerdem bot Kuba die perfekte Vorlage für üppige neue Bilder. Die Insel hatte damals ein romantisch exotisches Image, und die amerikanische Vorliebe für lateinamerikanische Klänge rührte zu einem guten Teil von kubanischer Musik. Mit der Arbeit am Film begann das Disney-Studio bereits Anfang 1943,

12.22 ***Im Oktober 1941 posiert Walt in Lima mit Musikern und Tänzern.***
12.23 ***September 1941: Walt und sein Team werden von argentinischen Dibujantes (Zeichnern) empfangen. Mit dabei ist sogar Donald Duck.***

ungefähr zu der Zeit also, als *Saludos Amigos* in den USA in die Kinos kam. Mary Blair, die eine der maßgeblichen künstlerischen Triebkräfte der Good-Neighbor-Filme geworden war, reiste im Frühjahr 1943 alleine nach Kuba, um fünf Wochen lang Skizzen anzufertigen und Notizen zu machen. Und genau wie man zuvor durch Südamerika und Mexiko getourt war, folgte im Herbst 1944 die Erkundungsreise einer kleinen Einheit von El Grupo, der unter anderem der Animator Fred Moore angehörte.

Und auch diesmal brachte die Reise einen ganzen Berg an Dokumentationsmaterial und unzählige Ideen für mögliche Geschichten hervor. Genau wie alle anderen Länder, die das Good-Neighbor-Projekt umfasste, hatte auch Kuba eine ganz eigene Kultur und Atmosphäre, und erneut versuchten die Künstler, diese in ihren Skizzen und Handlungsentwürfen einzufangen. Da man mit den Auftritten brasilianischer und mexikanischer Musiker in *The Three Caballeros* so großen Erfolg gehabt hatte, wollte der leitende Regisseur Norm Ferguson nun kubanische Künstler für das Projekt gewinnen. Und bemerkenswerte kubanische Musiker gab es zuhauf – vor allem Xavier Cugat, der bereits in Filmen von MGM und anderen Hollywoodstudios aufgetreten war. Das Disney-Studio führte intensive Verhandlungen mit Cugat und ließ ihn und andere Musiker für den neuen Film vorspielen.

„[Tres palabras] ***ist eine sehr schöne Melodie … aber sie ist kein Muss, denn in Kuba gibt es eine Menge Musik.“***

Norm Ferguson

Ein weiteres Disney-Erfolgsrezept war die Einführung neuer Figuren, die das jeweilige Land repräsentierten: Joe Carioca für Brasilien, Panchito für Mexiko. Nun äußerten auch kubanische Regierungsbeamte und Kulturbeauftragte den Wunsch nach einem eigenen Vertreter ihres Landes: Könnte das Disney-Studio eine neue Figur speziell für Kuba erschaffen? Die Meinung ging dahin, dass die neue Figur ein Kampfhahn

12.23

12.24

12.25

12.26

12.27

sein sollte – nicht der ausgewachsene, große Kampfhahn, sondern ein Zwerghahn, ein großtönender Angeber, den man in Kuba als Kikirigui verspottete. Eine solche Figur zu erschaffen war eine Herausforderung. Nicht nur weil es im lateinamerikanischen Personal des Studios bereits einen Hahn gab, sondern weil es fraglich war, inwieweit eine solch lächerliche Figur nicht den freundschaftlichen Absichten des Good-Neighbor-Prgramms zuwiderlaufen würde. Ferguson verließ sich jedoch auf Fred Moores Talent für sympathische Figuren. Der Hahn konnte „ein Draufgänger sein", schrieb Ferguson an Walt, „aber auch ein netter kleiner Kerl, schlau und mit Rhythmus im Blut".[1]

Einige der skizzierten Ideen sind im Kapitel abgebildet. Die Disney-Mannschaft entwickelte eine Geschichte, in der Donald und Joe Carioca (der zwar Brasilianer war, aber stets eine Zigarre im Schnabel hatte) zusammen nach Kuba reisen. Mit einem kleinen Zug (ähnlich dem in „Baía") fahren sie durchs Land, dieses Mal vor typisch kubanischen Ansichten wie Zuckerrohrplantagen. Als sie dem Kikirigui begegnen, ist dieser schick gekleidet und raucht ebenfalls Zigarre. In Betracht gezogen hatte man für die Geschichte auch Dominosteine, Zigarren, Karneval (mit dem Thema Piraten) und natürlich nonstop Musik – möglicherweise mit einem real gefilmten Auftritt der Organistin Ethel Smith.

Carnival

Die Karnevalidee war nicht auf Kuba beschränkt. Als der dritte Good-Neighbor-Langfilm Gestalt annahm, erhielt er den Vorabtitel *Carnival*, und Ferguson sammelte Ideen für Geschichten, die die anderen lateinamerikanischen Länder mit dem Karnevalthema verknüpften. Zu den Ideen gehörten ein Teil zu Kolumbien, ein neuer mexikanischer Teil (vielleicht mit einem zweiten Auftritt von Dora Luz) und der Rückgriff auf weitere musikalische und kulturelle Schätze Brasiliens.

So stand es 1945 um dieses Projekt. Das Kriegsende führte indirekt dazu, dass man *Carnival* verwarf und die unterschiedlich weit entwickelten Segmente auf Eis legte. Allerdings wurden manche dieser Ideen weiterentwickelt (bisweilen auf überraschende Weise) und in anderen Filmen verwendet, die zum Teil gar nichts mit Lateinamerika zu tun hatten.

Einer der späteren Filme, der deutlich seine lateinamerikanischen Wurzeln zeigte, war ein Kurzfilm über Brasilien, der auf dem Lied *Apanhei-te Cavaquinho* von Ernesto Nazareth basierte. Mit neuem, englischem Text wurde daraus *Blame It on the Samba*. Der gleichnamige Film, den man 1948 fertigstellte, ließ das Good-Neighbor-Projekt in gewissem Sinne wiederaufleben: Erneut sehen wir Donald Duck zusammen mit Joe Carioca, begleitet von brasilianischer Musik. Und genau wie in *The Three Caballeros* erscheinen nun zwei Caballeros in raffinierten Mischszenen mit einer real gefilmten Künstlerin, dieses Mal Ethel Smith. Inmitten eines Strudels fantastischer Bilder gibt sie das Titellied mit Verve zum Besten. „Blame It on the Samba" wurde schließlich in den Disney-Episodenfilm *Melody Time (Musik, Tanz und Rhythmus)* von 1948 integriert und wird im Kapitel zu jenem Film näher besprochen.

Vom reichlich vorhandenen Material über Kuba, das in *Carnival* verwendet werden sollte, überlebte nach der Aufgabe der Filmidee nur das Lied *Tres palabras*, das man dem Disney-Studio bei der Kuba-Erkundungsreise 1944 ans Herz gelegt hatte. Der Song wurde schließlich zur Grundlage des Kurzfilms „Without You" („Ohne Dich"), einem Teil des Episodenfilms *Make Mine Music*, der ebenfalls an anderer Stelle in diesem Buch behandelt wird. Trotz der Herkunft des Liedes, und obwohl Mary Blair die Hintergründe konzipiert hatte, verriet „Without You" in seiner endgültigen Form praktisch nichts mehr von seinem kubanischen Ursprung.

Doch zu jener Zeit hatten sich die anderen lateinamerikanischen Filme schon längst einen Namen gemacht. Sie hatten die Ziele des Good-Neighbor-Projekts erreicht und blieben danach – und bis heute – vergnügliche Beispiele für ein besonders farbenfrohes Kapitel im Werk von Walt Disney.

12.24–27 ***Auch Kuba selbst ist beim Karneval dabei – in Form tanzender Puzzleteile.***
12.28 ***Donald tanzt Seite an Seite mit Zigarren.***

12.28

Make Mine Music

(1946)

Synopsis

Make Mine Music war der erste Langfilm der Disney-Studios nach dem Zweiten Weltkrieg und folgt dem Episodenformat von *Saludos Amigos (Drei Caballeros im Sambafieber)* und *The Three Caballeros (Drei Caballeros)*. Während er im Vergleich zu den ersten fünf Spielfilmen – von *Snow White and the Seven Dwarfs (Schneewittchen und die sieben Zwerge)* bis *Dumbo (Dumbo, der fliegende Elefant)* – sparsamer produziert wurde, glänzt dieser Film dennoch mit genialen Innovationen und Experimenten. Wie das sechs Jahre zuvor erschienene *Fantasia* enthält das Werk eine Reihe von Musikstücken, wenngleich diese aus dem populären und nicht aus dem klassischen Bereich stammen und der Film nicht im Konzertsaal, sondern im Kino spielt. Obgleich Inhalt und Stil der Sequenzen unterschiedlich ausfallen, findet man in ihnen oft ein unerwartetes Pathos, wodurch *Make Mine Music* Kopf und Herz gleichermaßen anspricht.

WELTPREMIERE 20. April 1946 (New York)
ERSTAUFFÜHRUNG D 3. Dezember 1992 (im TV unter dem Titel *Lachkonzert in Entenhausen*)
LAUFZEIT 75 Minuten

Sänger und Musiker

NELSON EDDY
DINAH SHORE
BENNY GOODMAN
THE BENNY GOODMAN QUARTET
THE ANDREWS SISTERS
JERRY COLONNA
ANDY RUSSELL
STERLING HOLLOWAY
THE PIED PIPERS
THE KING'S MEN
KEN DARBY CHORUS
TATIANA RIABOUCHINSKA
DAVID LICHINE

Stab

PRODUCTION SUPERVISOR JOE GRANT
REGISSEURE JACK KINNEY, CLYDE GERONIMI, HAMILTON LUSKE, BOB CORMACK, JOSH MEADOR
STORY HOMER BRIGHTMAN, DICK HUEMER, DICK KINNEY, JOHN WALBRIDGE, TOM OREB, DICK SHAW, ERIC GURNEY, SYLVIA HOLLAND, T. HEE, DICK KELSEY, JESSE MARSH, ROY WILLIAMS, ED PENNER, JAMES BODRERO, CAP PALMER, ERWIN GRAHAM
ARTDIRECTORS MARY BLAIR, ELMER PLUMMER, JOHN HENCH
ANIMATOREN LES CLARK, WARD KIMBALL, MILT KAHL, JOHN SIBLEY, HAL KING, ERIC LARSON, JOHN LOUNSBERY, OLLIE JOHNSTON, FRED MOORE, HUGH FRASER, JUDGE WHITAKER, HARVEY TOOMBS, TOM MASSEY, PHIL DUNCAN, HAL AMBRO, JACK CAMPBELL, CLIFF NORDBERG, BILL JUSTICE, AL BERTINO, JOHN MCMANUS, KEN O'BRIEN
HINTERGRÜNDE CLAUDE COATS, ART RILEY, RALPH HULETT, MERLE COX, RAY HUFFINE, AL DEMPSTER, THELMA WITMER, JIMI TROUT
LAYOUT KENDALL O'CONNOR, HUGH HENNESY, AL ZINNEN, ED BENEDICT, CHARLES PHILIPPI, DONALD DAGRADI, LANCE NOLLEY, CHARLES PAYZANT, JOHN NIENDORFF
ANIMATION SPEZIALEFFEKTE GEORGE ROWLEY, JACK BOYD, ANDY ENGMAN, BRAD CASE, DON PATTERSON
MUSIKALISCHER LEITER CHARLES WOLCOTT
LEITENDE KOMPONISTEN UND ARRANGEURE KEN DARBY, OLIVER WALLACE, EDWARD PLUMB
SPEZIELLE KOPIEREFFEKTE UB IWERKS
FARBBERATUNG MIQUE NELSON
TONINGENIEURE C.O. SLYFIELD, ROBERT O. COOK

Walt Disney's
HAPPY
COMEDY
MUSICAL
Make Mine Music!
in TECHNICOLOR
Presenting the talents of
BENNY GOODMAN
DINAH SHORE
THE ANDREWS SISTERS
NELSON EDDY
JERRY COLONNA
ANDY RUSSELL
THE KING'S MEN
STERLING HOLLOWAY
THE PIED PIPERS
1A

13.02

13.05

13.03

13.04

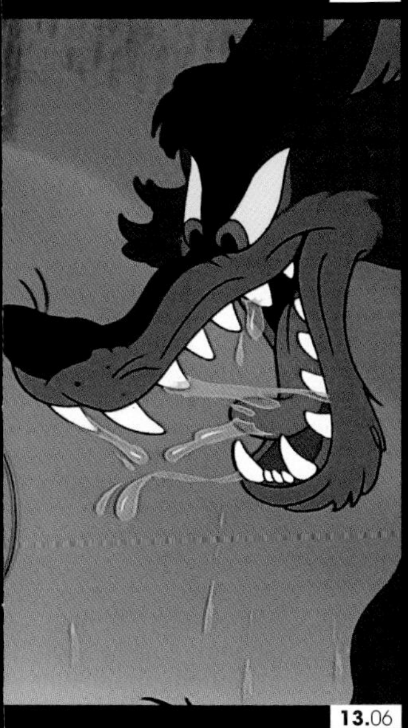

13.06

13.07

Träume und Fantastisches

Von Robin Allan

Bevor er 1986, 40 Jahre nach seiner Premiere, als Video erschien, war Disneys *Make Mine Music* fast vergessen oder mit Material aus *Melody Time* (*Musik, Tanz und Rhythmus*, 1948) vermischt worden. Einige Teile des Films hatte man separat in Disneys TV-Sendungen oder im Kino gezeigt. Da er bei seiner Erstveröffentlichung jedoch nicht sehr erfolgreich war, hatte ihn das Studio größtenteils in die Archive verbannt. Kaum ein Disney-Biograf hat den zwischen 1943 und 1950 erschienenen sechs Trickfilmen bislang besondere Beachtung geschenkt. Außer dem letzten, *The Adventures of Ichabod and Mr. Toad* (*Die Abenteuer von Ichabod und Taddäus Kröte*, 1949), enthalten sie alle Realfilmsequenzen, die entweder in den Trickfilm integriert sind oder mit diesem abwechseln. Bei zweien dieser Filme ist der Trickfilmanteil gar minimal.

Ich möchte behaupten, dass diese Filme nicht nur die Originalität der UPA-Trickfilme vorwegnahmen, sondern sich auch die Schärfe und kostengünstige Produktionsweise der Arbeiten von Warner Bros. und MGM zu eigen machten.

„Das Trickfilmgenre war nicht flexibel genug. Ich musste einen sieben- oder achtminütigen Kurzfilm machen oder einen Spielfilm mit 70 oder 80 Minuten. Dabei hatte ich eine Menge Ideen, aus denen wohl etwas geworden wäre, wenn ich sie zwischen diese beiden Extreme hätte packen können.“

Walt Disney

Leider lösten die neuen Techniken und Stile, die Disney hier ausprobierte, keine große Begeisterung aus. Die Künstler und Animatoren waren froh, als sie mit *Cinderella* (1950) zu bewährten Stilmitteln zurückkehren konnten. Experimente, Satire, Realfilm und Abstraktion ließ man fast

vollständig fallen, und sobald Walt es sich leisten konnte, kehrte er zu den Erfolg versprechenden langen Filmen mit durchgängiger Handlung zurück. Keiner der damaligen Animatoren, die ich 1985 interviewte, erinnerte sich gerne an jene Jahre. Dass Disney bereit war, sich zu wandeln und anzupassen, zeigt sich aber gerade durch einen genauen Blick auf das vernachlässigte *Make Mine Music*. Die Unsicherheit im Studio lässt sich überall im Film erkennen.

„Das Trickfilmgenre war nicht flexibel genug", sagte Walt. „Ich musste einen sieben- oder achtminütigen Kurzfilm machen oder einen Spielfilm mit 70 oder 80 Minuten. Dabei hatte ich eine Menge Ideen, aus denen wohl etwas geworden wäre, wenn ich sie zwischen diese beiden Extreme hätte packen können."[1] Später fügte er hinzu: „Es ist der wirkungsvolle Einsatz von Material, das ich in keinem Kinofilm unterbringen könnte, der mich dazu bringt, diese Art von Unterhaltung zu machen."[2]

Doch es gab weitere Gründe für diesen Hang zu Neuerungen. Das Studio hatte sein sicheres Fundament verloren. Viele Mitarbeiter waren zum Kriegsdienst eingezogen worden, andere – darunter einige von Disneys besten Leuten – nach dem Streik vom Mai 1941 gegangen. Als durch den kommerziellen Misserfolg von *Fantasia*, *Pinocchio* und *Bambi* sowie durch den kriegsbedingten Wegfall der Überseemärkte Einnahmen wegbrachen, produzierte man Ausbildungsfilme fürs Militär. Dies hielt das Studio über Wasser, und Disneys auf Wunsch der Regierung unternommene „Goodwill Tour" durch Südamerika gab ihm Gelegenheit, *Saludos Amigos* (1942) und *The Three Caballeros* (1944) zu produzieren. Die in diesem Film hervortretende

13.01 ***Disneys zehnter Langfilm wurde mit einem Plakat beworben, das Jazzmotive aufgriff und die Namen der prominenten Musiker in den Vordergrund stellte.***
13.02 ***Einzelbilder. Im Vorspann bewegt sich die Kamera im Vorraum eines Kinos. Die Schrift ist im Stil des Art déco gehalten.***
13.03 ***„The Martins and the Coys"***
13.04 ***„Casey at the Bat"***
13.05 ***„All the Cats Join In"***
13.06 ***„Peter and the Wolf"***
13.07 ***„The Whale Who Wanted to Sing at the Met"***
13.08 ***In diesem „Tongedicht", das vor einer Everglades-Landschaft spielt, wurde „Clair de Lune" durch die beliebte Ballade „Blue Bayou" ersetzt, gesungen vom Ken-Darby-Chor.***

13.08

Orientierungslosigkeit, das Chaos und die überbordende Verwendung grafischer Muster spiegelten Disneys Unsicherheit, aber auch die Notwendigkeit, sich weiterzuentwickeln und das starre Schema aufzubrechen, das der Erfolg diktiert hatte. In diesem Medium sollte etwas Neues geschaffen werden.

In *Saludos Amigos* deutet allerdings nicht viel auf diese neue Einstellung hin. Gleichwohl erkennt man in der eigenwilligen Gestaltung des brasilianischen Teils, „Aquarela do Brasil", bereits die fantasievollen Animationsverfahren aus *The Three Caballeros*.

Victory Through Air Power (1943) ist ein offensiver Propagandafilm, dessen Botschaft bei seinem Erscheinen bereits veraltet war – trotz der schnellen Produktion. Das Limited-Animation-Verfahren, das solch ein Arbeitstempo mit sich brachte, beschert dem Film einige seiner überwältigenden Bilder, die man allerdings von der enthaltenen Propaganda trennen muss. Visuelle Metaphern gelingen mit atemberaubender Einfachheit. Disneys setzte intensive, leuchtende Farben ein, er bewies einen Sinn fürs Wesentliche und ein Gespür, wie es in der heutigen Fernsehwerbung gang und gäbe ist.

Seine Anregung bezieht der Film sehr oft aus der politischen Karikatur, insbesondere aus den Arbeiten von Louis Raemaekers, David Low und George Grosz. Für James Algar, der bei der Hälfte des Films Regie geführt hatte, war er „ein in erster Linie fortlaufender, gezeichneter Leitartikel. Als er erschien, war die Sache praktisch entschieden. Der Kriegsverlauf hatte den Film eingeholt"[3].

Die Uraufführung von *The Three Caballeros* erfolgte ungefähr ein Jahr vor Kriegsende. Der Film erschöpft den Zuschauer mit seinem Bombardement aus Farbe und Ton. Die Limited Animation im mexikanischen Teil, das romantische Begehren

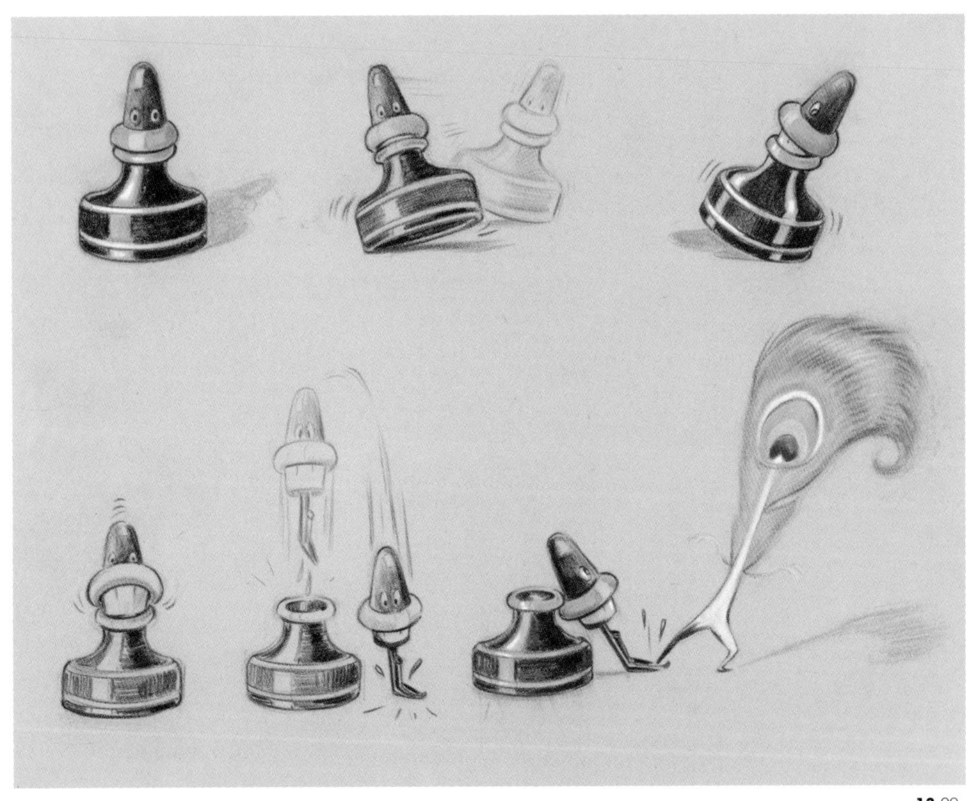

13.09

13.10

in jenen, die Realfilm und Animation verbinden, ikonoklastische und surreale Bildsprache, unverhohlene Imitationen der Musicals von Busby Berkeley sowie der unbedingte Wunsch, das Publikum zu informieren und zu belehren – all dies zeigt, wie angestrengt das Studio versuchte, sich neu zu orientieren. Bosley Crowther schrieb in seiner Besprechung in der *New York Times*: „Dieser fantastische Film ... unterscheidet sich von allem, was Disney bisher gemacht hat, obwohl darin Erinnerungen an mehrere seiner früheren Zeichentrickfilme aufblitzen ... Vielmehr ist es ein geniales Potpourri aus Disneys Zeichenkunst, ein Feuerwerk aus Bildern, Farben und Musik, das stets aufs Neue überrascht."[4]

Träume und Fantastisches durchsetzen die zehn kurzen Teile, aus denen *Make Mine Music* besteht. Er beginnt vor einem Kino im Art-déco-Stil, in dem Etage für Etage, von oben nach unten, die Lichter angehen und die Namen der Künstler aufleuchten, deren Stimmen dem Film besondere Zugkraft verleihen sollten. Beim Hineingehen setzt sich der Vorspann im Foyer mit Aushangfotos fort, bis wir uns im eigentlichen Kinosaal befinden und ein Programmheft betrachten, das *Make Mine Music* als „Eine musikalische Fantasie in zehn Teilen" ankündigt. Der Vorhang geht auf, und wir sehen die Titel des ersten Teils.

Somit haben wir es bereits mit einem Film im Film zu tun, erkennbar nicht nur am ausführlichen Vorspann, sondern auch an den individuell gestalteten Plakaten, die jeden Teil vorstellen: witzige Pastellzeichnungen, deren jeweiliger Stil einen Vorgeschmack auf den anschließenden

13.09 ***Nicht produzierter Zeichenentwurf für Tintenfässer für „All the Cats Join In"***
13.10 ***Obwohl es dieser frühe Entwurf nicht ins fertige „All the Cats Join In" geschafft hat, erscheint die wellenförmig sich windende Klaviatur später in „After You've Gone".***

13.11

re große Hollywoodstudios florierten und sowohl der Umfang der Filmproduktion als auch die Zuschauerzahlen nie da gewesene Höhen erreichten, hatte Disney zu kämpfen, und *Make Mine Music* ist ein Ergebnis dieses Ringens.

Der erste Teil, „The Martins and the Coys: A Rustic Ballad" mit Worten und Musik von Al Cameron und Ted Weems und gesungen von den King's Men, hatte ein uramerikanisches Thema. Er warf einen satirischen Blick auf eine populäre Hinterwäldlerlegende über zwei sich bekriegende Familien. Die Animation entspricht mit ihren Braun-, Rot- und Grüntönen den volkstümlichen Inhalten. Sentimentalität, wovon die nachfolgenden Spielfilme umso mehr enthalten, ist hier dagegen kaum auszumachen.

Der zweite Teil, „Blue Bayou: A Tone Poem", ist ein stimmungsvolles Stück, dessen visuelle Kraft sich noch steigert, wenn die Musik erklingt, die es ursprünglich begleiten sollte: Debussys „Clair de Lune". Dieses Segment war als Erweiterung zu *Fantasia* gedacht, das Walt als ein sich ständig wandelndes Projekt betrachtete, oder aber als ein Musikstück für einen zweiten Konzertfilm. Doch dazu sollte es wegen wirtschaftlicher Schwierigkeiten nicht kommen.

Als Walt der Produktion von *Make Mine Music* schließlich zustimmte, war dieser Teil bereits fertig, doch in letzter Minute schrieben Bobby Worth und Ray Gilbert ein neues Lied. Eine sehr späte Entscheidung, wie ein vor dem Filmstart herausgegebenes Werbestandbild belegt: „In der Sequenz ‚Blue Bayou' erklingt das klassische ‚Claire (sic) de Lune'."

Film gibt. Sieht man diesen nicht in Gänze, entgeht einem der Charme dieser visuellen und verbalen Bindeglieder, denn im Rahmen von Fernsehsendungen werden die Segmente ohne diese einleitenden Titel gezeigt. Darüber hinaus verleihen sie dem Film einen stilistischen Zusammenhalt. Die Plakate und die musikalischen Motive sind die auf den ersten Blick einzigen wiederkehrenden Elemente des Films. Die Animation hingegen umfasst traditionelle Vollanimation, stilisierte Limited Animation und Spezialeffekte, die ans Abstrakte grenzen. Doch es gibt noch andere Faktoren, die den Film zusammenhalten.

„Wieder einmal ein absolut genialer neuer Disney:* Make Mine Music *… Unwiderstehlich dynamische Bilder, von wunderbarer und brillanter Erfindungsgabe."
Sergei Eisenstein

Die Musik reicht von populärer Klassik über Populärmusik bis hin zum Jazz. Aus heutiger Sicht zeigt dieses Potpourri aus Design, Stil, Animation und Musik, dass das Studio in der Nachkriegszeit nach neuen Ausdrucksformen suchte. Während ande-

13.11 ***Mary Blairs stilvoller Entwurf für „Two Silhouettes" ging nicht in die endgültige Version ein.***
13.12 ***Mary Blairs romantische Motive für die Ballettsequenz, in der Dinah Shore „Two Silhouettes" singt***

Die Grazie und Anmut der Animation ist bemerkenswert. Sie zeigt ruhende und fliegende Reiher und kontrastiert Hell und Dunkel mit Farbabstufungen von Tiefschwarz über Blautöne hin zu silberglänzendem Weiß.

Doch das Visuelle verlangt ein gleichartiges Feingefühl in der Musik. Als man „Blue Bayou" innerhalb einer Fernsehsendung mit dem ursprünglichen Debussy-Stück zeigte, war dies eine wahre Offenbarung.

„All the Cats Join In", der dritte Teil, ist ein gekonntes Beispiel für den Einsatz von Limited Animation. Ein Bleistift skizziert dieses von Alec Wilder, Ray Gilbert und Eddie Sauter geschriebene Jazzintermezzo, gespielt von Benny Goodman und seinem Orchester. Die Grafik beschränkt sich auf das Wesentliche. Man sieht eine Jugendliche, die in einem Drugstore Jive tanzt, der Stil ist pures Art déco, und die schnellen Szenenwechsel wirken, als risse ein Künstler

13.12

13.13

Seiten aus einem Skizzenbuch heraus. Schnelle Bewegungen und Farben folgen dem Rhythmus des Jazz, und das Finale zeigt eine explodierende Jukebox, aus der Musiknoten und Grammofonplatten regnen.

Es folgt „Without You" („Ohne Dich"), der Teil, der den meisten Kritikern am wenigsten gefiel. Virginia Wright nannte ihn in den *Los Angeles Daily News* „völlig uninspiriert", und David Rider hielt ihn für „klebrig".

Die Musik für „Without You" komponierte Osvaldo Farrés, die Texte stammen von Ray Gilbert. Mit drei Minuten und 45 Sekunden ist dieser Teil mit dem Untertitel „A Ballad in Blue" besonders kurz. Die Grundstimmung ist genau wie in „Blue Bayou" melancholisch, doch die Sentimentalität von Musik und Text ist gepaart mit üppigen Bildern. Weinende Weiden, ein unheimliches Fenster, Mond, Sterne und Wolken zerfließen. Die Farben sind Violett, Rosa, Smaragdgrün und Kirschrot, und das Studio verkündete: „Das An- und Abschwellen der Stimme und ihr charakteristisches Timbre verschmelzen vollständig mit Szenen im Sonnenschein und Regen ... Irgendwann wird es möglich sein, Stimmen Farben zuzuordnen, und dann wird man von violettem Flüstern sprechen, von braungrauem Stöhnen und orangefarbenen Schreien."

So umstritten das Ergebnis auch sein mag, hier wurde ein ernsthafter Versuch unternommen, das Medium weiterzuentwickeln. Man verzich-

13.13 ***Der Hintergrund für die Anfangssequenz von „Johnnie Fedora and Alice Bluebonnet", gesungen von den Andrews Sisters***
13.14–17 ***Die Finger eines Pianisten werden zu tanzenden Beinen, die über eine sich wild windende Klaviatur eilen, die schließlich auseinanderbricht und zerstiebt.***

tete auf Personen und Handlungsträger, alles Komische und sogar jedwede Geschichte im konventionellen Sinne wurden dabei weggelassen. Disneys Entschlossenheit, erfolgreiche Muster hinter sich zu lassen, ist nie ausreichend gewürdigt worden. Hier hat er es versucht – und ist gescheitert.

„Ich habe es mit diesen Episodenfilmen versucht ... Ich hatte eine Menge Ideen, die sich für Trickfilme eigneten, sofern ich diese auf 15 Minuten ausdehnen konnte."

Walt Disney

Der südamerikanische Komponist und die Farbgebung von „Without You" lassen vermuten, dass dieser Teil ursprünglich für die Südamerika-Filme vorgesehen war. So zeigt er Ähnlichkeiten zu „Baía", einer Sequenz aus *The Three Caballeros*. Auf jeden Fall spiegeln die Umrisse und Formen von „Without You" den damals angesagten Art-déco-Stil, und es ist bedauerlich, dass dieser Teil heute so selten zu sehen ist. Allein wegen seiner technischen Effekte lohnt es sich, ihn zu studieren.

Der folgende Teil, „Casey at the Bat: A Musical Recitation", erntete einiges Lob von den Kritikern, doch gehalten hat er sich schlecht. Trotz ihres Tempos bleibt diese Sequenz, zu der Jerry Colonna singt, eher blass. Die Animation ist plump, die Handlung holprig, die Charaktere werden (ähnlich wie in „The Martins and the Coys") nur knapp umrissen. Die achteinhalb Minuten ziehen sich spürbar in die Länge.

„Two Silhouettes: A Ballade Ballet" ist der sechste Teil des Films. Er verbindet Realfilm – die Silhouetten zweier Balletttänzer – mit Trickfilm, der vor allem Spezialeffekte wie Nebeldunst, Sterne, Disney-Feenstaub und so fort hervorzaubert. Hinzu kommen zwei Cupidos aus einem Herzen,

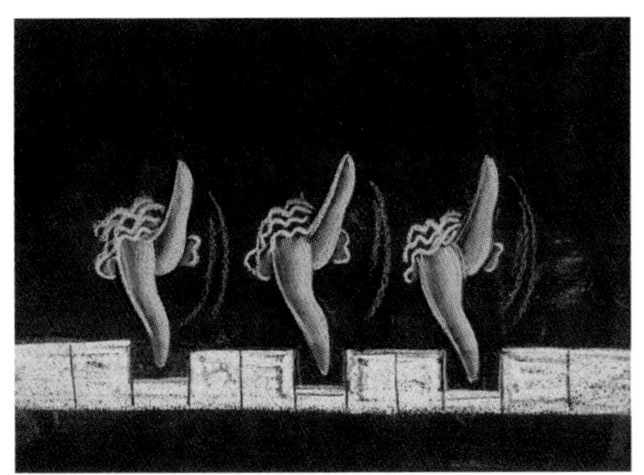

13.14

13.15

13.16

13.17

die sich aus *Fantasia* eingeschlichen haben, um uns zu verwirren.

„Dieser neueste abendfüllende Film der Disney-Studios gleicht einem Korb mit erlesenen Ostereiern – farbenfroh, bunt gemischt, dekorativ und stellenweise ein klein wenig fragwürdig.“

The New York Times

Hier nun der damalige offizielle Werbetext: „‚*Two Silhouettes*‘ ist eine einzigartige Verschmelzung der Künste in Form animierter Gemälde und kombiniert die mächtige Wirkung von Gesang mit der rhythmischen Anmut des Balletts. Dinah Shore wird das Titellied für diesen Teil singen, das Ballett wird choreografiert und getanzt von David Lichine und Tatiana Riabouchinska (von den Ballets Russes). Musik und Text schrieben Charles Wolcott und Ray Gilbert.“

Die stilistischen Inkongruenzen sind bemerkenswert: Klassisches Ballett wird kombiniert mit Trickfilm; Cupidos balancieren auf dem Bein einer Tänzerin; man sieht Vorhänge, Springbrunnen, Glitzerstaub und Gaze; die Farbgebung erinnert an Valentinskarten und Pralinenschachteln. Die Suche nach neuen Ausdrucksformen wirkt verkrampft.

Anstelle des satirischen Balletts in „The Dance of the Hours“ („Tanz der Stunden“) aus *Fantasia* haben wir es hier mit einer angeblichen Hommage an das Ballett zu tun, deren bunte Verpackung die innere Leere bloß kaschiert.

Auch Spezialeffekte und eine wirklich hervorragende Kamera – etwa wenn die Cupidos die Ballerina in den Himmel tragen – verhindern nicht, dass all dies banal wirkt. Allerdings ist diese Sequenz auch nicht schlimmer als andere

13.18

Musikfilme, die Hollywood zu jener Zeit hervorbrachte.

Immerhin probierte Disney neue Ideen aus, die oft innovativ und mutig waren, wenn auch nicht immer erfolgreich. Wie der Kritiker der *New York Times* bemerkte: „Dieser neueste abendfüllende Film der Disney-Studios gleicht einem Korb mit erlesenen Ostereiern – farbenfroh, bunt gemischt, dekorativ und stellenweise ein klein wenig fragwürdig."

Vergangene Erfolge wollte Walt nie wiederholen – und Erfolge hatte er zuhauf. In den 1930er-Jahren und bis zum Misserfolg von *Fantasia* war er der Liebling der Kritiker. Ein Triumph übertraf den nächsten, und all dies gipfelte in seinen Meisterwerken *Snow White and the Seven Dwarfs* und *Pinocchio*. Die Presse erging sich in Lobeshymnen. Als dann Dinge schiefgingen, kam eines zum anderen. Meiner Meinung nach spiegelt sich in diesen vergessenen Jahren die mutige Suche nach Innovationen für den Trickfilm. *Make Mine Music* ist ein Beleg dafür. Disney schoss am Ziel vorbei, und das Studio kehrte zum klassischen Material zurück. Das Experiment jedoch hatte man gewagt.

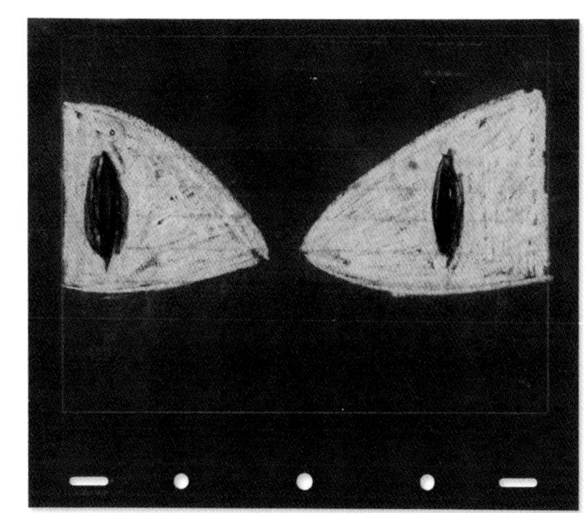

13.19

Der nächste Teil des Films ist vergleichsweise traditionell und wurde für den zweiten Konzertfilm konzipiert. Wie die besten früheren Disney-Werke besitzt er voll ausgearbeitete Charaktere und spielt in einer der wunderbarsten verschneiten Landschaften, die je für einen Trickfilm gemalt wurden. Die Rede ist von „Peter and the Wolf" („Peter und der Wolf"), das Prokofievs Musik adaptiert.

Einige Kameraeinstellungen sind überragend. Erinnern wir uns, wie der Wolf versucht, auf Peters Baum zu klettern, und mit seinen Krallen die Rinde zerfetzt. Leider wirkt die Erzählerstimme aufdringlich und lenkt vom Zauber der Bilder ab.

„After You've Gone" ist das Meisterwerk des Films. Benny Goodman und sein Quartett eilen musikalisch voran, doch die Animation hält Schritt. Die umherwirbelnden und sich ständig verwandelnden Instrumente tanzen durch surrealistische Himmel und Meere und lassen uns nach drei Minuten atemlos vor Bewunderung zurück. Piano (Teddy Wilson), Zimbeln (Cozy Cole), Kontrabass (Sid Weiss) und Klarinette (Benny Goodman) ändern laufend ihre Gestalt und lassen an frühere, fast abstrakte Disney-Arbeiten denken. Das Piano, das sich in Wellen auf und davon macht, erinnert an die abstrakten Muster der Bach-Sequenz in *Fantasia*. Die jähen Verformungen gleichen denen der rosa Elefanten in *Dumbo*. Doch „After You've Gone" ist voll und ganz eigenständig. Bei seiner Erstveröffentlichung wurde es von den Kritikern überschwänglich gelobt.

„Johnnie Fedora and Alice Bluebonnet" ist einer der wenigen Disney-Filme, der in einer Stadt voller Gewalt spielt. Die Geschichte zweier verliebter Hüte beginnt mit einem riesigen Mond über einem Stadthaus, an dem die Kamera dann hinab zu einem Schaufenster fährt. Wir folgen nun dem Leidensweg des Hutes Johnnie, der die Stadt nach Alice absucht:

13.18 ***Ein Standbild aus „Peter and the Wolf". Peter macht sich auf in eine stimmungsvolle russische Schneelandschaft, um den Wolf zu jagen.***
13.19 ***Früher Entwurf für eine Nahaufnahme der Furcht einflößenden, gelb leuchtenden Augen des Wolfs***

13.20

He looked for her uptown and downtown
and crosstown
From the Brooklyn Bridge to the Jersey Shore,
And it all seemed in vain till he heard the
refrain
That Alice had sung of yore.

Johnnie wird mehrfach überfahren, streunende Hunde schnappen nach ihm, und ein betrunkener Landstreicher nimmt ihn mit in eine zwielichtige Spelunke. Nach einer Schlägerei wird dieser von der Polizei verhaftet. Johnnie landet im Rinnstein, wird durch die Straßen geweht und um ein Haar in die Kanalisation gespült. Ist das wirklich Disney? Ja, und natürlich gibt es ein Happy End, doch Frust und Verzweiflung herrschen vor. Limited Animation und sparsamer Einsatz von Hintergrunddetails und Farben erzeugen eine expressionistische Atmosphäre und unterstreichen so die Spannung, Ruhelosigkeit, Unsicherheit und Isolation in der Stadt – trotz des angenehmen Geträllers der Andrews Sisters, die ein Lied von Allie Wrubel und Ray Gilbert zum Besten geben. Und all das in nur etwas mehr als sieben Minuten.

Der letzte Teil des Films, „The Whale Who Wanted to Sing at the Met" („Der Wal, der in der Met singen wollte"), ist so lang wie „Peter and the Wolf" (14 Minuten und 30 Sekunden) und der tragischste aller Disney-Filme. Die Hauptfigur Willie stirbt am Ende, und obwohl wir ihn mit Harfe, Engelsflügeln und Heiligenschein im Himmel sehen, sind wir doch überwältigt von Trauer. Willie ist derart beeindruckend animiert, seine Persönlichkeit wirkt so realistisch und sein geträumtes erfolgreiches Debüt in der Metropolitan Opera so überzeugend, dass wir völlig schockiert sind, als wir in die „Realität" zurückkehren, in der ein verblendeter Impresario Willie im Meer harpuniert, da er glaubt, Willie habe drei Opernsänger verschluckt.

„Nun wird Willie nie an der Met singen ... Denn Willies Gesang war ein Wunder, und die Menschen sind Wunder nicht gewohnt."

Nelson Eddy, am Ende von *Make Mine Music*

Dieser Teil von *Make Mine Music* ist übermütig und satirisch. Wie schon in „The Dance of the Hours" aus *Fantasia* macht auch er sich mit den Mitteln der Inkongruenz und Karikatur über die Oper lustig. Nelson Eddy spricht und singt alle Stimmen, auch die einer zwergenhaften Sopranistin, die ein Wagner-Duett mit Willie darbietet. Eddy erzählt vorbildlich zurückhaltend, die Farben sind hell, aber nicht aufdringlich, die Komik ist reizend und die Dramatik intensiv.

Bevor *Make Mine Music* in den 1990er- und 2000er-Jahren als Video und DVD veröffentlicht wurde, war der Film genau wie sein Soundtrack nicht wieder herausgegeben worden. Auch Bildmaterial war höchst selten in Büchern zu finden, und nur ein oder zwei Teile wurden nach der ersten Spielzeit gezeigt. Dass man diesen Film jedoch als Ganzes sehen und beurteilen sollte, konnte ich hoffentlich deutlich machen. Erstaunlich konstante Themen, die bei der Erstveröffentlichung praktisch unbemerkt blieben, kehren wieder. Die lebensbejahenden Themen in *The Three Caballeros* wurden ersetzt durch das Thema Verlust, Verlust von Liebe und des Geliebten. Dieses Motiv erscheint in acht Teilen, und in dreien davon dominiert der Tod. Auch der satirische Witz – in späteren Disney-Filmen nicht zu finden (außer in *One Hundred and One Dalmatians / Pongo und Perdi – Abenteuer einer Hundefamilie* und *The Jungle Book / Das Dschungelbuch*) – ist in sieben Teilen ein verbindendes und erfrischendes Element.

Make Mine Music richtet sich gleichermaßen an Herz und Verstand. Seinen intellektuellen Reiz verdankt es unter anderem Produktionsleiter Joe Grant, einem Künstler mit Hang zur Satire. (Grant war verantwortlich für die Parodie auf Mae West in *Who Killed Cock Robin? / Wer schoss auf Robin?*.) Ebenso verdanken wir ihn Jack Kinney (Regisseur zahlreicher berühmter „How-To"-Kurzfilme mit Goofy), der bei vier Teilen Regie führte. Doch wie immer bei Disney-Werken ist es müßig, Einzelpersonen hervorzuheben. Der Film ist ein Zeugnis dessen, was das Studio 1946 kollektiv geleistet hat, daher sollte man ihn auch als Gemeinschaftsarbeit beurteilen.

In *The Spectator* nannte Alexander Shaw den Film „eine willkommene Abwechslung ... (Disney) hat keine Angst davor, sich von den Arbeiten anderer beeinflussen zu lassen". Der Eklektizismus, die nervöse Spannung, die Unsicherheit, das Experimentieren, die Satire und der Witz, das Fehlen von Sentimentalität, die Trauer, die Melancholie und der Verlust, all das ist in *Make Mine Music* enthalten. Vieles davon wurde danach verworfen, und die späteren Filme wirken gemeinhin konservativer, weniger schroff und weniger beunruhigend.

13.20 ***Entwürfe für „The Whale Who Wanted to Sing at the Met", in dem Nelson Eddy mit unterschiedlichen Stimmen spricht und singt***
13.21 ***Hintergrundentwurf für ein Titelbild des Time-Magazins, das von Willies Erfolg als Mephisto berichtet***

13.21

Fröhlich, frei, Spaß dabei

Fun and Fancy Free (1947)

Synopsis
Zwei Geschichten in einer: die Adaption von Sinclair Lewis' Erzählung um einen Zirkusbären, den es zurückzieht in die Natur, und das Märchen *Jack and the Beanstalk (Jack und die Bohnenranke)* mit Micky (orig. Mickey), Donald und Goofy in den Hauptrollen. Des Showgeschäfts überdrüssig, wagt Bongo der Bär die Flucht aus dem Zirkus und stellt bald fest, dass er keinen Baum hochklettern kann und sich von Waldgeräuschen um den Schlaf bringen lässt. Seinem Rückweg zur Zivilisation stellt sich das Bärenmädchen Lulubelle entgegen, mit der recht verwirrenden Annäherung über einen kleinen Schlag. Von dieser alten Sitte weiß Bongo nichts: Liebeserklärungen machen Bären mit einer Ohrfeige. Ebenso wenig weiß Micky, der mit seinen Freunden Donald und Goofy Hunger leidet, über den Tauschwert seiner Kuh: Die Bohnen, die er und seine Freunde für ihren einzigen Besitz bekommen, wachsen über Nacht zur Bohnenranke und führen sie geradewegs über die Wolken – gerade rechtzeitig, um eine Singende Harfe aus den Klauen des bösen Riesen Willie zu befreien.

ERSTAUFFÜHRUNG USA 27. September 1947
ERSTAUFFÜHRUNG D 19. Juli 1992 (im TV unter dem Titel *Micky, Donald und Goofy im Märchenland*)
WEITERE TITEL *Disneys wackere Helden*
LAUFZEIT 73 Minuten

Besetzung
EDGAR BERGEN
LUANA PATTEN
CHARLIE MCCARTHY
MORTIMER SNERD

Stimmen
ERZÄHLER DINAH SHORE
SINGENDE HARFE ANITA GORDON
JIMINY GRILLE CLIFF EDWARDS
DER RIESE WILLIE BILLY GILBERT
MICKEY MOUSE, LUMPJAW JIM MACDONALD
DONALD DUCK CLARENCE NASH
GOOFY PINTO COLVIG
ALS SIE SELBST THE KING'S MEN
ALS SIE SELBST THE DINNING SISTERS
ALS SIE SELBST THE STARLIGHTERS

Stab
PRODUCTION SUPERVISOR BEN SHARPSTEEN
REGIE REALAUFNAHME WILLIAM MORGAN
REGIE CARTOONSEQUENZEN JACK KINNEY, BILL ROBERTS, HAMILTON LUSKE
STORY HOMER BRIGHTMAN, HARRY REEVES, TED SEARS, LANCE NOLLEY, ELDON DEDINI, TOM OREB, „BONGO" NACH DER ORIGINALGESCHICHTE VON SINCLAIR LEWIS
LEITENDE ANIMATOREN WARD KIMBALL, LES CLARK, JOHN LOUNSBERY, FRED MOORE, WOLFGANG REITHERMAN
CHARACTER ANIMATOREN HUGH FRASER, PHIL DUNCAN, JUDGE WHITAKER, ART BABBITT, JOHN SIBLEY, MARC DAVIS, HARVEY TOOMBS, HAL KING, KEN O'BRIEN, JACK CAMPBELL
HINTERGRÜNDE ED STARR, CLAUDE COATS, ART RILEY, BRICE MACK, RAY HUFFINE, RALPH HULETT
LAYOUT DONALD DAGRADI, AL ZINNEN, KEN O'CONNOR, HUGH HENNESY, JOHN HENCH, GLENN SCOTT
ANIMATION SPEZIALEFFEKTE GEORGE ROWLEY, JACK BOYD
MUSIKALISCHE LEITUNG CHARLES WOLCOTT
FILMMUSIK PAUL SMITH, OLIVER WALLACE, ELIOT DANIEL
LIEDER RAY NOBLE, WILLIAM WALSH, BUDDY KAYE, BOBBY WORTH, BENNIE BENJAMIN, GEORGE WEISS, ARTHUR QUENZER
KAMERA REALAUFNAHMEN CHARLES P. BOYLE, A.S.C.
FILMSCHNITT JACK BACHOM
SPEZIELLE KOPIEREFFEKTE UB IWERKS
TON C.O. SLYFIELD
TONINGENIEUR HAROLD J. STECK, ROBERT COOK
TECHNICOLOR FARBBERATUNG NATALIE KALMUS
MITARBEIT MORGAN PADELFORD

FULL-LENGTH
MUSICAL CARTOON FEATURE

Walt Disney's
"Fun and Fancy Free"

Color by TECHNICOLOR

featuring EDGAR BERGEN DINAH SHORE

Released through
R.K.O RADIO PICTURES, INC.

© W.D.P.

14.01

14.02

14.05

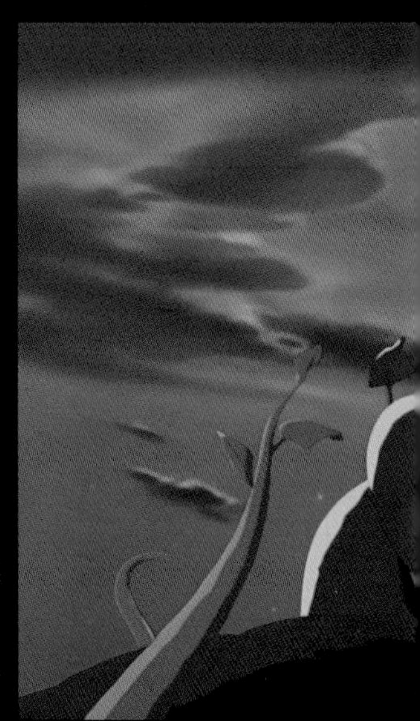

14.03

14.04

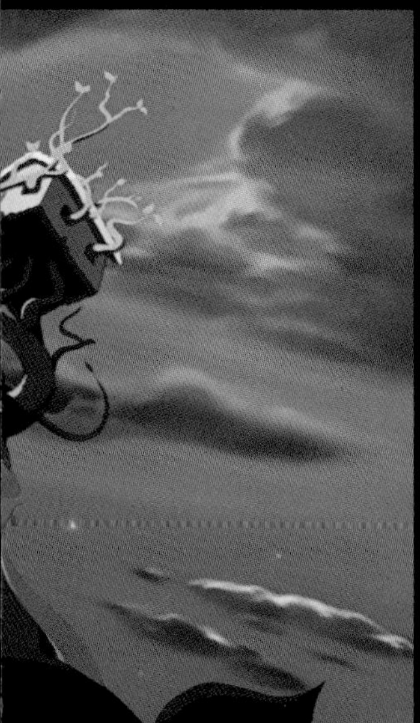
14.06

14.07

14.09

14.08

14.01 ***Filmplakat für die erste – und einzige – US-amerikanische Aufführung von*** **Fun and Fancy Free**
14.02–07 ***Einzelbilder aus dem fertigen Kinofilm***
14.08 ***Jiminy Grille spielt den eleganten Gastgeber, wie hier in einem Cel-Setup zu sehen; eine Rolle, die er noch vielfach in Lehrfilmen und Fernsehauftritten wiederholen sollte.***
14.09 ***Bongo genießt eine erste Begegnung mit der Wildnis auf diesem Story Sketch.***

„Die meisten Kinogänger werden Disneys Rückkehr zum ‚elementaren Disney-Film‘ begrüßen, das heißt zum unkomplizierten Zeichentrickspaß, aber angesichts Bongos ungewöhnlicher Entstehung kurz staunen: eine großartige Kurzgeschichte von Sinclair Lewis.“

Life-Magazin

14.10

14.11

14.10 ***Es ist kein Luftschloss, das sich Micky, Goofy und Donald über den Wolken auftut: Storygemälde aus dem Segment „Jack and the Beanstalk“.***
14.11 ***„My, What a Happy Day“: Ein farbiger Story-Sketch gibt eine Vorstellung vom Auftritt der Singenden Harfe.***
14.12 ***Dieses aufwendige Storygemälde bestimmt als Farbkonzept den visuellen Gesamteindruck des Segments „Mickey and the Beanstalk“.***

„Es gibt darin eine Stelle, die nach dem Geschmack der Kenner sein dürfte. Das ist die Stelle, in der die Bohnenranke sprießt und sich dem Himmel entgegenstreckt, sich windet und im Mondschein gleitet zum Rhythmus einer Flötensymphonie.“
Bosley Crowther

14.12

Musik, Tanz und Rhythmus

Melody Time (1948)

Synopsis
Das 1948 veröffentlichte *Melody Time* war Disneys letzter und vermutlich bester animierter Episodenfilm, bevor man zwei Jahre später mit *Cinderella* zu langen Spielfilmen mit durchgängiger Handlung zurückkehrte. Wie bei *Make Mine Music* engagierte man für die Musik einige populäre Unterhaltungskünstler, und obgleich den unterschiedlichen Episoden ein verbindendes Element fehlt, überzeugen „Johnny Appleseed" („Hänschen Apfelkern"), „Little Toot" („Das Bötchen Toot") und „Pecos Bill" („Pecos Bill und der Wilde Westen") mit starken Geschichten. Zudem enthält der Film das visuell wunderbare „Once upon a Wintertime" („Winterzauber"), das herrlich animierte „Trees" („Poesie der Bäume") sowie mit „Bumble Boogie" („Hummelflug") und „Blame It on the Samba" („Donald im Sambafieber") zwei der fantasievollsten und aufregendsten Beispiele experimenteller Animation, die die Disney-Studios in den 1940er-Jahren schufen.

ERSTAUFFÜHRUNG USA 27. Mai 1948
ERSTAUFFÜHRUNG D 9. August 1952
LAUFZEIT 75 Minuten

Besetzung
ROY ROGERS
LUANA PATTEN
BOBBY DRISCOLL
ETHEL SMITH
BOB NOLAN
SONS OF THE PIONEERS

Stimmen
PRÄSENTATOR BUDDY CLARK
ALS SIE SELBST THE ANDREWS SISTERS
ALS SIE SELBST FRED WARING AND HIS PENNSYLVANIANS
ALS SIE SELBST FRANCES LANGFORD
HÄNSCHEN APFELKERN / HÄNSCHENS ENGEL DENNIS DAY
ALS SIE SELBST FREDDY MARTIN UND SEIN ORCHESTER MIT JACK FINA

Stab
LIEDER KIM GANNON, RAY GILBERT, ALLIE WRUBEL, BENNY BENJAMIN, WALTER KENT, JOHNNY LANGE, BOBBY WORTH, GEORGE WEISS
PRODUCTION SUPERVISOR BEN SHARPSTEEN
REGIE CARTOON CLYDE GERONIMI, WILFRED JACKSON, HAMILTON LUSKE, JACK KINNEY
STORY WINSTON HIBLER, HARRY REEVES, KEN ANDERSON, ERDMAN PENNER, HOMER BRIGHTMAN, TED SEARS, JOE RINALDI, ART SCOTT, BOB MOORE, BILL COTTRELL, JESSE MARSH, JOHN WALBRIDGE, NACH DEM BUCH *LITTLE TOOT* VON HARDIE GRAMATKY UND DEM GEDICHT „TREES" VON JOYCE KILMER
BERATUNG ZUR FOLKLORE CARL CARMER
LEITENDE ANIMATOREN ERIC LARSON, WARD KIMBALL, MILT KAHL, OLLIE JOHNSTON, JOHN LOUNSBERY, LES CLARK
CHARACTER ANIMATOREN HARVEY TOOMBS, ED AARDAL, CLIFF NORDBERG, JOHN SIBLEY, KEN O'BRIEN, JUDGE WHITAKER, MARVIN WOODWARD, HAL KING, DON LUSK, RUDY LARRIVA, BOB CANNON, HAL AMBRO
HINTERGRÜNDE ART RILEY, BRICE MACK, RALPH HULETT, RAY HUFFINE, MERLE COX, DICK ANTHONY
LAYOUT HUGH HENNESY, KEN O'CONNOR, AL ZINNEN, DON GRIFFITH, MAC STEWART, LANCE NOLLEY, ROBERT CORMACK, THOR PUTNAM, DONALD DAGRADI
ANIMATION SPEZIALEFFEKTE GEORGE ROWLEY, JACK BOYD, JOSH MEADOR, DAN MACMANUS
FARBE UND STYLING MARY BLAIR, CLAUDE COATS, DICK KELSEY
ORCHESTRIERUNG REGIE ELIOT DANIEL, KEN DARBY
MITARBEIT PAUL SMITH
BESONDERE MUSIK VIC SCHOEN, AL SACK
TECHNICOLOR FARBBERATUNG NATALIE KALMUS
MITARBEIT MORGAN PADELFORD, ROBERT BROWER
KAMERA REALAUFNAHMEN WINTON C. HOCH, A.S.C.
SPEZIELLE VERFAHREN UB IWERKS
FILMSCHNITT DONALD HALLIDAY, THOMAS SCOTT
TON C.O. SLYFIELD
TONINGENIEUR ROBERT O. COOK, HAROLD J. STECK

Walt Disney's
Great NEW TECHNICOLOR
Musical Comedy
FOR YOUR
ALL-TIME
GOOD TIME!
MELODY
TIME
7
WONDERFUL SONGS
played and sung by
ROY ROGERS · DENNIS DAY
THE ANDREWS SISTERS
FRANCES LANGFORD
FREDDY MARTIN · ETHEL SMITH
BUDDY CLARK · FRED WARING
AND HIS PENNSYLVANIANS
SONS OF THE PIONEERS
The DINNING SISTERS
JACK FINA · LUANA PATTEN
and BOBBY DRISCOLL
1A Released thru RKO RADIO PICTURES
© W.D.P.
48/1150

15.01

15.02

15.05

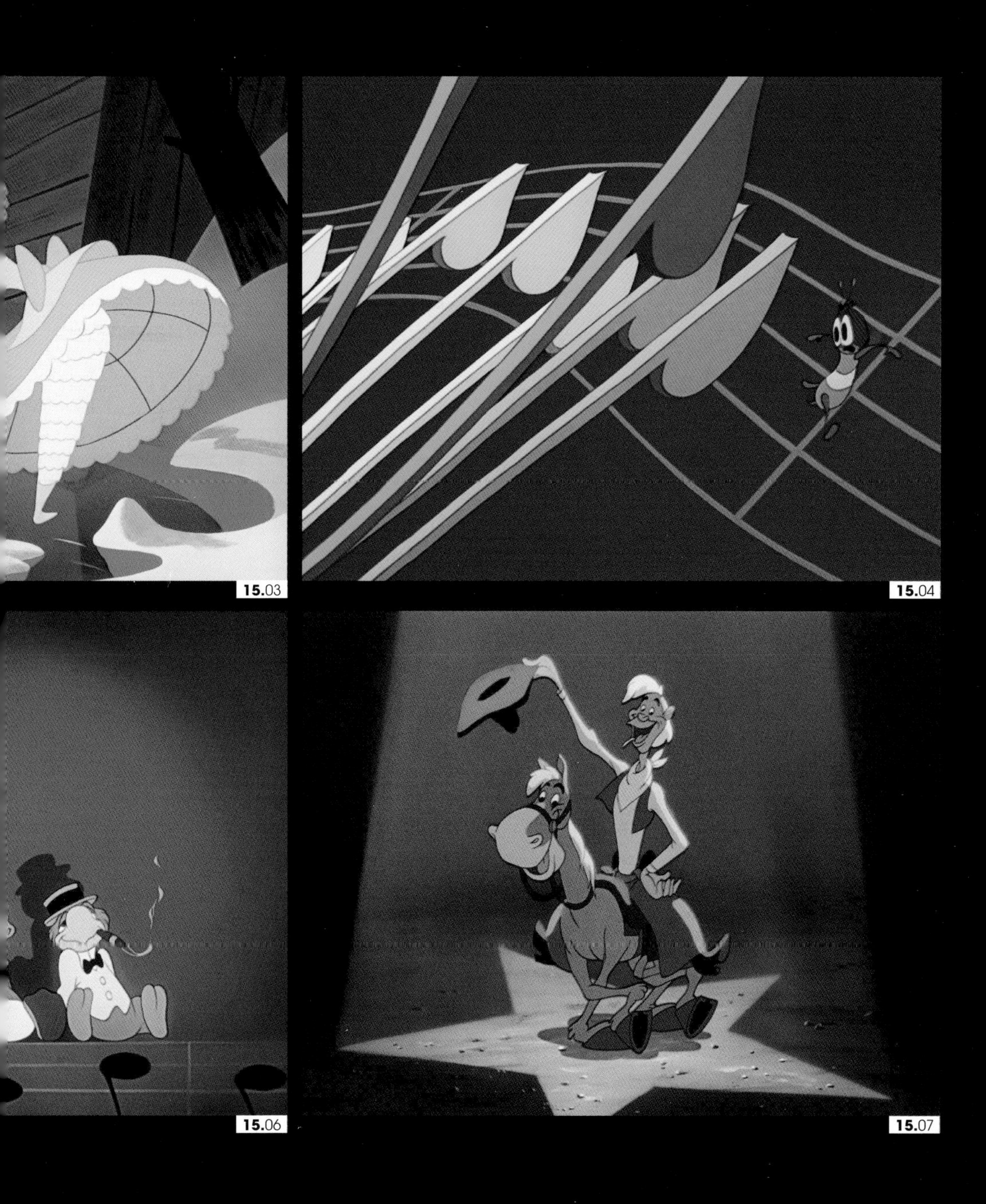
15.03
15.04
15.06
15.07

Erkennen Sie die Melodie? Eine neue Sicht auf *Melody Time*

Von Robin Allan

Wie zuvor schon *Make Mine Music* (1946) blieb auch *Melody Time*, das 1948 in die Kinos kam, jahrzehntelang eines von Walt Disneys vernachlässigten Trickfilmwerken. Weder bei Kritikern noch kommerziell war der Film ein Erfolg. Er wurde nie als Ganzes wiederveröffentlicht und fand bei Filmkritikern nicht die Beachtung, die er verdiente. Der Krieg und die psychisch und wirtschaftlich verheerenden Folgen des Studiostreiks von 1941 trugen dazu bei, dass Disney nicht mehr wusste, wie es mit dem abendfüllenden Trickfilm weitergehen sollte. Dennoch gab es brauchbare Ideen für Trickfilme, aber für einen Spielfilm in voller Länge reichten sie nicht aus. So wurde dies eine Zeit der Experimente und schwierigen wirtschaftlichen Entscheidungen.

Einen ersten Episodenfilm hatte das Studio bereits 1940 mit *Fantasia* produziert, das bei späteren Veröffentlichungen immer wieder verändert werden sollte. Doch Disney und der Dirigent Leopold Stokowski verliehen dem Film einen solchen Zusammenhalt, dass der Eindruck einer losen Zusammenstellung gar nicht erst aufkam. *Fantasia* wurde nie verändert – eine dafür vorgesehene zusätzliche Sequenz verwendete man schließlich in *Make Mine Music*. Der eigentliche Eklektizismus begann mit *The Reluctant Dragon* (*Walt Disneys Geheimnisse*, 1941). All diese Filme sind interessant, doch keiner experimentiert so beherzt mit dem Trickfilmgenre wie *Melody Time*. Gleichwohl fehlt ihm die musikalische Qualität von *Make Mine Music*. *Melody Time* enthält keine hervorragenden Lieder, und die Filmmusik ist nicht einprägsam. Doch wie bei seinem Vorgänger variieren Stil und Qualität der einzelnen Teile deutlich. Zu entdecken gibt es zahlreiche Effekte und Techniken, von kompletter Figurenanimation – was von dem Studio, das

15.01 ***Auf dem Plakat für* Melody Time *dominieren der legendäre Cowboy Pecos Bill sowie die Namen der prominenten Musiker.***
15.02 ***Der Vorspann unterstreicht den musikalischen Inhalt von* Melody Time *durch Notenlinien, vor denen die Credits erscheinen. Einzelbild.***
15.03 ***„Once upon a Wintertime", Einzelbild***
15.04 ***„Bumble Boogie", Einzelbild***
15.05 ***„Trees", Einzelbild***
15.06 ***„Blame It on the Samba", Einzelbild***
15.07 ***„Pecos Bill", Einzelbild***
15.08 ***Die Entwürfe von Mary Blair hatten entscheidenden Einfluss auf den Stil mehrerer Episoden, unter anderem auf die animierten Abenteuer der jungen Verliebten (und der beiden Hasen) in „Once upon a Wintertime".***

so viele berühmte Figuren erfunden hatte, auch nur zu erwarten war – bis zu extrem surrealer und expressionistischer Animation.

Es waren keine Jahre, auf die die Animatoren, die damals schon länger dabei waren, gerne zurückblickten. Manche meiner Interviewpartner erinnerten sich an eine Zeit voller Verunsicherung und Unruhe. Einige der Animatoren sprachen sich damals offen gegen Walts Experimente aus. Sie hatten während Disneys goldener Jahre Denkwürdiges geleistet, doch die Experimente und Kreativität der 1940er-Jahre wollten sie nicht mittragen. Künstler, die in den 1930er-Jahren voller Enthusiasmus die Trickfilmtechnik in neue Höhen getrieben hatten, verließen das Studio. Diejenigen, die Disney die Treue hielten, waren älter und stemmten sich gegen den Wandel. Sie waren nur allzu froh, als sie zur kompletten Figurenanimation und zu durchgängig erzählten, langen Spielfilmen zurückkehren konnten.

Sowohl Frank Thomas als auch Ollie Johnston bestätigten mir dies 1985 und 1986 in Interviews. Milt Kahl, ein genialer Künstler, der es schon mal wagte, Walt offen zu widersprechen, schrie beispielsweise: „Wozu zum Teufel produzierst du solchen Müll?", als er die Entwürfe für „Bumble Boogie" sah, die wohl innovativste Sequenz von *Melody Time*.[1]

Melody Time spiegelt diese Spannungen und die Unsicherheit im Studio. Ihm fehlt der Zusammenhalt von *Make Mine Music*, und er kommt dem Vorgänger nur in wenigen Momenten nah. Auch dessen Traum- und Fantasieelemente mit Motiven wie Verlust, Sehnsucht und tragische Trennung kehren hier nicht wieder. Ein thematischer Zusammenhang lässt sich nicht ausmachen, obwohl es augenscheinlich um amerikanische Helden geht. Lässt sich in der Werbung des Studios nicht sogar eine Spur Verzweiflung erkennen? „Die Aneinanderreihung unwiderstehlicher, heiterer, mitreißender Abenteuer zu einem harmonischen Film ... der sich in seinem Kern um amerikanische Legenden dreht – um die mächtigen Männer unserer nationalen Mythologie ..."

Der Krieg war vorbei. Walt hatte seinen Blick vorerst von Europa abgewandt und suchte Inspirationen in seinem eigenen Land. Fünf der sieben Teile von *Melody Time* basieren auf amerikanischer Überlieferung und Populärkultur, und im Vorspann erscheint der Name des „Folkloreberaters" Carl Carmer. Romantische Liebe und

15.08

15.09

einen Vorhang, durch den wir in die Dunkelheit eintauchen. Erst dann malt der Pinsel den Titel des ersten Teils: „Once upon a Wintertime". Was für eine verblüffende Vielfalt an Stilen und Motiven in kürzester Zeit! Wir scheinen einem Konzert beizuwohnen (der Notenständer), einem Maler bei der Arbeit zuzusehen (die Staffelei und der Pinsel), ins Theater zu gehen (die Bühne) und schließlich in einer Varietévorstellung zu sitzen (die Masken und der Zeremonienmeister). Genau wie die einzelnen Episoden stehen auch hier die Stile unverbunden nebeneinander, der Vorspann spiegelt gleichsam das Unentschlossene des Films.

„Once upon a Wintertime", gesungen von Frances Langford, ist eine stilisiert dargestellte Geschichte von junger Liebe auf dem Eis. Seine Entsprechung findet das verliebte Paar in zwei Hasen, die bis zu einem zugefrorenen Fluss auf dem Schlitten der beiden mitfahren. Später werden die junge Frau und die Häsin auf einer Eisscholle davongetrieben (man denkt sofort an Paul Grimaults bezaubernden Trickfilm *Le Petit Soldat*, 1947), doch die Tiere eilen zur Rettung herbei, und es gibt ein Happy End.

Es wurde behauptet, dieser Teil bestehe aus Limited Animation, doch das stimmt nicht ganz. Sämtliche Figuren sind, wenn auch stilisiert, voll-

die Trauer um deren Verlust verbindet zwei der Sequenzen. Bei den anderen ist kein Zusammenhang erkennbar.

Der bezaubernde Vorspann und die überleitenden Art-déco-Titel seines Vorgängers kamen bei *Melody Time* nicht wieder zum Einsatz. Stattdessen sehen wir nun einen animierten Pinsel (ein Motiv, das man bereits aus der Frühzeit des Trickfilms kennt), der die Titel der sieben Episoden malt. Der Vorspann beginnt mit einem Notenständer, auf dem Blätter zur Seite hin verschwinden. Die Szene wechselt zu einer Staffelei, einem Pinsel, der eine Theaterbühne und eine animierte Maske malt. Dieser leiht Buddy Clark als „Zeremonienmeister" seine Stimme. Er und drei weibliche Masken öffnen mithilfe ihrer Halstücher

15.09 ***Ein Werk von Richard „Dick" Kelsey für die stilisierte Animation zu Joyce Kilmers Gedicht „Trees"***

15.10 ***„Bumble Boogie", mit einem vom amerikanischen Bandleader Freddy Martin verjazzten „Hummelflug", zeigt die albtraumhaften Erlebnisse einer kleinen Biene, die in einer sich ständig verändernden Fantasielandschaft gegen animierte Musikinstrumente kämpft.***

ständig animiert. Limitiert ist hingegen die Effects Animation von Wasser, Eis, Landschaft und Himmel, was für einige wunderbar expressionistische Momente sorgt.

Die Landschaft wird blau und spiegelt damit das Elend des jungen Mannes. Später verfinstert sich die Umgebung, und dunkle Wolken verfolgen ihn, als er zur Rettung eilt. Das Interessante an dieser Sequenz sind die durch klare Linien stilisierten Tiere und die Landschaft, Letztere inspiriert von Entwürfen Mary Blairs. In den zehn Jahren zwischen 1943 und 1953 waren Blairs Arbeiten für Disney von großer Bedeutung. Gemeinsam mit Claude Coats und Dick Kelsey wird sie unter „Farbgebung und Design" im Vorspann genannt. Die menschlichen Figuren sind wie immer weniger gelungen: zu naturalistisch, um lustig zu sein, aber nicht so sehr karikiert oder stilisiert, als dass sie mit den wunderbaren Hintergründen mithalten könnten.

„Weißt du noch, es war Dezember, alle Wege rings verschneit, für uns beide war's die schönste Winterzeit."

Bobby Worth und Ray Gilbert, „Once upon a Wintertime"

„Bumble Boogie" besteht durchgängig aus abstrakter und surrealer Animation und dürfte jene verblüffen, die ausschließlich die „klassische" Disney-Animation gewohnt sind. Andererseits ist die Sequenz wenig überraschend für ein Publikum, welches das Jazzzwischenspiel „After You've Gone" aus *Make Mine Music* kennt, denn „Bumble Boogie" gehört zum selben Genre. Freddy Martin und sein Orchester verwandeln Rimski-Korsakows „Hummelflug" in einen Boogie-Woogie. Am Klavier sitzt Jack Fina, und ebendieses Klavier wird zum Gegner der kleinen Biene, für die sich die natürliche Welt der Blumen und Blätter in einen Albtraum aus Musikinstrumenten verwandelt.

Die Geschwindigkeit ist furios, die Bilder wechseln abrupt von abstrakten Formen zu surrealen Landschaften. Klaviertasten verwandeln sich in Blütenblätter, eine sich windende Treppe, eine Raupe und eine übergroße Kobra, bleiben jedoch stets als Tasten erkennbar. Wie in *Make Mine Music* werden wir an die Einflüsse des abstrakten Künstlers Oskar Fischinger und des Surrealisten Salvador Dalí erinnert, die beide kurz für Disney gearbeitet haben.

„Bumble Boogie" ist ein brillantes Beispiel für experimentelle Animation – wild, befreit, fiebrig. Die Disney-Studios sollten nie mehr etwas Vergleichbares produzieren, und Animatoren tun gut daran, diese gerade einmal drei Minuten dauernde Sequenz genau zu studieren – selbst die Raffinesse des späteren Trickfilmkünstlers Jan Švankmajer verblasst dagegen.

„Johnny Appleseed" erzählt die Geschichte des historischen John Chapman (1774–1845), der ganz alleine in den amerikanischen Westen zog, angeblich nur mit Apfelkernen und einer Bibel im Gepäck. Mutig pflanzt er Apfelbäume in Ohio und Indiana und wirft dabei einen riesigen Schatten über das Land. Er trotzt unheimlichen Wäldern, Unwettern und wilden Tieren, bis er

15.10

friedlich unter einem Apfelbaum stirbt und sein Schutzengel ihn bittet, auch im Himmel Bäume zu pflanzen.

Fasst man die Episode derart zusammen, wirkt sie durchaus rührselig, und ganz gewiss mangelt es ihr nicht an Sentimentalität. Dennis Day jedoch erzählt und singt wunderbar zurückhaltend. Die Lebensgeschichte des wahren John Chapman war in der Tat erstaunlich. Im *Harper's New Monthly Magazine* schrieb W. D. Haley 1871 Folgendes:

> „Selbst in der größten Kälte ging er barfuß ... seine Kleidung bestand im Wesentlichen aus einem Kaffeesack, in den er für Kopf und Arme Löcher schnitt und den er als ‚äußerst praktischen Mantel und für jedermann völlig ausreichend' bezeichnete. Auch bezüglich seiner Kopfbedeckung bewies er einen besonderen Geschmack. Zunächst versuchte er es mit einem Blechtopf, in dem er seinen Brei kochte ... Derart eigentümlich gekleidet, wanderte er unablässig durch Wälder und Sümpfe und tauchte oft unvermittelt in weißen Siedlungen und Indianerdörfern auf ... Die Indianer behandelten Johnny mit größter Freundlichkeit, und ... mit seinem Anliegen, Tiere vor Misshandlung und Leid zu bewahren, war er ein Vorläufer des guten Mr Bergh (dieser gründete 1866 die American Society for the Prevention of Cruelty to Animals, den Tierschutzbund der Vereinigten Staaten), dem er – in kleinerem Rahmen zwar – mit seinem Eifer in nichts nachstand."[2]

Ich habe mir erlaubt, ausführlich aus diesem faszinierenden Bericht über John Chapman zu zitieren, da er der wahrheitsgetreuen Geschichte, die die Disney-Künstler schufen, besonderes Gewicht verleiht. Walt Disney traf sogar die Ururgroßnichte von John Chapman, Patricia Rudd Speed, und ließ sich von ihr die Legende ihres Ahnen erzählen.

Erneut spielt die Geschichte vor Mary Blairs bezaubernden Hintergründen, die Claude Coats und seine Kollegen sparsam in Szene setzten. Sie ergänzen und stützen die Geschichte wirkungsvoll, statt sie zu überwuchern, wie es elf Jahre später in *Sleeping Beauty (Dornröschen)* geschehen sollte. Die leuchtenden Farben und die bewusst geringe Tiefe erinnern an die Bilder von Grandma Moses, zudem an Henri Rousseau und Gauguin.

Die Landschaft ist hier ein Teil der Geschichte, was der Grund dafür sein mag, dass die Animatoren mit dieser Episode ihre Schwierigkeiten hatten, wie mir Frank Thomas bestätigte. Der Widerstreit zwischen Figuren und Landschaft lässt sich an diesem Auszug aus einer Storykonferenz ablesen, in der Walt forderte, Blairs Entwürfe zu

15.11

betonen: „Eine Reihe von Bildelementen. Manche von diesen Entwürfen von Mary, bei denen man in einer Szene verweilen, sie einfangen kann, ihre Schönheit.“[3]

Marc Davis, einer von Disneys Nine Old Men, erzählte mir, dass Blair „Dinge schaffen konnte, die kein Farbkünstler, nicht einmal Matisse, hinbekommen hätte. Sie hatte sehr schlechte Augen und besaß sieben Brillen und Kontaktlinsen. Ihre Farben trug sie in sich – ganz selbstverständlich ... unsere Leute wussten nicht, was sie mit ihren Bildern, der klaren Farbgebung anfangen sollten ...“.[4]

Abschließend noch zwei Anmerkungen zu dieser Episode, die mit 17 Minuten die längste des Films ist. Die Geschichte konzentriert sich auf John Chapmans Achtung vor der Natur, was ihn heutzutage, da die Ökologie einen ganz anderen Stellenwert bekommen hat, besonders sympathisch macht. Thematisiert wird auch die Harmonie zwischen den Völkern, wenn beim Erntefest Indianer und weiße Siedler gemeinsam singen und tanzen. Details, die ganz unaufdringlich vermittelt werden.

„Little Toot“ ist die Geschichte eines ungehorsamen kleinen Schleppdampfers im Hafen von New York und basiert auf einem Bilderbuch von Hardie Gramatky. Die Andrews Sisters singen davon, wie der kleine Toot nach vielerlei Streichen von der Hafenpolizei verbannt wird und diese Schande durch eine Heldentat wiedergutmacht. Die Figurenanimation ist hervorragend, sparsam und souverän, vom Titelhelden bis zu seinem schwer arbeitenden Vater Tug, von den Polizeibooten bis zu den animierten Bojen und dem Lichtstrahl des Leuchtturms. Das alles ist durchaus witzig und liebenswürdig – und doch fehlt etwas. Vielleicht ist die Musik das Problem. Trotz des professionellen Gesangs der Andrews Sisters bleibt sie mittelmäßig und wirkt nicht sonderlich originell.

„Trees“ ist die Verfilmung des berühmten Gedichts von Joyce Kilmer, mit Musik von Oscar Rasbach. Den Gesang übernahmen Fred Waring and his Pennsylvanians. Wenn auch die Musik etwas dick aufträgt, so ist diese Episode doch ein wahres Juwel.

Der Schöpfer dieser beeindruckenden Arbeit ist der kaum gewürdigte Künstler Dick Kelsey.

Joyce Kilmers Gedicht wurde durch seine ungeheure Popularität entwertet, doch Disney, die Verkörperung des volksnahen Künstlers, sieht in ihm nur Wahrheit und Gefühl – und, ein- oder zweimal, auch intensive Freude. Nach einem

15.11 ***Ein Entwurf für eine Sequenz aus „Pecos Bill“, in der der berühmte singende Cowboy Roy Rogers auftritt.***

äußerst sparsam visualisierten Sturm verändern Herbst und Winter in schneller Folge die Szenerie. Eine Kamerafahrt – Zoomobjektive waren noch nicht erfunden – erfasst eine leuchtende Landschaft, die sich als reine Spiegelung in einem Wassertropfen entpuppt. Was zunächst den Anschein eines goldenen Herbsthimmels erweckt, ist ein davonwehendes Herbstblatt in extremer Nahaufnahme, die in eine Totale von durch die Luft wehenden Blättern übergeht. Der impressionistische Stil dieser Episode ist einmalig im gesamten Werk von Disney. Die Stimmung ist perfekt getroffen, die Bilder sind atemberaubend, und es ist eine Tragödie, dass uns das religiöse Ende mit lila Lichterkranz so brutal vom Erhabenen ins Triviale stürzt. Ähnlich Sentimentales finden wir in *Fantasia*, wenn auf die Mussorgski-Sequenz das „Ave Maria" folgt.

Mit „Blame It on the Samba" begibt sich Disney ein letztes Mal nach Südamerika. Die Episode besticht durch eine effektvolle Mischung aus Real- und Trickfilm, in der die real gefilmte Ethel Smith auf ihrer Orgel und ihren Trommeln spielt, wobei sie ständig vom verrückten Aracuan, einem brasilianischen Vogel, drangsaliert und schließlich sogar in die Luft gesprengt wird. Diese Figur kennt der Zuschauer bereits aus *The Three Caballeros (Drei Caballeros)* und dem kurzen Donald-Duck-Cartoon *Clown of the Jungle* (1947). Ein verrückter Übermut bestimmt das Stück, wenn Donald Duck und der weltmännische Papagei José Carioca durch ein riesiges Cocktailglas ins Land der Musik und Farben gelangen. Die frenetische Ausgelassenheit erinnert an die vorangegangenen Südamerika-Filme. Hier zuzusehen und zuzuhören macht großen Spaß, denn die Musik ist äußerst lebhaft, wird mit Pep gespielt und passt in diesem Fall perfekt zu den Bildern.

„Und jetzt kommt eine großartige Geschichte ... Ihr zufolge war Bill Pecos der raueste, aufgeblasenste und schießfreudigste Cowboy, der je gelebt hat."

Buddy Clark, „Pecos Bill"

„Pecos Bill", die Geschichte eines Babys, das von Kojoten großgezogen wird, um später ein Held des Westens zu werden, hält einige gelungene Momente bereit. Am imponierendsten sind die animierten Landkarten und Bills unglaubliche Taten, so zum Beispiel die Erschaffung des Rio Grande oder des Golfs von Mexiko. Auch das bezaubernde Lied „Blue Shadows on the Trail" ist anmutig animiert. Doch noch bevor Zeit geblieben wäre, Bills Persönlichkeit auszuarbeiten oder gar Mitgefühl für ihn zu erwecken, ist der Film zu Ende, und Bills frisch angetraute Frau Slue Foot Sue wird durch ihre Turnüre, einen über dem Gesäß angebrachten metallenen Reifrock, zum Mond katapultiert. Der Einfall ist schrecklich und die Auswirkung verheerend. Insgesamt gibt die Geschichte nur wenig her. Nicht besser wird sie durch eine unpassende, real gefilmte Rahmenhandlung, in der Cowboys um ein Lagerfeuer sitzen und gemeinsam mit Roy Rogers und den Sons of the Pioneers Lieder anstimmen. Es ging noch an, Ethel Smith in dem verrückten Cocktail zu akzeptieren, den

15.12

15.13

der rot gefiederte Aracuan gemixt hatte, denn in jener Episode waren wir auf alles gefasst. Dass man jedoch auf dieses eigenartige Fest in der Prärie setzte, wertet John Grant in seiner *Encyclopedia of Walt Disney's Animated Characters* (1987) als „einen etwas bemühten Versuch, dafür zu sorgen, dass sich der Film auf den Plakaten mit zugkräftigen Namen brüsten konnte".[5] Ich sollte erwähnen, dass „Pecos Bill" einer der beliebtesten Teile dieses Films wurde.

Melody Time endet abrupt, als der magische Pinsel „The End" auf die Leinwand malt, und wir bleiben ernüchtert zurück. Es ist bedauerlich, dass der Film mit solch einer schwachen Sequenz zu Ende geht, denn seine einzelnen Teile – das konnte ich hoffentlich zeigen – sind bedeutender als das Ganze. Die ruhelose Unsicherheit, die Experimente mit Farben, Linien und Formen, wie man sie, außer in *Alice in Wonderland* (*Alice im Wunderland*, 1951), nie mehr wagen sollte, die poetische Ökonomie von „Trees", die Abstraktion und der Surrealismus von „Bumble Boogie" und „Blame It on the Samba" sowie die schlichte Stilisierung von „Johnny Appleseed" machen den Film für Animatoren und Zuschauer gleichermaßen faszinierend.

15.12 ***John Chapman, ein Kunstgärtner aus dem 18. Jahrhundert, wurde durch die Legende von Johnny Appleseed unsterblich.***
15.13 ***Hintergrundgemälde für einen verhängnisvollen Moment in dem von den Andrews Sisters gesungenen „Little Toot" von Hardie Gramatky***

Onkel Remus' Wunderland

Song of the South (1946)

Synopsis

Der kleine Johnny zieht mit seiner Mutter zu seiner Großmutter auf deren Plantage im Süden. Er begreift nicht, dass seine Eltern sich trennen, und als er das herausfindet, entschließt er sich davonzulaufen. Stattdessen begegnet er jedoch Uncle Remus (dt. Onkel Remus), der ein paar Kindern Geschichten erzählt und Psychologie einsetzt, um Johnny umzustimmen. Tatsächlich helfen seine farbenfrohen Geschichten von dem Gauner Br'er Rabbit (dt. Meister Lampe) und dessen Widersachern Br'er Fox (dt. Patzich der Fuchs) und Br'er Bear (dt. Brumm der Bär) Johnny durch eine Reihe von Schwierigkeiten. Johnnys Mutter missversteht Remus' Motive und befiehlt ihm, sich von ihrem Sohn fernzuhalten, aber als Johnny von einem Stier durchbohrt wird, ist Remus der Einzige, der ihn aus seinem fiebrigen Delirium holen kann. Ende gut, alles gut an einem „Zip-A-Dee-Doo-Dah"-Tag.

WELTPREMIERE 12. November 1946 (Atlanta)
ERSTAUFFÜHRUNG D 12. März 1982
LAUFZEIT 94 Minuten

Besetzung

SALLY RUTH WARRICK
ONKEL REMUS JAMES BASKETT
JOHNNY BOBBY DRISCOLL
GINNY LUANA PATTEN
GROSSMUTTER LUCILE WATSON
TANTE TEMPY HATTIE MCDANIEL
TOBY GLENN LEEDY
DIE FAVERS-JUNGEN GEORGE NOKES, GENE HOLLAND
JOHN ERIK ROLF
MRS. FAVERS MARY FIELD
HAUSMÄDCHEN ANITA BROWN

Stimmen

BRUDER FUCHS JAMES BASKETT
BRUDER BÄR NICK „NICODEMUS" STEWART
BRUDER LAMPE JOHN D. LEE, JR.
POSSUM HELEN CROZIER
ZUSÄTZLICHE STIMME („LACHPLATZ") JESSE CRYOR

Stab

ASSOCIATE PRODUCER PERCE PEARCE
REGIE CARTOONSEQUENZEN WILFRED JACKSON
REGIE REALFILMAUFNAHMEN HARVE FOSTER
DREHBUCH DALTON REYMOND, MORTON GRANT, MAURICE RAPF
STORY DALTON REYMOND, NACH *ONKEL REMUS ERZÄHLT* (*THE TALES OF UNCLE REMUS*) VON JOEL CHANDLER HARRIS
KAMERA GREGG TOLAND
FILMSCHNITT WILLIAM M. MORGAN
ARTDIRECTOR PERRY FERGUSON
KOSTÜME MARY WILLS
SPEZIELLE KOPIEREFFEKTE UB IWERKS
TON C. O. SLYFIELD
TONINGENIEURE FRED LAU, HAROLD STECK
KÜNSTLERISCHE SZENENENTWÜRFE ELMER PLUMMER
TECHNICOLOR FARBBERATUNG NATALIE KALMUS
MITARBEIT MITCHELL KOVALESKI
MUSIKALISCHE LEITUNG CHARLES WOLCOTT
FILMMUSIK REALAUFNAHMEN DANIELE AMFITHEATROF
FILMMUSIK CARTOON PAUL J. SMITH
MUSIKALISCHE LEITUNG GESANG KEN DARBY
ORCHESTRIERUNG EDWARD H. PLUMB
STORY CARTOONSEQUENZEN BILL PEET, RALPH WRIGHT, GEORGE STALLINGS
ARTDIRECTORS CARTOONSEQUENZEN KENNETH ANDERSON, CHARLES PHILIPPI, HUGH HENNESY, HAROLD DOUGHTY, PHILIP BARBER
LEITENDE ANIMATOREN MILT KAHL, ERIC LARSON, OLIVER M. JOHNSTON, JR., LES CLARK, MARC DAVIS, JOHN LOUNSBERY
ANIMATOREN DON LUSK, TOM MASSEY, MURRAY MCCLELLAN, JACK CAMPBELL, HAL KING, HARVEY TOOMBS, KEN O'BRIEN, AL COE, HAL AMBRO, CLIFF NORDBERG, RUDY LARRIVA
HINTERGRUND UND FARBSTILISTEN CLAUDE COATS, MARY BLAIR
HINTERGRÜNDE RALPH HULETT, BRICE MACK, RAY HUFFINE, EDGAR STARR, ALBERT DEMPSTER
ANIMATION SPEZIALEFFEKTE JOSHUA MEADOR, GEORGE ROWLEY, BLAINE GIBSON, BRAD CASE

Walt Disney's

FIRST LIVE-ACTION MUSICAL DRAMA

SONG OF THE SOUTH

IN TECHNICOLOR

INCLUDING ANIMATED TALES OF UNCLE REMUS

with RUTH WARRICK and LUCILE WATSON • HATTIE McDANIEL

JAMES BASKETT • BOBBY DRISCOLL • LUANA PATTEN

Distributed by RKO RADIO PICTURES Inc.

16.01

16.02

16.05

16.03

16.04

16.06

16.07

Lachplatz für Animatoren

Von Leonard Maltin

16.08

Song of the South war ein Meilenstein in Disneys Karriere, nicht wegen seines Inhalts, sondern wegen seiner Absicht. 1944, als die Produktion an dem Film begann, waren Walt und seine Mitarbeiter die Informations- und Lehrfilme leid geworden, die sie für unterschiedliche Abteilungen des Militärs und der US-Regierung anfertigten. Das Geld war immer noch knapp, da die europäischen Märkte wegen des Krieges unerreichbar waren, und Walt konnte es sich nicht leisten, einen ambitionierten abendfüllenden Zeichentrickfilm wie *Snow White and the Seven Dwarfs (Schneewittchen und die sieben Zwerge)* oder *Bambi* zu produzieren. Die Antwort, so beschloss er, war, die Welt des Realfilms zu betreten, der im Vergleich zur Animation zeit- und kostensparender war. *Song of the South* enthielt zwar mehrere Zeichentricksequenzen, doch für die Disney-Studios bedeutete dieser Film einen Schritt in neue und unbekannte Gefilde. (Sowohl Walt als auch die Presse ließen *The Reluctant Dragon / Walt Disneys Geheimnisse* aus dem Jahre 1941 der Einfachheit halber unerwähnt.)

Mit der Idee, die Onkel-Remus-Geschichten von Joel Chandler Harris (1848–1908) umzusetzen, hatte Walt schon seit einiger Zeit gespielt. Er prüfte in den späten 1930er-Jahren die Möglichkeit, diesen farbenfrohen Stoff zu animieren, und erwarb im Jahr 1939 schließlich die Filmrechte für angeblich 10.000 Dollar von der Harris-Familie. Das war eine bescheidene Summe angesichts der Tatsache, dass mehrere Generationen mit den Geschichten von Harris groß geworden waren.

Joel Harris wurde als uneheliches Kind in Georgia geboren und wuchs dort auch auf. Seine lebenslange Leidenschaft für das Lesen schrieb er seiner Mutter zu. Als Teenager beschaffte er sich einen Job bei einem Zeitungsverlag, dessen Verleger auch eine Plantage besaß. Der junge Harris verbrachte viel Zeit in den Sklavenquartieren, verinnerlichte die Sprache, die Kultur und die Erzähltraditionen der Afroamerikaner. Viele ihrer mündlich überlieferten Erzählungen inspirierten Harris' spätere Arbeit. Er machte Karriere als Journalist und wurde später ein geachteter Autor und Redakteur. Ironischerweise – angesichts der späteren Kontroverse um *Song of the South* – äußerte er sich deutlich zum Thema Rassenbeziehungen im Süden und förderte Bildung und Gleichheit für Afroamerikaner. Seinem Biografen R. Bruce Hickley zufolge „hatte er einen prägenden Einfluss auf die Versöhnung zwischen Norden und Süden nach dem Bürgerkrieg".[1]

Seine berühmteste Figur führte er im Jahre 1876 in einem seiner Zeitungsbeiträge ein und schrieb 1879 „The Story of Mr. Rabbit and Mr. Fox as told by Uncle Remus" im *Atlanta Constitution*. Darauf folgte eine Reihe von Geschichten, die auf den Lügenerzählungen basierten, die er als Junge auf der Plantage gehört hatte. Sein Ziel, so sagte er später, sei es, „jene seltsamen Andenken an eine Epoche, die zweifellos in der Zukunft von den Historikern in trauriger Weise fehlinterpretiert werden wird, in dauerhafter Form zu bewahren"[2]. Sein geschickter Einsatz des Dialekts und die tierischen Protagonisten waren herausragend und bescherten ihm eine riesige Anhängerschaft in der ganzen Welt, darunter waren so prominente Bewunderer wie Mark Twain und Rudyard Kipling.

Es mag einigen Menschen schwerfallen, einen Film gutzuheißen, der die Bräuche und Rituale des Alten Südens preist, die über die Jahre so viele beliebte Songs und Filme inspiriert haben.

Umso mehr ein Anlass, den Film *Song of the South* daraufhin zu untersuchen, was er ist und was er nicht ist. Erzählt wird eine zu Herzen gehende Geschichte um einen einsamen Jungen, der erfährt, dass seine Eltern sich trennen werden, und der daraufhin mit seiner Mutter auf die

16.01 ***Mit einer an Gone with the Wind erinnernden Typografie versprach dieses Filmplakat zur Erstaufführung eine üppige Realfilmproduktion.***
16.02 ***Die Vorspanntitel wurden sorgfältig im Stil von Buchillustrationen gestaltet.***
16.03–07 ***Einzelbilder aus dem Film***
16.08–09 ***Mary Blair sorgte auch für die Kostümentwürfe und skizzierte viele der Interieurs, um der Artdirection zu helfen. Diese Zeichnungen zeigen den Einfluss der traditionellen amerikanischen Folk Art.***

16.09

Plantage der Großmutter zieht. Trost und Lebensweisheit findet er in den Geschichten, die er von einem freundlichen alten Mann hört, der in einer Pächterhütte auf dem Grundstück lebt. Was Onkel Remus über den Schwindler Br'er Rabbit und dessen Widersacher Br'er Fox und Br'er Bear zu berichten hat, ist lehrreich und hilft dem Jungen, seine Probleme zu bewältigen. Der Film wird aus der Perspektive des Kindes erzählt. Deshalb hinterließ er auch einen so starken Eindruck auf mich, als ich ihn als Junge zum ersten Mal sah.

Ich verliebte mich auch in die Figur des Onkel Remus, die von James Baskett so eindringlich und gewinnend verkörpert wurde. Als Stellvertreter aller Afroamerikaner sah ich ihn nicht.

In dem emotionalen Höhepunkt des Films, als der fiebernde Junge im Bett liegt und auf niemanden außer seinen Märchen erzählenden Freund reagiert, sehen wir eine Nahaufnahme zweier ineinander verschränkter Hände: die des Jungen und die von Onkel Remus, eine weiße und eine schwarze Hand in einer untrennbaren Verbindung. Das ist nicht nur ein tränenreicher Moment, sondern für einen in den 1940er-Jahren produzierten Film beispiellos.

Meine Reaktion auf *Song of the South* hat sich im Lauf der Jahre nie verändert. Die Botschaft sind wahre Liebe und Bewunderung für Onkel Remus und die einfachen Wahrheiten, die er durch seine Märchen vermittelt. Darüber hinaus ist er in einem Film, in dem alle weißen Erwachsenen steif und unsympathisch sind, fraglos der Held.

Der altgediente Animator und Story Man Floyd Norman – der erste afroamerikanische Animator, der von den Disney-Studios engagiert wurde – empfand nur Positives für diesen Film, sowohl bei seinem Erscheinen als auch Jahre später, als er ihn mit Disney-Kollegen noch einmal sah. In seinem Vorwort zu Jim Korkis' Buch *Who's Afraid of the Song of the South?* schreibt er: „Ich erinnere oft daran: Der Disney-Film ist keine Dokumentation über den amerikanischen Süden. Er ist nichts anderes als ein reizendes, freundliches Märchen über einen gütigen alten Herrn, der einem kleinen Kind hilft, durch eine harte Zeit hindurchzukommen. Der Film ist auch gewürzt mit Zeichentrickanimation, die zum Genialsten gehört, was je auf die Leinwand gelangt ist. Wenn Sie ein Fan klassischer Disney-Erzählkunst sind, dann garantiere ich: Sie werden keinen besseren Film finden."[3]

Drei Autoren befassten sich mit dem Drehbuch für den Realfilm, wozu zunächst ein Experte für den Alten Süden gehörte, Dalton S. Reymond. Walt engagierte auch den berühmten afroameri-

16.10

kanischen Autor und Komponisten Clarence Muse als Berater, aber Reymonds Umgang mit dem Material veranlasste ihn zu kündigen und dazu, unter Freunden in der afroamerikanischen Presse zu verbreiten, *Song of the South* laufe in die falsche Richtung. Daraufhin engagierte Disney den B-Film-Veteranen Morton Grant und den aufstrebenden Drehbuchautor Maurice Rapf, um das Drehbuch zu verfeinern und zu verbessern. Rapf verteidigte später seinen Arbeitgeber und sagte unmissverständlich: „Walt war kein Rassist. Er wollte die Afroamerikaner nicht kränken."[4]

Damals wie heute ist die Frage, wann die Geschichte spielt, ein Streitpunkt und Quelle der Verwirrung. Zwar ist sie in der Wiederaufbauphase nach dem Bürgerkrieg angesiedelt, doch die Präsenz von Afroamerikanern auf einer Plantage vermittelte vielen Zuschauern – darunter fast alle, die gegen *Song of the South* protestierten – den Eindruck, dass die Handlung im Süden der Vorkriegszeit spiele. Die Präsenz der Oscarpreisträgerin Hattie McDaniel, die in dem Bürgerkriegsepos *Gone with the Wind (Vom Winde verweht)* in denkwürdiger Weise die Rolle der Mammy verkörpert hatte und in *Song of the South* eine Hausmagd spielt, könnte zu diesem Missverständnis beigetragen haben. (Ein simpler Vorspanntitel hätte die Angelegenheit aufklären können, aber Walt und seine Kollegen dachten, es sei klar, dass der Film nach dem Krieg spiele.)

Die NAACP (National Association for the Advancement of Colored People) lobte zwar die „bemerkenswerte künstlerische Leistung" des Films, beklagte aber, es werde „der Eindruck einer idyllischen Herren-und-Sklaven-Beziehung vermittelt, was eine Verzerrung der Tatsachen ist".[5]

Ein Disney-Sprecher wurde im *PM*-Magazin mit der Aussage zitiert, der Film bilde nicht die Sklaverei ab, da er nach dem Bürgerkrieg spiele. Er betonte dort auch, dass Disney „nicht versucht, eine Botschaft zu übermitteln, sondern sich ernsthaft darum bemüht, amerikanische Volkskunst zu zeigen, die Onkel-Remus-Geschichte in Bilder zu fassen". Der Sprecher verwies ebenfalls auf eine Rezension, die Herman Hill für den *Pittsburgh Courier*, eine Zeitung der afroamerikanischen Presse, verfasst hatte, in der es unter anderem heißt: „Der wahrhaft mitfühlende Umgang der gesamten Produktion, den rassischen Aspekt betreffend, ist kalkuliert ... um den unschätzbaren

16.10–11 ***Obwohl Mary Blairs Kunst auch als Modell für die Realfilmszenen verwendet wurde, kam ihr visionärer Stil in den Animationssequenzen voll zum Tragen.***

Wert einer Verbesserung der Beziehungen zwischen den Rassen zu beweisen."[6]

Abgesehen von der Rassenfrage waren die Reaktionen der Kritiker auf den Film eher unterkühlt: Bosley Crowther schrieb in der *New York Times*: „Das Verhältnis von Realfilm zu Zeichentrick in diesem Film ist etwa zwei zu eins, und so ist in etwa auch das Verhältnis von seinem Mittelmaß zu seinem Charme."[7] *Time* war der Ansicht, der Film „hätte einen weitaus größeren Anteil von Zeichentrick vertragen können", und abgesehen von den beiden Jugendlichen „sind die Realfilmschauspieler Langweiler". *The Ottawa Journal* pflichtete bei: „Die Geschichte vom missverstandenen Johnny hat einen eher schleppenden Start und legt erst an Tempo zu ... als Onkel Remus aus dem Realfilm in die erste Zeichentricksequenz überleitet ... Der Rest der Geschichte, einschließlich der verwirrenden und ungenügend erklärten Entfremdung von den Eltern, hat ein Übergewicht gegenüber den drei Zeichentricksequenzen und könnte herausgeschnitten werden ... Diese Zeichentricksequenzen sind großartig."[8]

Das sind sie in der Tat. Das Animationsteam stürzte sich mit Begeisterung auf diese Aufgabe. Es liebte die drei unterschiedlichen und klar definierten Figuren, mit denen es arbeiten sollte. Marc Davis sagte später: „Ich bin mir sicher, fast alle Animatoren, die daran gearbeitet haben, würden bestätigen, dass ihnen noch nie zuvor etwas mehr Spaß gemacht hat."[9]

Animationsregisseur Wilfred Jackson sagte zu Don Peri: „Ich denke, die glücklichste Zeit, die ich nach den ersten frühen Jahren je in meinem Job hatte, war bei der Arbeit an *Song of the South*. Das war eine wunderbare Erfahrung für mich. Ich kann Ihnen auch sagen, warum es eine wunderbare Erfahrung war. Walt war wieder sehr stark persönlich in unsere Arbeit involviert. Das war sein erster Ausflug in den abendfüllenden Realfilm, und er war an dem Ergebnis sehr interessiert. Das hieß, Walt arbeitete eng mit uns zusammen, und das machte es immer sehr aufregend."[10]

Die Animatoren fanden auch großes Lob für den Story Man Bill Peet (damals bekannt als William Peed), der sie mit detaillierten und anschaulichen Storyboards arbeiten ließ. Andreas Deja, ein moderner Meister der Disney-Animation, der dieses Werk sorgfältig studiert hat, erklärt:

> „Ich erinnere mich daran, wie Eric Larson, Marc Davis, Milt Kahl und Ollie Johnston Bill Peets Arbeit an der Story priesen. Es ist verblüffend zu sehen, wie eng sich die Animatoren an Peets Charakterposen und Staging, die sie in den Story Sketches vorfanden, hielten. (Das Gleiche gilt auch für *One Hundred and One Dalmatians / Pongo und Perdi – Abenteuer einer Hundefamilie*, einen Film, für den Peet Jahre später das Storyboard erstellte.)
>
> Was mich selbst persönlich beeindruckt, wenn ich mir die Animation anschaue, ist die große Energie der Bewegungen. Eine dynamische Animation wie in diesem Film kann mit zu viel Bewegung überanimiert wirken, was zu einer Störung der Kommunikation mit dem Publikum führen kann. Diese Spitzenkünstler waren jedoch in der Lage, Schlüsselposen zu finden, die gerade eben lang genug gehalten wurden, um innerhalb der zuweilen hektischen Bewegung erfasst werden zu können (und etwas über die Persönlichkeit preiszugeben). Mit anderen Worten, die energiegeladenen Spielmuster wurden sorgfältig zeitlich abgestimmt, um die Übersichtlichkeit zu erhalten."[11]

Der Animator Eric Larson erzählte Howard Green – dem langjährigen Werbeverantwortlichen der Animationsabteilung bei Disney – später, wie sehr er Milt Kahls Arbeit in einer bestimmten Szene mit Br'er Fox bewundert habe, als der „fuchsteufelswild" war. „Ich glaube, der Satz war: ‚Ich werde dir die Haut abziehen.' Das Maul des Fuchses öffnete sich nie, nur die Lippen bewegten sich perfekt synchron. Die Zähne fletschte er unentwegt."

Larson sagte auch: „(James) Baskett nur um sich zu haben war schon eine große Inspiration, seine Interpretation der Figuren. Es gab nichts auf der Welt, was dieser Mann nicht konnte, und er liebte einfach diese drei Charaktere. Ich glaube nicht, dass wir jemals bessere Dialoge hatten."[12] Baskett spielte nicht nur Onkel Remus, er lieferte auch die Stimme von Br'er Fox und verwendete dabei die Schnellsprechtechnik, die er auch schon als Gabby Gibson in der Radiosendung *Amos 'n' Andy* zum Einsatz gebracht hatte. Er vertrat sogar Johnny Lee als Br'er Rabbit, als Lee bei einer Aufnahmesession fehlte. Vor der Kamera steuerten er und Hattie McDaniel eine der köstlichsten Szenen des Films bei, in der sie *Sooner or Later* singt, während sie ihn mit etwas von ihrem frisch gebackenen Apfelkuchen verköstigt.

Baskett überstrahlte alle, die an dem Film arbeiteten. Walt trat schließlich mit der Bitte an die Academy of Motion Picture Arts and Sciences heran, Baskett einen Spezial-Oscar für seine gekonnte und herzerwärmende Darstellung von Onkel Remus, „dem Freund und Geschichtenerzähler aller Kinder der Welt", zu verleihen.

Disney war auch stolz auf Bobby Driscoll und Luana Patten, zwei gewinnende und talentierte Kinder, die sich als sehr wertvoll für den Film erwiesen. Er nahm sie unter Vertrag und baute sie im Laufe der kommenden Jahre mit beträchtlichem Erfolg als seine persönlichen Stars auf.

Walt besaß nicht die nötige Ausstattung für Realfilmaufnahmen, also mietete er im Samuel-Goldwyn-Studio eine Bühne für die Innenaufnahmen und ließ in Phoenix, Arizona, Sets für Außenaufnahmen bauen. Der frühere Regieassistent Harve Foster war der im Vorspann genannte Regisseur, obgleich Walt während der Produktion selbst sehr aktiv war. Bill Peet überwachte sorgfältig jede Aufnahme, in die später Zeichentrickfiguren integriert würden, um sicherzustellen, dass Rahmen und Komposition korrekt waren. Für die Fotografie war der namhafte Kameramann Gregg Toland zuständig, der auch schon für John Ford *The Grapes of Wrath* (*Früchte des Zorns*, USA 1940) und *Citizen Kane* (USA 1941) für Orson Welles gedreht hatte.

Die Kombination von Realfilm und Animation in diesem Film ist erstaunlich, und die Überblendungen sind genial, von der ersten, mit einer wahrhaften Explosion von Blau, in der Onkel Remus einen animierten Pfad entlangläuft, bis hin zu späteren, komplizierteren Überblendungen. In der ersten Sequenz dieser Art tanzt Br'er Rabbit um Onkel Remus' Füße herum und wirft dabei einen Schatten. Es ist beinahe unmöglich zu sagen, wo der Realfilm endet und wo die Animation beginnt.

Andreas Deja erläutert:

„Die Interaktion zwischen dem Schauspieler James Baskett und den animierten Kreaturen ist perfekt. Wann immer Augenkontakt zwischen ihnen besteht, sieht dieser vollkommen glaubhaft aus. Da Baskett seine Szenen allein einspielte, bevor die Animation hinzugefügt wurde, wusste er, dass er ein klein wenig schielen musste, wenn eine Biene vor seinem Gesicht herumfliegen sollte, um einen überzeugenden Augenkontakt hinzubekommen.

In einer seiner schönsten Darbietungen interagiert Onkel Remus mit einem angelnden Frosch, der auf einem Holzklotz sitzt. Die Mätzchen von Rabbit haben den Frosch wütend gemacht, und er stopft seine Pfeife. Onkel Remus zündet ein Streichholz an, und eine animierte Flamme erscheint. Er hält sie an die

> Pfeife des Frosches, dann an seine eigene. Nach ein paar Zügen erklärt der Frosch: ‚Erinnere dich an meine Worte, dieser kleine Schlingel wird eines Tages ins Fettnäpfchen treten.' Das Spiel des Frosches ist zurückhaltend. Er ist einfach nur sauer, weil das Kaninchen ihn beim Angeln gestört hat. Realfilm und Animation verbinden sich hier zu einem Universum. Ein außergewöhnlicher filmischer Moment."[13]

Das ist Kinomagie vom Feinsten. Walt wollte auf dem aufbauen, was das Studio in *The Three Caballeros (Drei Caballeros)* an Interaktion zwischen Realfilm- und animierten Figuren erreicht hatte, und das gelang.

Eric Larson merkte später an: „Ich denke, das war der einfachste Ansatz für die Kombination und gleichzeitig unser bester. Wenn er *Zip-A-Dee-Doo-Dah* singt, ist das ein Zeichentrickset, ein gebauter Set. Es war so verdammt einfach."

Der Film profitierte auch vom Hintergrund- und Farbstyling von Mary Blair und Claude Coats. Blair unternahm eine zehntägige Reise nach Georgia, um die dortige Atmosphäre auf sich wirken zu lassen, und ihre charakteristische Concept Art hatte einen tief greifenden Einfluss sowohl auf die animierten als auch auf die Realfilmteile des fertigen Films. In *The Art and Flair of Mary Blair* schreibt der Animationsfilmhistoriker John Canemaker: „Ihre Pleinairgemälde von den Baumwoll- und Maisfeldern Georgias, den staubigen roten Straßen, Holzhütten, Plantagenherrenhäusern und glühenden Sonnenuntergängen gingen – in High-key-Farben – in die Special-Effects-Sequenzen von *Song of the South* ein. Onkel Remus als Realfilmfigur interagiert mit Zeichentrickfiguren vor einem blauen Himmel von Mary Blair, auf einer siennaroten Straße, umgeben von Mary-Blair-Vegetation."[14]

16.12

Unter zeitgenössischen Animatoren hat Blair viele begeisterte Bewunderer, darunter auch Pete Docter von Pixar, der über sie sagt:

> „Für mich sind viele der von ihr für diesen Film ausgewählten Farben untypisch hell. Die Farbwerte liegen dichter beieinander, wodurch die Bilder nicht so kräftig sind wie in ihren sonstigen Arbeiten ... Diese Helligkeit hat zur Folge, dass die Farben nicht ganz so knallig sind wie sonst (obgleich das natürlich eine relative Aussage ist), aber es ist perfekt, um die dampfende Atmosphäre der heißen südlichen Sonne einzufangen. (Meine Familie und ich haben vor ein paar Jahren einige Tage in Georgia, Alabama und Mississippi verbracht, und es war *heiß* und feucht!) Wichtiger noch, ihre Entscheidungen reflektieren den energiegeladenen, optimistischen Geist der Geschichte und der Darbietungen. Wie üblich kreiert Blair die freundliche Anmutung eines Ortes, an dem man gerne einige Zeit verbringen möchte."[15]

Die Musik für *Song of the South* wurde von zwei Komponisten geschrieben. Daniele Amfitheatrof befasste sich mit den Realfilmszenen, und Studioveteran Paul Smith übernahm die Zeichentricksequenzen. Der musikalische Leiter Charles Wolcott führte die Aufsicht und berief Ken Darby für die gesangliche Leitung, einschließlich der Leitung eines Chores. Eine Reihe von Komponisten steuerte die Songs bei, jeder Einzelne von ihnen leistete hervorragende Arbeit. Allie Wrubel und Ray Gilbert jedoch schufen mit *Zip-A-Dee-Doo-Dah* etwas Außergewöhnliches. Das Lied wurde

16.13

ein Hit und gewann auch den Oscar als bester Song. (Amfitheatrof, Smith und Wolcott wurden ebenfalls für die beste Filmmusik nominiert.)

Die Produktion von *Song of the South* verschlang viel Geld, der Film wurde aber ein Kassenerfolg und blieb durch seine Wiederaufführungen im Kino in den Jahren 1956, 1972, 1980 und 1986 profitabel. Um die Wiederaufführung von 1956 zu bewerben, stand der Film im Zentrum einer Folge von Walts *Disneyland*-Fernsehshow, und die Leser der Comic-Seite der Sonntagszeitungen konnten sich von 1945 bis 1972 über einen wöchentlichen *Uncle-Remus*-Strip freuen.

Obwohl der Film seit der Wiederaufführung von 1986 nicht mehr zu sehen war – die Walt Disney Company entschied, dass *Song of the South* für ein Publikum der heutigen Zeit unpassend sei, und brachte den Film nicht mehr zur Wiederaufführung –, leben die Cartoonstars des Films als zentrale Figuren in der Wildwasserbahn Splash Mountain weiter, die seit 1989 in Disneyland zu bewundern ist. Marc Davis, der als Leitender Animator am ursprünglichen Film gearbeitet hatte, durfte sich mit den Charakteren, die er so sehr liebte, in seiner späteren Rolle als Imagineer erneut beschäftigen. Und das Unternehmen engagierte den 70 Jahre alten Nicodemus „Nick" Stewart, um Br'er Bear seine Stimme zu leihen, wie er das schon mehr als 30 Jahre zuvor getan hatte.

Die Debatte über den Wert von *Song of the South* wird zweifelsohne weitergehen, aber die Resonanz seiner Figuren und die Qualität seiner Animation sind unstrittig. Disney-Freunde ebenso wie Animatoren betrachten den Film als eine der besten Arbeiten, die das Studio je produziert hat.

16.12 ***Während einer zehntägigen Reise nach Georgia studierte Mary Blair die Atmosphäre des Südens und recherchierte an den historischen Schauplätzen, was sich in ihrer Concept Art zeigt.***
16.13 ***Die Schauspieler Luana Patten, James Baskett, Glenn Leedy und Bobby Driscoll genießen einen „Zip-A-Dee-Doo-Dah"-Tag auf dem Gelände in Burbank.***

Die Abenteuer von Ichabod und Taddäus Kröte

The Adventures of Ichabod and Mr. Toad (1949)

Synopsis
Zwei Geschichten: eine typisch englisch, die andere durch und durch amerikanisch. Zwei Erzähler: Hollywoods britischster Star Basil Rathbone und sein beliebtester Sänger, Bing Crosby. Zwei exzentrische Figuren: Mr Toad aus Kenneth Grahames *The Wind in the Willows (Der Wind in den Weiden)* und Ichabod Crane aus Washington Irvings *The Legend of Sleepy Hollow (Die Sage von der Schläfrigen Schlucht)*. Dies war der letzte Episodenfilm Disneys, bevor er zu Werken mit durchgängiger Handlung zurückkehrte. Das Ergebnis war eindeutig eine Notlösung, um den Namen Disney in den Kinos präsent zu halten, denn die beiden Hälften haben weder inhaltlich noch stilistisch etwas gemein. Toads Missgeschicke sind ein ökonomisch und witzig erzählter Spaß, während Ichabod Cranes Begegnung mit dem Kopflosen Reiter ein Meisterstück des Trickfilms ist, eine gekonnte Kombination aus Komik und Grusel.

ERSTAUFFÜHRUNG USA 5. Oktober 1949
ERSTAUFFÜHRUNG D 30. November 1997
LAUFZEIT 68 Minuten

Besetzung
„ICHABOD CRANE" ERZÄHLER BING CROSBY
TADDÄUS KRÖTE ERZÄHLER BASIL RATHBONE
MR. TOAD ERIC BLORE
CYRIL PROUDBOTTOM J. PAT O'MALLEY
WASSERRATTE CLAUD ALLISTER
STAATSANWALT JOHN PLOYARDT
MAULWURF COLIN CAMPBELL
ANGUS MACBADGER CAMPBELL GRANT
WINKIE ALEC HARFORD
WEITERE STIMMEN THE RHYTHMAIRES

Stab
PRODUCTION SUPERVISION BEN SHARPSTEEN
REGIE JACK KINNEY, CLYDE GERONIMI, JAMES ALGAR
LEITENDE ANIMATOREN FRANK THOMAS, OLLIE JOHNSTON, WOLFGANG REITHERMAN, MILT KAHL, JOHN LOUNSBERY, WARD KIMBALL
STORY ERDMAN PENNER, WINSTON HIBLER, JOE RINALDI, TED SEARS, HOMER BRIGHTMAN, HARRY REEVES. NACH DEN ROMANEN *DIE LEGENDE VON DER SCHLAFENDEN SCHLUCHT* (*THE LEGEND OF SLEEPY HOLLOW*) VON WASHINGTON IRVING UND *DER WIND IN DEN WEIDEN* (*THE WIND IN THE WILLOWS*) VON KENNETH GRAHAME
CHARACTER ANIMATOREN FRED MOORE, JOHN SIBLEY, MARC DAVIS, HAL AMBRO, HARVEY TOOMBS, HAL KING, HUGH FRASER, DON LUSK
HINTERGRÜNDE RAY HUFFINE, MERLE COX, ART RILEY, BRICE MACK, DICK ANTHONY
LAYOUT CHARLES PHILIPPI, TOM CODRICK, THOR PUTNAM, AL ZINNEN, HUGH HENNESY, LANCE NOLLEY
ANIMATION SPEZIALEFFEKTE GEORGE ROWLEY, JACK BOYD
MUSIK OLIVER WALLACE
VOCAL ARRANGEMENTS KEN DARBY
LIEDER „ICHABOD" DON RAYE, GENE DE PAUL
ORCHESTRIERUNG JOSEPH DUBIN
FILMSCHNITT JOHN O. YOUNG
FARBE UND STYLING CLAUDE COATS, MARY BLAIR, DONALD DA GRADI, JOHN HENCH
SPEZIELLE KOPIERPROZESSE UB IWERKS
TON C.O. SLYFIELD
TONINGENIEUR ROBERT O. COOK
MUSIKSCHNITT AL TEETER

Walt Disney PRESENTS

THE ADVENTURES OF

"ICHABOD

AND MISTER TOAD"

TOLD AND SUNG BY BING CROSBY

AND TOLD BY BASIL RATHBONE

COLOR BY TECHNICOLOR

Hear BING sing

these new hit tunes

"THE HEADLESS HORSEMAN"

"KATRINA"

"ICHABOD CRANE"

Released thru RKO RADIO PICTURES

1A

49/389

THE ADVENTURES OF

ICHABOD

and Mr. Toad

17.02

17.05

17.03

17.04

17.06

17.07

Zwei fabelhafte Helden

Von Brian Sibley

„Nun ist Schluss mit Kaviar, ab jetzt gibt es Kartoffelbrei mit Soße."[1] So reagierte ein enttäuschter Walt Disney, als sein Studio durch den Zweiten Weltkrieg in Europa in finanzielle Schwierigkeiten geriet. Um dem Studio das Überleben zu sichern, legte er seine Pläne für abendfüllende Trickfilme auf Eis und produzierte Ausbildungs- und Propagandafilme fürs Militär sowie einige Episodenfilme, in denen man beliebige Kurzfilme zu einem Langfilm verband und sich auch erstmals an Realfilmen versuchte.

Als sich die wirtschaftliche Lage 1949 gebessert hatte und viele Künstler aus dem Kriegsdienst zurückgekehrt waren, wagte sich Disney mit *Cinderella* (*Cinderella*, 1950) wieder an einen Langfilm. Doch als dieser schon auf den Zeichenbrettern lag, veröffentlichte man einen letzten Episodenfilm. Dieser bestand aus zwei animierten Geschichten und machte deutlich: Der traditionelle Disney-Stil war zurück.

Der Film, der zunächst *Two Fabulous Characters* heißen sollte, verband Adaptionen von Kenneth Grahames *The Wind in the Willows* (1908) und Washington Irvings *The Legend of Sleepy Hollow* (1820), und als er in die Kinos kam, verwies bereits der etwas unbeholfene neue Titel *The Adventures of Ichabod and Mr. Toad* auf diese literarischen Quellen.

Schon länger hatte man *The Wind in the Willows* in Betracht gezogen, 1941 erwog man einen abendfüllenden Film. In jenem Jahr erschien *The Reluctant Dragon* (*Walt Disneys Geheimnisse*, 1941), der im Grunde ein Blick hinter die Kulissen des Disney-Studios war, begleitet von drei Kurzfilmen. Einer davon war die auf Kenneth Grahames Buch *Dream Days* (*Traumtage*, 1898) basierende Titelgeschichte.

Dream Days – genau wie sein Vorgänger *The Golden Age* (*Das Goldene Zeitalter*, 1895) – schilderte die Kindheitserinnerungen eines Erwachsenen und war nicht spezifisch für Kinder geschrieben. Die Bücher machten den britischen Autor in Amerika bekannt, und als eine Reporterin für die beliebte Zeitschrift *Everybody's* Grahame zu Hause in Berkshire besuchte, erfuhr sie, dass er eine Fortsetzungsgeschichte schrieb. Diese handelte von den Abenteuern eines Mr Toad und den Versuchen seiner Freunde, die daraus resultierenden Katastrophen zu verhindern. Von der Reporterin ermutigt, entwickelte Grahame daraus schließlich *The Wind in the Willows*. Doch trotz seines großen Ansehens konnte der Autor keinen Verleger für sein neues Buch finden. Erst durch die Vermittlung von Präsident Theodore Roosevelt, einen von Grahames größten Bewunderern, konnte die Geschichte von Toad schließlich 1908 erscheinen.

17.01 ***Das Filmplakat verkündete in großen Lettern, wer die berühmten Erzähler waren – und dass man den Gesang von „BING" hören könne.***
17.02 ***Für den Vorspanntitel verwendete man vor allem kalte Farben, denn der Film enthält wichtige Nachtszenen und spielt im Herbst und Winter (Standbild).***
17.03–04 ***Angus MacBadger, Rat und Mole beim Prozess gegen Toad, dem man vorwirft, ein Auto gestohlen zu haben. Eine Zeitungsschlagzeile verkündet den Ausgang des Prozesses (Standbilder).***
17.05–07 ***Ichabod Crane träumt von der schönen Katrina. Zu Tode erschrocken vom Kopflosen Reiter, verliert Ichabod sie schließlich an seinen Rivalen Brom Bones (Standbilder).***
17.08 ***Vor einem Standardhintergrund zeigt dieses Cel-Gemälde Toad mit seinem Zigeunerwagen und dem Pferd Cyril.***

Obwohl Grahames Werke in den Vereinigten Staaten so beliebt waren, wirkte es dennoch unpassend, dass Disney versuchte, ein solch durch und durch britisches Buch mit einem ganz und gar amerikanischen Werk wie dem von Irving zu kombinieren – auch wenn *Sleepy Hollow* ironischerweise in der englischen Stadt Birmingham geschrieben wurde.

Dieser Eindruck wurde noch dadurch verstärkt, dass man Toads Geschichte von der beherrschten Stimme des archetypischen Engländers Basil Rathbone erzählen ließ, während der lockere Plauderton und Gesang von Bing Crosby Ichabod Cranes mitternächtliche Begegnung mit dem Kopflosen Reiter vortrug.

Die Erzähler treten nicht in Erscheinung. Die Kamera wandert durch ein efeuumranktes Fenster in eine Bibliothek, und unsichtbare Hände nehmen den jeweiligen Band aus dem Regal. Während Rathbone den Ruhm von Toad mit dem von Robin Hood, König Arthur und Sherlock Holmes auf eine Stufe stellt, vergleicht Crosby Ichabod Crane mit Paul Bunyan, Davy Crockett, Daniel Boone und zwei weiteren Figuren aus Disneys Trickfilmen: Johnny Appleseed (dt. Hänschen Apfelkern) und Pecos Bill (dt. Bill Pecos). Die Kombination der beiden Abenteuer war bloß eine Zweckgemeinschaft, vermutlich jedoch besser als eine nicht umgesetzte Idee, in der Micky Maus (orig. Mickey Mouse) die Episoden verbinden sollte.

Von beiden Teilen ist das mit viel Schwung erzählte und sich aufs Wesentliche konzentrierende „The Wind in the Willows" gelungener. Alle idyllisch-lyrischen Aspekte des Buches ließ man fallen und konzentrierte sich auf Toads Leidenschaften und waghalsige Unternehmungen. Dieser Ansatz bewahrte den Humor und die

17.08

Lebendigkeit von Grahames überlebensgroßem Helden und wurde deutlich von *Toad of Toad Hall* inspiriert, einem erfolgreichen Theaterstück, das A. A. Milne nach Grahames Buch geschrieben hatte. Um die Rechte daran hatte sich Disney bereits 1938 bemüht.

Natürlich gab es einige Veränderungen: Mr Toad wurde zu J. Thaddeus Toad (dt. Taddäus Kröte) – eine Wichtigtuerei, die dem Autor vielleicht gefallen hätte –, und Badger verpasste man aus irgendwelchen Gründen (Grahames Geburtsort war Edinburgh) einen schottischen Akzent und benannte ihn um in Angus MacBadger (dt. Angus McDachs). Damit Toad nicht als gemeiner Dieb erscheint, stiehlt er kein Auto mehr, sondern erwirbt es, indem er den Wieseln eine Besitzurkunde für sein Anwesen ausstellt. Toad ist nun einfach ein gutgläubiger Geschäftspartner. Der eigentliche Schurke ist eine Figur namens Mr Winky, der verlogene Wirt des Gasthauses, das die nichtsnutzigen Wiesel besuchen.

Neben Rathbone hörte man die Stimmen von exzentrischen englischen Darstellern: Colin Campbell spielte den naiven Mole (dt. Maulwurf), Claud Allister lieh seine affektierte Sprechweise der Figur Rat (dt. Ratte). Diese war nicht mehr die unbeschwerte Wasserratte aus den Büchern, sondern ein vornehmer und förmlicher englischer Gutsherr mit Schnauzbart, Pfeife und Deerstalker-Mütze (womit man vielleicht auf Rathbones berühmte Verkörperung von Sherlock Holmes anspielte).

Eric Blore – damals ein beliebter Darsteller von Butlern in Hollywood – sprach den aufgeregten, sprunghaften Toad: eine eigenartige Mischung aus Oscar Wilde und Donald Duck und die exakte Verkörperung von Grahames verantwortungslosem Abenteurer.

Toads Gefährte bei seinen oft halsbrecherischen Unterfangen ist das kalauernde Kutschpferd Cyril Proudbottom. In Grahames Buch war das Pferd namenlos und stumm. Daher ist auch

17.09

Cyril vermutlich von Milnes Theaterstück *Toad of Toad Hall* inspiriert, wo es als Alfred auftritt und witzig daherredet. Das Disney-Pferd wurde vom englischen, in Lancashire geborenen Komiker und Sänger J. Pat O'Malley gesprochen. Seine besondere Sprechweise (sowie Cyrils alle Zähne zeigendes Grinsen) ging möglicherweise auf den ebenfalls aus Lancashire stammenden Komiker George Formby zurück.

Einer der vielen Höhepunkte ist die Sequenz, in der Toad mit einem von Cyril gezogenen Wagen durch die englische Landschaft jagt. Unaufhaltsam galoppieren sie mitten in ein Gewächshaus und singen dabei *We're merrily on our way to nowhere in particular* (dt. *Wir reiten so durch das Land, das Ziel ist leider unbekannt*).

Die verrückte Kutschfahrt ist typisch für den komödiantischen Stil. Die hohe Erzählgeschwindigkeit entsteht durch eine Kombination von schnellen Schnitten und clever eingesetzten Zeitungsschlagzeilen: von „KRÖTE VERHAFTET! Raserei bringt wohlhabenden Playboy vor Gericht!" bis hin zu „KRÖTE REHABILITIERT – GUTER RUF WIEDERHERGESTELLT".

Winky und den Wieseln das Herrenhaus wieder abzuluchsen wird zu einer Verfolgungsjagd mit vielen Hindernissen, die mit allen Eskapaden von Tom und Jerry oder der Looney-Tunes-Gang mithalten kann.

Danach eilt die Geschichte ihrem Ende entgegen: Toad kehrt in sein Herrenhaus und zu seinen Freunden zurück – bis er eine neue Leidenschaft entdeckt und zusammen mit Cyril in einem Doppeldecker davonfliegt!

Disney ist den Kapiteln von *The Wind in the Willows*, die sich auf Toad konzentrieren, bemerkenswert treu geblieben und löste sogar das

17.09 ***Nicht produziertes Cel-Setup zu Toad Hall – an der Wand ein gerahmtes Bild, das Toad beim Glücksspiel im Casino zeigt.***

17.10

17.11

17.12

17.13

17.14

17.15

17.16

17.17

17.18

17.19

17.20

17.21

Problem, dass in Kenneth Grahames Buch bekleidete und sprechende Tiere auf Menschen treffen und eine Kröte etwa ein Auto oder eine Lokomotive steuert. Anderes war wiederum weniger gut gelöst.

„Noch nie hatte sich der Schulmeister so unglücklich gefühlt und so fürchterlich allein, und je näher er dem Tal kam, desto kläglicher fühlte er sich …“

Der Erzähler in *The Adventures of Ichabod and Mr. Toad*

In *The Observer* beklagte der britische Kritiker C. A. Lejeune: „Alles von (Disney) Hinzugefügte ist ein Hauch Vulgarität. Alles Gekürzte die essenzielle Frische des Buches … Wo spürt man das fließende Wasser und das Flüstern des Windes in den Wäldern? Gewiss meinte er es gut, doch wie Mr Toad bevorzugte er seltsame Gerätschaften und vernachlässigte die schlichten Dinge, auf die er sich einst verstand.“[2]

Anders als die Geschichte von Toad, die von langjährigen Vorarbeiten profitierte, wirkt das Abenteuer von Ichabod eher so, als habe man es unter Zeitdruck produziert. Und in deutlichem Gegensatz zu den ansprechenden (Tier-) Figuren von „The Wind in the Willows“ sind, laut einem Kritiker, die menschlichen Bewohner der Schläfrigen Schlucht „steife, ungelenke Gestalten“[3].

Die in der Geschichte umworbene Dame, Katrina van Tassel – laut Washington Irving „überall wegen ihrer Schönheit gerühmt“ –, ähnelt einem amerikanischen Covergirl der 1940er-Jahre und erinnert an etliche andere Disney-Heldinnen jener Zeit. Brom Bones hingegen, der „stämmige, brüllende, lärmende Bursche“, der mit Ichabod um Katrina konkurriert, ist ein grobschlächtiger Rüpel. Die weiteren Dorfbewohner und sonstigen Verehrer sind nicht viel attraktiver.

Auch der eigentümliche Ichabod Crane stellte für die Animatoren eine Herausforderung dar, da Irving ihn nicht gerade wohlwollend beschrieb: „Er war groß, aber äußerst hager, mit schmalen Schultern, langen Armen und Beinen … Sein Kopf war klein und oben flach, mit riesigen Ohren, großen, grünen und glasigen Augen und einer langen Schnepfennase, sodass es aussah, als säße auf seinem spindeldürren Hals ein Wetterhahn, um anzuzeigen, woher der Wind weht.“

In *Walt Disney and Europe* zitiert Robin Allan eine anonyme Studionotiz, die – so legt er nahe – „ganz nach dem freimütigen Milt Kahl klingt“ und die Animation der Hauptfigur kritisiert: „Sieht so aus, als ob die Jungs Angst hätten, ihn zu animieren … Er ist groß und dürr … Wenn sie so jemanden nicht hinkriegen, müssen wir bei Mäusen und Häschen bleiben.“[4]

Die größte Schwierigkeit bei der Personendarstellung war allerdings, dass sie mit Bing Crosbys Sprache und Gesang zusammenpassen musste. Obwohl er für die Lieder im Hollywoodstil genau der Richtige war und trotz seines charmanten Gesangs mit Momenten spontanen Gefühls schafft es seine Solodarbietung nicht, die Figuren vollständig und überzeugend zum Leben zu erwecken.

Dennoch hat die Geschichte des Schulmeisters, der sich vor Geistern fürchtet, einige geniale Sequenzen: zum einen das Werben von Ichabod und Brom um die schöne Katrina, das ganz die Handschrift des führenden Gagentwicklers des Studios, Jack Kinney, trägt; zum anderen die Schlussszenen, in denen Ichabod sein Ross besteigt und sich aufmacht zu seinem schicksalhaften Ritt durch die nächtliche Schlucht.

Diese Sequenz, die auf die düsteren, in Blautönen gehaltenen Entwürfe von Mary Blair und John Hench zurückgeht, besticht durch ihre atmosphärisch dichte Animation: Wolken nähern sich dem Mond wie riesige Hände, Herbstlaub wirbelt umher, knorrige Bäume erscheinen im

17.10–21 ***Story Sketches der Sequenz, in der Ichabod Crane um Katrina wirbt. Jedes Mal, wenn Brom Bones versucht, Ichabod zuvorzukommen, gelingt es dem Schulmeister durch glückliche Zufälle, Brom in die Schranken zu weisen.***

17.22

Dunkeln. All dies untermalt von einer genialen Tonspur: Grillen zirpen „Ichabod, Ichabod!", Frösche quaken „Kopfloser Reiter", und die Krähen krächzen im Vorbeiziehen „Gib acht, gib acht!".

Die Begegnung mit dem Kopflosen Reiter lässt auf sich warten (gemessen an dem langen Prolog zu dieser entscheidenden Szene und in deutlichem Gegensatz zur dynamischen Handlungsabfolge bei „The Wind in the Willows"). Doch als der furchterregende Geist mit lila Umhang und blitzendem Schwert endlich erscheint, verbindet die nun einsetzende Verfolgungsjagd – ein Werk von Wolfgang Reitherman und John Sibley – auf meisterhafte Weise Gruseliges und Lustiges.

Der im Oktober 1949 veröffentlichte Film erhielt vorwiegend wohlwollende Kritiken. So war in *Boxoffice* zu lesen: „In diesem amüsanten Doppelpack zeigt sich Walt Disneys zauberhafte Trickfilmkunst von ihrer besten Seite."[5] Und *Variety* meinte, der Film gehöre „zu den besten abendfüllenden Trickfilmen des Walt-Disney-Studios".[6]

Die *New York Times* bemerkte: „Dem Künstler Walt Disney, der von seinem eigentlichen Metier etwas abgekommen war, muss man gratulieren, dass er ins Reich reiner Animation zurückgekehrt ist ... eines, in dem real gefilmte Nebendarsteller glücklicherweise fehlen."[7]

In *The Spectator* schrieb der Brite Edward Hodgkin, das Finale sei „großartig inszeniert und furchtbar gruselig ... ein Kind hat davon garantiert eine Woche Albträume".[8] Tatsächlich vergab die britische Filmprüfstelle, das Board of Film Censors, ein „A" für „Adult". Kinder durften den Film nur in Begleitung von Erwachsenen sehen.

The Adventures of Ichabod and Mr. Toad hatte ein langes Nachleben. Eine geschnittene Version von Toads Abenteuern wurde erstmals 1955 in der Reihe *Disneyland TV* im Fernsehen gezeigt, dort jedoch unter dem Titel „The Wind in the Willows".

Der Ichabod-Teil, den man zu „The Legend of Sleepy Hollow" umbenannte, feierte in der darauffolgenden Staffel seine TV-Premiere, erweitert um einen animierten Prolog rund um das Leben von Washington Irving. Wieder ohne diesen Prolog kam „Sleepy Hollow" 1958 in die Kinos, „The Wind in the Willows" schaffte es 1967 in die britischen, 1975 in die amerikanischen Kinos, nun umbenannt zu *The Madcap Adventures of Mr. Toad*. Der Film wurde außerdem 1980 unter dem Titel *The Adventures of J. Thaddeus Toad* im 16-mm-Format veröffentlicht.

Und noch eine Spur hinterließ der Film: Als 1955 Disneyland seine Tore öffnete, gehörte „Mr. Toad's Wild Ride" zu den Attraktionen. Das gleiche gruselige Vergnügen gab es ab 1971 im Magic Kingdom in Walt Disney World, wo es bis 1998 bestand.

Die Disneyland-Version wurde 1983 als Teil des New Fantasyland neu errichtet. Die aufwendig dekorierte Fassade zeigt Toad Hall inklusive rauchender Kamine, Wappen, einer Statue des Besitzers und einer Wetterfahne, auf der man Toad in seinem Auto sieht – eine bleibende Erinnerung an die schwierige „Kartoffelbrei und Soße"-Zeit 1949. Doch auch sie wurde überwunden, als ein neues Jahrzehnt anbrach und eine neue Disney-Prinzessin auf der Leinwand erschien.

17.22 ***Einer von Mary Blairs zahlreichen Entwürfen für die Geschichte von Ichabod Crane und dem Kopflosen Reiter***
17.23 ***Story Sketch für eine nicht produzierte Szene mit Geistern, die sich zu einem nächtlichen Tanz versammeln – wovon Bing Crosby in seinem Lied „Headless Horseman" singt.***

17.23

Ein Champion zum Verlieben

So Dear to My Heart (1949)

Synopsis
Wir befinden uns im amerikanischen Mittleren Westen des Jahres 1903. Der junge Jeremiah lebt bei seiner strengen, aber liebevollen Großmutter. Als ihr Schaf zwei Lämmer zur Welt bringt und das schwarze verstößt, zieht Jeremiah es groß, obwohl seine Großmutter zunächst wenig davon hält. Onkel Hiram, der Schmied und Handwerker des Dorfes, ermutigt den Jungen, das eigenwillige Schaf Danny abzurichten und es bei der Landwirtschaftsausstellung dem Preisgericht vorzuführen. Am Tag vor dem großen Ereignis reißt das Schaf aus. Als Jeremiah es am nächsten Morgen nach Hause bringt, sagt er der Großmutter, er habe Gott versprochen, nicht am Wettbewerb teilzunehmen, sollte dieser Danny verschonen. Doch die Großmutter erwidert, dass gerade dann, wenn Gott das Schaf verschont, sie unbedingt teilnehmen müssten. Als die Schafe dem Preisgericht vorgeführt werden, ist Danny das einzige ohne Stammbaum. Dennoch verleiht ihm der Preisrichter einen speziellen Züchterpreis, denn „es kommt nur darauf an, dass man das macht, was man gut kann".

ERSTAUFFÜHRUNG USA 19. Januar 1949
ERSTAUFFÜHRUNG D 3. August 2002 (TV) (Schweiz)
LAUFZEIT 82 Minuten

Besetzung
ONKEL HIRAM BURL IVES
OMA KINCAID BEULAH BONDI
LEHRER JUDGE HARRY CAREY
TILDY LUANA PATTEN
JEREMIAH KINCAID BOBBY DRISCOLL
KRÄMER RAYMOND BOND
DORFBEWOHNER WALTER SODERLING
PFERDETRAINER MATT WILLIS
RICHTER SPELMAN B. COLLINS

Stimmen
JEREMIAH, ERWACHSENER ERZÄHLER JOHN BEAL
EULE KEN CARSON
HINTERGRUNDCHOR THE RHYTHMAIRES

Stab
REGIE HAROLD SCHUSTER
DREHBUCH JOHN TUCKER BATTLE, NACH DEM BUCH *MIDNIGHT AND JEREMIAH* VON STERLING NORTH
ARTDIRECTOR REALAUFNAHMEN JOHN EWING
KAMERA WINTON C. HOCH, ASC
FILMSCHNITT THOMAS SCOTT, LLOYD L. RICHARDSON
MUSIK PAUL J. SMITH
MUSIKALISCHE LEITUNG GESANG KEN DARBY
ORCHESTRIERUNG EDWARD H. PLUMB
MUSIKSCHNITT AL TEETER
AUSSTATTUNG REALAUFNAHMEN MAC ALPER
SPEZIELLE KOPIEREFFEKTE UB IWERKS
TON C.O. SLYFIELD
TONINGENIEURE MAX HUTCHINSON, ROBERT O. COOK
TECHNISCHE LEITUNG LARRY LANSBURGH
TECHNICOLOR FARBBERATUNG NATALIE KALMUS, MORGAN PADELFORD
ASSOCIATE PROUDUCER PERCE PEARCE
REGIE CARTOONSEQUENZEN HAMILTON LUSKE
STORY CARTOONSEQUENZEN MARC DAVIS, KEN ANDERSON, WILLIAM PEET
ARTDIRECTION CARTOON JOHN HENCH, MARY BLAIR, DICK KELSEY
LAYOUT CARTOON A. KENDALL O'CONNOR, HUGH HENNESY, DON GRIFFITH, THOR PUTNAM
HINTERGRÜNDE CARTOON ART RILEY, RALPH HULETT, JIMI TROUT, DICK ANTHONY, BRICE MACK, RAY HUFFINE
ANIMATOREN ERIC LARSON, JOHN LOUNSBERY, HAL KING, MILT KAHL, LES CLARK, DON LUSK, MARVIN WOODWARD
ANIMATION SPEZIALEFFEKTE GEORGE ROWLEY, JOSHUA MEADOR, DAN MACMANUS

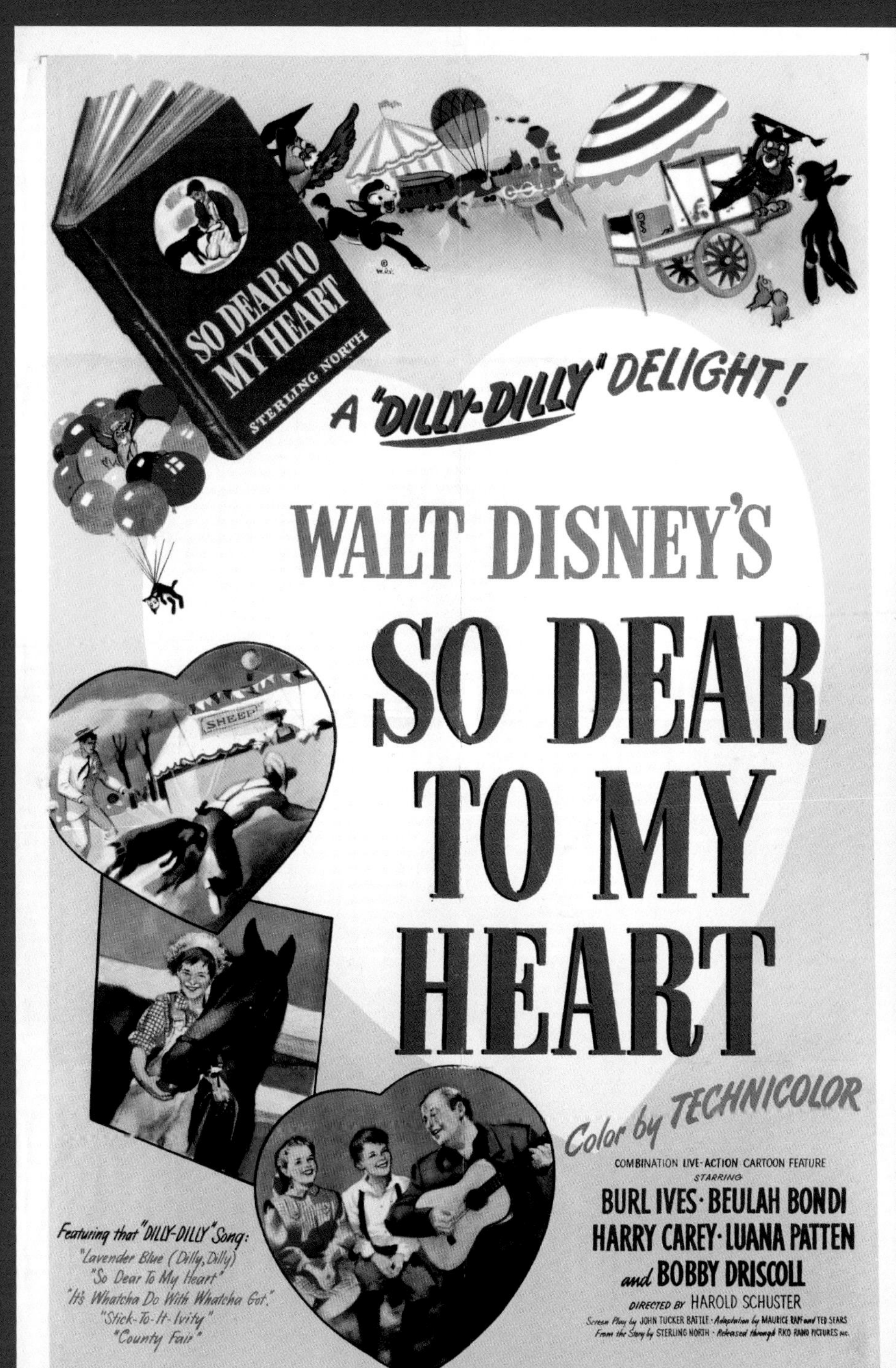
SO DEAR TO MY HEART
STERLING NORTH
A "DILLY-DILLY" DELIGHT!
WALT DISNEY'S
SO DEAR TO MY HEART
SHEEP
Color by TECHNICOLOR
COMBINATION LIVE-ACTION CARTOON FEATURE
STARRING
BURL IVES · BEULAH BONDI
HARRY CAREY · LUANA PATTEN
and BOBBY DRISCOLL
DIRECTED BY HAROLD SCHUSTER
Screen Play by JOHN TUCKER BATTLE · Adaptation by MAURICE RAPF and TED SEARS
From the Story by STERLING NORTH · Released through RKO RADIO PICTURES INC.
Featuring that "DILLY-DILLY" Song:
"Lavender Blue (Dilly, Dilly)
"So Dear To My Heart"
"It's Whatcha Do With Whatcha Got."
"Stick-To-It-Ivity"
"County Fair"

18.01

18.02

18.05

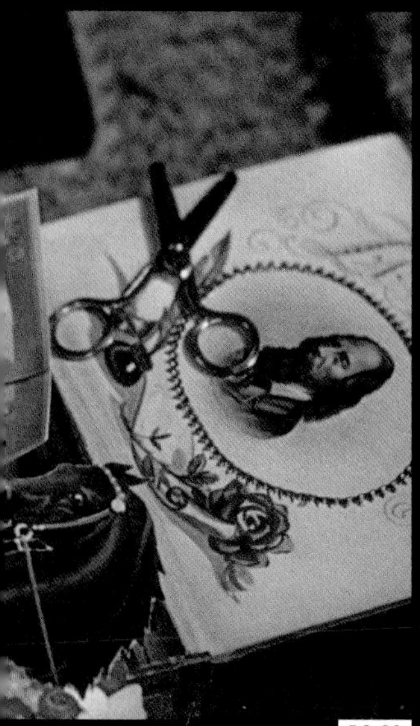

18.03

18.04

18.06

18.07

„Einer der am wenigsten bekannten Filme von Walt Disney war zugleich sein persönlicher Lieblingsfilm, eine idealisierte Sicht des Landlebens zu Beginn des 20. Jahrhunderts. Er trug sogar dazu bei, diese Vorstellung in noch größerer Form zu verwirklichen – in Disneyland.“

Leonard Maltin

18.08

18.09

18.01 ***Das Filmplakat zur amerikanischen Erstaufführung***
18.02–07 ***Szenen- und Standbilder aus dem Film***
18.08–09 ***Mary Blairs großartige Entwürfe bestimmten die Farbpalette des ganzen Films. Im Jahr darauf begann sie damit, Kinderbücher zu illustrieren, die nichts mit Disney zu tun hatten, so wie etwa* I Can Fly.**

18.10 ***Gegen Ende der 1940er-Jahre erlebte Amerika in Musik und Malerei eine Rückkehr zum Volkstümlichen. Diese Entwürfe von Mary Blair gleichen in ihrer simplen Naivität Mustern traditioneller Quilts.***
18.11 ***Sein Leben lang verherrlichte Walt Disney seine Kindheit auf einer Farm in Marceline, Missouri. Für diesen sehr persönlichen Film ließ er deren Scheune nachbauen.***
18.12 ***Disney gönnt sich einen Moment Ruhe in der ländlichen Umgebung des Mittleren Westens, die ihm so vertraut war.***

18.10

18.11

18.12

Cinderella / Aschenputtel

Cinderella (1950)

Synopsis

Nach dem Tod ihres Vaters muss die Waise Cinderella mit ihrer bösen Stiefmutter Lady Tremaine (dt. Gräfin Tremaine / Böse Stiefmutter) und ihren selbstsüchtigen Stiefschwestern zusammenleben. Ihre Freunde sind Tiere, um die sie sich liebevoll kümmert. Im Palast beklagt derweil der König das Ausbleiben von Enkelkindern. Um den Prinzen dazu zu bewegen, eine Frau zu finden, gehen Balleinladungen an „jedwedes Fräulein" im Land, doch Cinderellas Stiefmutter untergräbt deren Bemühungen, dorthin zu gehen, um die Chancen ihrer Töchter zu erhöhen.

Dank ihrer Freunde im Tierreich und der Fairy Godmother (dt. Gute Fee) erreicht Cinderella den Ball im schönsten nur vorstellbaren Kleid und gläsernen Schuhen. Liebe auf den ersten Blick erfasst den Prinzen und Cinderella, die jedoch vor Mitternacht den Ball verlassen muss – dann verliert der Feenzauber seine Wirkung. In der Eile ihrer Flucht verliert sie einen ihrer gläsernen Schuhe.

Eine Proklamation wird im Land verlesen: Der Prinz werde nur das Mädchen ehelichen, dem dieser Schuh passe. Weil sie ihre Töchter an den Prinzen verheiraten möchte, schließt die böse Stiefmutter Cinderella in ihrem Turmzimmer ein. Ihre tierischen Freunde stehlen den Schlüssel und befreien sie gerade noch rechtzeitig. Nun zerbricht die böse Stiefmutter den gläsernen Schuh, doch als Cinderella das Gegenstück hervorholt, passt er wie angegossen.

ERSTAUFFÜHRUNG USA 15. Februar 1950
ERSTAUFFÜHRUNG D Juni 1951 (Berliner Filmfestspiele); 21. Dezember 1951 (Kinostart)
LAUFZEIT 74 Minuten

Besetzung
CINDERELLA ILENE WOODS
PRINZ (STIMME) WILLIAM PHIPPS
STIEFMUTTER ELEANOR AUDLEY
DRIZELLA RHODA WILLIAMS
ANASTASIA LUCILLE BLISS
GUTE FEE VERNA FELTON
KÖNIG, GROSSHERZOG LUIS VAN ROOTEN
JAQUES, KARLI JAMES MACDONALD
WEITERE STIMMEN DON BARCLAY
PRINZ (GESANG) MIKE DOUGLAS
LUCIFER (DIALOG UND GERÄUSCHE) JUNE FORAY
GUTE FEE (REALFILM REFERENZMODELL) CLAIRE DUBREY
CINDERELLA, ANASTASIA (REALFILM-REFERENZMODELL) HELENE STANLEY

Stab
LIEDER MACK DAVID, JERRY LIVINGSTON, AL HOFFMAN
PRODUCTION SUPERVISOR BEN SHARPSTEEN
REGIE WILFRED JACKSON, HAMILTON LUSKE, CLYDE GERONIMI
LEITENDE ANIMATOREN ERIC LARSON, WARD KIMBALL, NORM FERGUSON, MARC DAVIS, JOHN LOUNSBERY, MILT KAHL, WOLFGANG REITHERMAN, LES CLARK, OLLIE JOHNSTON, FRANK THOMAS
STORY KENNETH ANDERSON, TED SEARS, HOMER BRIGHTMAN, JOE RINALDI, WILLIAM PEET, HARRY REEVES, WINSTON HIBLER, ERDMAN PENNER, NACH DEM KLASSIKER VON CHARLES PERRAULT
CHARACTER ANIMATOREN MARVIN WOODWARD, HAL AMBRO, GEORGE NICHOLAS, HAL KING, JUDGE WHITAKER, FRED MOORE, HUGH FRASER, PHIL DUNCAN, CLIFF NORDBERG, KEN O'BRIEN, HARVEY TOOMBS, DON LUSK
HINTERGRÜNDE DICK ANTHONY, MERLE COX, RALPH HULETT, BRICE MACK, RAY HUFFINE, ART RILEY, THELMA WITMER
LAYOUT A. KENDALL O'CONNOR, THOR PUTNAM, CHARLES PHILIPPI, TOM CODRICK, DON GRIFFITH, MAC STEWART, LANCE NOLLEY, HUGH HENNESY
ANIMATION SPEZIALEFFEKTE GEORGE ROWLEY, JOSH MEADOR, JACK BOYD
MUSIK OLIVER WALLACE, PAUL SMITH
ORCHESTRIERUNG JOSEPH DUBIN
FILMSCHNITT DONALD HALLIDAY
FARBE UND STYLING CLAUDE COATS, MARY BLAIR, DON DAGRADI, JOHN HENCH
SPEZIELLE KOPIEREFFEKTE UB IWERKS
TON C.O. SLYFIELD
TONINGENIEUR HAROLD J. STECK, ROBERT O. COOK
MUSIKSCHNITT AL TEETER

For All the World to LOVE!

WALT DISNEY'S

A LOVE STORY WITH MUSIC

Greatest since SNOW WHITE

Color by TECHNICOLOR

Distributed by RKO Radio Pictures, Inc.

Cinderella
From the Original Classic
by
Charles Perrault
COLOR BY TECHNICOLOR

19.02

19.05

19.03

19.04

19.06

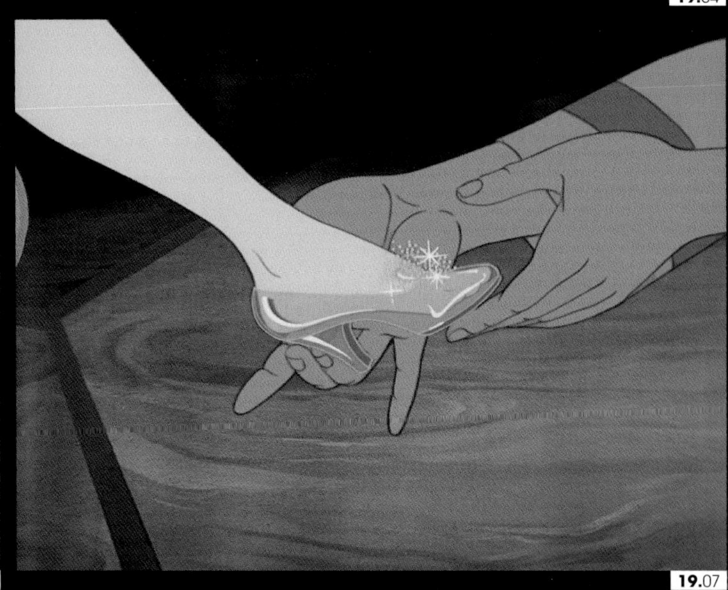

19.07

Der Märchenzauber von Walt Disneys *Cinderella*

Von Mindy Johnson

„Es war einmal ..." – seit Jahrhunderten setzt diese sowohl kraftvolle als auch bezaubernde Redewendung die Vorstellungskraft in Gang und signalisiert den Beginn eines großen Abenteuers. Märchen dienten dazu, den Prüfungen ebenso wie den Triumphen der menschlichen Erfahrung eine Bedeutung zu geben. Als meisterhafter Geschichtenerzähler, der er nun einmal war, erkannte Walt Disney die Universalität dieser zeitlosen Erzählform. Die Themen und Leitmotive der klassischen Märchen nahmen in seinem Leben und in seiner Kunst einen bedeutenden Platz ein.

Disneys eigene Version des Märchens von der Verwandlung Aschenputtels war sein erklärter Favorit, und über seine weibliche Hauptfigur Cinderella sagte Disney zu seinen Storyteams: „Sie ist ein Mädchen mit einer Menge Mumm und Vorstellungskraft." Vielleicht als Reflexion der Zeit, in der *Cinderella* geschaffen wurde, erzählte Disney von diesem klassischen Märchen in einem für seine Animationsfabrik kritischen Augenblick, als „Mumm und Vorstellungskraft" von jedem bei den Disney-Studios verlangt wurden.

„Ich glaube, Walt identifizierte sich mit Cinderella", bemerkte Disneys legendärer Songschreiber Richard Sherman. „Dieses arme kleine Mädchen wird ausgenutzt und hat nichts. Doch mit harter Arbeit und Vorstellungskraft passieren ihr einige wunderbare Dinge. Walt kam aus einfachen Verhältnissen. Er hatte große Träume, große Hoffnungen, aber zu Anfang hatte er nichts außer seiner Fantasie. Und mit dieser Fantasie baute er ein Imperium."[1]

„Marc Davis hatte großen Einfluss auf das Aussehen von Cinderella, und all diejenigen, die an ihr arbeiteten, zeichneten viel besser als 15 Jahre zuvor bei Snow White."

Frank Thomas

19.08

Die 1940er-Jahre waren eine schwere Zeit für Disneys Imperium. „Wir hatten die Kriegszeit überstanden, wir hatten dort drei oder vier Jahre verloren"[2], erinnerte sich Roy Disney in einem Interview aus dem Jahre 1968 an die zweite Hälfte der 1940er-Jahre. In einem Studiobericht erklärte Walt: „Wir dufteten nicht gerade nach Rosen, als wir den Krieg überstanden hatten, aber wir hatten eine wunderbare Ausbildung genossen und eine Entschlossenheit, uns breiter aufzustellen."[3] Nach dem Krieg, als die ausländischen Märkte noch fehlten, sorgten einige

Filmanthologien und Handelsgeschäfte in den Disney-Studios dafür, dass die Türen offen und die Lichter eingeschaltet blieben, aber mit dem wachsenden Schuldenberg standen die Brüder schon bald am Scheideweg.

„Wir steckten in einem fürchterlichen Dilemma", erinnert sich Roy. „Plötzlich waren wir wie ein Bär, der aus dem Winterschlaf kommt, und hatten kein bisschen Fettpolster mehr. Ich wollte, dass sie diese Filme (*Cinderella, Alice in Wonderland / Alice im Wunderland* und *Peter Pan*) zurückstellen und nicht machen, weil ich Angst hatte, dass wir fürchterlich in die roten Zahlen rutschen würden." Während die Schließung des Animationsstudios für Roy eine Option war, war sie es nicht für Walt, der die Fähigkeiten seiner Teams kannte.[4] Disneys Reservoir an Spitzentalenten bestand nicht mehr aus kecken jungen Neulingen, sondern war jetzt voller erfahrener Geschichtenerzähler, und es lag in ihrem besten Interesse, auch die eigene Zukunft zu sichern. So folgte der erste Versuch des Studios seit dem Erscheinen von *Bambi* 1942, einen abendfüllenden Zeichentrickfilm, der einer einzigen Geschichte gewidmet war, zu produzieren. Disney wusste, dass die Arbeit an einem Langfilm den 750 Künstlern des Studios wieder eine Chance bot, sich gemeinsam eine einzigartige Geschichte zu vergegenwärtigen, sich noch mehr in die Charaktere zu vertiefen und eine außergewöhnliche Welt durch die Kunst der Animation zu erforschen.

Disney arbeitete mit seinen Storyteams daran, seine Optionen zu ermitteln. Dabei entstaubte er einige zuvor zurückgestellte Ideen. Das Studio brauchte dringend einen weiteren durchschlagenden Erfolg wie mit *Snow White and the Seven Dwarfs (Schneewittchen und die sieben Zwerge)*, der 1937 die Filmindustrie revolutioniert hatte. Von seinen frühesten Laugh-O-grams in Kansas City und den Alice-Comedies-Stummfilmen bis hin zum erfolgreichen Vorstoß zu seinem ersten abendfüllenden Animationsfilm erkannte Disney die Wirkung der Märchenform und wie sehr deren Grundelemente für die Animation geeignet waren. Für diese überlebenswichtige Rückkehr zur animierten Erzählkunst in Spielfilmlänge konnte er den Traditionen dieser Erzählstruktur vertrauen: „Wir sollten uns bemühen, dem Märchen so viel wie möglich zu folgen", sagte Disney in einer Storykonferenz am 26. März 1946. „Es ist die Quelle von allem."

In *Cinderella* steckten bereits universelle Themen, eine fesselnde Handlung und archetypische Charaktere. Wie Disney gegenüber seinen Storyteams erklärte, „ist das eine ‚Es-war-einmal-Geschichte', und ich denke nicht, dass wir uns vor so etwas fürchten sollten." Disney hatte *Cinderella* schon 1922, fast 30 Jahre zuvor,

19.09

19.01 ***Originalfilmplakat von 1950 zur Erstaufführung des Films in den USA***
19.02–07 ***Einzelbilder***
19.08 ***Mary Blair unterstreicht das herzliche und aufrichtige Wesen der jungen Cinderella als zerlumptes Hausmädchen.***
19.09 ***Die kantigen Formen, die Blair für Lady Tremaine, Drizella und Anastasia verwendet, unterstreichen deren unschönes Gebaren.***

mit seiner frühen Laugh-O-grams-Stummfilmreihe interpretiert. In einer seiner ersten kreativen Unternehmungen modernisierte Disney die altehrwürdige Geschichte durch eine Jazz-Age-Erzählung in einem klug animierten Kurzfilm. Studiokünstler untersuchten die Storyelemente im Hinblick auf eine mögliche Silly Symphony in den 1930er-Jahren, und die früheste Spielfilmbearbeitung des Cinderella-Märchens wurde im Januar 1940 von dem Story und Gag Man Dana Cory zusammen mit den überwältigenden Interpretationen in Wasserfarbe von der ersten weiblichen Konzeptkünstlerin des Studios, Bianca Majolie, abgeliefert.

Disney bündelte seine Storyteams 1946 und rückte Charles Perraults alte französische Verwandlungsfabel in die frühe Entwicklungsphase. *Cinderella* hatte Spielfilmpotenzial, wie der Story Artist Bill Peet erkannte. „Es ist ein abgedroschenes Märchen, so wie *The Three Bears (Goldlöckchen und die drei Bären)*, aber es könnte zu einem Epos ausgebaut werden." Disney verstand die Facetten dieser universellen Geschichte, die die Fantasien schon lange bewegt hatten: eine wahre Heldin, die die Gegnerschaft und Eifersucht ihrer Stiefmutter und Stiefschwestern überwindet, mit ein wenig Hilfe von der Fairy Godmother, dazu gläserne Pantoffeln, verzauberte Kürbisse, ein entzückender Prinz und ein Zauberbann, der sich um Mitternacht auflöst. Es war eine bewährte Geschichte, aber in der großen Tradition der Erzählkunst würde die tatsächliche Bewährungsprobe der Disney-Teams sein, das Märchen von *Cinderella* so zu erzählen, dass die Zuschauer vor Begeisterung über die Heldin toben und von der Animation gefesselt sein würden. „Die Leute halten sich gern an Cinderella und dem Prinzen fest", erklärte Disney in einer Studiomitteilung.

Mit einer drastisch reduzierten Produktionsmannschaft, einer kleinen Gruppe von Story Artists, darunter Ted Sears, Homer Brightman, Ken Anderson, Ed Penner und Winston Hibler, wurde jede Facette des Drehbuchs unter die Lupe genommen. Eine konzertierte Aktion war im Gange, um diese zeitlose Verwandlungserzählung zu einer weltumspannend attraktiven Geschichte zu machen. „Ich möchte, dass wir das sehr gründlich betreiben", verkündete Disney seinen Storyteams, „und nicht versuchen, eine Farce daraus zu machen. Ich bin der Meinung, wir sollten mit derselben Ernsthaftigkeit darangehen wie bei *Snow White*: So ernsthaft wir an die Sache herangehen und so, wie wir die Geschichte erzählen, so glauben wir auch selbst an sie."

In einer frühen Storykonferenz Anfang 1948 gab Walt die Richtung an: „Ich denke, wir sollten mit ‚Es war einmal' anfangen, uns dann durch die Geschichte bewegen und mit ‚wenn sie nicht gestorben sind, dann leben sie noch heute' abschließen. Wenn wir das machen, muss alles im Großen und Ganzen im Einklang mit dieser Erzählweise stehen." Disney arbeitete streng nach den Grundsätzen dieser besonderen Erzählform und appellierte an seine Mitarbeiter: „Führt die Zuschauer mit unseren Vorspanntiteln geradewegs in ein Märchen." Die Geschichte von Cinderella müsse man „ganz und gar als Märchen erzählen". Disney suchte nicht nach Rechtfertigungen für die eindeutige Richtung seines Ansatzes und fügte hinzu: „Ich bin sentimental genug, es soll mich mitten ins Herz treffen. Du bist auf Cinderellas Seite. Du fühlst mit Cinderella."

„Wie Cinderella bewies, war das Publikum erfreut darüber, dass wir die Mausfiguren Gus und Jaq und die tapfere, lebenslustige Bande von Cinderellas kleinen Helfern hinzugefügt hatten."

Walt Disney

Mit dem erprobten Team von Regisseuren des Studios – Wilfred Jackson, Hamilton Luske und Clyde „Gerry" Geronimi – begannen die Story Artists damit, fantasievolle Charakterisierungen innerhalb des wohlbekannten Rahmens der Perrault-Handlung zu entwickeln. In der Tradition des Geschichtenerzählens wurde der Grundstock von Perraults *Cinderella* um Charaktere und Szenen erweitert, die mit dem besonderen Disney-Charme und Humor ausgestattet waren und der alten Geschichte neues Leben einhauch-

19.10

ten. In Anbetracht ihrer isolierten Existenz wurde rasch beschlossen, dass die verschiedenen Tiere des Haushalts als Cinderellas Freunde und Verbündete dienen könnten. Disney erkannte die Palette der Möglichkeiten und die Dimension, die ihrer Welt auf diese Weise hinzugefügt werden würden. „Ich denke, das, was wir in diesem Stadium hinzugewonnen haben", erklärte Disney in einer Storykonferenz am 15. Januar 1948, „ist die Tatsache, dass all die kleinen Figuren, die wir einsetzen, eine Rolle in der Geschichte spielen können. Das heißt, die Mäuse können eine bestimmte Rolle übernehmen – der Hund und das Pferd und alle – jede Figur spielt eine Rolle in der Story – wenn wir sie richtig entwickeln und nicht nur für Gags dabeihaben." Disney fügte schnell warnend hinzu: „Es gibt einen Augenblick, in dem man Witze reißen kann, und zu anderen Gelegenheiten muss man einen bestimmten, einen ernsthaften Eindruck übermitteln, wenn die Geschichte funktionieren soll."

Das gilt zum Beispiel für die Mäuse, die innerhalb der Parameter von Fantasie und Menschengestalt für eine herrliche Leichtigkeit sorgen konnten, aber hauptsächlich dazu dienten, Cinderellas Gutherzigkeit zu unterstreichen, gemeinsam mit Bruno, dem Hund, und vielen anderen Tieren auf dem Hof. Die niederträchtige tierische Ausnahme, Lucifer, Lady Tremaines Katzen-Sidekick, sorgte für ein narratives Gegenstück. Diese boshafte Erweiterung der Hauptgegenspielerin des Films verkörpert den perfekten Erzfeind für die Mäuse und den freundlichen Bruno. Ihre gemeinsamen Eskapaden

19.10 ***In ihren Entwürfen verleiht Blair dem Schloss des Prinzen in Walt Disneys*** **Cinderella** ***eine traumgleiche Qualität.***

fügen eine komische, nachhallende Nebenhandlung hinzu, mit dem Zweck, die Intensität der Ereignisse um die menschlichen Charaktere der Geschichte abzumildern.

„Ich glaube, Cinderella *ist das Beste, was ich je gemacht habe.*“
Eleanor Audley

Disney verlangte von seinen Künstlern, einfallsreich zu arbeiten, um diese beiden Ebenen zu integrieren, wenn die Mäuse für Cinderella die Rettung sind und es ihr ermöglichen, an dem Ball teilzunehmen. „Irgendwie“, so erläuterte Disney, während er mit den Künstlern die Story formte, „müssen wir das ausspielen, wenn die Nachricht kommt, und wir müssen etwas daraus machen, dass Cinderella hingehen darf. Unser Problem ist, dass wir diesen Mäusen die Chance geben müssen, sie zu überraschen. Wenn wir daraus etwas machen könnten, dass sie denkt, sie kann nicht hingehen, und geht (hinauf in ihr Zimmer), und (dann) bringen die Mäuse das Kleid hinein ...“ Disney hatte stets sein Publikum im Hinterkopf und ermunterte seine Teams immer, einen Schritt im Voraus zu denken: „Die Zuschauer müssen auch überrascht sein – sie müssen wissen, dass etwas im Gange ist, aber sie dürfen sich nicht zu sicher sein.“

Nun, da Figuren und Story in Bearbeitung waren, mussten der visuelle Stil und das Design von Disneys Märchenspielfilm geformt werden. Um sich die Welt von *Cinderella* zu verbildlichen, rief Disney eine der größten Konzeptkünstlerinnen und Farbstylistinnen in der Geschichte der Animation, Mary Blair, zu sich. Diese schuf mit ihren Pinseln atmosphärische Motive und Figuren, während sie Farben auf beispiellose Weise kombinierte. Wie Marc Davis, ein Künstlerkollege bei Disney in einer *Oral History* anmerkte: „Unter Marys Händen funktionierten Farben wie niemals zuvor.“[5]

Zahllose kleine, lebhafte Studien, die Blairs Talente unter Beweis stellten, füllten schon bald die Storykonferenzen für *Cinderella*. Ihre einfallsreichen Designs waren ein lebhafter Kontrapunkt zu den verhaltenen europäischen Einflüssen der Kunst von Gustaf Tenggren, Ferdinand Horvath und Albert Hurter, die *Snow White and the Seven Dwarfs* so eindeutig kennzeichnete. Disney war fasziniert von Blairs Arbeit. Ihr gelang es, mit simplen Linien und farbenfrohen Wiedergaben mächtige Gefühle in brillanter Weise zu übermitteln. Nach dem Urteil ihrer guten Freundin Alice Davis „hatte Mary ein waches Auge zusammen mit dem Herzen eines Kindes – also die perfekte Mischung für die Animation“.[6] Erfreut über ihren frischen Stil, setzte sich Disney schnell für sie ein.

Blair ging in ihrem Design bis an die Grenze, wobei sie sich die verzauberte Welt von *Cinderella* lebhaft vorstellte. Ihr großartiger Einsatz von Farbe, Form und Inszenierung zusammen mit ihren visuellen Studien von Größe, Umfang und Maßstab sorgten für den Eindruck von Ehrlichkeit und Unschuld, den Disney für seine Heldin wünschte. Bei genauerem Hinsehen enthüllt die nur scheinbar kindliche Qualität von Blairs Arbeit eine grafische Darstellung der Qualitäten ihrer Charaktere: Die eckigen Gesichtszüge der Stiefmutter unterstreichen ihr unzufriedenes Mienenspiel, die mage-

19.11

19.12

ren, abgewinkelten Formen der Stiefschwestern geben ihre Flachheit wieder, und der freundliche, fröhliche Gesichtsausdruck von Cinderella wird mit einem eleganten Pinselstrich sehr prägnant übermittelt.

Blairs Farben und Inszenierung definieren die Trostlosigkeit der grausamen Welt des kleinen Küchenmädchens, die beeindruckende Opulenz und Erhabenheit des fernen Palastes, den Zauber des Gartens im Mondlicht, selbst die Höhen der Liebe während eines Tanzes in den Wolken – in einer Szene, die es leider nicht in den fertigen Film schaffte. Ihre Arbeit war launenhaft, stilisiert und dynamisch. Ihre lebhafte Palette und ihr Sinn für Inszenierung bestimmten jede Situation, schufen beeindruckende visuelle Vorstellungen, während sie die Erzählung vollkommen in die Märchenform einpasste, so wie Disney das ursprünglich beabsichtigt hatte.

Neben Conceptual Design und Story Development war die Musik in *Cinderella* ein integraler Bestandteil bei der Entwicklung überzeugender Charaktere und der Handlung. Wie Disney erläuterte, „kommt oft das musikalische Motiv zuerst und gibt den Weg der musikalischen Bearbeitung vor". Disney kalkulierte die entscheidende Rolle, die die Musik bei diesem Märchen ausmachen würde, und vertraute darauf, mit musikalischen Hits an die entsprechenden Erfolge in früheren abendfüllenden Zeichentrickfilmen

19.11 ***Ilene Woods, die Originalstimme von Cinderella, spielt eines der eingängigen Lieder für Walt Disneys Zeichentrickklassiker ein.***
19.12 ***Mary Blair bespricht ihre Entwürfe für die visuelle Gestaltung des Films mit Wilfred Jackson, einem der Regisseure von*** **Cinderella.**

anknüpfen zu können. So beabsichtigte er, die Musik von *Cinderella* im Eigenverlag zu publizieren. Das war in der Studiogeschichte bislang ohne Beispiel. Ein junges Team von Tin-Pan-Alley-Songschreibern – die Komponisten Al Hoffman und Jerry Livingston sowie der Textdichter Mack David – wurden engagiert, um mehrere Songs auf Verdacht zu schreiben.

„Unsere erste Sorge", so Disney, „war sicherzustellen, dass jeder Song uns dabei helfen würde, unsere Geschichte zu erzählen."[7] Die Ballade *A Dream Is A Wish Your Heart Makes (Ich hab ihn im Traum gesehen)* umreißt den großen Wunsch des kleinen Aschenmädchens, fördert das Verständnis der Zuschauer für die Hoffnungen und Sehnsüchte Cinderellas und ihre Bereitschaft, ihr auf ihrem Weg zu folgen. Das lebhafte *Bibbidi-Bobbidi-Boo* spricht den wundersamen Zauber wahr werdender Wünsche in einer Form an, die typisch war für die populären Novelty Songs der Zeit. Cinderellas Mäusefreunde stimmen ein mit *The Work Song (Der Arbeitssong)*, der die ermüdende und fordernde Welt von Cinderellas Pflichten demonstriert, und das traumhafte Duett *So This Is Love (Das ist das Glück)* bestätigt die Hoffnungen von Cinderellas letztendlicher Transformation.

Die Disney-Getreuen Oliver Wallace, Paul Smith und Joseph Dubin sorgten für die Einbettung der Songs in die Filmmusik. Diese eingängigen Melodien, verwoben in die Erzählstruktur, sind eine Fortsetzung der Darstellung des emotionalen Bogens der Heldin.

19.13 ***Die gesamte Geschichte von Cinderella wurde zunächst mit realen Referenzmodellen gedreht. Dabei wurden einzelne Filmbilder vergrößert, die dann in der Animation als Vorlage für die Zeichnung und Positionierung der Figuren dienten.***
19.14 ***Endgültiger Hintergrund für das labyrinthartige Treppenhaus, das die Mäuse bewältigen müssen, um in Cinderellas Dachkammer im Turm zu gelangen***

19.13

19.14

19.15

Bei der Gestaltung der Charaktere brachte auch das Casting der Sprecher ganz neue Herausforderungen mit sich. Schon sehr früh erkannte Walt Disney die Notwendigkeit, die Relevanz der Heldin herauszustellen, während er gleichzeitig dem Wesen der zeitlosen Form treu bleiben wollte. In einem frühen *Cinderella*-Werbeprospekt heißt es: „Wir hoffen, Charaktereigenschaften zu schaffen, die es dem modernen Mädchen ermöglichen, sich mit Cinderella zu identifizieren und entlang ihrer Hoffnungen, Enttäuschungen und ihrem letztendlichen Triumph mit ihr zu träumen."

Die Tatsache, dass Disney mehr als 300 Kandidatinnen vorsprechen ließ, zeigt deutlich die Mühe, die er investierte, um die endgültige Stimme für seine Cinderella zu finden. Die richtige Mischung aus identifizierbarem Charakter, Intelligenz und Unschuld fand sich in der Stimme der jungen Sängerin Ilene Woods, die auch ein Radiostar war. Für sie war es wie ein wahr gewordenes Märchen, dass sie als Cinderella gecastet wurde. „Ich denke, es war selbst eine *Cinderella*-Story, dass ich die Rolle bekam"[8], bemerkt Woods rückblickend. Um zwei Freunden, Mack David und Jerry Livingston, die die Musik geschrieben hatten, einen Gefallen zu tun, nahm Woods Demos der Songs auf, die sie später weltberühmt

19.15 ***Mary Blairs Farbwahl vermittelt die Wärme in Cinderellas Welt bei der Küchenarbeit.***
19.16 ***Ein früher Entwurf für Lady Tremaines heimtückischer Katze Lucifer, den Feind von Cinderellas tierischen Freunden***
19.17 ***Entwurf für Cinderellas Freund, den Mäuserich Gus: Viele von Mary Blairs Kostümvorschlägen wurden für die endgültigen Figuren beibehalten.***

machen würden. „Er hatte sich eine Menge Mädchen angehört und etwas in der Stimme gehört, das für ihn nach Cinderella klang", erinnert sich Woods weiter. „Ich wusste nicht, dass ich überhaupt berücksichtigt werden würde, bis dann Mr Disney die Aufnahmen hörte. Und dann fing die Aufregung an; der Augenblick, als all die Schmetterlinge in meinem Bauch herumflatterten, kam, als ich aufgerufen wurde, um Mr Disney zu treffen."

„Es soll mich mitten ins Herz treffen. Du bist auf Cinderellas Seite. Du fühlst mit Cinderella."

Walt Disney

Disney wies *Cinderellas* Figuren seinen Topanimatoren entsprechend ihrer Talente und Fähigkeiten zu. Er kombinierte sorgfältig die Raffinesse und Intelligenz von Marc Davis mit der Wärme und Aufrichtigkeit von Eric Larson. Disney beauftragte diese beiden Animatoren mit der schwierigen Aufgabe, die Hauptfigur des Films zu animieren. Wie Marc Davis beobachtete, „trägt Cinderella die Story. Wenn man nicht an sie glaubt, macht es keinen Unterschied, wie gut oder witzig oder interessant die restlichen Figuren sind – der Film funktioniert einfach nicht ... sie muss jemand sein, mit dem man mitfühlen kann." Davis fügt hinzu: „Die Zuschauer mussten glauben, dass es tatsächlich einen Grund gab, sich um sie zu sorgen."[9] Um Cinderellas Bewegungen zum Leben zu erwecken, engagierte man die Tänzerin und Schauspielerin Helene Stanley, um Realfilmreferenzmaterial für die gesamte Story drehen zu können. Stanley, die mit den Animatoren bereits zusammengearbeitet hatte, um Charaktere wie die Ballerina in *Fantasia* umzusetzen, erhielt von Animator Eric Larson Lob für ihre Beiträge zu *Cinderella*: „Sie begriff das Medium wie nur wenige andere Menschen und war eine große Inspiration für die Animatoren bei der Kreation eines überzeugend lebensähnlichen Mädchens."

Zum ersten Mal in einer Disney-Animation wurde der gesamte erzählende Film in einem Realfilmzusammenhang gedreht. Stimme und Realfilmschauspieler, die minimale Sets, Kostüme und Requisiten verwendeten, drehten die gesamte Story, um Referenzmaterial für die ausdrucksvollen Körperbewegungen, Posen und die Inszenierung jeder Szene und Charakterisierung zu erhalten. Diese Ressource stellte eine ungeheure Inspiration für die Animatoren dar. Später verwendeten sie vergrößerte Einzelbilder aus den gefilmten Sequenzen für spezielle Interpretationen verschiedener Aktionen. Wie Marc Davis erläutert, „waren Cinderellas Bewegungen niemals Nachzeichnungen des Realfilmmodells, denn wenn man eine Fotografie mit einer einfachen Linie abpaust, hat man kein Licht und Schatten mehr, und das Bild wird breit und grob. Realfilm ist nützlich als ein Muster, um bei schwierigen Dingen zu helfen, die man sich nicht einfach ausdenken kann." Die zu Referenzzwecken

19.16

19.17

aufgezeichneten Bewegungen reichten vom gesamten Staging bis zu grundlegenden Gesten und sogar der Komplexität einfacher Gesichtsbewegungen. „Wenn man sich das Gesicht auf der Leinwand anschaut", stellt Davis fest, „arbeitet das ganze Gesicht zusammen. Wenn man lächelt, lächeln die Augen, der Mund lächelt, selbst die Ohren bewegen sich. Das ist etwas, das, wenn wir es richtig machen, alles aufhellt, es ist wie eine Wunderlampe. Man sieht das Gesicht, und es lebt."

Eine der eloquentesten und innovativsten Szenen des Films findet sich in der Gesangsstundensequenz, die Cinderellas Hoffnungen und Wünsche der harten Realität ihrer Welt gegenüberstellt. Dieser Augenblick der Filmkunst entwickelte sich vollkommen aus der Vorstellungskraft Disneys. Ilene Woods erinnert sich, dass während der Musikaufnahme für die Songsequenz „Sing, Sweet Nightingale" „Walt hereinkam und sich den Song schließlich anhörte und etwa fünf Minuten lang still dasaß, und jeder dachte: ‚Oh, er gefällt ihm nicht.' Und er sagte: ‚Ich sehe eine Seifenblase aufsteigen, und ich sehe Cinderellas Gesicht kommen, und ich höre eine weitere Harmoniestimme. Und dann sehe ich noch eine Seifenblase aufsteigen und höre noch eine Stimme in Harmonie singen.'"

Audio Overdubbing war ein neues Verfahren, das den frühen Entwicklungen des Gitarristen Les Paul in der Audiotechnologie zu jener Zeit zu verdanken war. Die Anwendung dieser Technologie in der Animation war noch nie zuvor versucht worden, was Disney jedoch nicht abzuschrecken schien. Laut Woods „sagte er: ‚Wir können das. Ich weiß, dass wir das können.' So war er. Wenn er sagte, dass etwas zu schaffen sei, dann stellte das niemand infrage."[10]

19.18

19.19

Bei der Vervollständigung der Besetzung hatte Disney klare Vorstellungen hinsichtlich der besonderen Qualitäten der zusätzlichen Stimmen für *Cinderella*. „Bei der Fairy Godmother geht es darum, dass sie nicht einfach jedem hilft. Wir haben uns schon wirklich Gedanken darüber gemacht." Disney und seine Storyteams begriffen die Fantasyelemente und die Rolle der Magie als Werkzeug, um die vielen Möglichkeiten und Wunder des Lebens zu thematisieren. Für die richtige Mischung aus Freundlichkeit und Wärme wurde die vielseitige Charakterschauspielerin Verna Felton als Stimme von Cinderellas Zauberstab schwingender Wünscheerfüllerin auserkoren. Die Zuschauer hatten sie zuvor schon als Stimme der liebevollen Mutter der Titelfigur in *Dumbo* gehört, aber als Disneys exemplarischer Großmuttertyp verwob Felton die richtige Menge Liebe und Verständnis mit ihrer leutseligen Schusseligkeit. Mary Alice O'Connor, die Frau des Künstlers Ken O'Connor, inspirierte das Aussehen dieses guten Geistes.[11] Der Animator Milt Kahl studierte Mary Alices hochgeraffte Frisur und ihr warmes Lächeln, während er das großmütterliche Erscheinungsbild entwarf und animierte. Als physische Verkörperung des Zaubers zeigt sich die Präsenz der Fairy Godmother häufig nur durch eine Reihe von Funken, und ihr erstes Erscheinen gehört zu den sehr ausdrucksstarken Storysequenzen in Disneys Animation. „Ich bekomme immer noch einen Kloß in der Kehle, wenn (Cinderellas) Kleid heruntergerissen wird

19.18 ***Gekonnt stellt Mary Blair das Gezänk zwischen den verzogenen Stiefschwestern Anastasia und Drizella dar.***
19.19 ***Weil sie den Ball nicht besuchen darf, zieht sich die verzweifelte Cinderella in den Garten zurück, und Mary Blairs stimmungsvolle Kulisse unterstreicht perfekt ihre Einsamkeit.***

19.20

19.21

und sie hinaus in den Garten rennt", bemerkte Frank Thomas rückblickend einmal. Der Animator Marc Davis arbeitete mit dem Story Artist Ken Anderson am Staging des ersten Auftritts der Fairy Godmother. „Ich ließ das Mädchen sich an eine Bank lehnen, dann schwebt die Fairy Godmother ein, und der Kopf des Mädchens ist auf ihrem Schoß. Ich denke, diese kleine Sequenz funktionierte sehr, sehr gut."[12]

> ***„Natürlich passt das Mädchen in den gläsernen Schuh, aber es muss so aussehen, als käme er [der Bote] nicht dorthin."***
> Bill Peet

Schwere Arbeit und fürchterliche Lebensumstände sind Cinderellas Los im Leben, aber dem Glauben an sich selbst folgend und gemeinsam mit den magischen Ressourcen der Fairy Godmother erreicht Cinderella ihr Ziel: die Teilnahme am Ball. Dort angekommen, beeindrucken ihre Anmut und Liebenswürdigkeit, denn sie ist nun dort, wo sie hingehört. Zusätzlich zu diesem Erfolg erscheint noch ein entzückender Bonus in Gestalt von Cinderellas Traumprinz. Inspiriert vom Schauspieler Jeffrey Stone, wurde der namenlose Prinz von William Phipps gesprochen. Mike Douglas, Big-Band-Sänger und bekannter Fernsehstar, lieh dem Prinzen die Gesangsstimme.

In allen guten Erzählungen bringt ein mächtiger Gegner das Publikum dazu, mit der Heldin mitzufiebern. Um die Autorität und den finsteren Sarkasmus der niederträchtigen Lady Tremaine zu verkörpern, wurde die erfahrene Synchronsprecherin Eleanor Audley gecastet. Der führende Animator Frank Thomas erkannte die Bedeutung seiner Bösewichtin: „Sie musste glaubhaft sein. Sie war die treibende Kraft des Ganzen." Um herauszufinden, wie man am besten Hinterhältigkeit und Sarkasmus kombinierte, arbeitete Thomas eng mit Audley zusammen. Er erzählt: „Ihre Stimme hatte solch eine Farbe ... Wann immer man das in den Zeichnungen einfing, gab es einem ein Gefühl von großer Zufriedenheit."[13]

Die ungeschickten, egoistischen Stiefschwestern dienten als clowneske Kontrastfiguren. Sie trugen zu Cinderellas widrigen Lebensumständen bei, stellten aber in ihrer cleveren Animation durch Ollie Johnston unter allen vorhandenen Kräften des Bösen eine Quelle komischer Auflockerung dar. Die Schauspielerin

Rhoda Williams war die Stimme von Drizella, die Schauspielerin Lucille Bliss diejenige der Stiefschwester Anastasia.[14]

Cinderellas beste Mäusefreundin Perla, eines der freundlichen Tiere, wurde von einer der Künstlerinnen der legendären Ink-&-Paint-Abteilung gesprochen. „Miss Williams, Sie werden auf Bühne 2 gewünscht." So erinnerte sich die meisterhafte Ink-Künstlerin Lucille Williams, die ihre Stimme auch in verschiedenen Kurz- und Realfilmen zur Verfügung stellte, kürzlich in einem Interview. „Es war immer aufregend, diese doppelte Aufgabe zu haben, den Tag auf der Bühne mit den Regisseuren und der Crew zu verbringen."[15] Der langjährige Sound-Effects-Künstler Jimmy Macdonald lieferte die Stimmen für die komödiantischen Mäuse Jaq (dt. Jacques) und Gus (dt. Karli). Ward Kimball steuerte das Design und die Animation für viele der Mäusefiguren bei. Nach seiner Erinnerung „war das sehr lustig, denn zum ersten Mal stützten wir einen Charakter auf eine Karikatur der Wirklichkeit. Wir bemühten uns, den Mäusen kleine spitze Nasen und Schnurrhaare und Mäuseohren zu geben, und das war ein ziemlicher Durchbruch, besonders nachdem wir jahrelang eine Maus wie Micky (orig. Mickey) gezeichnet hatten. Das zeigte einem, was es bedeutete, die Wirklichkeit karikieren zu können."[16]

Das böse Gegenstück zu den freundlichen Tieren erschien in Gestalt von Lucifer, Lady Tremaines teuflischer Katze. Ausgestattet mit der Stimme der legendären Synchronsprecherin in Animationsfilmen June Foray, wurde die boshafte

19.20–21 ***Blairs frühe Entwürfe für die Fairy Godmother zeigen eine Vielfalt an Interpretationen – mal schlank, mal lustig. All diese Varianten wurden jedoch später abgelehnt.***
19.22 ***Mit schwungvollem Pinselstrich lässt Mary Blair die Fairy Godmother die zauberhafte Verwandlung des Kürbisses in eine Kutsche vollziehen.***

19.22

Kreatur vom Animator Ward Kimball zum Leben erweckt. Für den Entwurf einer überzeugenden ruchlosen Katze half Kimball ein wenig Erfahrung aus erster Hand: „Unsere Familie hatte eine Katze mit sechs oder sieben Zehen, die aussah wie Lucifer", erinnert er sich. „Als Walt eines Tages kam, um dem Chef der (Eisenbahnlinie), die entlang der Südküste von England verläuft, unsere Eisenbahn zu zeigen, sah er unsere Katze und sagte: ‚Das ist deine Katze. Mach sie genau so!'"

Nach beinahe zwei Jahren der Entwicklung und Konzeptualisierung, der Castings, der Aufnahmen, der Inszenierungsexperimente und des Drehens von Realfilmreferenzmaterial für den gesamten Film war die Geschichte von Cinderella klar angelegt, und die Animation begann. „Wir alle wussten, dass es ein guter Film war", befand der Animator Frank Thomas. „Man konnte das von dem Moment an erkennen, als wir den Realfilm drehten. Wenn Walt recht gehabt hatte mit seiner Vorhersage über das, was die Zuschauer sehen wollten, dann würden wir gut ins Geschäft kommen."[17]

„Selbst Wunder brauchen ein wenig Zeit."

Aus dem Drehbuch zu *Cinderella*

Die Story war hieb- und stichfest, und so ging die Animation schnell voran und war in gut sechs Monaten abgeschlossen. Szenen, die dramatische und komische Elemente der Geschichte erweiterten, wurden zum Leben erweckt. Wohl eines der besten Beispiele für diese meisterliche Mischung aus dramatischer Spannung und befreiender Komik findet sich auf dem Höhepunkt der Geschichte, als die winzigen, heldenhaften Mäuse Jaq und Gus die schwindelerregende Treppe zum Dachboden des Turms hinaufklettern. Geschickt fing Animator Wolfgang „Woolie" Reitherman die emotionalen Spannungen des kleinen Duos ein, das mit dem „riesigen Schlüssel" angsteinflößende Höhen überwindet, als sie sich panisch darum bemühen, Cinderella zu befreien, bevor der Grand Duke (dt. Großherzog) mit dem gläsernen Pantoffel abreist.

19.23

Sobald sie abgenommen war, ging jede Szene zur Ink-&-Paint-Abteilung. Dort fügten Inker und Painter dem animierten Zauber die richtige Mischung von Farbtönen hinzu, bevor jede Szene an fantasievolle Hintergründe angepasst wurde. Ein Team von Künstlern, zu denen Brice Mack, Thelma Witmer, Ralph Hulett, Merle Cox, Ray Huffine und Dick Anthony gehörten, bildete die Abteilung für Hintergründe und gestaltete *Cinderellas* Welt. Die ausdrucksstarken Wiedergaben wurden mit den abschließend geprüften Cels zusammengestellt und zur Kamera und zum abschließenden Schnitt geschickt.

Am 15. Februar 1950 erlebte Disneys animierter Märchenklassiker *Cinderella* endlich seine feierliche weltweite Uraufführung. Neben dem Gewinn des Gol-

19.24

denen Bären auf den Berliner Filmfestspielen 1951 wurde *Cinderella* für drei Oscars nominiert und 2008 vom *American Film Institute* zum neuntbesten Animationsfilm gekürt. Zuschauer und Kritiker waren von Disneys Märchenerzählkunst gleichermaßen entzückt: „Nur Disney konnte einen Film schaffen, der in seiner Schönheit so reich und fantasievoll ist ... Das ist ein wunderbares Kinomärchen sowohl für Kinder als auch für Erwachsene. Seine Attraktivität dürfte universell sein", befand die *Los Angeles Times*. *The Hollywood Reporter* gab gleich das angestrebte Ziel bekannt und pries den Film als „einfach wundervoll, den allerbesten Disney seit *Snow White*".

Viele Jahre später, als Disney nach seiner Lieblingsanimation aus seinem Studio gefragt wurde, antwortete er nach der Erinnerung des legendären Animators Marc Davis so: „Er dachte eine Sekunde lang nach und antwortete dann: ‚Nun, ich denke, das ist die Szene, in der Cinderella ihr Kleid bekommt.' Das heißt nicht, dass das die beste Animation ist, aber es sagt etwas über Walts Persönlichkeit aus, dass er sich diese Szene ausgesucht hat, in der ein armer Mensch diese schrecklichen erniedrigenden Dinge überwindet, die ihm geschehen sind. In einem gewissen Sinn war Walt Cinderella."[18] Tatsächlich, ähnlich wie seine Heldin überwanden Disney und sein Team von Künstlern widrige Umstände, um die Zukunft der Walt Disney Studios mit dem Erfolg von *Cinderella* zu sichern. Und in der großen Tradition der Märchen sorgten sie dafür, dass die Kunstform der Animation „glücklich und zufrieden" fortgeführt wurde.

19.23 ***Eine frühe Gouache-Studie Mary Blairs vom Happy End für Cinderella und Prince Charming***
19.24 ***Diese Layoutreinzeichnung eines Studiokünstlers zeigt das Schlussbild des Film: ein wahrhaft märchenhaftes Ende.***

Alice im Wunderland

Alice in Wonderland (1951)

Synopsis

Walt Disney hatte eine intensive Beziehung zu Lewis Carrolls *Alice's Adventures in Wonderland (Alices Abenteuer im Wunderland)*: Es war Inspiration zu den wegweisenden Alice Comedies, die seine Karriere als Animator initiierten, und er hatte ursprünglich vorgehabt, das Buch zum Gegenstand seines ersten abendfüllenden Zeichentrickfilms zu machen. Das Studio unternahm wiederholt Versuche, *Alice* zu produzieren, und über zwei Jahrzehnte hinweg entstanden etliche Drehbücher und visuelle Präsentationen. Betraut waren mit solchen Bearbeitungen unter anderem der Romanautor Aldous Huxley und der talentierte Artdirector David Hall aus Hollywood. Nach verschiedenen Fehlstarts ging der Film als Teil von Disneys Renaissance in den 1950er-Jahren in Produktion. Trotz des beeindruckenden visuellen Designs der Künstlerin Mary Blair, brillanter komischer Animation und eines Großaufgebots an prominenten Stimmtalenten war der Film zunächst ein Flop, wird aber inzwischen als Klassiker unter den Animationsfilmen betrachtet.

WELTPREMIERE 26. Juli 1951 (London)
ERSTAUFFÜHRUNG USA 28. Juli 1951
ERSTAUFFÜHRUNG D 17. Dezember 1952
LAUFZEIT 75 Minuten

Besetzung

ALICE KATHRYN BEAUMONT
VERRÜCKTER HUTMACHER ED WYNN
RAUPE RICHARD HAYDN
GRINSEKATZE STERLING HOLLOWAY
MÄRZHASE JERRY COLONNA
HERZKÖNIGIN VERNA FELTON
WALROSS, ZIMMERMANN, AUSTERN, TWEEDLEDEE UND TWEEDLEDUM PAT O'MALLEY
WEISSES KANINCHEN, DODO BILL THOMPSON
ALICES SCHWESTER HEATHER ANGEL
TÜRKNAUF JOSEPH KEARNS
BILL LARRY GREY
BRÜTENDE VOGELMÜTTER, BLUMEN QUEENIE LEONARD
HERZKÖNIG DINK TROUT
ROSE DORIS LLOYD
HASELMAUS JAMES MACDONALD
SPIELKARTENANSTREICHER THE MELLOMEN
FLAMINGOS PINTO COLVIG
SPIELKARTENANSTREICHER KEN BEAUMONT
ADLER ED PENNER
WEITERE STIMME DON BARCLAY

Stab

PRODUCTION SUPERVISOR BEN SHARPSTEEN
REGIE CLYDE GERONIMI, HAMILTON LUSKE, WILFRED JACKSON
LEITENDE ANIMATOREN MILT KAHL, WARD KIMBALL, FRANK THOMAS, ERIC LARSON, JOHN LOUNSBERY, OLLIE JOHNSTON, WOLFGANG REITHERMAN, MARC DAVIS, LES CLARK, NORM FERGUSON
STORY WINSTON HIBLER, BILL PEET, JOE RINALDI, BILL COTTRELL, JOE GRANT, DEL CONNELL, VTED SEARS, ERDMAN PENNER, MILT BANTA, DICK KELSEY, DICK HUEMER, TOM OREB, JOHN WALBRIDGE
CHARACTER ANIMATOREN HAL KING, JUDGE WHITAKER, HAL AMBRO, BILL JUSTICE, PHIL DUNCAN, BOB CARLSON, DON LUSK, CLIFF NORDBERG, HARVEY TOOMBS, FRED MOORE, MARVIN WOODWARD, HUGH FRASER, CHARLES NICHOLS
ANIMATION SPEZIALEFFEKTE JOSH MEADOR, DAN MACMANUS, GEORGE ROWLEY, BLAINE GIBSON
SPEZIELLE VERFAHREN UB IWERKS
FARBE UND STYLING JOHN HENCH, MARY BLAIR, CLAUDE COATS, KEN ANDERSON, DON DAGRADI
LAYOUT MAC STEWART, HUGH HENNESY, TOM CODRICK, DON GRIFFITH, CHARLES PHILIPPI, THOR PUTNAM, A. KENDALL O'CONNOR, LANCE NOLLEY
HINTERGRÜNDE RAY HUFFINE, RALPH HULETT, ART RILEY, BRICE MACK, DICK ANTHONY, THELMA WITMER
MUSIK OLIVER WALLACE
ORCHESTRIERUNG JOSEPH DUBIN
LIEDER BOB HILLIARD, SAMMY FAIN, DON RAYE, GENE DE PAUL, MACK DAVID, JERRY LIVINGSTON, AL HOFFMAN
VOCAL ARRANGEMENTS JUD CONLON

Walt Disney's

ALICE in WONDERLAND

The all-cartoon Musical Wonderfilm!

Color by TECHNICOLOR

STARRING THE VOICES OF:

ED WYNN...*The Mad Hatter* · RICHARD HAYDN...*The Caterpillar* · STERLING HOLLOWAY...*The Cheshire Cat*

JERRY COLONNA...*The March Hare* KATHRYN BEAUMONT...*ALICE*

Distributed by RKO Radio Pictures · COPYRIGHT WALT DISNEY PRODUCTIONS

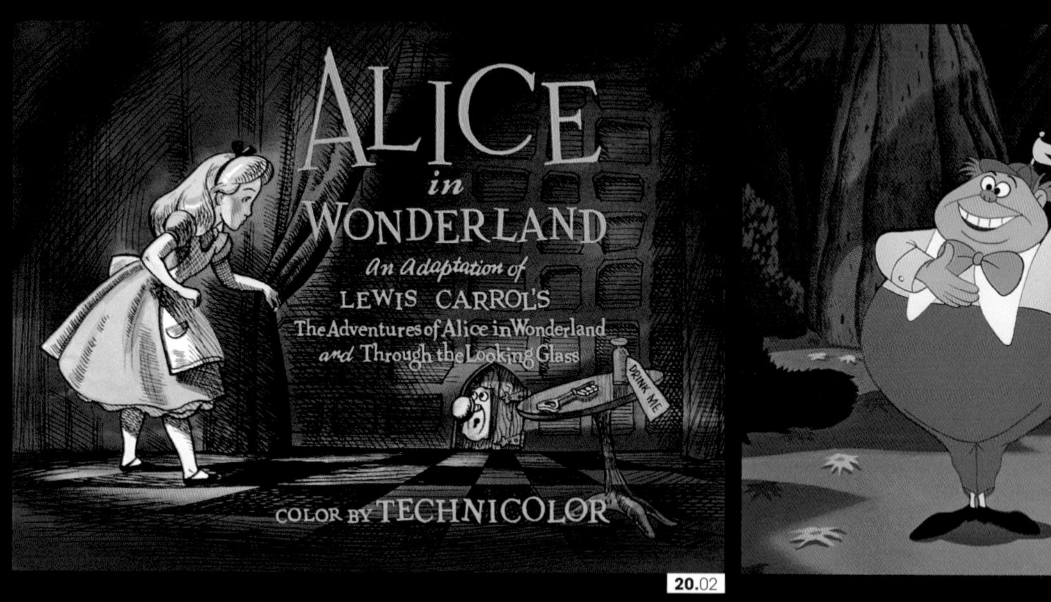
ALICE
in
WONDERLAND
An Adaptation of
LEWIS CARROL'S
The Adventures of Alice in Wonderland
and Through the Looking Glass
DRINK ME
COLOR BY TECHNICOLOR

20.02

20.05

20.03

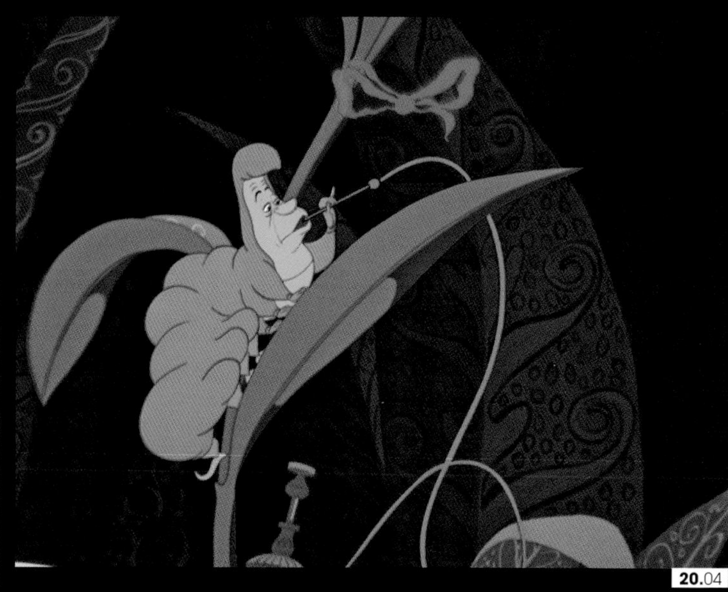

20.04

20.06

20.07

In einer Welt voller Glück

Von Brian Sibley

Alice war Walt Disneys Problemkind. Als Einzige der vier Titelheldinnen, die zu seinen Lebzeiten debütierten, hatte *Alice in Wonderland* einen langen und holprigen Weg auf die Leinwand, und als sie schließlich 1951 dort ankam, entpuppte sie sich als die unbeliebteste.

Und dennoch, das Märchen von dem kleinen Mädchen, das einem weißen Kaninchen in die Welt der Wunder folgt, hatte Disneys Vorstellungskraft mehr als 40 Jahre lang in Beschlag genommen. „Keine Geschichte in der englischen Literatur", sagte er einmal, „hat mich mehr interessiert ... Sie faszinierte mich schon, als ich sie als Schuljunge zum ersten Mal las."[1] Bei einer anderen Gelegenheit sagte er: „Als Kind hatte ich meine helle Freude an den Figuren."[2]

Seit der ersten Veröffentlichung von *Alice's Adventures in Wonderland* im Jahre 1865 waren die von Autor Lewis Carroll beschriebenen und von Illustrator John Tenniel gezeichneten kuriosen Gestalten und Geschichten, in denen alles auf dem Kopf steht, fest im öffentlichen Bewusstsein und der Populärkultur verankert. Es war unvermeidlich, dass die Menschen die Geschichte in verschiedenen Medien interpretieren würden: zuerst auf der Bühne und in einer Laterna magica und später dann, mit der Geburt des Kinos, auch im Film.

Die ersten kinematografischen Erkundungen des Wunderlands waren alle stumm, angefangen mit einem 10-minütigen britischen Film aus dem Jahr 1903. Es folgten zwei amerikanische Versionen von 1910 und 1915. Beide hätte der junge Disney gesehen haben können, da seine Familie damals in Kansas City lebte, wo er gelegentlich Filme anschaute, so zum Beispiel den Stummfilm *Snow White* 1916.

Alice erschien erstmals offiziell in Disneys Karriere, als sein damals notleidendes Laugh-O-Grams-Animationsstudio das bahnbrechende *Alice's Wonderland* erdachte, in dem ein Realfilmmädchen (entfernt inspiriert durch Carrolls Figur) in ein Zeichentrickfantasyreich entsandt wurde.

Der Film führte zu der Alice-Comedies-Serie, die Disneys Karriere in Gang setzte und – trotz einiger Wechselfälle – zur Gründung des Studios führte, von wo aus ganze fünf Jahre später eine Maus namens Micky (orig. Mickey) die Welt im Sturm erobern sollte.

Im Laufe der kommenden Jahre wurden die Animationstechniken durch die Arbeit an den Silly-Symphonies-Kurzfilmen ständig verfeinert. Disneys langfristiger Plan war es, einen abendfüllenden Zeichentrickfilm zu produzieren.

20.08

Im Magazin *The New Yorker* berichtete Gilbert Seldes 1931, dass der frühere Produzent der Alice Comedies „ständig Anfragen erhielt, die originale *Alice* in seinem eigenen Medium zu produzieren".[3] Tatsächlich erinnert sich der Trickzeichner Marc

20.09

Davis später: „All diese Damen, die zu Besuch kamen, sagten: ‚Oh, Mr Disney, wann werden Sie *Alice* machen?'"[4]

Es ist denkbar, dass Disney das Seldes-Interview dazu genutzt hat, um auf die mögliche Produktion eines *Wonderland*-Films hinzuweisen. Ganz sicher jedoch bemühte er sich um die Rechte an dem Buch. Zwar war der Text bereits lizenzfrei, aber Tenniels Illustrationen sollten noch bis 1964 unter Urheberrechtschutz verbleiben. Da sie als integraler Teil des Werkes angesehen wurden, erwarb Disney die Rechte, um die Illustrationen im Film zu verwenden. 20 Jahre später erläuterte er, es habe sich als technisch unmöglich herausgestellt, Tenniels Stil zu erhalten, denn die Animation mache es erforderlich, die „schraffierten Radierungen durch klare Linien und brillante Farbschattierungen, die Technicolor hervorbringen kann, zu ersetzen".[5] Wie sich herausstellte, sollte Disneys Interpretation schließlich die

20.01 ***Das Plakat für Disneys 13. abendfüllenden Zeichentrickfilm wirbt mit den Stars, die den Figuren ihre Stimmen liehen.***
20.02 ***Production Stills. Anders als in anderen Produktionen gab es von den Filmcharakteren im Vorspann eine kurze Vorstellung, die von John Hench in loser Anlehnung an die ursprünglichen Buchillustrationen von John Tenniel gestaltet wurde. Unglücklicherweise findet sich gleich auf dem ersten Bild des Vorspanntitels ein Schreibfehler im Namen des Buchautors, der dort fälschlicherweise als „Lewis Carrol" aufgeführt wird.***
20.03 ***Tweedledee and Tweedledum***
20.04 ***Die Raupe***
20.05 ***Die Cheshire Cat***
20.06 ***Tea for Two: March Hare und Mad Hatter***
20.07 ***Die Queen of Hearts sähe sich auch gern als Krocketkönigin.***
20.08–09 ***Das zu Anfang naturalistische Erscheinungsbild macht später surrealen Traumkulissen Platz. Mary Blair, deren Concept Art auf dieser Seite und umfassend an anderer Stelle vorgestellt wird, erwarb sich mit ihrer Arbeit an Disneys Südamerika-Filmen und den Kompilationsfilmen der 1940er-Jahre einen guten Ruf, was schließlich dazu führte, dass sie* Cinderella, Alice in Wonderland *und* Peter Pan *gestaltete.***

20.10

Pictures eine neue Filmversion von *Alice* an, die Episoden aus *Alice's Adventures in Wonderland* und *Through the Looking-Glass (Alice hinter den Spiegeln)* kombinierte. Carrolls Figuren wurden von einem Großaufgebot an Hollywoodberühmtheiten gespielt, darunter Edward Everett Horton, Cary Grant, Edna May Oliver, W. C. Fields und Gary Cooper. Doch trotz des Staraufgebots floppte der 1933 erschienene Film an der Kinokasse, vor allem deshalb, weil die Mehrzahl der Darsteller hinter hässlichen, unförmigen Gesichtsmasken verborgen blieb.

weitreichendsten Auswirkungen auf die öffentliche Wahrnehmung von Carrolls Figuren seit Tenniel haben.

Was auch immer Disney im Sinn hatte, das Erscheinen der ersten Tonfilmversion von *Alice in Wonderland* im Jahre 1931 kam seinen Plänen zuvor. Zwar stellte sich der Film als eher langweilig heraus, doch im folgenden Jahr wurden die Vereinigten Staaten von einem neu erwachten und geradezu fieberhaften Interesse an Alice erfasst, als Lewis Carrolls ursprüngliche Muse, Alice Liddell – aus der inzwischen die 80 Jahre alte Mrs Alice Hargreaves geworden war –, nach New York eingeladen wurde, um an einer Ausstellung anlässlich des 100. Geburtstags von Lewis Carroll teilzunehmen, bei der man ihr die Ehrendoktorwürde der Columbia University verlieh.

Es könnte diese Wonderland-Manie gewesen sein, die dazu führte, dass Disney und „America's Sweetheart" Mary Pickford Gespräche über die Produktion eines Films führten, in dem sie als Realfilm-Alice in einem Disney-Animations-Wunderland die Hauptrolle spielen sollte. Pickford war mehr als nur das „Mädchen mit den Locken", das den Oscar gewonnen hatte. Als eine der Mitgründerinnen von United Artists war sie eine einflussreiche Persönlichkeit der Filmindustrie in Hollywood.

Es gab Kostümprobeaufnahmen von Mary Pickford in Technicolor, doch bevor es zu einem Vertragsabschluss kam, kündigte Paramount

Trotz seines Scheiterns brachte der Paramount-Film Disneys Ambitionen einstweilen zum Stillstand. Er ließ *Alice in Wonderland* fallen und begann stattdessen mit der Arbeit an einem anderen Thema für seine erste abendfüllende Produktion: *Snow White and the Seven Dwarfs (Schneewittchen und die sieben Zwerge)*.

Möglicherweise als Ersatz gedacht, veröffentlichte Disney 1936 *Thru the Mirror (Micky im Traumland)*, einen Micky-Maus-Kurzfilm, in dem Micky einschläft, während er den zweiten Alice-Roman liest, und träumt, er klettere durch sein Schlafzimmerfenster in eine spiegelverkehrte Welt mit Mobiliar in Menschengestalt, in der er gegen eine Armee von animierten Spielkarten kämpfen muss.

Als Disney im folgenden Jahr mit *Snow White* eine Kinogoldgrube aushob, zog er in ein modernes Studio um und entwickelte ehrgeizige Pläne für abendfüllende Zeichentrickfilme, darunter *Pinocchio*, *Bambi* und *Peter Pan*. In einem 1938

20.10 ***David Halls White Rabbit trägt eine Brille, inspiriert durch eine Notiz in den späteren Schriften von Lewis Carroll.***
20.11–12 ***Story Sketches von David Hall, entstanden 1939, zeigen, wie Alice in den Kaninchenbau kriecht und mit ihrem Sturz in eine fantastische Untergrundwelt eintritt.***

erschienenen Artikel in der *New York Times* enthüllte Douglas W. Churchill eine weitere mögliche (und inzwischen auch nicht mehr überraschende) literarische Vorlage: „Disney hofft, eines Tages *Alice in Wonderland* zu produzieren, aber er muss warten, bis die Version von Paramount vergessen ist."[6] Churchill gegenüber hatte Disney angemerkt, dass Carrolls Buch „niemals als Realfilm hätte umgesetzt werden sollen ... für unser Medium hingegen scheint der Stoff wie gemacht".[7]

Während eines Treffens zu diesem Projekt warnten die Kollegen Bill Cottrell und T. Hee den Chef, dass allein „die Tatsache, dass es sich um einen Literaturklassiker handelt", nicht ausreiche, um einen Film daraus zu machen. Es wäre unredlich, sich diesen Enthusiasten anzuschließen, die, „ohne an die Investition von Zeit, Geld und kreativer Energie zu denken", argumentierten, „eine Filmversion von *Alice in Wonderland* wäre ‚einfach wundervoll!'"[8].

Doch davon unbeeindruckt, registrierte Disney den Titel *Alice in Wonderland* förmlich bei der Motion Picture Association, und vorbereitende Arbeiten an dem Projekt begannen mit eindeutigen Anweisungen des Filmemachers: „Wenn ihr einige von Carrolls Sätzen benutzen könnt, benutzt sie. Wenn sie nicht witzig sind, verwerft sie. Das Wesen von Carrolls Geschichte ist: Fantasie, Vorstellungskraft, Screwball-Logik ... aber die Geschichte muss witzig sein. Ich meine, witzig für ein amerikanisches Publikum ... Das würde über eine Menge ihm unbekannter oder bedeutungslos erscheinender Redewendungen aus England nicht lachen."[9]

Der Story Man des Studios Al Perkins produzierte eine 161-seitige „Analyse des Buchs *Alice in Wonderland*" auf der Grundlage intensiver Recherchen. So schlug er zum Beispiel vor, dass sich komisches Potenzial für White Rabbit (dt. Weißes Kaninchen) ergeben könne, wenn die Figur eine Brille erhielte, die sie in Tenniels

20.11

20.12

Illustrationen nicht hat. Zur Begründung zitierte Perkins einen Artikel von Lewis Carroll aus dem Jahr 1887 mit dem Titel „Alice on the Stage", in dem der Autor erklärte: „Ich denke, White Rabbit sollte eine Brille tragen."

Weitere, radikalere Vorschläge waren zum Beispiel eine Darstellung der Cheshire Cat (dt. Grinsekatze) als Traumversion von Alices eigener Katze Dinah, die in mehreren neuen Szenen erscheinen sollte, um so einer im Grundsatz episodenhaften Geschichte Kontinuität zu verleihen. Ein anderer Vorschlag lautete, Alice solle White Rabbit ständig hinterherjagen, was später zu Perkins' Vorschlag führte, dass das Kaninchen auf der Mad Tea Party (dt. verrückte Teeparty) auftauchen und es seine Uhr (und nicht die des Mad Hatter, dt. verrückter Hutmacher) sein solle, die „zwei Tage nachgeht" und der „Reparatur" bedarf – eine Entwicklung, die das Jahrzehnt der folgenden Überarbeitungen überdauern sollte.

Am Ende seiner Analyse schrieb Perkins: „Wir werden es von Anfang bis Ende radikal verändern ... und fast das ganze Carroll-Zeug vergessen müssen."[10]

Wie es im Studio üblich war, wurden die Künstler aufgefordert, sich Gags für die einzelnen Sequenzen auszudenken, so zum Beispiel eine – später verworfene – Szene, in der Alice die Herzogin und ihr brüllendes Baby in der Küche besucht, die voller Pfeffer ist. Die Herzogin verlangt nach einer Flasche für das Baby und benutzt dann deren Korken wie einen Trompetendämpfer, um die Lautstärke des Babygeschreis zu kontrollieren.

Disney war von den zusätzlichen – nach seinen Worten – „Donald-Duck-Gags" in keiner Weise beeindruckt, ebenso wenig von den verschiedenen Versuchen, das Original zu modernisieren, wie etwa durch die Umwandlung des berühmten Krocketspiels in ein Footballmatch. „Ich denke, das Buch ist witziger als das, was ihr gemacht habt", sagte er den Künstlern und wies sie an, sich „anzustrengen und die Charaktere und Persönlichkeiten zu studieren … wo der wahre Humor herkommt".[11]

Eine der wenigen Ideen, die Disneys Vorstellungskraft anregten, war die Verwandlung von Alices Trink-mich-Flasche in eine dickbäuchige Figur in Menschengestalt zur Unterstützung der Anfangsszenen, in denen sie allein ist und monologisieren muss. Die sprechende Flasche wurde 1939, mit der Ankunft eines Neuzugangs im Studio, plastisch zum Leben erweckt.

„Für das Zeichentrickmedium mussten die Figuren praktisch neu geboren werden, denn ihr Verhalten musste mehr durch Bewegung als durch Worte vermittelt werden."
Walt Disney

Der in Großbritannien geborene Hollywood-Artdirector David Hall wurde engagiert, um Inspirational Sketches im Studio zu entwerfen, und produzierte Concept Art für *Peter Pan*, *Bambi* und – in Hülle und Fülle – für *Alice in Wonderland*. Hall soll seine Hollywoodkarriere mit der Arbeit an Cecil B. DeMilles Stummfilmepos *The King of Kings (König der Könige)* begonnen haben. Zu seinen weiteren Verdiensten gehören *Dante's Inferno (Das Schiff des Satans)* und der Shirley-Temple-Film *Wee Willie Winkie (Rekrut Willie Winkie)*, wofür er eine Oscarnominierung für das beste Szenenbild erhielt.

Halls Ausstoß für das Alice-Projekt war verblüffend hoch: Er fertigte innerhalb von drei Monaten mehr als 400 Zeichnungen an, viele davon in Farbe. Seine Bilder zeigen eine mühelose Linienführung und zeichnen sich durch eine gekonnte Beobachtung der Gestalt von Mensch und Tier aus, die er aus einer exzentrischen, zuweilen satirischen Perspektive unternahm, die Teil einer langen Tradition britischer Illustrationskunst ist. Die Mad Tea Party zum Beispiel findet in einem seltsamen Garten statt. Dort wachsen Zylinderhüte auf Bäumen, und eine Hecke, die aus Eiderdaunen besteht, ist von echten „Augen" übersät.

20.13–14 ***Mary Blairs Visualisierung von Tweedledum und Tweedledee, Charaktere, die (zusammen mit dem Walross und dem Zimmermann) aus Lewis Carrolls späterem Buch*** **Through the Looking-Glass, and What Alice Found There (Alice hinter den Spiegeln)** ***übernommen wurden.***

20.13

20.14

In vielen von Halls Bildern findet sich zudem eine große filmische Sensibilität. So zum Beispiel in denjenigen, die Alice's Sturz in den Kaninchenbau zeigen, in dem sie durch unterirdische Höhlen voller umherflatternder Fledermäuse und herabstürzender Wasserfälle treibt.

Halls Kunst wurde verwendet, um ein „Leica Reel" zu produzieren, einen Prozess, in dem Bildsequenzen mit einer Rostrum-Kamera – bis zu 16 Zeichnungen pro 30 cm Filmlänge – gefilmt und von einem aufgezeichneten Soundtrack mit Dialog und Effekten begleitet werden, um die Form und Kontinuität eines fertigen Films zu vermitteln.

Auf dem provisorischen Soundtrack wurde die sprechende Flasche von dem populären Vaudeville- und Filmstar Cliff Edwards gesprochen, der später als Stimme von Jiminy Grille (orig. Jiminy Cricket) in Disneys *Pinocchio* bekannt wurde.

Als die „Leica Reel" Disney im November 1939 vorgeführt wurde, war seine Reaktion eher gemischt: „Einiges gefällt mir sehr, aber da sind andere Dinge, die sollten wir gleich rauswerfen ... Ich glaube, es könnte nicht schaden, wenn wir das eine Weile ruhen ließen. Jeder ist jetzt lustlos. Schaut es euch noch mal an, und vielleicht habt ihr noch eine Idee. So könnte es für mich gehen ..."[12]

Bei einem Treffen ein paar Monate zuvor hatte jemand die Meinung vertreten, dass es „drei Jahre dauern könnte, bis das erscheint", worauf Disney geantwortet hatte: „Du bist ein Optimist."[13] Und so war es. Der Film ging zurück ans Zeichenbrett, und im Januar 1940 verließ David Hall das Studio, um seine Kariere als Art-director fortzusetzen, die mit einem Beitrag zum oscarnominierten Bibelepos *The Greatest Story Ever Told* (*Die größte Geschichte aller Zeiten*, 1965) endete.

Trotz der fortdauernden Verpflichtungen, die das Studio mit *Pinocchio*, *Bambi* und einem weiteren abendfüllenden Film, *Fantasia*, eingegangen war, gab es immer wieder auch

20.15

Diskussionen über *Alice*. Bei einer Konferenz im April 1941 kehrte Disney zu einem viel älteren Ansatz zurück: „Ich frage mich, ob wir diese Sache mit einem Realfilmmädchen machen können ... Wenn wir versuchen, die Geschichte mit einem Zeichentrickmädchen zu machen, bringt uns das gewaltig in die Bredouille."[14]

Eine Aspirantin für das Realfilmmädchen war die 15-jährige Gloria Jean, die kurz zuvor gemeinsam mit W. C. Fields in *Never Give a Sucker an Even Break (Gib einem Trottel keine Chance)* zu sehen gewesen war. Doch alle Pläne für das Projekt kamen zum Stillstand, als am 7. Dezember 1941 Pearl Harbor von den Japanern bombardiert wurde und die Vereinigten Staaten in den Zweiten Weltkrieg eintraten.

Dennoch verfolgte Disney das Projekt „Alice" weiter. Ein Kollege formulierte es später so: „Er hatte eine Verabredung mit dem Schicksal."[15] Ein paar Jahre später war Ginger Rogers, etwas überraschend, die nächste Alice, als die Disney Company sie im März 1944 einlud, für die Decca Records Personality Series eine Aufnahme von Carrolls Buch zu machen.

Obwohl das Ergebnis, ein Set aus drei Schallplatten, eine geradlinige Dramatisierung des Originaltextes ist, mit Musik von Frank Luther, werden im Copyright „Decca" und „Walt Disney Productions" genannt, während auf dem Cover Ginger Rogers in einem Alice-Kostüm sowie eine Disney-Zeichnung der Raupe auf dem Pilz zu sehen sind.

Es ist nicht klar, ob hinter Disneys Mitwirkung bei diesem Projekt langfristige Absichten steckten, aber in der „Along the Rialto"-Kolumne in *The Film Daily* wurde spekuliert: „Befindet sich Walt Disney gerade in Vertragsverhandlungen mit Ginger Rogers über ihre Rolle in *Alice in Wonderland*?" Und weiter heißt es: „Es ist anzunehmen, dass Ginger die einzige menschliche Rolle haben würde."[16]

20.16

Das Studio beschritt noch andere Wege. So wurde der Autor und Kritiker Joseph Wood Krutch, bekannt für seine Bücher über Poe und Thoreau und für seine psychoanalytische Analyse der Alice-Geschichten, um seine Meinung gebeten. Auch den Romancier Robert L. Fontaine, Autor des 1945 erschienenen Bestsellers *The Happy Time*, sprach man an, und er antwortete mit einem, wie er es bezeichnete, „völlig aus dem Stegreif"[17] produzierten Treatment.

Als größtes Hindernis für eine Verfilmung des Buches sah Fontaine das richtungslose Wesen der Geschichte und den Mangel an Spannung. „Um Unvernunft zu dramatisieren, braucht man etwas VERNUNFT!"[18]

20.15 ***Hamilton Luske gibt Kathryn Beaumont beim Dreh einer Realfilmszene, die als Referenzmaterial für die Animateure dienen soll, Anweisungen.***
20.16 ***Die Konturen der animierten Alice, von Milt Kahl auf ein Foto von Kathryn Beaumont gezeichnet***

20.17

Das Treatment beinhaltete einen „beinahe romantischen" Plot mit einer Alice, die träumt, dass der Knave of Hearts (dt. Herzbube) in Wirklichkeit ein verzauberter Prinz sei, der ins Gefängnis gesteckt wurde, weil er die Torten der Königin gestohlen hatte. Sie bricht auf, um ihn zu finden und zu retten, und die verschiedenen Nonsensbegegnungen im Buch werden sodann als Finten der Königin präsentiert mit dem Ziel, „Alice zu benebeln, zu verwirren, zu verschrecken und aufzuhalten".[19]

Beim Prozess schließlich bietet Alice den Figuren die Stirn. Diese verwandeln sich allesamt in Spielkarten zurück, mit Ausnahme des Knave of Hearts, der kurzzeitig zu einem „echten, prächtigen Prinzen" wird und zu seiner Retterin sagt: „Ich hätte lieber dein Herz als alle Torten dieser Welt."[20]

Der Nächste, der sich an *Alice* versuchte, war Aldous Huxley, der englische Autor des dystopischen Klassikers *Brave New World (Schöne neue Welt)*, der zuvor bereits an den Hollywoodversionen von *Pride and Prejudice (Stolz und Vorurteil)* und *Jane Eyre* beteiligt gewesen war. Zu diesen Referenzen kam noch hinzu, dass seine Mutter, Julia Arnold, als Kind von Lewis Carroll fotografiert worden war.

Der Disney-Story-Man Dick Huemer war der Ansicht, Huxley zu engagieren „schien eine passende Geste zu sein: Einer der großen lebenden englischen Autoren bearbeitet einen großen englischen Klassiker"[21].

Im Jahr 1945, als Huxley für 7500 Dollar unter Vertrag genommen wurde, um ein Treatment von *Alice* zu schreiben, dachte Disney wieder einmal daran, einen Film zu machen, der vorrangig aus Realfilm bestehen könnte. Mit *The Three Caballeros (Drei Caballeros)* hatte das Studio kurz zuvor demonstriert, dass es zu einem solchen Ansatz in der Lage war – mit dem zusätzlichen Potenzial für Zeichentricksequenzen. Die Dreharbeiten zu *Song of the South (Onkel Remus' Wunderland)* waren gerade abgeschlossen, und einer der jungen Stars des Films, die achtjährige Luana Patten, wurde jetzt als die neueste Alice in Betracht gezogen.

Huxleys Treatment mit dem Titel „Alice and the Mysterious Mr. Carroll" wurde im November 1945 übergeben und war so komplex, dass es, so der altgediente Disney-Autor Joe Grant, „nur noch mehr Verwirrung stiftete".[22]

Vordergründig basierend auf dem Leben des unter dem Pseudonym „Lewis Carroll" wirkenden Mathematikdozenten Reverend Charles Lutwidge Dodgson, ist Huxleys Drehbuch völliger Blödsinn. In dem verschachtelten Plot erscheinen der Rektor der Universität Oxford und allerlei Dozenten, Alice (und ihr tyrannischer Drache von Gouvernante) sowie Carrolls Freundin, die viktorianische Schauspielerin Ellen Terry.

Das langatmige Realfilmdrama hat eingestreute Zeichentricksequenzen, die einsetzen, wenn Miss Terry Alice erklärt, dass es der Zweck des Theaters sei, „die Menschen aus Dull Land (Ödland) und Worry Land (Sorgenland) nach Wonderland zu entführen".[23] Dieses vollkommen lächerliche Hirngespinst findet schließlich mit einem Deus-ex-Machina-Auftritt von Königin Victoria seinen Abschluss.

Huxleys Bearbeitung und ein Drehbuchentwurf wurden auf einer Reihe von Storykonferenzen diskutiert, wenn auch der Autor, wie Dick Huemer berichtet, sobald er zu reden begann, „zu nichts kam, weil Walt ständig redete und alle Ideen hatte".[24] Es gelang Huxley, Fanny Brice für die Rolle der Ellen Terry vorzuschlagen (Disney sprach sich für Cary Grant als Dodgson und Carroll aus), aber der Romanautor hatte kaum Gelegenheit, etwas anderes als absurde Gedankenspiele einzubringen, wie dargestellt in einer zeitgenössischen Karikatur von Joe Grant, die Huxley zeigt, wie er Disney und seine Kollegen verwirrt, indem er plötzlich „Hier kommt das siegreiche Kaninchen!" zur Melodie eines Refrains aus Händels *Judas Maccabaeus* singt.[25]

Allen Investitionen von Zeit und Geld zum Trotz war Aldous Huxleys Drehbuch nur eine weitere Version von *Alice*, die auch nicht das Wahre war. Dick Huemer drückte es so aus: „Huxley leistete nicht den geringsten Beitrag zu unserer *Alice in Wonderland*."[26]

Das nächste und endgültige Drehbuch kam vom Studioteam, bestehend aus 13 renommierten Autoren, die damit begannen, mehrere Episoden aus früheren Entwürfen zu entfernen. Disney erläuterte in einem ihm zugeschriebenen Artikel in *Films in Review*: „Einige (Figuren) waren ziemlich herzlos und andere deprimierend trübe. Das Kind, das sich in Alices Armen in ein Schwein verwandelt, war widerlich ... die traurigen und

20.17–18 ***Walt Disney und Kathryn Beaumont, die Stimme von Alice, schauen sich einige Kunstwerke von Mary Blair an, darunter das Gemälde von Alice und White Rabbit, das rechts zu sehen ist.***

20.18

20.19

weinerlichen Mock Turtle (dt. Falsche Schildkröte) und Gryphon (dt. Greif) hatten keine Eigenschaft, die das hätte ausgleichen können."[27]

Das Drehbuch behielt jedoch viele Vorschläge aus der früheren Interpretation von Al Perkins und David Hall bei. Darunter waren neue Szenen für die Cheshire Cat, mit denen die Handlung vorangetrieben werden sollte, und Alices Motiv, White Rabbit zu folgen: „Weil ich neugierig bin und wissen will, wohin er geht." Während die sprechende Flasche nicht überlebte, lieferte sie eine Anregung für eine alternative Figur: einen sprechenden Türknauf mit einem denkwürdigen Satz in einem wortspielhaften Dialog: „Du hast mir aber eine Wendung verschafft. Ziemlich gut, oder? Türknauf? Umdrehen? Nun, eine Wendung verlangt die nächste ..."

Das episodische Format der Geschichte führte dazu, dass der Film zehn Hauptanimatoren erhielt: die komplette Besetzung von Disneys Nine Old Men (Les Clark, Marc Davis, Ollie Johnston, Milt Kahl, Ward Kimball, Eric Larson, John Lounsbery, Wolfgang Reitherman und Frank Thomas) und außerdem den erfahrenen Pluto-Animator Norm Ferguson. Carrolls überlebensgroße Charaktere selbst sowie Ehrgeiz und Rivalitäten innerhalb der Gruppe spornten die Künstler an, sich mit humorigen Einfällen gegenseitig zu übertrumpfen. Das Ergebnis: ein Film mit dem, so Disney später, „Tempo eines Affenzirkus".[28]

Ward Kimball sprach lieber davon, Alice habe sich „als Vaudeville-Show herausgestellt", und mit seinen irrwitzigen, spektakulären „Wendungen"[29] war er wohl einer der Hauptverantwortlichen für diese Charakteristik. Nach kaum 13 Minuten gerät Kimball außer Rand und Band mit seinen wilden, ausgelassenen Charakterisierungen von Tweedledee (dt. Diedeldei) und Tweedledum (dt.

20.19 ***Mary Blairs Concept Art für Alices Treffen mit der Raupe zeigt ihren Sinn für Farbe und Design.***

Diedeldum) und ihrer varietéhaften Darbietung der „Story of the Curious Oysters" („Geschichte von den neugierigen Austern"). Eine halbe Stunde später bringt Kimball den Film beinahe zum Stillstand mit dem lärmenden Slapstick auf der Mad Tea Party, einer Sequenz in hysterischem Tempo, die wirkt, als sei ein Disney-Film plötzlich mit einem alten Warner-Bros.-Kurzfilm kollidiert.

Das atemlose Tempo des Films (in dem jede Szene der vorangegangenen in die Hacken tritt) und das Ungleichgewicht zwischen Figuren und Handlung wurden noch zusätzlich betont durch ein Ensemble von Stimmen, die eng mit dem derben Humor von Vaudeville, Burleske und der Rundfunk- und Film-Comedy der 1940er-Jahre verbunden waren.

„Alice … ist ein süßes Ding mit rosigen Wangen und rubinroten Lippen … Die Musik ist melodisch und zuckrig … Diesen Film anzuschauen ist manchmal so, als knabbere man an einer dieser Waffeln, die Alice isst."

Bosley Crowther, *The New York Times*, 1951

Die Figur Didactic Caterpillar (dt. didaktische Raupe) mit ihren Hieroglyphen in buntem Wasserpfeifenrauch wurde von Richard Haydn gesprochen, der für seine Revuevorstellung als nasaler „Fischimitator" Edwin Carp bekannt war. Eine weitere verrückte Kimball-Figur, die rosa und lila gestreifte Cheshire Cat, die recht oft „nicht ganz da" ist, hatte die hohe Stimme von Sterling Holloway, zu dessen zahlreichen Filmrollen der Frog Footman (Froschlakai) in dem *Alice*-Film von Paramount sowie einige Disney-Stimmen gehörten. Den Vorsitz über eine Tafel von musikalischen Teekannen hatten der legendäre Vaudeville- und Radiokomiker Ed Wynn als Mad Hatter und Jerry Colonna als der March Hare (dt. Märzhase).

In Nebenrollen waren Rundfunkgrößen wie Verna Felton als wutschnaubende Queen of Hearts (dt. Herzkönigin) und Bill Thompson, doppelt besetzt als zappelndes White Rabbit und als nautischer Dodo, zu hören. Eine Prise britischen Humors kam durch den in Lancashire geborenen J. Pat O'Malley hinzu, der alle Stimmen in der Sequenz mit den Tweedle-Zwillingen, dem Walross und dem Zimmermann sprach, im unnachahmlichen Stil seines aus Lancaster stammenden Landsmannes George Formby.

Weil er die Titelrolle unbedingt mit einer englischen Schauspielerin besetzen wollte, verpflichtete Disney Kathryn Beaumont, eine Jugendliche, die er in dem MGM-Film *On an Island with You (Auf einer Insel mit Dir)* mit Esther Williams entdeckt hatte. Beaumont spielte dort Penelope Peabody, eine ehrgeizige Kinderdarstellerin, die bei dem Filmemacher Jimmy Buckley (gespielt von Jimmy Durante) vorspricht, nur um als „zu britisch" abgelehnt zu werden. Penelope wendet sich an ihre Großmutter und fragt in makellosem Englisch: „Wie kann man nur um alles in der Welt zu britisch sein?"

Beaumonts Akzent war keinesfalls zu britisch für Walt Disney, und ihr deutlich betonter Dialog hebt sich klar von dem wilden Herumalbern der Schar von Komikern und Charakterdarstellern ab.

Neben der Tonaufnahme der Dialoge wurden von Beaumont zusammen mit Wynn, Colonna, Holloway und Haydn Realfilmsequenzen gedreht, um die Zeichentrickkünstler mit Referenzmaterial für ihre Animation zu versorgen. Tatsächlich waren viele der verrücktesten Pointen des Mad Hatter inspiriert durch die Improvisationen eines erfahrenen Komikers, wie etwa seine Reaktion auf den Vorschlag des March Hare, dass sich mit Senf vielleicht die Uhr des White Rabbit reparieren ließe: „Senf? Seien wir doch nicht albern!! – Zitrone, das ist was anderes …"

Die Realfilmaufnahmen bedurften vieler komplizierter Attrappen. So musste Kathryn Beaumont in einem Kleid in Form eines Fallschirms hinabgelassen werden, um zu simulieren, wie sie in den Kaninchenbau stürzt, oder sie wurde in einem Fachwerkhaus eingekeilt, um die Szene wiederzugeben, in der die riesengroße Alice in der Hütte des White Rabbit gefangen ist.

Trotz der vielen unterschiedlichen Elemente des Films gab es doch drei bedeutende einigende Faktoren: Beaumonts starke stimmliche Darstellung, Marc Davis' hervorragende dezente

20.20

Animation von Alice sowie die vorbereitende Arbeit der Konzeptkünstlerin Mary Blair, die zuvor bereits den Stil von *Cinderella* mitbestimmt und zum revolutionären Look von *Saludos Amigos (Drei Caballeros im Sambafieber)*, *The Three Caballeros* und *Melody Time (Musik, Tanz und Rhythmus)* beigetragen hatte.

Blairs Kunst war erfrischend modern: Ein impressionistischer Ansatz, der Figuren mit kräftigen Umrissen und Grundfarben hervorbrachte und vor Hintergründe platzierte, in denen eine ganze Palette von oftmals überraschenden Kontrasten wie etwa Grün und Violett oder Rot und Grau zum Einsatz kam. Die Gärten, Wälder und Küsten von Blairs Wunderland weisen nicht den Naturalismus früherer Filme auf. Stattdessen – als Antwort auf Carrolls Konzept, dem zufolge das Wunderland „unter der Erde" liegt – nimmt Blairs bildliche Darstellung, die über den ganzen Film im Großen und Ganzen durchgehalten wird, die Form einer abgedunkelten Bühne an, die mit stilisierten, ausgeschnittenen Kulissen übersät ist und von gebündeltem, intensivem Licht angestrahlt wird.

Der Stil des Films wird in den Vorspanntiteln von Blairs Kollegen John Hench vorweggenommen, die anstelle der konventionellen Bilderbucheröffnung, wie sie in etlichen Filmen, von *Snow White* bis *Cinderella*, verwendet wurde, Federzeichnungen und lebhafte Color Washes kombinieren.

Hench hatte 1946 eng mit Salvador Dalí an dem aufgegebenen Disney-Film *Destino* zusammengearbeitet, und die Ausarbeitung der den Höhepunkt bildenden Verfolgungssequenz mit ihren surrealen Bildern und den rennenden Figuren in einer Landschaft voller länger werdender Schatten, die an Dalís Arbeit für Hitchcocks *Spellbound (Ich kämpfe um dich)* erinnert, ist stark vom Surrealismus inspiriert.

Der Film war schon weit fortgeschritten, als eine Schlüsselszene aus den Storyboards entfernt wurde. Die Tulgey-Wood-Sequenz zeigte ursprünglich die Begegnung zwischen Alice und dem Jabberwock, einer komischen Figur mit feurigen Augen und einem Schornstein als Nase, der von dem für seine Comedyaufnahmen bekannten Stan Freberg gesprochen werden sollte.

In den Film schafften es nur einige der kuriosen Kreaturen und der Anfangsvers von Carrolls Gedicht, nun zu finden im *Twas-Brillig*-Lied der Cheshire Cat, das eine frühere Nummer mit dem Titel *I'm odd* ersetzte. Aus unerfindlichen Gründen fand sich ein Bild des Jabberwocks im Begleitheft zu einer Tonaufnahme der Geschichte wieder, und in der den Film ankündigenden Werbung wurde Freberg durchgängig als Stimme der inzwischen gestrichenen Figur genannt. Die ursprünglichen Zeichnungen von Tom Oreb für diese verlorene Sequenz wurden 1993 in dem Bilderbuch *Jabberwocky* veröffentlicht.

Disney bewarb seinen immer noch nicht fertiggestellten Film intensiv, beginnend mit einem TV-Special, *One Hour in Wonderland*, das von Coca-Cola unterstützt und an Weihnachten 1950 von NBC gesendet wurde. Disney fungierte hier als Moderator. Dabei waren Kathryn Beaumont (im Alice-Kostüm), Bobby Driscoll (Star aus *Song of the South* und dem bevorstehenden *Peter Pan*) und als Gäste Edgar Bergen und seine berühmten Bauchrednerpuppen Charlie McCarthy und Mortimer Snerd. Zu den gezeigten Filmausschnitten gehörte eine Preview der Tea-Party-Szene aus *Alice*.

Die Sendung kam auf eine Einschaltquote von 90 Prozent, und Berichterstatter wiesen darauf hin, wie vorausschauend es war, dass Disney das Fernsehen benutzte, um seinen in Kürze erscheinenden Film zu bewerben. Eine Methode, die er ein paar Jahre später bereits wöchentlich einsetzen sollte, um nicht nur seine Filme zu promoten, sondern auch seine jüngste Errungenschaft, Disneyland.

Im März 1951 folgte weitere Werbung im Fernsehen, als Kathryn Beaumont und Sterling Holloway in *The Fred Waring Show* auftraten, um in von Mary Blair entworfenen Kostümen und Kulissen mit Waring's Pennsylvanians die Musik aus dem Film vorzustellen, darunter auch die orchestral dynamische und visuell fesselnde Sequenz „March of the Cards" („Marsch der Spielkarten").

Mehr als 30 Songs wurden für den Film geschrieben, und von den 19, die es in die endgültige Fassung schafften (mehr als in jedem anderen Disney-Film), sind einige nur für wenige Sekunden zu hören. Andere dagegen, vor allem *I'm Late (Zu spät)*, *The Unbirthday Song (Das*

20.20 *Die Katze führt Alice zum Haus des March Hare, welches, wie im Buch beschrieben, mit Ohren auf dem Dach gezeigt wird.*
20.21 *„Sie haben vielleicht bemerkt, dass ich nicht ganz da bin." Porträtentwurf der auftauchenden und verschwindenden Cheshire Cat mit ihrem permanenten Grinsen von einem Disney-Studiokünstler*

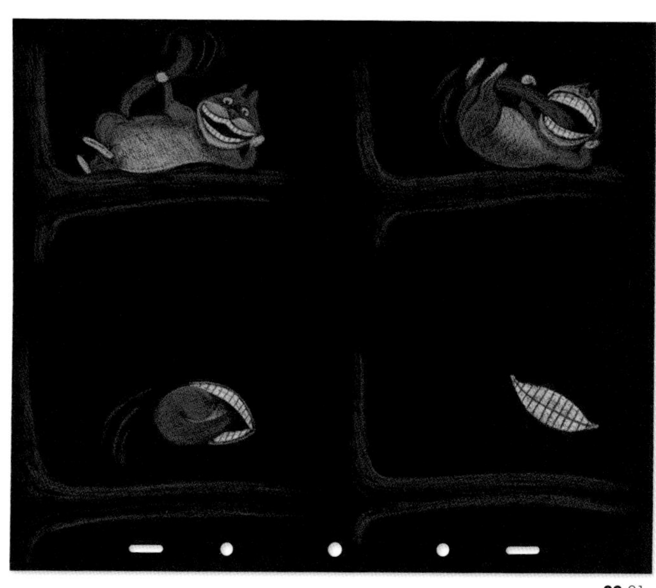

20.21

Nichtgeburtstagslied), In a World of My Own (In einer Welt voller Glück) sowie Sammy Fains Titelsong, wurden schnell bekannte Standards, während Oliver Wallace eine Oscarnominierung für die beste Filmmusik erhielt.

Nach mehr als 50.000 Arbeitsstunden und über 70.000 Zeichnungen war *Alice in Wonderland* („Das komplett gezeichnete Filmmusical-Wunder!") endlich abgeschlossen. Um den Bekanntheitsgrad zu steigern, warb das Studio, so wie dies schon bei den schwer verkäuflichen Kompilationsfilmen der 1940er-Jahre geschehen war, auf den Filmplakaten mit den Stars unter den Sprechern, darunter Ed Wynn, Richard Haydn, Sterling Holloway, Jerry Colonna und Kathryn Beaumont. Eine Art der Werbung, auf die man erst beim Filmstart von *The Jungle Book (Das Dschungelbuch)* 1967 wieder zurückgriff.

Im Juli 1951 nahmen Disney und Beaumont an der Weltpremiere in London teil und zeichneten eine Spezialsendung für die BBC auf, in der die Story in dramatisierter Form erzählt wurde. *Alice* hatte lange auf sich warten lassen, doch wurde, wie in einem Plakat behauptet, die „Wartezeit in Wundern aufgewogen"?

Die Reaktion der Kritiker in Großbritannien war alles andere als wohlwollend, und der Schreibfehler im Namen des Autors im Vorspann – „Lewis Carrol" (statt Lewis Carroll) – war ebenfalls nicht hilfreich.

Als Disney Jahre zuvor gewarnt worden war, englische Fans könnten den Film möglicherweise ablehnen, hatte er erwidert: „Zum Teufel mit dem englischen Publikum oder den Leuten, die Carroll lieben."[30] Nun erlebte er eine böse Abreibung von genau diesen englischen Verehrern, von

20.22

denen viele die zitierbaren Passagen des Buches auswendig kannten und schockiert waren von der – ihrer Ansicht nach – stillosen Amerikanisierung von *Alice*.

„(Disneys) Vorstellung", erklärte der *New Statesman*, „ist schnöder Kitsch, und etwas, das weniger mit dem Original zu tun hat, ist kaum vorstellbar. In der Tat steht der Film sogar auf idiotische Weise im Widerspruch dazu. Aus den edelsten Früchten wurde die langweiligste Marmelade. Diese Millionen Pfund teure Albernheit verdient nichts als Buhrufe."[31]

Die amerikanischen Kritiker waren nicht gnädiger. Das *Life*-Magazin hatte etwas gegen Disneys „dumm grinsende, irre Gesichter",[32] und *The New Yorker* protestierte gegen die „Einführung kleiner, sonniger Melodien, und Einfälle, die mehr zu einem Flohzirkus passen als zu einem größeren, kreativen Werk".[33]

20.23

„Ich habe die Tenniel-Illustrationen in Alice immer gemocht, aber über die Story habe ich mich nicht gerade kaputtgelacht. Es ist schrecklich schwierig, Schrulliges auf die Leinwand zu bringen."

Walt Disney

Zu Disneys zusätzlichem Verdruss kam eine weitere Verfilmung von *Alice* seiner amerikanischen Premiere um wenige Tage zuvor. In dem von dem französischen Filmemacher Lou Bunin produzierten Film interagiert die Schauspielerin Carol Marsh mit einem Ensemble aus grotesken Marionetten. Der Film beginnt mit einem absurden Realfilmprolog – mit Ähnlichkeiten zu Aldous Huxleys Drehbuch für Disney –, in dem Lewis Carroll Königin Victoria trifft.

Disney hatte Bunin bereits daran gehindert, Technicolor zu verwenden, weshalb für den Film das viel schlechtere Ansco-Color-Verfahren eingesetzt werden musste. Nun beantragte er eine gerichtliche Verfügung, um den Vertrieb von Bunins Version um 18 Monate hinauszuschieben, mit dem Argument, zwei Filme mit demselben Titel würden das Publikum verwirren. Disney verlor den Fall. Der vorsitzende Richter entschied, „Wettbewerb sollte gefördert und nicht unterdrückt werden".[34] Bunins Film erschien zuerst, wurde jedoch überwiegend negativ rezensiert. Die *New York Times* nannte die Puppen „hässlich und leblos" und die ganze Produktion „zusammengeschustert" und einen „Albtraum".[35]

Obwohl Disneys *Alice in Wonderland* fast vier Millionen Dollar gekostet hatte, spielte der Film bei seiner Erstaufführung in den USA lediglich 2,4 Millionen Dollar ein und stieg innerhalb von drei Jahren zu einer gekürzten Fassung für die *Disneyland*-TV-Show ab.[36]

Angesichts dieses Flops wandte sich Disney von *Alice* ab. „Wir hatten einen Klassiker, an dem wir nicht herumhantieren konnten", sagte er.

20.22 ***Mary Blairs verkleinerte Alice ist angesichts der Vielzahl dampfender Teekannen kaum zu erkennen.***
20.23 ***Im Unterschied zum Buch nimmt White Rabbit an Mary Blairs Mad Tea Party teil.***

„Ich beschloss, niemals einen weiteren zu machen. Der Film war voller seltsamer Figuren, mit denen man nicht klarkam. Sogar Alice war nicht sehr sympathisch. Ich wollte aus dem White Knight (Weißen Ritter) eine romantische Figur machen und ihn dauernd durch den ganzen Film hüpfen und ‚Wie, ho' sagen lassen. Alice hätte ihn befreien können. Aber man hat es mir ausgeredet."[37]

In *The Story of Walt Disney* können wir lesen, dass Disney „seine Zweifel hatte wegen *Alice*" und dass diese Unsicherheit an seiner Unfähigkeit lag, über intellektuellen Humor zu lachen. Ihm waren Geschichten lieber, „die ihn im Herzen berührten". In dem Buch wird Disney mit folgenden Worten zitiert: „Ich bin nicht der Ansicht, dass irgendetwas ‚ohne Herz' gut ist oder von Dauer sein wird. Für mich bedeutet Humor sowohl Lachen als auch Weinen."[38]

Wahr ist aber, dass Disney, obwohl er „Zweifel hatte", fast 20 Jahre lang den Film unbedingt machen wollte. „Er hatte diese Vision", erklärt Joe Grant, „und er war entschlossen, ihn abzuschließen. Wenn er einmal einen Plan hatte, dann führte er ihn auch aus, egal, wie viele Hindernisse ihm den Weg versperrten."[39] Und nachdem er es geschafft hatte, machte er solch einen Film niemals wieder.

Im Jahresbericht des Unternehmens für das Jahr 1951 räumte Disney das Scheitern des Films ein – zu sehen an einem Gewinneinbruch um mehr als 270.000 Dollar –, merkte aber an, *Alice* sei „ein klassischer Vermögenswert, der für alle Zeiten für das Unternehmen ein wertvolles Gut sein sollte". Selbst ihn hätte es vielleicht überrascht, dass der Film 20 Jahre später einen neuen Kultstatus erreichte, als das Studio, inspiriert durch eine psychedelische Wiederaufführung von *Fantasia*, eine auf die Studentenkultur abzielende Werbekampagne schuf, mit schrägen Postern, auf denen White Rabbit „Es brillig ist!" herumposaunte, und Anzeigentexten

20.24

20.25

wie diesem: „Neun von zehn führende Siebenschläfer empfehlen Walt Disneys *Alice in Wonderland* für visuelle Euphorie und guten, anständigen Nonsens."

Einige Attraktionen in Disneyland und den anderen Freizeitparks des Unternehmens setzen dem Film ein Denkmal. Disney kehrte 1959 in seinem lehrreichen Kurzfilm *Donald in Mathmagic Land (Donald im Land der Mathemagie)*, in dem die jähzornige Ente in Alice verwandelt wird und von der Red Queen (dt. Roten Königin) etwas über das Schachspiel lernt, kurz zu Carrolls Schriften zurück.

Kaum jemand würde behaupten, der Film sei ohne Fehler: Sein Tempo ist häufig zu hektisch, der Ton ist oft zu laut, und ihm fehlt jene schwer greifbare Qualität, die von Carrolls Biografin Florence Becker Lennon als „die ruhige Übertragung des Absurden und des Magischen in den Alltag" beschrieben wird.[40] Nichtsdestotrotz hat der Film 60 Jahre später an Statur gewonnen und wird als einzigartiges Werk des visuellen Überschwangs, der unerreichten grafischen Brillanz und des außerordentlichen Einfallsreichtums akzeptiert und bewundert. Trotz seiner problematischen Vergangenheit wird Disneys *Alice* nun auch weithin – und verdientermaßen – als die überzeugendste der vielen Filmversionen von Lewis Carrolls Buch angesehen.

20.24 ***Ein fantasievoller Moment aus David Halls Treatment von 1939: Ein Mad-Hatter-Wegweiser mit Fingern, die in alle Richtungen weisen***
20.25 ***Mary Blairs Schloss der Königin steht mitten in einem Labyrinth und ist mit Herzmotiven ausgestattet.***

Peter Pan

(1953)

Synopsis
Gerade als Wendy Darling zur jungen Frau wird und ihre letzte Nacht im Kinderzimmer verbringen soll, entdeckt sie Peter Pan und dessen winzige Begleiterin, die Fee Tinker Bell (dt. Naseweis/Glöckchen), die auf der Jagd nach Peters Schatten sind. Fasziniert lauschen Wendy und ihre Brüder Michael und John (dt. Klaus) Peters Geschichten. Dann fliegen sie mit ihrem neuen Freund davon, vorbei am zweiten Stern rechts (dt. Fassung: erster Stern) und nach Nimmerland. In Peters zauberhafter Heimat, in der die Regeln der Erwachsenen nicht gelten, erwartet die Kinder Wundersames: eine Lagune mit Meermädchen, Indianer, die Verwunschenen Jungen und sogar eine Piratenbande, angeführt vom bösen Kapitän Hook. Schwerter klirren, als Peter und Hook in einem letzten Kampf aufeinandertreffen, doch mit der Hilfe von Wendy und den Kindern werden die Piraten besiegt. Nun steht einer sicheren Rückkehr nach Hause nichts mehr im Weg.

ERSTAUFFÜHRUNG USA 5. Februar 1953
ERSTAUFFÜHRUNG D 22. Dezember 1953
LAUFZEIT 77 Minuten

Besetzung
PETER PAN BOBBY DRISCOLL
WENDY DARLING KATHRYN BEAUMONT
KÄPT'N HOOK, GEORGE DARLING HANS CONRIED
MR. SMEE BILL THOMPSON
MARY DARLING HEATHER ANGEL
JOHN DARLING PAUL COLLINS
MICHAEL DARLING TOMMY LUSKE
INDIANERHÄUPTLING CANDY CANDIDO
ERZÄHLER TOM CONWAY
ZUSÄTZLICHE STIMME DON BARCLAY
ZUSÄTZLICHE STIMME ROLAND DUPREE

Stab
REGIE HAMILTON LUSKE, CLYDE GERONIMI, WILFRED JACKSON
LEITENDE ANIMATOREN MILT KAHL, FRANK THOMAS, WOLFGANG REITHERMAN, WARD KIMBALL, ERIC LARSON, OLLIE JOHNSTON, MARC DAVIS, JOHN LOUNSBERY, LES CLARK, NORM FERGUSON
STORY TED SEARS, BILL PEET, JOE RINALDI, ERDMAN PENNER, WINSTON HIBLER, MILT BANTA, RALPH WRIGHT, BILL COTTRELL, NACH DEM THEATERSTÜCK VON JAMES M. BARRIE
FARBE UND STYLING MARY BLAIR, CLAUDE COATS, JOHN HENCH, DON DAGRADI
HINTERGRÜNDE RAY HUFFINE, ART RILEY, AL DEMPSTER, EYVIND EARLE, RALPH HULETT, THELMA WITMER, DICK ANTHONY, BRICE MACK, ART LANDY
LAYOUT MCLAREN STEWART, TOM CODRICK, A. KENDALL O'CONNOR, CHARLES PHILIPPI, HUGH HENNESY, KEN ANDERSON, AL ZINNEN, LANCE NOLLEY, THOR PUTNAM, DON GRIFFITH
CHARACTER ANIMATOREN HAL KING, CLIFF NORDBERG, HAL AMBRO, DON LUSK, KEN O'BRIEN, MARVIN WOODWARD, ART STEVENS, ERIC CLEWORTH, FRED MOORE, BOB CARLSON, HARVEY TOOMBS, JUDGE WHITAKER, BILL JUSTICE, HUGH FRASER, JERRY HATHCOCK, CLAIR WEEKS
ANIMATION SPEZIALEFFEKTE GEORGE ROWLEY, BLAINE GIBSON, JOSHUA MEADOR, DAN MACMANUS
SPEZIELLE VERFAHREN UB IWERKS
MUSIK OLIVER WALLACE
ORCHESTRIERUNG EDWARD H. PLUMB
LIEDER SAMMY FAIN, SAMMY CAHN, OLIVER WALLACE, FRANK CHURCHILL, ERDMAN PENNER, WINSTON HIBLER, TED SEARS
VOCAL ARRANGEMENTS JUD CONLON

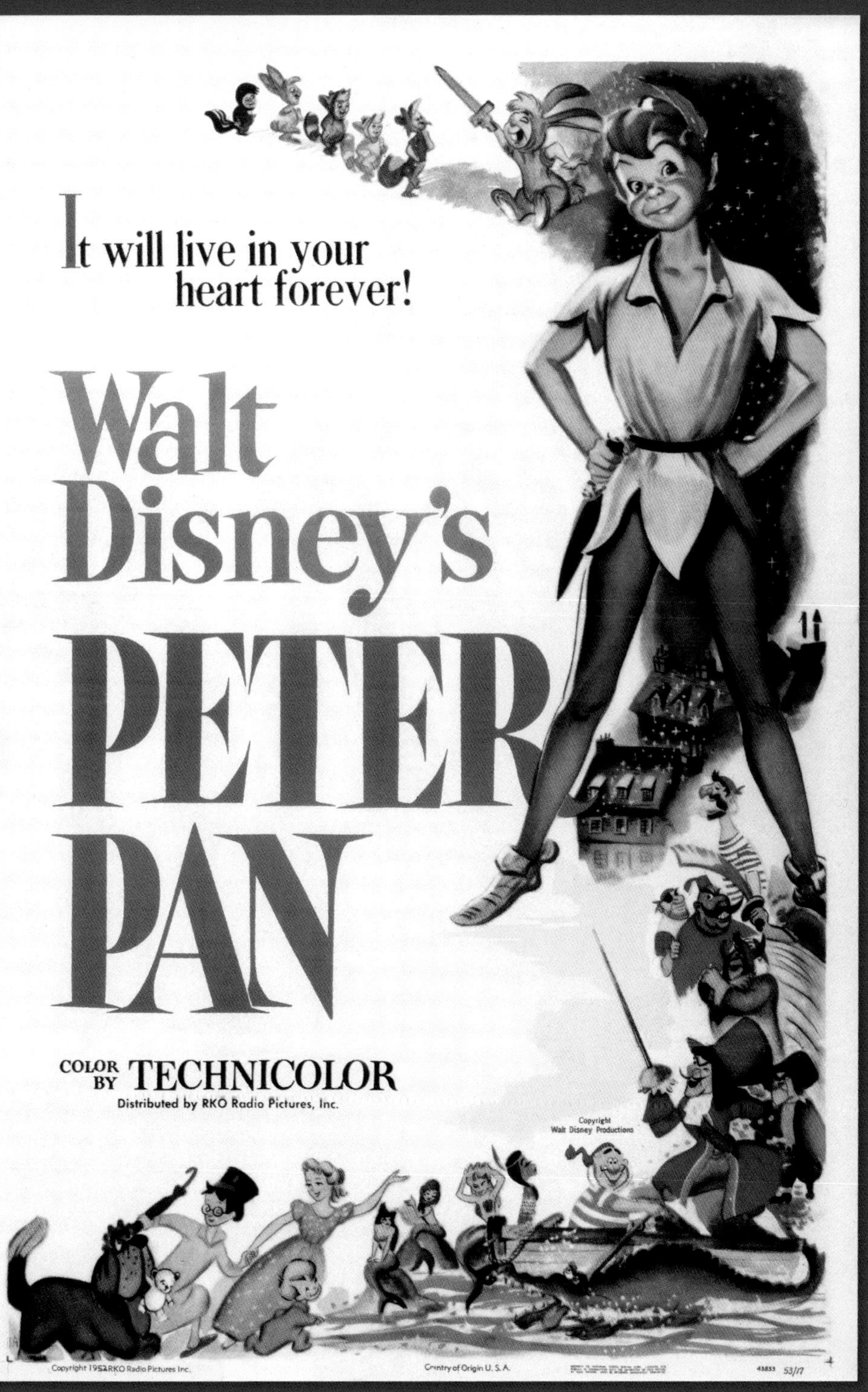
It will live in your heart forever!
Walt Disney's
PETER PAN
COLOR BY TECHNICOLOR
Distributed by RKO Radio Pictures, Inc.
Copyright Walt Disney Productions
Copyright 1952 RKO Radio Pictures Inc.
Country of Origin U. S. A.
43853 53/17

Peter Pan

AN ADAPTATION OF THE PLAY "PETER PAN"
BY SIR JAMES M. BARRIE

Color by TECHNICOLOR

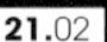

21.02

21.05

21.03

21.04

21.06

21.07

Walt Disneys *Peter Pan*: Das neu erschaffene Nimmerland

Von Mindy Johnson

„Alle Kinder, außer einem, werden groß." Mit diesem berühmten ersten Satz stellt James Matthew Barrie bis heute Kindern und Erwachsenen eine der berühmtesten Figuren vor, die das Theater und die Literatur des 20. Jahrhunderts hervorgebracht haben: Peter Pan. Der sagenhafte Junge, der nie erwachsen wurde, betrat erstmals am 27. Dezember 1904 im Londoner Duke of York's Theatre die Bühne und wurde über Nacht zur Sensation.

In Erinnerung an die zahllosen Nachmittage, die Barrie mit den jungen Söhnen der Familie Llewelyn Davies in den Kensington Gardens verbracht hatte und an denen sie verwegene Piraten, tapfere Indianer und gemeine Feen gewesen waren, schuf er mit *Peter Pan* über mehrere Jahre ein betörendes Bühnenstück, das die Welt im Sturm eroberte. Wie bei allen großartigen Abenteuergeschichten liegt das Zauberhafte von *Peter Pan* in der fantastischen Reise, auf die das Werk uns entführt. Generationen von Theaterbesuchern verliebten sich in ihre zwei Stunden in Nimmerland, wo „die ganze Welt aus Glaube und Vertrauen und Feenstaub besteht". Es war ihnen vergönnt, in ihre Kindheit zurückzukehren, in glücklichen Erinnerungen zu schwelgen, am zweiten Stern rechts vorbeizufliegen und wieder an Feen zu glauben.

Sogar Barrie selbst wunderte sich über die unglaubliche Reise, auf die er sich begeben hatte, wie aus der Widmung hervorgeht, die er 25 Jahre nach der Premiere des Stücks für die

Söhne der Familie Llewelyn Davies verfasste: „Vielleicht verändern wir uns tatsächlich; abgesehen von einem kleinen Etwas in uns, das nicht größer ist als ein Staubkorn im Auge und das, genau wie dieses Staubkorn, vor uns umhertanzt und uns ein Leben lang betört." Zur traumhaften Magie, die Peter Pan ausstrahlt, merkte Barrie an: „Es war nichts weiter als der Funke, der von euch ausging." Dieser Funke, der sich in der Fantasie eines herausragenden Autors entzündete, verwandelte und entwickelte sich über viele Jahre zu einem meisterhaft erzählten fantastischen Abenteuer.

21.09

In zahllosen Versionen überarbeitete Barrie sein märchenhaftes Theaterstück – fügte Figuren hinzu, entfernte andere, schrieb Szenen neu, ersann Requisiten –, bis er ein stimmiges Gleichgewicht aus Fantasie, Magie und Abenteuer erzielte. Manche Veränderungen erfolgten zum Vergnügen, andere geschahen aus Notwendigkeit. Damit man in *Peter Pan* fliegen konnte, musste man zunächst nur „etwas Feines denken". In einer späteren Version des Stücks ersetzte Barrie dies durch ein Schlüsselmotiv, das ein Problem auf magische Weise löste. In einem Brief an seine Freundin und Sekretärin Cynthia Asquith schrieb der Autor: „Nach der ersten Inszenierung musste ich auf Bitten von Eltern dem Stück etwas hinzufügen ... dass man nämlich erst fliegen kann, wenn Feenstaub auf einen geblasen wurde. So viele Kinder waren nach Hause

21.08

21.01 ***Das ursprüngliche amerikanische Filmplakat von 1953 für Walt Disneys 14. abendfüllenden Trickfilm* Peter Pan**
21.02–07 ***Bilder aus dem Film***
21.08 ***Das Kinderzimmer der Familie Darling wird in diesem Entwurf von Mary Blair zum Abenteuerland für Michael und John.***
21.09 ***Konzeptkünstlerin Mary Blair zeigt einen schemenhaften Peter, der die Darling-Kinder nachts besucht.***

21.10

gegangen, hatten es von ihrem Bett aus versucht und sich dabei etwas gebrochen."[1]

„Feen müssen so oder so sein, denn da sie so klein sind ... hat in ihnen nur ein Gefühl auf einmal Platz."

J. M. Barrie

1906 ging das Abenteuer weiter, als Barrie die Geschichten von Peter in dem Buch *Peter Pan in Kensington Gardens* weitererzählte. 1911 schließlich adaptierte er sein Bühnenstück zu dem weiteren Buch *Peter and Wendy*, das umgehend ungeheure Verbreitung fand. Diese überarbeiteten Erlebnisse des Jungen, der nicht groß werden wollte, begeisterten unzählige Leser, auch einen Jungen, der in Missouri aufwuchs.

„Seit ich ein kleiner Junge war, hat die Welt des Fantastischen mich begeistert und gefesselt", schrieb einst Walt Disney.[2] 1913, als die amerikanische Theatertruppe von *Peter Pan* in Marceline Station machte, war der junge Walt Disney nicht zu halten. „Um Karten zu kaufen, mussten wir zwei Sparschweine fast vollständig schlachten, aber meinem Bruder Roy und mir war das egal", bemerkte Disney in einer Pressemitteilung. „Zwei Stunden verbrachten wir mit Peter und seinen Freunden in Nimmerland. Ich nahm viele Erinnerungen mit nach Hause, doch die aufregendste war dieses Bild, wie Peter durch die Luft fliegt." Kurz nach diesem Theatererlebnis „flog" der junge Walt tatsächlich nach Nimmerland, denn in einer Schulaufführung spielte er Peter Pan. Disney meinte dazu: „Keiner identifizierte sich so sehr mit seiner Rolle wie ich!" Ausgelöst durch seine ganz persönlichen Erlebnisse in Nimmerland, wurden märchenhafte, fantastische Abenteuer zu Markenzeichen in Disneys außerordentlicher Karriere als Trickfilmer. Doch ebenso wie bei J. M. Barrie brauchte es bei der magischen Welt von *Peter Pan* viele

Jahre an Überarbeitungen, Veränderungen und Entwicklungen, bis Walt Disneys seine Version tatsächlich verfilmte.

1924, also fast ein Jahrzehnt später, sah der junge Trickfilmproduzent Walt Disney in einem Kino in Hollywood Herbert Brenons Stummfilmversion von *Peter Pan*. Brenons Werk, seinerzeit ein Meilenstein der Filmtechnik, zeigte die neuesten Effekte und eine Tinker Bell, die ebenfalls real gefilmt wurde.

Doch anstatt tatsächlich die erweiterten Möglichkeiten des Films zu nutzen, hielt Brenon an vielen Konventionen der ursprünglichen Bühnenversion fest – worüber Barrie sich in einem Brief an Cynthia Asquith sehr enttäuscht zeigte: „Ich habe heute den *Peter-Pan*-Film gesehen. Alle Schnitte, die ich festgelegt hatte, hatte man ausgeführt, sodass er mir nun entschieden besser gefiel. Bislang aber wiederholt er nur das, was man auf der Bühne sieht, und der einzige Grund für einen Film sollte sein, dass er all das zeigt, was auf der Bühne nicht möglich ist."[3]

Zehn weitere Jahre vergingen, und Walt Disney war nun ein erfolgreicher Erzähler, dessen kurze Trickfilme auf der ganzen Welt berühmt waren. Als er 1935 mit Lillian, Roy und Edna durch Europa reiste, kaufte Walt Disney Hunderte Bücher. Dieser Schatz literarischer und künstlerischer Quellen bildete den Grundstein für das Forschungsarchiv der Disney-Studios, das den Disney-Künstlern für zukünftige Trickfilmprojekte Geschichten, Bildmaterial und Inspirationen lieferte. In den großen Kisten, die in den Studios ankamen, befanden sich unter anderem mehrere Ausgaben von J. M. Barries *Peter Pan*.

Der Erfolg, den *Snow White and the Seven Dwarfs (Schneewittchen und die sieben Zwerge)* 1937 gehabt hatte, machte den jungen Trickfilmer finanziell unabhängig, und umgehend ließ Disney mögliche Handlungskonzepte entwickeln. „Von allen Märchenfiguren ... war mir nach Schneewittchen Peter Pan am wichtigsten", bemerkte Disney. Ursprünglich sollte *Peter Pan* sogar sein zweiter langer Spielfilm werden: „Als ich anfing, Trickfilme zu produzieren, stand auf meiner Liste möglicher Themen *Peter Pan* ganz weit oben."[4] Bereits 1935 zog Disney zu den schwer zu erlangenden Rechten Erkundigungen ein, doch es sollten weitere zehn Jahre vergehen, bevor seine Vision von Nimmerland allmählich Gestalt annehmen konnte.

Obgleich sich diese zwei herausragenden Erzähler nie begegnet sind, war Walt Disney vollkommen klar, wieso Barries *Peter Pan* sowohl bei Kindern als auch bei Erwachsenen derart beliebt war:

> „Sämtliche Figuren in *Peter Pan* haben etwas Märchenhaftes, sogar der schurkische Kapitän Hook und der trottelige Smee. Die kleine Fee leuchtet wie ein Glühwürmchen. Wenn sie flink wie ein Kolibri umherfliegt, hinterlässt sie eine Spur aus Feenstaub. Kein Krokodil, das je auf einer Sandbank auf der Lauer lag, würde das groteske Reptil ernst nehmen, das Hook derart Angst einjagt. Die Indianer in ihrem Lager, die Verwunschenen Jungen – die nicht einmal

21.11

21.10 ***Ein früher Tinker-Bell-Entwurf von David Hall.***
21.11 ***Margaret Kerry, eine der drei Frauen, die für die endgültige Version von Tinker Bell Modell standen.***

wissen, was eine Mutter ist –, die liebe Wendy und ihre Brüder – alle leben durch einen Zauber. Sie existieren nur im Reich des Märchens, und nur der Trickfilm vermag, sie auf der Leinwand zum Leben zu erwecken."[5]

Genau wie J. M. Barrie wusste Walt Disney, dass er bei seiner Version von *Peter Pan* nichts überstürzen durfte. Es brauchte Zeit, um das Werk in der Fantasie reifen zu lassen. „*Peter Pan* ist ein Werk aus purer Magie", schrieb Disney, „und Magie erschafft man nicht auf Bestellung." Da er sehr wohl wusste, wie wichtig Peter Pans Geschichte für Jung und Alt war, fügte Disney hinzu: „Wir mussten das eigentlich Fantastische irgendwie neu erschaffen, aber so, dass die Millionen Menschen, die Barries Stück seit seiner Uraufführung 1904 gekannt und geliebt haben, es wiedererkennen und damit zufrieden sein würden."

„Sobald man daran zweifelt, ob man fliegen kann, hat man diese Gabe für immer verloren."
J. M. Barrie

Noch wichtiger war für Disney, dass seine Version von *Peter Pan* so originalgetreu wie möglich die Absichten, den Geist und die Handlung von J. M. Barrie wiedergab: „Wir mussten uns in den Kopf des Mannes hineinversetzen, der es geschrieben hatte, und das verstehen, was das Werk so beliebt machte. Wir mussten Barries Beweggründe kennen, denn kein berühmter Erzähler hat sich je unmittelbarer mit seinen Arbeiten identifiziert als dieser in Schottland geborene, in England geadelte Autor, Dichter und Stückeschreiber."[6]

Fast ein Vierteljahrhundert benötigte Barrie, um das richtige Gleichgewicht zwischen Magie und Abenteuer zu finden und sein Bühnenstück endlich in Buchform zu veröffentlichen. Es war Disney klar, dass Barrie schon beim Schreiben seines Stücks mit den beschränkten Möglichkeiten des Theaters zu kämpfen hatte: „Ich bin überzeugt, dass, wenn Barrie heute leben würde, er sein fantastisches Nimmerland-Abenteuer direkt für die Leinwand schreiben würde. Trotz seiner außerordentlichen Bühnenkunst stellte ihn das Theater nie wirklich zufrieden. Solange er an den Inszenierungen beteiligt war, suchte und entwickelte er ständig neue Effekte für die Bühne."[7]

Der Trickfilm war das perfekte Medium, erklärte Disney: „Es gibt kein Wunder, das der menschliche Geist ersinnen kann und das die Trickfilmtechnik nicht nachbilden könnte."[8] Abseits der Bühne war Barries Figuren nun alles möglich: Peter konnte ohne Flaschenzug und Seile durch die Luft fliegen; Tinker Bell konnte tatsächlich eine winzige Fee sein; ihr Feenstaub konnte, wo immer er niederging, wahrhaftige Wunder wirken; und die stets liebevoll wachende Nana konnte tatsächlich ein Hund sein und zugleich glaubhaft ihre menschlichen Eigenheiten be-

21.12

21.12 ***Eine anmutige Tinker Bell im Rüschenrock überrascht Nana in diesem frühen Entwurf.***
21.13 ***Ein weiterer von David Halls zahlreichen Entwürfen: Im Kinderzimmer der Darlings findet Peter seinen Schatten.***

21.13

wahren. Disney erkannte die wesentliche Verbindung zwischen Fantasie und Trickfilm: „Wir hatten gegenüber dem Autor einen großen Vorteil ... In der Gestaltung von Nimmerland hatten wir praktisch alle Freiheiten. Das Indianerlager, der See mit den Meermädchen, die Jagdgründe der Verwunschenen Jungen, die Lagune mit dem Piratenschiff, die Höhle und der Schädelfelsen und all die anderen geheimnisvollen Orte in Barries fantastischem Land – all das konnten wir mit unserer Fantasie neu erschaffen."[9]

Dorothy Ann Blank, die Frau, die den Märchentext von Schneewittchen für den Trickfilm umgearbeitet hatte, untersuchte als Erste, wie sich Barries *Peter Pan* adaptieren ließe. Sie analysierte Figuren, erwog Optionen für das Drehbuch und erforschte, wie man bestimmte Elemente aus Barries Bühnenwerk und den Prosaversionen in einen animierten Kinofilm übertragen könnte. Blank betrieb einen nicht geringen Aufwand, um den Kern von Barries zeitloser Geschichte freizulegen. Durch Barries persönliche Regieanweisungen, Randnotizen und Aufzeichnungen während der Proben erhielt man schließlich Einblick in seine Gedankenwelt. Walt Disney schrieb dazu: „Den Schlüssel zu unserer Herangehensweise fanden wir in Barries Worten: ‚Es widerfährt uns nichts Bedeutendes mehr, wenn wir erst einmal zwölf geworden sind.' Und einmal äußerte er auch die innige Bitte: ‚Oh, könnten wir nur unser Leben lang Jungen und Mädchen bleiben!'"[10]

„Zweiter Stern rechts und dann immer der Nase nach."
J. M. Barrie

So wie Barrie sein Nimmerland jahrelang überarbeitete, so sandte auch Walt Disney seine Storyteams in zunächst unterschiedliche Richtungen aus, um verschiedene Möglichkeiten durchzuprobieren. Joe Grant, Bill Cottrell, Bianca Majolie, James Bodrero, Earl Hurd, John Parr Miller, Fred Moore und mehrere andere sollten im Rahmen von Peter Pans Abenteuern verschiedene Handlungskonzepte entwerfen. In frühen Versionen reiste Nana mit den Darling-Kindern vorbei „am zweiten Stern rechts und dann immer der Nase nach". In einem anderen Ansatz kommentierte Nanas Stimme aus dem Off die Abenteuer, die sie mit den Kindern und Peter Pan erlebte. Ein weiteres Konzept ließ den Film in Nimmerland beginnen und zeigte sogleich Tinker Bells Eifersucht auf Peter und die Meermädchen. Die Autoren untersuchten auch eine Variante, in der Wendy ihre Ausgabe von *Peter Pan* mitnimmt, um ihre eigenen Abenteuer besser zu verstehen. Als das Buch den Piraten in die Hände fällt, entdecken Hook und seine Mannschaft beinahe Peters Versteck, doch schließlich wird die Seite mit der genauen Ortsangabe vom Krokodil gefressen. Dieser raffinierte Geschichte-in-der-Geschichte-Ansatz ergab spannende Möglichkeiten, wurde aber später verworfen.

In einem frühen Entwurf zu Nimmerland entdecken Peter, Wendy, Michael und John den versteckten Piratenschatz in der unheimlichen Umgebung des Schädelfelsens. Die verschiedenen Konzepte zeigen die Figuren und die Welt von Nimmerland in einem eher düsteren Licht. Als die Storyteams sich auf noch dramatischeres Terrain begaben, erfanden sie zum heiteren Ausgleich neckische Feen, die Wendy und den Verwunschenen Jungen ein Festmahl zubereiten, aber auch diese Idee legte man schließlich zu den Akten.

21.14

Nach einem Handlungsentwurf vom Mai 1939 begann der Film mit Peter Pans Geburt auf der Vogelinsel. Dieser Ansatz, der Peters Herkunft erklären sollte, wurde einige Wochen später verworfen, als Disney beschloss, wie in Barries Erzählung im Kinderzimmer der Darlings zu beginnen.

Als man sich 1939 endlich die Filmrechte gesichert hatte, entstanden weitere frühe Entwürfe und die ersten Storyboards zu Peter Pans Abenteuern. Im Frühjahr jenes Jahres war David Hall, ein junger Artdirector aus der Welt des Realfilms, in die Disney-Studios gekommen. Über ein Jahr lang sollte er dem Trickfilm wichtige Impulse geben.

Der 1905 als Sohn von Amerikanern geborene und in Irland groß gewordene David Hall zeigte bereits in jungen Jahren eine außerordentliche künstlerische Begabung. Nachdem er Anfang der 1920er-Jahre nach Hollywood gekommen war, setzte Hall seine Kunstausbildung in Los Angeles fort und arbeitete nebenbei als Zeitschriftenillustrator.

In der jungen Filmindustrie etablierte sich Hall schon bald als herausragender Artdirector und Produktionsdesigner. Im Frühjahr 1939 begann

21.15

Hall, für die Disney-Studios zu arbeiten, und während seiner kurzen Zeit beim Trickfilm kam sein ausgeprägter Sinn für Inszenierung und erzählerisches Detail der Entwicklung mehrerer Disney-Projekte zugute.[11]

Nachdem er schon früh Entwürfe für Lewis Carrolls Klassiker *Alice in Wonderland* erarbeitet hatte, richtete David Hall seine Aufmerksamkeit auf J. M. Barries Abenteuer von Peter Pan. Hall erweckte die Figuren in einem europäischen Stil zum Leben: Sie erinnerten an die Illustrationen von Arthur Rackham, die Barrie für die prächtige Erstausgabe seiner ersten Buchfassung, *Peter Pan in Kensington Gardens*, in Auftrag gegeben hatte.[12] Hall war ein überaus produktiver Künstler, und seine meisterhaften Illustrationen für *Peter Pan* erwecken sofort die Atmosphäre einer Märchenwelt. In seiner Version gleicht Peter einem knabenhaften Engel voller Magie und kindlichem Frohsinn, während seine schelmische Begleiterin Tinker Bell als anmutige Ballerina daherkommt, deren lange Flügel einen wohlgeformten, mädchenhaften Körper umrahmen. Und bevor sie nach Nimmerland reisen, sorgen Peter und Tinker Bell im normalerweise sehr geordneten viktorianischen Haushalt der Darlings für ein lustiges Durcheinander.

Als Junge hatte sich David Hall sehr für Piraten interessiert, weshalb ihm sein Vater das *Book of Pirates* von Howard Pyle schenkte. Pyles Bilder hatten auf Halls eigene Vorstellungen einen großen Einfluss, und seine Interpretationen von Kapitän Hook und den Piraten wirken ungemein realistisch. Zwar ist das Nimmerland von David Hall eine naturgetreuere und düsterere Piratenwelt als im endgültigen Disney-Film, doch mit diesen grafischen Meisterwerken nahm die Welt von Peter Pan allmählich Gestalt an.

Die Arbeiten an Nimmerland gingen weiter. Animator Fred Moore, der für seine Zeichnungen reizender junger Frauen bekannt war, schuf wegweisende Entwürfe für die Meermädchen, die sich in ihrer Lagune räkeln. Andere Künstler entwarfen das Indianerlager und Hooks Piratenschiff, das vor Nimmerland vor Anker lag. Eine wichtige kreative Entscheidung trafen Walt

21.14–15 ***Die reizenden Entwürfe eines Disney-Studiokünstlers zur Szene „Auf nach Nimmerland“: Die Darling-Kinder erproben ihre neuen Flugkünste.***

21.16

Disney und seine Storyteams mit der Umgestaltung der vorletzten Szene, in der Peter das Publikum bittet, Tinker Bell zu retten. Während dies im Theater gut funktionierte und man das Publikum leicht dazu bringen konnte, an Feen zu glauben und Tinker Bell so zu helfen, verhielt es sich bei einem Film ganz anders. Man entschied sich also dafür, dass Peters eigene Beteuerung, an Feen zu glauben, die kleine Tinker Bell retten sollte.

1941 lag die Grundstruktur der Handlung fest, ein Drehbuch wurde verfasst, Lieder wurden geschrieben, und von den Hauptfiguren fertigte man Model-Sheets und Miniaturen an. Peter nahm als dunkelhaariger Junge Gestalt an, die kleine Tinker Bell wurde zum Rotschopf, und die braunen Zöpfe von Wendy umrahmten eine weitaus mädchenhaftere Gestalt, die zum jüngeren Aussehen von Peter passte. Animatoren wurden bestimmten Figuren zugeteilt, und die Produktion stand in den Startlöchern. Doch durch den Krieg in Europa sollte alles ganz anders kommen.

Nach dem Angriff auf Pearl Harbor im Dezember 1941 waren auch die Vereinigten Staaten in den Zweiten Weltkrieg verwickelt, und sämtliche Langfilmprojekte des Studios wurden auf Eis gelegt, auch *Peter Pan*. Um die Kriegszeit zu überstehen, verlegte man sich auf die Produktion von Ausbildungsfilmen fürs Militär. Jahre vergingen, bis die Entwicklung langer Spielfilme auf die Storyboards des Studios zurückkam. Ähnlich unzufrieden, wie es J. M. Barrie zunächst selbst mit *Peter Pan* gewesen war, bemerkte Disney: „Es dauerte lange, bis wir anfingen, an der Geschichte zu arbeiten. Vor allem wollte ich erst damit beginnen, wenn ich dieser geliebten Geschichte ganz und gar gerecht werden konnte. Die Technik des Trickfilms entwickelte

21.16 ***Der Tänzer Roland Dupree liefert den Animatoren eine Realfilmvorlage als Peter Pan in der Meermädchenlagune.***
21.17 ***Die verspielten Meermädchen räkeln sich in Mary Blairs charakteristischem Entwurf der Meermädchenlagune.***

sich ständig weiter, aber noch konnte sie die Geschichte von Peter Pan nicht so erzählen, wie ich sie mir vorstellte."[13]

Der kommerzielle Erfolg von *Cinderella (Cinderella)* verschaffte Walt Disney die Mittel, um zur Produktion langer Trickfilme zurückzukehren. Umgehend sorgte er dafür, dass die Arbeiten an *Peter Pan* wiederaufgenommen wurden, und beauftragte seine führende Konzeptkünstlerin Mary Blair mit Entwürfen. Gemeinsam mit Claude Coats, John Hench und Don DaGradi inspirierte Blair die Farbgebung und den Stil zahlreicher klassischer Disney-Filme und später der Attraktionen der Vergnügungsparks. Der legendäre Animator Marc Davis meinte, Blairs Gespür für Farbe stehe dem von Matisse in keiner Weise nach, und erinnert sich: „Wie niemand sonst brachte sie Walt der modernen Kunst nahe. Er war von ihrer Arbeit begeistert."[14] Blairs Werke wirkten vermeintlich simpel, und doch waren sie mit ihren markanten Farben überaus vielschichtig. Viele waren der Ansicht, dass es dieses Einfache war, das Walt so gefiel. Er hatte erkannt, dass Blairs naive, unschuldige Darstellungen auch auf Kinder eine große Wirkung hatten.

„Sämtliche Figuren in* Peter Pan *haben etwas Märchenhaftes ... Sie existieren nur im Reich des Märchens, und nur der Trickfilm vermag, sie auf der Leinwand zum Leben zu erwecken."
Walt Disney

Mary Blairs abenteuerlicher und dynamischer Stil verdeutlichte, dass dies eine Reise in eine Welt war, die nur in der Fantasie existierte. Ihre Farben passten wunderbar zu einem Ort jenseits des „zweiten Sterns rechts und dann immer der Nase

21.17

nach". Durch Blairs Kunst erhielt jeder Winkel von Nimmerland seine ganz eigenen Farben. Mit ihrer Hilfe schuf Disney ein Nimmerland, das so vielfältig, leuchtend und bunt war wie die Bewohner dieses fernen Ortes.

„Diese Verbindung zwischen dem, was Menschen in ihrer Jugend träumen, und dem, womit sie später leben müssen, die Barrie in seinem berühmtesten Werk so vielsagend thematisiert hat, sorgt dafür, dass die Geschichte vom Jungen, der nicht groß werden wollte, schon so lange das Herz und die Fantasie der Menschen berührt.“
Walt Disney

Die lebhaften Farben des Indianerlagers passen zu dem prächtigen Sonnenuntergang, während die gedeckten Pastellfarben der Meermädchenlagune einen deutlichen Kontrast darstellen zum dichten Blätterwerk in den tropischen Gegenden von Nimmerland. Frühe Entwürfe zum Kannibalenriff wirken düster und unheimlich, Erdfarben dominieren beim Baumhaus der Verwunschenen Jungen und Peters Versteck, während das imposante Piratenschiff von Kapitän Hook, die Jolly Roger, in vornehmen Rot-, Lila- und Goldtönen gehalten ist.

Der Übergang von den Entwürfen zu den endgültigen Hintergründen zeigt, um wie viele Details sich Disneys Künstler bemühten, damit die exotischen Orte derart real wirkten. Al Dempsters Team für die Hintergründe, dem Eyvind Earle, Thelma Witmer und Brice Mack angehörten, erweckte Nimmerland zum Leben. Die üppige Vegetation der Bergwälder verbirgt das Baumhaus der Verwunschenen Jungen, die finstere und unheimliche Gegend um den Schädelfelsen hält neugierige Schatzsucher fern, und die friedliche, verzauberte Atmosphäre der Meermädchenlagune betont die neckische Verspieltheit derer, die hier leben. Jeder dieser fantasievollen Hintergründe spiegelt die unterschiedlichen Bewohner der Insel und verstärkt den Zauber von Disneys animierter Erzählung.

Auch an der Handlung wurde einiges verändert, bevor man mit der Animation begann. Eine der letzten Entscheidungen, die Disney 1948 genehmigte, sorgte dafür, dass auch George Darling als eine Art Vaterfigur beim Nimmerland-Abenteuer dabei war. Mit einer gehörigen Dosis von Tinker Bells Feenstaub zeigten Ken O'Connors Storyboards die aufregenden Flüge von Wendy, Michael und John. Nach ihrem Zwischenstopp auf dem großen Zeiger von Big Ben und dem Abstecher zur Tower Bridge fliegen Peter und die Darling-Kinder schließlich nach Nimmerland.

Überarbeitungen erfolgten auch noch während der Produktion, als man bereits den Studiourgesteinen Clyde „Gerry" Geronimi, Wilfred Jackson und Hamilton Luske die Regie anvertraut und die Animation begonnen hatte. *Peter Pan* zeichnet sich auch dadurch aus, dass es einer der wenigen langen Trickfilme ist, der Animation von allen Mitgliedern von Disneys Nine Old Men enthält. Marc Davis, Woolie Reitherman, Milt Kahl, Ollie Johnston, Frank Thomas, Eric Larson, John Lounsbery, Ward Kimball und Les Clark waren die führenden Künstler der Disney-Studios.

Diese erfahrenen Veteranen beherrschten ihr Handwerk perfekt. In

21.18

21.19

ihrem Buch *Disney Animation: The Illusion of Life* schreiben Frank Thomas und Ollie Johnston: „Als wir mit *Peter Pan* anfingen, entfernten wir uns mehr und mehr davon, Realfilmszenen direkt zu kopieren. Wenn wir Schwachpunkte sahen, ließen wir sie neu aufführen und benutzten den Film lediglich als Ausgangspunkt, auf dem wir aufbauten, Neues erfanden und das Vorhandene ausschmückten. Es wurde uns gezeigt, in welche Richtung es gehen sollte, aber wie wir gingen, war unsere Sache, und das kam dem Film zugute. Wir ließen viel von der Fantasie und Magie aufleben, die die langen Trickfilme vor dem Zweiten Weltkrieg besessen hatten."[15]

Da Barrie es so verfügt hatte, wurde die Rolle von Peter Pan stets von einer Frau gespielt, und viele anerkannte Schauspielerinnen hatten den jungen Peter auf der Bühne verkörpert. Mit der Trickfilmversion ergaben sich mehrere Möglichkeiten, wie Disney 1952 in einer Pressemitteilung bemerkte: „Doch Peter ist ein Junge (und) wir fanden, dass wir eine helle Jungenstimme brauchten ... Zum ersten Mal in der langen Geschichte des Stücks haben wir die Rolle von Peter – oder zumindest seine Stimme – mit einem Jungen besetzt."[16]

„Lange blickten sich die beiden Gegner an, Hook erschauderte unmerklich, und Peter hatte ein seltsames Lächeln im Gesicht."

J. M. Barrie

21.18 ***Peter Pans Abenteuer haben in diesem frühen, düsteren Entwurf zum Schädelfelsen etwas Angsteinflößendes.***
21.19 ***Dieser Entwurf des unheimlichen Schädelfelsens von Nimmerland stammt von Konzeptkünstlerin Mary Blair.***

Der beliebte Kinderstar Bobby Driscoll, der bereits in Disneys Realfilmen *So Dear to My Heart (Ein Champion zum Verlieben)*, *Song of the South (Onkel Remus' Wunderland)* und als Jim Hawkins in *Treasure Island (Die Schatzinsel)*

21.20

mitgespielt hatte, sprach die Hauptrolle. Disney meinte dazu: „Wir finden, dass seine Persönlichkeit perfekt zur Zeichentrickfigur passt."[17] Als real gefilmte Vorlage für Peter Pan diente der Tänzer Roland Dupree, und man betraute den legendären Animator Milt Kahl damit, die Hauptfigur zu gezeichnetem Leben zu erwecken. Kahl, oft als großartigster Zeichner der Disney-Studios bezeichnet, stand vor einer wahren Herausforderung: Seine Animation musste die Schwerelosigkeit vermitteln, mit der Peter in der Luft hing. Durch Kahls überlegenes Talent und ein wenig animierten Feenstaub gelingt es Peter tatsächlich, überzeugend zu schweben.

„Ihm antwortete das lieblichste Klingeln wie von goldenen Glöckchen. Dies ist die Sprache der Feen. Ihr gewöhnlichen Kinder könnt sie nicht hören, doch würdet ihr sie hören, würdet ihr merken, dass ihr sie bereits kennt."

J. M. Barrie

Kathryn Beaumont, die Stimme der Alice aus Disneys *Alice in Wonderland (Alice im Wunderland)* von 1951, war älter geworden, sodass sie und ihre Stimme nun zu Wendy Darling passten. „Direkt nachdem ich Alice beendet hatte, bereitete ich mich darauf vor, Wendy zu sprechen", erinnert sich Beaumont.[18] Und Walt Disney bestätigte: „Ich glaube, Sie werden sie sogar noch mehr in der Rolle von Wendy mögen." Nach den Erfahrungen, die sie durch *Alice in Wonderland* gewonnen hatte, war sich Beaumont bewusst, wie wichtig es war, die Rolle real nachzuspielen. „Man erhielt Anweisungen, und dann folgte man der Anweisung und der Bewegung und interpretierte die Handlung selbst", merkt Beaumont an. „Sie probierten alles Mögliche."

„Um aus der fantastischen Geschichte einen Trickfilm zu machen, mussten wir uns in den Mann hineinversetzen, der sie geschrieben hatte."

Walt Disney

Die in Disneys Film bemerkenswerteste Figur nach Peter Pan ist die kleine Fee Tinker Bell. Der Trickfilm vermochte es, Peters Feenfreundin mit ihrer ganzen Gestalt darzustellen, anstatt sie, wie auf der Bühne, nur als umherschweifendes Licht zu zeigen. Der legendäre Animator Mark Davis bemerkt dazu: „Sie wurde als Lichtfleck dargestellt. Aber in unserem Medium konnten wir nicht einfach einen Lichtfleck zeigen."[19] Walt Disney war begeistert, dass er endlich die definitive Tinker Bell erschaffen konnte: „Wenn sie umhersauste, konnten wir die kleine Elfe leuchten lassen wie ein Glühwürmchen, und sie erhielt eine Stimme wie ein klingendes Glöckchen."[20] Bevor das winzige Wesen jedoch auf die Leinwand kam, hatte man über 15 Jahre lang an ihr gearbeitet.

In dieser langen Zeit entwickelte sich Tinker Bell von einer winzigen, geflügelten Balletttänzerin, die mit Blumen geschmückt und anmutig wie ein Engel war, zu einer spitzbübischen, hitzigen und streitlustigen kleinen Dame. Über die Jahre wurde sie zu einer der kostspieligsten animierten Figuren, die man bis dahin entworfen hatte. „Sie ist eine gänzlich stumme Figur", erinnert sich Marc Davis. „Sie hat nicht geredet, aber man wusste, was sie denkt." Nachdem ihn zunächst die frühen Entwürfe von David Hall und John Parr Miller aus den späten 1930er-Jahren inspiriert hatten, fand Marc Davis seine endgültige Fee in der für Disney arbeitenden jungen, blonden Ink-&-Paint-Künstlerin Ginni Mack. Mack, die oft Besucher in der Ink-&-Paint-Abteilung herumführte und häufig auf Fotografien zu sehen war, wurde gebeten, Modell zu stehen. „Man sagte mir, dass sie eine Fee sei, das war alles“, erinnert sich Mack. „Ich trug einen Pony, den ich gewöhnlich zur Seite wischte, und hatte mein Haar oft hinten zusammengeknotet.“ Marc Davis und sein Zeichnerteam skizzierten Macks unterschiedliche Kopfhaltungen, woraus erste Figurenentwürfe für Tinker Bell entstanden. „Dreh dich dorthin. Schau nach oben, schau nach unten“, weiß Mack zu berichten. „Einmal sollte ich mich auf einen Hocker stellen und so tun, als ob ich fliege.“[21]

Marc Davis entwarf Tinker Bell hüftaufwärts als kleines Mädchen und hüftabwärts als Frau. Man hatte die junge Kathryn Beaumont engagiert, um Bewegungen vorzuführen, die man als Vorlage für die Zeichner filmte. „Es wurde dabei nichts gesprochen“, sagt Beaumont. „Es waren ausschließlich Bewegungen und Gesten ... und sie untersuchten, wie sich ein zwölfjähriges Mädchen im Gegensatz zu einer achtzehnjährigen Frau verhielt.“[22] Um in Tinker Bells Bewegungen frauenhafte Launen und Listen mit kindlicher Unschuld zu verbinden, studierte man die Tänzerin und Schauspielerin Margaret Kerry. Schlussendlich war es die Kombination aus diesen drei Frauen, die Animator Marc Davis die Schlüsselelemente für das endgültige Aussehen von Tinker Bell lieferte.

Frühe Entwürfe stellten Kapitän Hook als finsteren und unheimlichen Gegner dar. Als der Film dann in die Produktion ging, konnte sich der

21.20 ***Hooks Schreckgespenst: Das Krokodil mit dem Wecker.***
21.21 ***Ein unheimliches Porträt des gefürchteten Piratenkapitäns Hook***

21.21

langjährige Animator Frank Thomas darüber freuen, dass man ihm die reizvolle Rolle von Hook zugeteilt hatte. Thomas' Version des hinterhältigen Kapitäns wurde maßgeblich vom Radio-, Bühnen- und Filmschauspieler Hans Conried beeinflusst, der den Part von Peter Pans Erzfeind übernahm.

So gelang es schließlich mit den letzten Model-Sheets, den definitiven Hook zu umreißen: charmant, teuflisch und abgrundtief böse, mit geckenhafter Garderobe und lächerlich eitel. Und wie es zuvor im Bühnenstück üblich gewesen war, spielte Conried auch die Rolle des stattlichen Vaters George Darling. Wenn allerdings am Ende das Schiff in den Himmel steigt und am zweiten Stern rechts vorbeifliegt, zeigt sich in dem vornehmen, würdevollen Vater einen Moment lang der darin verborgene kleine Junge: „Ich weiß nicht, ich habe so ein eigenartiges Gefühl, als hätte ich das Schiff schon mal gesehen, vor vielen, vielen Jahren, als ich noch ein Kind war."

Mr Smee, Hooks tollpatschiger Gehilfe, wurde von dem bekannten Disney-Stimmkünstler Bill Thompson gesprochen, der diesen liebenswerten Ganoven zum Leben erweckte. Derweil gelang dem Komödianten Don Barclay eine clevere Darstellung von Smee für die Realfilmszenen, die Animator Ollie Johnston als Vorlage dienten. Smee, der stets als Erster bereitsteht, um die bösen Befehle seines Kapitäns auszuführen, schafft es zuverlässig, jedes Mal etwas Falsches zu tun oder zu sagen und damit unabsichtlich Hooks auch noch so gut vorbereitete Schachzüge zu vereiteln.

„Unsere Darstellungsmöglichkeiten des Fantastischen sind natürlich ganz andere als die, die Barrie zur Verfügung standen, aber ich glaube, dass wir seinem ursprünglichen Konzept in mancher Hinsicht näher gekommen sind als irgendjemand sonst."

Walt Disney

Extensive Studien betrieb man für Hooks Schreckgespenst, das Krokodil. Während im Bühnenstück stets nur das Ticken zu hören ist, entschied Disney, das dazugehörige Krokodil tatsächlich zu zeigen. Dadurch wurde der Schrecken noch größer, wenn das Ticken das Nahen des Krokodils verriet. Der Animator Wolfgang Reitherman verpasste dem Krokodil ein freundliches Dauergrinsen und schuf damit eine unvergessliche Figur, die sowohl Unheil verheißt als auch für Gelächter sorgt.

„Unsere Darstellungsmöglichkeiten des Fantastischen sind natürlich ganz andere als die, die Barrie zur Verfügung standen", erklärte Disney,

21.22

21.23

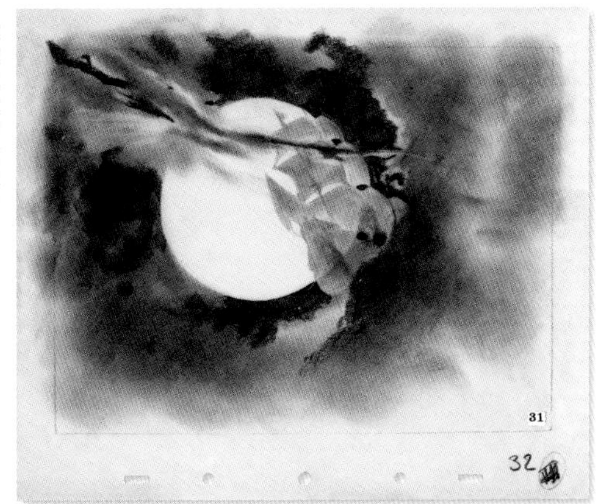

21.24

21.25

21.26

„aber ich glaube, dass wir seinem ursprünglichen Konzept in mancher Hinsicht näher gekommen sind als irgendjemand sonst.“[23] Nachdem man fast ein Jahrzehnt lang erste Studien betrieben hatte, das Projekt dann mehrere Jahre auf Eis gelegen hat und man über zwei Jahre lang mit der eigentlichen Animation beschäftigt war – mit über einer Million einzelner Zeichnungen, die man auf 800.000 Cels übertrug, die dann von mehreren Hundert Künstlern getuscht und koloriert wurden –, feierte Disneys *Peter Pan* am 5. Februar 1953 auf Leinwänden auf der ganzen Welt seine Filmpremiere.

Fast ein halbes Jahrhundert nachdem J. M. Barries geliebte Figur das erste Mal das Theaterpublikum bezaubert hatte, hoben Disneys Fantasie und Tricktechnik diese zeitlose Geschichte weit über die Beschränkungen von Barries Zeit hinaus. Disney erkannte, dass manche Geschichten Geduld verlangten, und meinte: „Es ist mir nun das größte Vergnügen, dass ich Peter fliegen lassen kann, wohin er will, und er dort bleiben kann, so lange er will.“[24]

21.22 ***Mary Blair zeigt Peters Flug in Hooks verzaubertem Schiff bei Mondschein.***
21.23–26 ***Mit Peter am Steuerrad segelt Hooks Piratenschiff in diesen frühen Entwürfen hinauf in den Himmel.***

Susi und Strolch

Lady and the Tramp (1955)

Synopsis

Lady and the Tramp ist eine Geschichte über Gegensätze, die sich anziehen: Anfang des 20. Jahrhunderts verliebt sich ein weiblicher Cocker Spaniel aus gutem Hause und einem eleganten Wohnviertel in einen Straßenköter aus einem Armenviertel auf der anderen Seite der Stadt. Die freigeistige Art des Streuners fasziniert die verwöhnte Susi (orig. Lady). Sie genießt die gemeinsamen Ausflüge in die ihr unbekannte Welt der Slums und das Rendezvous im Italienischen Restaurant. Sie schlägt die Warnungen ihrer reinrassigen Hundefreunde in den Wind, doch als Susi und Strolch (orig. Tramp) während eines gemeinsamen Abenteuers gefangen und ins Tierheim gebracht werden, wird Susis Zuneigung zu dem unbeschwerten Vagabunden auf eine harte Probe gestellt. Als das Neugeborene von Susis Frauchen und Herrchen allerdings von einer Ratte bedroht wird, die ins Haus eingedrungen ist, erweist sich Strolch als Held und wird schlussendlich von Susis Freunden und ihrer Besitzerfamilie aufgenommen.

WELTPREMIERE 16. Juni 1955 (Chicago)
ERSTAUFFÜHRUNG USA 22. Juni 1955
ERSTAUFFÜHRUNG D 14. Dezember 1956
LAUFZEIT 76 Minuten

Besetzung
DARLING, PEG, SI UND AM PEGGY LEE
SUSI BARBARA LUDDY
STROLCH LARRY ROBERTS
JOCK, BULL, DACHSIE, JOE, IRISCHER POLIZIST BILL THOMPSON
PLUTO BILL BAUCOM
BIEBER STAN FREBERG
TANTE CLARA VERNA FELTON
BORIS ALAN REED
TONI GEORGE GIVOT
TUFFY, PROFESSOR, PEDRO DALLAS MCKENNON
HERRCHEN JIM, HUNDEFÄNGER, MANN IN DER ZOOHANDLUNG LEE MILLAR JR.
HUNDE (GESANG)/ SIE SELBST THE MELLOMEN

Stab
ASSOCIATE PRODUCER ERDMAN PENNER
REGIE HAMILTON LUSKE, CLYDE GERONIMI, WILFRED JACKSON
LEITENDE ANIMATOREN MILT KAHL, FRANK THOMAS, OLLIE JOHNSTON, JOHN LOUNSBERY, WOLFGANG REITHERMAN, ERIC LARSON, HAL KING, LES CLARK
STORY ERDMAN PENNER, JOE RINALDI, RALPH WRIGHT, DONALD DAGRADI. NACH DER ORIGINALGESCHICHTE VON WARD GREENE
CHARACTER ANIMATION GEORGE NICHOLAS, HAL AMBRO, KEN O'BRIEN, JERRY HATHCOCK, ERIC CLEWORTH, MARVIN WOODWARD, ED AARDAL, JOHN SIBLEY, HARVEY TOOMBS, CLIFF NORDBERG, DON LUSK, GEORGE KREISL, HUGH FRASER, JOHN FREEMAN, JACK CAMPBELL, BOB CARLSON
HINTERGRÜNDE CLAUDE COATS, DICK ANTHONY, RALPH HULETT, AL DEMPSTER, THELMA WITMER, EYVIND EARLE, JIMI TROUT, RAY HUFFINE, BRICE MACK
LAYOUT KEN ANDERSON, TOM CODRICK, AI ZINNEN, A. KENDALL O'CONNOR, HUGH HENNESY, LANCE NOLLEY, JACQUES RUPP, MCLAREN STEWART, DON GRIFFITH, THOR PUTNAM, COLLIN CAMPBELL, VICTOR HABOUSH, BILL BOSCHE
ANIMATION SPEZIALEFFEKTE GEORGE ROWLEY, DAN MACMANUS
MUSIK OLIVER WALLACE
ORCHESTRIERUNG EDWARD H. PLUMB, SIDNEY FINE
VOCAL ARRANGEMENTS JOHN RARIG
FILMSCHNITT DON HALLIDAY
TONREGIE C.O. SLYFIELD
TONINGENIEUR HAROLD J. STECK, ROBERT O. COOK
MUSIKSCHNITT EVELYN KENNEDY
SPEZIELLE VERFAHREN UB IWERKS

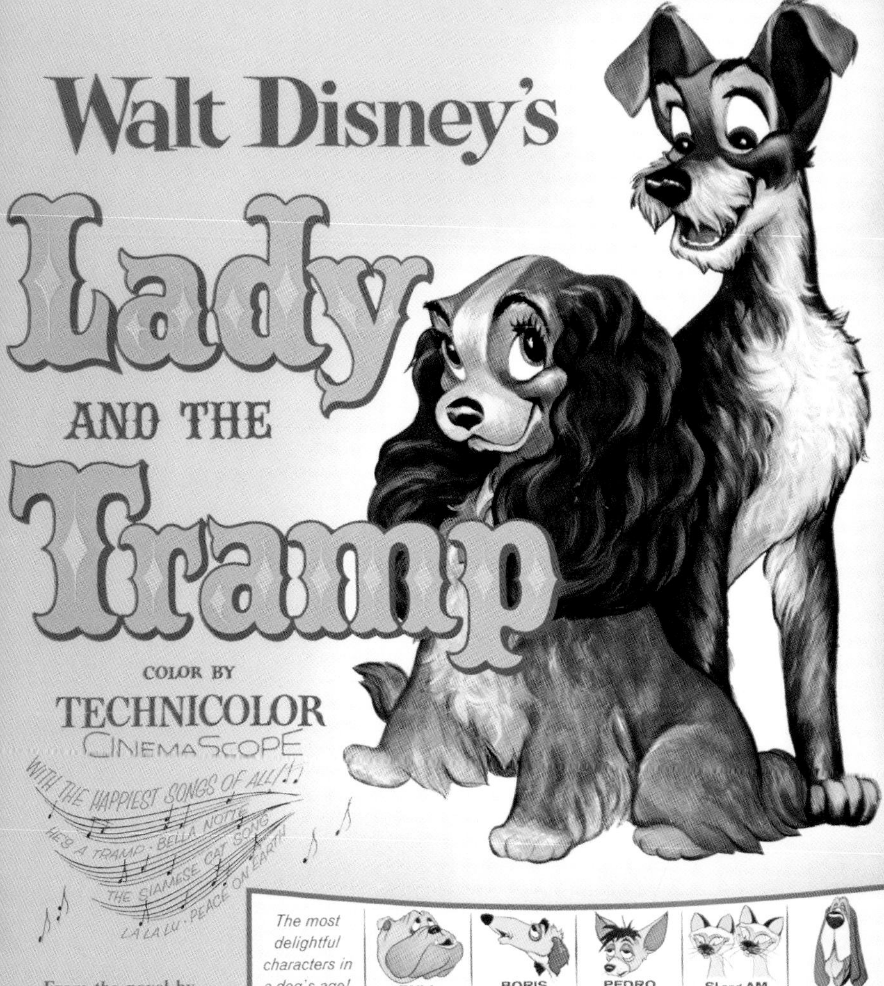
His
Happiest
Motion Picture!
Walt Disney's
Lady
AND THE
Tramp
COLOR BY
TECHNICOLOR
CINEMASCOPE
WITH THE HAPPIEST SONGS OF ALL!
HE'S A TRAMP · BELLA NOTTE
THE SIAMESE CAT SONG
LA LA LU · PEACE ON EARTH
The most delightful characters in a dog's age!
From the novel by
Ward Greene

BULL

BORIS

PEDRO
SI and AM

TRUSTY

Buena Vista

22.01

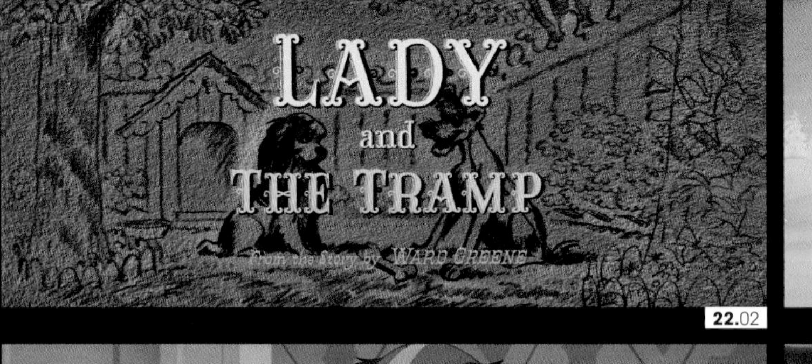

22.02

"In the wh
world there
that money
to wit – the

22.05

22.08

22.11

istory of the
ut one thing
not buy...
f a dog's tail."
Josh Billings

22.03

22.04

22.06

22.07

22.09

22.10

22.12

22.13

22.14

22.15

22.01 ***Das Filmplakat stellte die Tatsache heraus, dass*** **Lady and the Tramp** ***Disneys erster Zeichentrickfilm war, der im Breitwandformat Cinema-Scope gedreht wurde.***
22.02–13 ***Bilder aus dem Film***
22.14 ***Story Man und Mitproduzent Erdman Penner und Story Man Joe Rinaldi (rechts) posieren mit Hundemodellen.***
22.15 ***Eleganz als Zeichen sozialer Abgrenzung: Auf diesem Development Sketch von Joe Grant werden Susi die Fellhaare gestutzt.***
22.16 ***Entwurfsskizze mit Susi und einem Grammofon, das den Film eindeutig in das angehende 20. Jahrhundert einordnet.***

„Wir hatten die Freiheit, die Geschichte so zu entwickeln, wie es uns passte, was nicht der Fall ist, wenn man an einem Klassiker arbeitet.“

Walt Disney

„Lady and the Tramp *bedeutete … etwas Neues für das Studio, weil die Geschichte modern war … und nicht auf einem bekannten Buch basierte.“*

Leonard Maltin

22.16

22.17

„In CinemaScope spielen Zeichentrickfiguren nicht mehr auf der Stelle vor einem bewegten Hintergrund, sondern werden durch die Szenen bewegt.“
Ward Kimball

22.17 ***Man baute ein dreidimensionales Modell, um den Hintergrundkünstlern beim Zeichnen des Hauses, in dem Susi lebt, mit den Proportionen zu helfen.***
22.18 ***Si und Am sind die beiden einprägsamsten Gegenspieler in*** **Lady and the Tramp.**
22.19 ***Die Künstler des Disney-Studios verbrachten viele Stunden mit der Entwicklung von Si und Am, die am Ende doch nur verhältnismäßig kurz auf der Leinwand zu sehen waren.***

22.18

22.19

22.20

22.21

22.20 ***Eine Version von* Lady and the Tramp, *die es nie gab: In diesem frühen Entwurf ist ein Stelldichein am Flussufer vorgesehen.***
22.21 ***Joe Grants Witzzeichnung zeigt ein Blind Date nach Hundemanier.***
22.22 ***Animationszeichnung für den berühmten Kuss, der mit einer gemeinsam verspeisten Nudel beginnt***
22.23 ***Einer der Künstler, die für das Drehbuch verantwortlich zeichneten, gibt die Stimmung für die Szene vor: ein Story Sketch von Joe Rinaldi.***

***„Lady and the Tramp** war pure Nostalgie, wie eine alte Postkarte mit hellen, sonnigen Farben und weichen Kanten."*

Frank Thomas und Ollie Johnston

22.22

22.23

Dornröschen und der Prinz / Dornröschen

Sleeping Beauty (1959)

Synopsis
Sleeping Beauty, Walt Disneys dritter Langfilm, der ein klassisches Märchen adaptierte, ist sowohl die Krönung der Animationskunst der vorangegangenen Jahrzehnte als auch ein Vorstoß zu einem neuen, modernen Zeichenstil. So glänzt der Film vor allem durch seine prächtigen Bilder und nicht so sehr durch eine mitreißende Geschichte oder liebenswerte Charaktere. Aurora ist die lieblichste und besonders kunstvoll animierte Disney-Prinzessin, dennoch wird *Sleeping Beauty* nicht so sehr von der Heldin, sondern von ihrer Gegenspielerin dominiert, der eiskalten, beeindruckenden Maleficent (dt. Malefiz). Disney sagte seinen Künstlern, er wolle „eine sich bewegende Illustration". Es brauchte neun Jahre, geschätzte eine Million Zeichnungen und die damalige Rekordsumme von sechs Millionen Dollar, um diese Forderung zu erfüllen. Keinem abendfüllenden Trickfilm zuvor oder seitdem ist es gelungen, die schiere visuelle Pracht dieses Werks zu übertreffen.

ERSTAUFFÜHRUNG USA 29. Januar 1959
ERSTAUFFÜHRUNG D 30. Oktober 1959
LAUFZEIT 75 Minuten

Besetzung
PRINZESSIN AURORA / RÖSCHEN MARY COSTA
PRINZ PHILIPP BILL SHIRLEY
MALEFIZ ELEANOR AUDLEY
FLORA VERNA FELTON
FAUNA BARBARA JO ALLEN
SONNENSCHEIN BARBARA LUDDY
KÖNIG STEFAN TAYLOR HOLMES
KÖNIG HUBERT BILL THOMPSON
MALEFIZ' LEIBWACHE BOB AMSBERRY, CANDY CANDIDO, PINTO COLVIG, DALLAS MCKENNON
ERZÄHLER MARVIN MILLER

Stab
PRODUCTION SUPERVISOR KEN PETERSON
REGIE CLYDE GERONIMI
SEQUENZREGISSEURE ERIC LARSON, WOLFGANG REITHERMAN, LES CLARK
LEITENDE ANIMATOREN MILT KAHL, FRANK THOMAS, MARC DAVIS, OLLIE JOHNSTON, JOHN LOUNSBERY
STORY-ADAPTATION ERDMAN PENNER, NACH DER FASSUNG DES MÄRCHENS VON CHARLES PERRAULT
STORY JOE RINALDI, WINSTON HIBLER, BILL PEET, TED SEARS, RALPH WRIGHT, MILT BANTA
AUSSTATTUNG DON DAGRADI, KEN ANDERSON
HINTERGRÜNDE FRANK ARMITAGE, THELMA WITMER, AL DEMPSTER, WALT PEREGOY, BILL LAYNE, RALPH HULETT, DICK ANTHONY, FIL MOTTOLA, RICHARD H. THOMAS, ANTHONY RIZZO
LAYOUT MCLAREN STEWART, TOM CODRICK, DON GRIFFITH, ERNI NORDLI, BASIL DAVIDOVICH, VICTOR HABOUSH, JOE HALE, HOMER JONAS, JACK HUBER, RAY ARAGON
COLOR STYLING EYVIND EARLE
CHARACTER STYLING TOM OREB
CHARACTER ANIMATION HAL KING, HAL AMBRO, DON LUSK, BLAINE GIBSON, JOHN SIBLEY, BOB CARLSON, KEN HULTGREN, HARVEY TOOMBS, FRED KOPIETZ, GEORGE NICHOLAS, BOB YOUNGQUIST, ERIC CLEWORTH, HENRY TANOUS, JOHN KENNEDY, KEN O'BRIEN
ANIMATION SPEZIALEFFEKTE DAN MACMANUS, JOSHUA MEADOR, JACK BOYD, JACK BUCKLEY
MUSIK GEORGE BRUNS, ADAPTION VON TSCHAIKOWSKIS BALLETT „DORNRÖSCHEN"
LIEDER GEORGE BRUNS, ERDMAN PENNER, TOM ADAIR, SAMMY FAIN, WINSTON HIBLER, JACK LAWRENCE, TED SEARS
CHOR-ARRANGEMENTS JOHN RARIG
SCHNITT ROY M. BREWER JR., DONALD HALLIDAY
LEITUNG TON ROBERT O. COOK
MUSIKSCHNITT EVELYN KENNEDY
SPEZIELLE VERFAHREN UB IWERKS, EUSTACE LYCETT

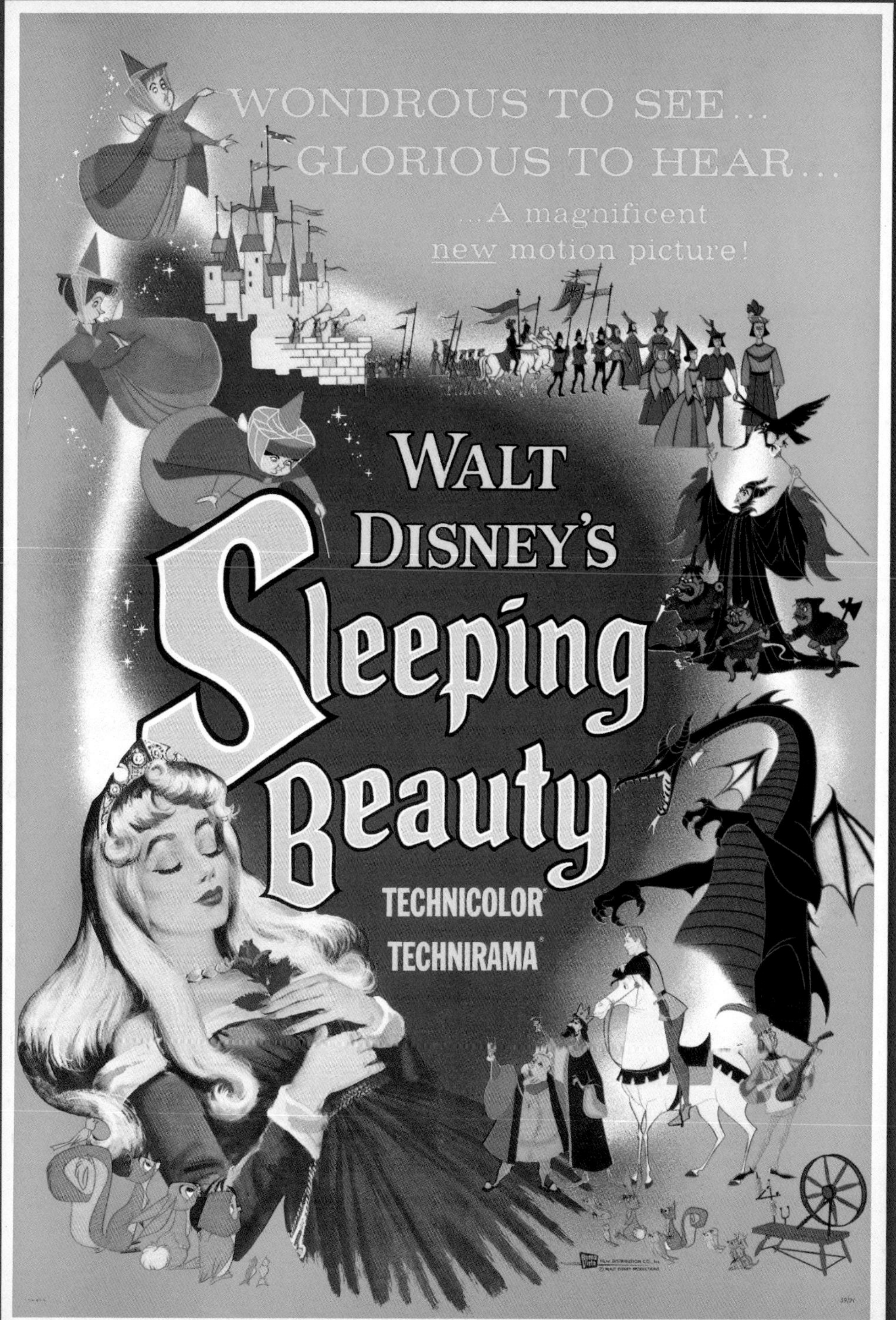

WONDROUS TO SEE...
GLORIOUS TO HEAR...
...A magnificent
new motion picture!

WALT
DISNEY'S
Sleeping
Beauty

TECHNICOLOR®
TECHNIRAMA®

Sleeping Beauty

Technirama® Technicolor®

23.02

23.05

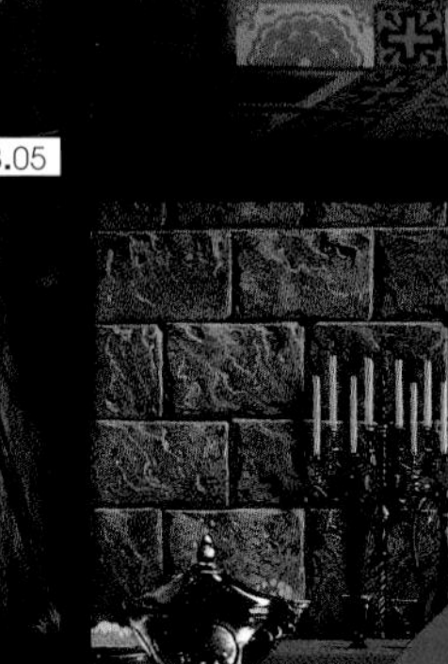

23.08

23.11

23.03
23.04
23.06
23.07
23.09
23.10
23.12
23.13

Walt Disneys animierter Bilderteppich: Produktion und Stil von *Sleeping Beauty*

Von Charles Solomon

IV. SLEEPING BEAUTY

... il entre dans une chambre toute dorée, et il vit sur un lit, dont les rideaux étaient ouverts de tous côtés, le plus beau spectacle qu'il eût jamais vu : une Princesse qui paraissait avoir quinze ou seize ans, et dont l'éclat resplendissant avait quelque chose de lumineux et de divin. Il s'approcha en tremblant et en admirant, et se mit à genoux auprès d'elle.[1]

... er betrat eine Kammer ganz aus Gold, und er sah auf einem Bett, dessen Vorhänge zu allen Seiten offen waren, das Schönste, was seine Augen je erblickt hatten: eine Prinzessin von vielleicht fünfzehn oder sechzehn Jahren, deren Züge wie von einem göttlichen Licht erleuchtet schienen. Vor Ehrfurcht zitternd, trat er näher und kniete sich vor ihr nieder.

Charles Perrault

Nichts in Walt Disneys Werk kommt der prächtigen Bilderwelt von *Sleeping Beauty* gleich, dem opulentesten Trickfilm, von Disney persönlich überwacht. Die schaurigen Burgen, geharnischten Ritter, die schöne Prinzessin und die guten und bösen Feen verkörpern alles, woran man beim Wort „Märchen" denken mag. Der Film bildet die Summe dessen, was ihm vorausgegangen war, und lässt zugleich die Innovationen erahnen, die noch folgten.

23.14

„Die besten Disney-Animatoren waren an einem Punkt, an dem sie sich ihre Herausforderungen selbst suchen mussten. Nicht jede Figur konnte wie die sieben Zwerge aussehen.“
Andreas Deja

23.15

Sleeping Beauty entstand zu einer Zeit, als sich die amerikanische Trickfilmindustrie und das Disney-Studio grundlegend wandelten. Mit *Robin Hoodlum* von 1948 brach das neu gegründete UPA-Studio mit dem Stil und der Erzählweise, die Disney in den 1930er-Jahren für Trickfilme etabliert hatte. UPAs Figuren wirkten flächiger und eckiger und spiegelten somit die damalige Malerei und Illustrationskunst statt der akademischen Zeichenkunst, die die Disney-Filme geprägt hatte. Warner Bros., MGM und die anderen Trickfilmstudios in Hollywood folgten dem Beispiel von UPA – ebenso wie Disney mit *Pigs Is Pigs* (1954), dem mit einem Oscar ausgezeichneten „Toot, Whistle, Plunk and Boom“ („Die Musikstunde“, 1953) und weiteren Kurzfilmen.

Das Disney-Studio war nun nicht mehr ausschließlich – ja nicht einmal mehr vorrangig – ein Produzent von Trickfilmen. Der Erfolg von Realfilmen, Fernsehproduktionen, Naturdokumentationen und von Disneyland führte dazu, dass Disney immer weniger Zeit und Interesse für den Trickfilm aufbrachte. Seine ehrgeizigsten Filme der 1930er- und frühen 1940er-Jahre – *Pinocchio*, *Fantasia* und *Bambi* – hatten nicht an den Erfolg von *Snow White and the Seven Dwarfs (Schneewittchen und die sieben Zwerge)* anknüpfen können. Damit war der große Vorwärtsdrang erlahmt, und Disney richtete sich neu aus. Seine Trickfilme waren noch immer die am schönsten animierten Filme der Welt, aber Pioniertaten der Animation oder der Filmkunst waren sie keine mehr.

23.01 ***Das Originalfilmplakat von 1959.***
23.02–13 ***Einzelbilder. Das aufwendige Super-Technirama-70-Verfahren ermöglichte ein Seitenverhältnis von 2,55:1. Jedes Einzelbild wurde im Breitbildformatprozess „Technirama Sequential Exposure Technicolor“ auf eine Fläche belichtet, die neunmal so groß war wie das übliche 35-mm-Format. Aus diesem Material erstellte man 35-mm-CinemaScope-Kopien mit Vierkanalton und zeigte diese im CinemaScope-Standardseitenverhältnis 2,35:1. Die 70-mm-Kopien erlaubten nur ein Seitenverhältnis von 2,20:1. Allerdings sahen die meisten Zuschauer* Sleeping Beauty *in Form der erwähnten CinemaScope-Kopien im 2,35:1-Seitenverhältnis. Diese Bilder stammen von der digital überarbeiteten Version, die 2008 unter Theo Gluck entstand. Die späteren Veröffentlichungen auf Blu-Ray und DVD zeigten erstmals einem größeren Publikum den Film im originalen Seitenverhältnis 2,55:1.***
23.14 ***Zwei Seiten aus dem illuminierten Buch, das am Anfang und Ende von* Sleeping Beauty *erscheint. Künstler: Eyvind Earle.***
23.15 ***Vorabstudien zu den drei guten Feen. Künstler: Marc Davis***

Disney ließ den Titel *Sleeping Beauty* im Januar 1950 rechtlich schützen. Für ihr Drehbuch hielten sich die Storykünstler an das Märchen von Charles Perrault, das 1697 erschienen war. Dessen Titel lautete übrigens *La belle au bois dormant*, also „Die Schöne im schlafenden Wald", und nicht etwa „Die schlafende Schöne", wie der englische Titel nahelegt.

Jahrhundertelang hatte Perraults Geschichte einer Prinzessin, die in einem von Dornenhecken umwucherten Turm in ewigem Schlaf lag, Maler, Illustratoren und Dichter inspiriert, darunter Gustave Doré, Edward Burne-Jones, William Morris, Arthur Rackham und Alfred Tennyson. Doch ihre Werke konzentrierten sich entweder auf die Anfangsszenen, in denen die Feen das neugeborene Kind mit ihren Wünschen segnen, oder auf die friedlich schlummernde Prinzessin, umgeben von ihrem schlafenden Hofstaat.

Disneys Storykünstler hielten wenig von einer Prinzessin, die 80 Jahre älter war als ihr Prinz. Auch wenn sie in ihrem jahrzehntelangen Schlaf nicht gealtert war, wirkte es nicht sonderlich romantisch. Daher führten sie das Verwirrspiel im Wald ein, bei dem Aurora und der Prinz sich gegenseitig nicht erkennen, was wiederum an die damaligen romantischen Teenagerkomödien erinnerte. Doch trotz dieser Änderungen – und der Verkürzung ihres Schlafs zu nur einer Nacht – bleibt es der Titelheldin versagt, Entscheidendes zu bewirken. Als der Film seinen Höhepunkt erreicht, ist sie nicht einmal zugegen.

In Perraults Geschichte kommt der Prinz, der die Prinzessin erweckt, glücklicherweise just in jenem Moment zu ihrer Burg, als der hundertjährige Fluch endet. Andere Edelmänner, die zuvor versucht hatten, sich einen Weg durchs Dickicht zu bahnen, waren in den Dornen gestorben. Die Storykünstler wollten, dass Prinz Phillip im Film eine tragende Rolle zukam, was eine dynamischere, besser animierte Figur erforderte als die hölzernen Helden, die um Schneewittchen und Cinderella geworben hatten.

„Als Maleficent verschwindet, verwandelt sie sich zu einer grafischen Version ihrer selbst. Ich weiß nicht, wieso, aber es sieht sehr gruselig aus."
Pete Docter

Zwölf unterschiedliche Feen zu erschaffen, die in Perraults Märchen die Taufe der Prinzessin besuchen, hätte einen ungeheuren Aufwand erfordert – zumal für Figuren, die man im Film nur einige Momente lang gesehen hätte. Jahrelang hatte man diskutiert und Zeichnungen angefertigt, um die Persönlichkeiten der sieben Zwerge

23.16

zu entwickeln. Daher beschränkten die Disney-Künstler die Zahl der guten Feen auf drei: Flora, Fauna und Merryweather (dt. Sonnenschein). Die verschrumpelte böse Fee – laut Perrault wurde sie nicht eingeladen, da sie uralt war und alle dachten, sie sei gestorben – verwandelten sie in die eisig schöne Maleficent.

Als die Künstler mit der Geschichte rangen, wurde ihnen mehr und mehr bewusst, dass Walt fehlte. Disney war ein genialer Erzähler, er konnte selbst das durchdachteste Konzept durch etwas Entscheidendes verbessern, auch im scheinbar gelungensten Storyboard einen Fehler entdecken. Mit großem Vergnügen verkörperte er die Figuren selbst, um zu veranschaulichen, was er wollte. Doch Disney hatte kaum Zeit für den Film. Storykünstler Bill Peet erinnert sich: „Mit Walt war es damals schwierig – er wollte sich auf Disneyland konzentrieren. Wenn er dann Storykonferenzen zu *Sleeping Beauty* besuchte, hatte er es furchtbar eilig."[2]

Frank Thomas, einer von Disneys Nine Old Men, fügt hinzu: „In den Jahren, als wir an *Lady and the Tramp* (*Susi und Strolch*, 1955) arbeiteten, musste man ihn ausdrücklich darum bitten, zu den Konferenzen zu kommen. Vor dem Krieg lief er noch durch alle Räume und begutachtete, was man gearbeitet hatte. Später aber kümmerte er sich um so viele Dinge, dass es selbst ihm

23.16 *Flora gibt Prinzessin Aurora ihren Segen. Entwurf von Joe Rinaldi.*
23.17 *Erdman Penner (stehend) erläutert Walt Disney (rechts) ein Storyboard, während Joe Rinaldi (Mitte) eine Schallplatte auflegt. Foto von Gene Lester, 1956*

irgendwann zu viel wurde. Ich glaube, er hatte beim Trickfilm einfach schon alles erlebt und hatte genug."[3]

Doch Jahrzehnte später erinnert sich Sequenzregisseur Eric Larson noch genau an das, was Walt ihm zu *Sleeping Beauty* gesagt hatte: „Wir fingen in der Mitte des Films an. Dort stieg Walt oft ein, denn man muss die Persönlichkeiten der Figuren entwickeln. Wir begannen also mit Szene acht, in der Röschen (orig. Briar Rose) im Wald umhergeht. Die Tiere umringen sie, und sie erzählt von ihrem Geliebten – und es ist alles ein Traum. Dann begegnet sie ihm. Als wir diese Storykonferenz beendet hatten, gingen Walt und ich den Flur hinunter zu meinem Büro, und er sagte: ‚Was wir hier wollen, sind sich bewegende Illustrationen. Es ist mir egal, wie lange es dauert.'"[4]

Die visuelle Gestaltung von *Sleeping Beauty* übertrug Disney Eyvind Earle, der als Hintergrundmaler für das Studio arbeitete. Um Inspiration zu finden, beschäftigte sich Earle mit europäischer Kunst des Mittelalters und, in geringerem Maße, persischen Miniaturen.

„Stark beeinflusst hatten mich Dürer, Bruegel, Van Eyck, *Les Très Riches Heures du duc de Berry (Das Stundenbuch des Herzogs von Berry)* und weitere französische Buchkunst und Bilderteppiche", berichtet Earle. „Die Hintergründe sind perfekt scharf, also anders als in den vorangegangenen Filmen oder bei Fotografien. Ich kopierte den Stil von Van Eyck, bei dem ein Element im Vordergrund und ein Baum zehn Meilen im Hintergrund dieselbe Schärfe haben."[5]

Die wichtigste Inspiration war *Les Très Riches Heures du duc de Berry*, ein prächtiges Stundenbuch, das die Brüder von Limburg um 1413 begonnen hatten. Die flach dargestellten Gestalten der Adligen, die aufwendigen Hintergründe, das leuchtende Blau der Fahnen bei der Taufe und die erlesenen Rosa- und Blautöne von Auroras Kleid: All das kann man im Stundenbuch im Château de Chantilly bewundern.

Der Stil der vorausgegangenen langen Disney-Trickfilme ging hauptsächlich auf die europäische Buchillustrationskunst des 19. Jahrhunderts zurück. Earles detailreiche Hintergründe, die an

23.18

Ralph Eggleston, Produktionsdesigner des Pixar-Films *Inside Out (Alles steht Kopf)* fügt hinzu: „Man wollte die Figuren möglichst einfach halten, so konnte der Hintergrund etwas belebter sein. Für die Lesbarkeit der Bilder sorgten die sich bewegenden Elemente und ein besonderer Augenmerk darauf, was in einer Einstellung wichtig ist. Es ist nicht übertrieben simpel, sondern einfach und klar."[7]

Die Animatoren waren von Earles Arbeit deutlich weniger begeistert. Ward Kimball, auch er einer der Nine Old Men, disqualifizierte den Stil als „übersteigertes Design"[8].

Trickfilmzeichner Andreas Deja, der unter anderem Lilo in *Lilo & Stitch* animierte, erklärt: „Ich kann verstehen, wieso manche Animatoren sich bei Walt beschwerten. Sie sagten: ‚Uns gefällt das nicht. Das lässt den Figuren nicht die freie Fläche, die wir gewohnt sind.' Ein Bild kann extrem detailreich sein, (aber) wenn eine Gestalt anfängt, sich zu bewegen, richtet sich der Blick sofort auf sie. Bewegung ist also stärker als Details. In keiner einzigen Szene in *Sleeping Beauty* denke ich: ‚Ich weiß nicht, wo ich hinschauen soll.' Alles lässt sich sehr gut mitverfolgen."[9]

Disney schenkte den Klagen aber keine Beachtung. Earles Stil entsprach seiner Vision einer „sich bewegenden Illustration". In einer Konferenz sagte er: „Seit Jahr und Tag beschäftige ich Künstlerinnen wie Mary Blair, um den Stil eines Films zu prägen. Und wenn der Film dann endlich fertig ist, ist der ursprüngliche Stil fast vollständig verschwunden. Dieses Mal designt

die mittelalterlichen Bilderteppiche erinnerten, bedeuteten eine entschiedene Abkehr davon. Der Regisseur von *Toy Story*, John Lasseter (Chief Creative Officer von Pixar und Walt Disney Animation Studios), meint dazu: „*Lady and the Tramp* war der Gipfelpunkt des klassischen Disney-Stils. Von *Snow White* bis *Lady and the Tramp* war es im Grunde ein einziger Stil. *Sleeping Beauty* war der erste Film mit einem eher stilisierten Look, der in den 1950er-Jahren Mode war. Er galt zunächst als Avantgarde, kam dann in Mode und erreichte schließlich Disney."[6]

23.19

23.18 ***Düstere Wolken aus Wasserfarbe und Gouache symbolisieren Maleficents unheimliche Kräfte. Künstler: Eyvind Earle.***
23.19 ***Eine unheimliche Studie der schlafenden Prinzessin von Künstlern des Disney-Studios***

23.20

Eyvind Earle *Sleeping Beauty*, und so wird es dann auch gemacht!"[10]

Wie bei den vorausgegangenen Produktionen filmten die Disney-Künstler ausführliche Realfilmszenen als Vorlage, erst dann begannen sie mit der Animation. In einem Interview während der Produktion von *Sleeping Beauty* erklärte Disney:

> „Eines der Probleme, das wir hatten, als wir mit *Snow White* anfingen, war, das Mädchen zu animieren. Es war das erste Mal, dass wir uns an realistisch, menschlich aussehenden Figuren versuchten, und das war eine harte Nuss ... Jeder weiß, wie Menschen stehen und gehen und ihren Kopf bewegen. Wenn wir diese Bewegungen nicht nachbilden konnten, hatten wir keinen überzeugenden Film. Also nahmen wir reale Schauspieler auf, die genau das taten, was die animierten Figuren tun würden. Dann konnten die Animatoren den Film studieren und ihn als Vorlage für ihre Zeichnungen benutzen ... Wichtig dabei ist, den Realfilm als Anhaltspunkt, nicht als Krücke einzusetzen – so wie ein Künstler ein Modell einsetzt. Als wir anfingen, nach diesem Verfahren zu arbeiten, versuchten manche Zeichner, den Realfilm exakt zu kopieren. Das wirkte verkrampft und steif. Es ist nun mal so, dass Menschen sich nicht so frei, anmutig und komisch bewegen können, wie uns das mit animierten Figuren möglich ist. Unsere Aufgabe ist es nicht, menschliche Bewegung zu kopieren. Wir können es besser – viel besser."[11]

23.20 ***Eine Entwurfszeichnung der Spinnräder, die verbrannt werden sollen***
23.21 ***Das fertige Hintergrundgemälde von Künstlern des Disney-Studios***

„Milt sagte, man solle nie einen Radierer benutzen. Ist eine Zeichnung so schlecht, dass man etwas davon wegradieren muss, fängt man von vorn an."
Bud Hester

Damit die Figuren jedoch zu der Welt passten, die Earle entwarf, mussten sie eckiger und stilisierter ausfallen als das Personal der früheren Disney-Filme, dessen runde, dreidimensionale Körper der traditionellen, akademischen Zeichenkunst entsprachen. Wie frühere Disney-Künstler, die nun für UPA arbeiteten, herausfanden, konnten die flächiger und stilisierter wirkenden Figuren, die von Picasso und Saul Steinberg inspiriert waren, sich nicht genauso bewegen wie die rundlichen, dreidimensionalen Gestalten, die aus Kreisen und Ovalen bestanden. Man musste die Bewegungen der Figuren stilisieren – selbst dann, wenn man nach Realfilmvorlagen zeichnete.

Viele der Figurenentwürfe stammten von Tom Oreb. Er machte ihre Gestalt vertikaler als die der gewohnten Disney-Figuren und betonte das Wechselspiel von geraden Linien und Kurven. Der Designer Iwao Takamoto war damals dabei: „Ich habe mit Tom gearbeitet, der gemeinsam mit Eyvind maßgeblich das Aussehen der Figuren bestimmt hat. Der endgültige Look von Aurora kam dann von Marc Davis. Als Gegengewicht zur Flächigkeit der geraden Linien wollte Marc unbedingt dynamische Kurven, die die Figur vielschichtiger machten."[12]

„Das Design von *Sleeping Beauty* war im Grunde zweidimensional und wurde für die Multiplankamera in mehrere Schichten zerlegt", erklärt Lasseter. „Von den Disney-Künstlern, die meine Lehrer gewesen waren, hörte ich, wie schwierig es damals war, diese betont zweidimensional gestalteten Figuren zu animieren, das Fließende, das Zusammenziehen und Strecken in sie hineinzubekommen. Dass sie diese zweidimensionalen Zeichnungen durch den Raum bewegten, um einen dreidimensionalen Eindruck zu erzeugen, zeigt, wie genial diese Animatoren waren."[13]

23.21

Obwohl sie als die lieblichste aller Disney-Prinzessinnen gilt, wirkt Auroras Gestalt weniger realistisch als die von Cinderella oder Schneewittchen. Ihre Ellbogen und Backenknochen sind kantiger, ihre Füße kleiner, und ihr spitzes Kinn setzt sich deutlich von ihren Jugendstillocken ab. Es war das Verdienst von Marc Davis, dass die Figur auf der Leinwand dennoch reizvoll und anmutig wirkte.

„Ich glaube, wir haben das Märchen wieder zeitgemäß gemacht. Das heißt unsere eigene Mixtur aus Theatermythologie ... Es geht um eine Neuschöpfung. Nicht um Adaption. Nicht um eine Version von etwas."

Walt Disney

Glen Keane, der die Titelheldin von *Pocahontas* animierte, meint dazu: „Genau wie Degas benutzte Marc gerne Fotos als Vorlage. Degas verwendete Fotos von Ballerinas und Mannequins. Er versuchte, sich mit so vielen Informationen wie möglich zu füttern, um das zu erfassen, was er zeichnen wollte. Wenn man aber die Realfilmvorlagen einfach abpauste, war man entsetzt. Es sah leblos und steif aus. Man kann es nicht kopieren. Man muss es studieren und daraus lernen – und es dann einfach animieren. Krieche in die Haut einer Figur, und verwandle dich in sie."[14]

„Die Animatoren waren auf der Höhe ihrer Kunst und wussten, wie man etwas so weit überarbeitete, dass man sich der Realfilmvorlage nicht mehr bewusst war", ergänzt Paul Felix, der

23.22 23.23 23.24 23.25 23.26 23.27

23.22–27 ***Sechs aufeinanderfolgende Bilder zeigen, wie das im Hintergrund zu sehende stilisierte Blätterwerk zu malen ist. Künstler: Eyvind Earle.***
23.28 ***Die legendären Nine Old Men des Disney-Studios (von links nach rechts): Ward Kimball, Eric Larson, Frank Thomas, Marc Davis, Ollie Johnston, Les Clark, Milt Kahl, John Lounsbery, Wolfgang Reitherman***

Artdirector von *Big Hero 6 (Baymax – Riesiges Robowabohu)*. „Ich weiß, dass man diese Vorlagen verwendet hat, und ich könnte wahrscheinlich Szenen nennen, die man ohne sie nur schwer hätte umsetzen können. Aber weil sie wussten, wie man direkt mit dem Publikum kommuniziert, wussten sie auch genau, wie sie es überarbeiten mussten. Auf mich wirkt es wie ein komplett neuer Schaffensprozess.“[15]

Larson sagt: „Wir haben viele Realfilmszenen für das Mädchen gedreht. Marc hat daraus noch mehr Körperhaltungen abgeleitet als Milt (Kahl) beim Prinzen. Wenn man die Realität des Realfilms aufs Zeichenbrett überträgt und der Rock irgendwie herumwirbelt, zieht man das auseinander und macht etwas weit Ausholendes daraus. Marc hat damit wirklich schöne Ergebnisse erzielt, denn er hatte so ein Gespür für Design. Meiner Meinung nach ist er der beste Zeichner, der je im Studio gearbeitet hat.“[16]

Maleficent dominiert den Film. Sie spricht den Fluch aus, sie lockt Aurora zum verhängnisvollen Spinnrad, sie lässt Prinz Phillip in den Kerker werfen. Neben seiner Arbeit an Aurora entwarf und animierte Marc Davis auch die böse Hexe. Inspiriert hatte ihn das Renaissancegemälde einer Frau, die einen Kopfschmuck mit Hörnern trägt. Später kleidete er sie in ein langes Gewand mit tief eingerissenen Rändern, was den Flammen entsprach, die sie umgaben.

„Maleficent war ein Problem. Sie hat hauptsächlich Reden geschwungen. Sie stand einfach da und sprach die anderen Figuren direkt an“, erklärt Davis. „Das ist extrem schwierig rüberzubringen. Wir verpassten ihr die Gestalt einer großen Fledermaus und lange Gewänder, damit es dramatischer wirkte.“[17]

„Die Gestaltung von Maleficent ist einfach perfekt. Man möchte keine einzige Linie an ihr verändern", sagt Deja. „Aber ich verstehe Marc, wenn er sagt, dass sie eher eine der schwierigen Figuren war, da sie nicht viel getan hat. Sie steht da und hält Reden – wie macht man so etwas im Trickfilm lebendig? Es geht nur mit Feinheiten, geringfügigen Kopfbewegungen und kleinen Gesten, nichts Großem."[18]

Wenn ein Künstler sich darüber beklagte, wie schwierig es war, *Sleeping Beauty* zu animieren, entgegnete Walt angeblich: „Also gut, du kannst den Prinzen zeichnen!" Dem Journalisten Bob Thomas gestand er: „Das brachte sie immer zum Schweigen. Denn wenn irgendetwas wirklich schwer zu animieren ist, dann der männliche Held. Es ist schwierig, ihn interessant zu machen, ohne dass er am Ende aussieht wie Dick Tracy oder Buck Rogers."[19]

Prinz Phillip wurde dem Animator Milt Kahl zugeteilt. Bud Hester, der als Reinzeichner an der Figur arbeitete, berichtet: „Milt hat sich immer beschwert, dass er den Prinzen übernehmen musste. Er erhielt die Figur, weil er der Beste war."[20]

Allerdings hatte Kahl an seiner Aufgabe keine Freude, und zuweilen empfand er die Realfilmvorlagen nicht gerade als hilfreich. Burny Mattinson, der Davis bei *Sleeping Beauty* assistierte, erinnert sich: „Alle richteten sich nach den Realfilmen, denn Walt wollte diesen sich bewegenden Bilderteppich. In der Szene, in der der

23.29

Prinz und die Prinzessin miteinander tanzen, sagte Walt zu Milt: ‚Weißt du, der Prinz sieht aus, als ob er umherschwebe.' Milt rief: ‚Verdammt, wieso kriege ich immer diese Figuren?' Er pfefferte die Szenen auf den Boden, nahm alle Kopien aus der Rotoskopie und warf sie zur Tür hinaus. ‚Das ist das letzte Mal, dass ich nach dem Zeug arbeite!' Er zeichnete einfach drauflos, ohne Rotoskopiebilder, und plötzlich sahen seine Sachen überzeugend und wirklich gut aus."[21]

In ihrem klassischen Werk *Disney Animation: The Illusion of Life* schrieben Frank Thomas und Ollie Johnston: „Die für uns nervenaufreibendsten und am schwierigsten zu fassenden Figuren waren die drei guten Feen in *Sleeping Beauty*, die einfach immer nur Gutes taten. Sie besaßen keine offensichtlichen Schwächen oder Makel, die man hätte benutzen können."[22]

Obwohl sie durch und durch gut sein mussten, brauchten die drei Feen, damit sie überzeugend wirkten, individuelle Persönlichkeiten. Sie konnten unterschiedlicher Meinung sein, aber sie durften sich nicht gegenseitig beleidigen oder schikanieren, wie es die menschlicheren sieben Zwerge getan hatten. Flora entpuppte sich als Anführerin der drei. Eine Rolle, zu der sie sich berufen fühlte. Allerdings wollte sie die anderen nicht dominieren. „Es war ihr nicht wichtig, dass alle

23.29 ***Ein erstes Gemälde der Waldhütte, in der die guten Feen Röschen großziehen. Künstler: Eyvind Earle.***

23.30

ihre Idee akzeptierten“, schrieben Thomas und Johnston. „Es war nur so, dass es die *beste* Idee war – dass es *ihre* Idee war, spielte keine Rolle.“[23] Diese Einstellung brachte ihr den Widerspruch der besonnenen Merryweather ein, doch sie stritten sich in Fragen des Geschmacks und der richtigen Vorgehensweise. Nicht darum, wer das Sagen hatte.

Die gutherzige Fauna war noch schwieriger zu fassen. Sie vertrat ihre Meinung nicht so klar wie die anderen beiden, dennoch musste sie eine eigene Persönlichkeit erhalten. Als er in Colorado Urlaub machte, sah Thomas eine ältere Frau, die ihn an Fauna erinnerte: eine gutmütige, etwas unentschlossene Dame, die mit allem, was ihre Freundinnen sagten, einverstanden war, sogar wenn diese sich uneins waren. Thomas sah in ihr jemanden, der „sich durch jedes Problem unbeschadet und unbewusst hindurchmanövrieren konnte“[24]. Fauna wurde eine zerstreute, wohlmeinende Frau, die die Auseinandersetzungen zwischen Flora und Merryweather geradezu geistesabwesend im Zaum halten konnte.

Die Feen sorgen für eine Wärme und einen Humor, den *Sleeping Beauty* sonst oft vermissen lässt. Trotzdem war es nötig, dass gewisse Grenzen nicht überschritten wurden.

In einer frühen Version der Szene, in der sie Röschen zum Geburtstag überraschen wollen, wird Merryweather zusammen mit Faunas Kuchen im Herd eingesperrt. Auf dem aufgehenden Teig schwebt sie wie auf einem Ballon durch die Hütte, bis Flora diesen mit einem Spieß zum Platzen bringt.

Walt sah sich die Storyboards an und meinte: „Es ist lustig, aber ich finde, es artet zu sehr in Klamauk aus. Klar, wir könnten hier einen großen Lacher erzeugen. Aber es schadet der Glaubwürdigkeit. Wir machen hier etwas, was Donald Duck tun würde. Lasst es uns etwas abschwächen, subtiler gestalten. Wir haben ein paar gute Elemente in dieser Szene: wie sie das Kleid nähen und den Kuchen backen ... Wenn wir es übertreiben, verlieren wir sie.“[25]

Die Gestalten der guten Feen waren rundlicher und dem traditionellen Disney-Stil näher als Aurora, Phillip und Maleficent. Dadurch konnten Thomas und Johnston sie auch traditioneller animieren, wenn auch mit einem gewissen Grad an Stilisierung.

„Ich habe Marc gefragt: ‚Wie würdest du im Wald sprechen und dich verhalten?' Er antwortete: ‚Lass dich vom Wald streicheln.' Das traf es auf den Punkt. So war Marc."

Mary Costa, die Stimme von Aurora

Felix fügt hinzu: „Die Figuren sind mit einer absichtlichen Flächigkeit gezeichnet, die mich an UPA erinnert. Manchmal aber bewegen sie sich auf überraschend dreidimensionale Weise. Es gibt eine Szene, in der Merryweather mit dem Mopp tanzt. Sie wirbelt herum, und man sieht, wie sich ihre Umrisse so ändern, dass sie dem unterschiedlich breiten Körper während der Drehungen entsprechen. Dazu sind keine Details innerhalb der Figur nötig: Man spürt es allein dadurch, dass sich die Umrisse verändern. Es ist verblüffend, mit welch geringem Aufwand sie das vermittelten."[26]

Um dem Film einen aufregenden Höhepunkt zu bescheren, erfanden die Künstler einige Abenteuer für Prinz Phillip. Er entkommt aus Maleficents Kerker und bahnt sich einen Weg durch das Dornengestrüpp, das die Hexe heraufbeschworen hat. In einem letzten Versuch, ihn von Aurora fernzuhalten, wirbelt Maleficent als Feuerrad durch die Luft und fordert ihn vor König Stefans Burg zum Kampf. Mit ihrer Zauberkraft lässt sie Flammen auflodern, ihre Gestalt verwandelt sich in einen Drachen mit Hörnern und Stacheln, die an die Entwürfe von Davis erinnern.

Eric Cleworth, der den Drachen animierte, erklärt später: „Durch einen Artikel über prähistorische Tiere im *Life*-Magazin wurde mir klar, wie ich den Drachen angehen sollte. Es gab da ein Wesen, das Augen ohne Pupillen hatte, wodurch man den Gesichtsausdruck nicht deuten konnte. So sah es extrem unheimlich aus – man wusste nur zu gut, dass man mit diesem Monster nicht verhandeln konnte. Ich habe versucht, dieses Gefühl in meinen Zeichnungen einzufangen."[27]

Der Drache bewegt sich mit einem Gewicht und einer Kraft, die an einen Dinosaurier erinnern: Ähnlich starke und muskulöse Bestien erscheinen auf der Leinwand erst wieder 1993 in *Jurassic Park*. Cleworth erzählt weiter: „Ich fand, dass er sich eher langsam bewegen musste, damit der Eindruck von Masse entstand. Andererseits musste er seinen Kopf schnell bewegen

23.30 ***Mary Blairs Entwurf von Röschen und Prinz Phillip***
23.31 ***Die Begegnung des verlobten Paares. Bleistiftstudie von Künstlern des Disney-Studios.***

23.31

können. Ich gestaltete die Bewegung so wie die einer angreifenden Klapperschlange, und es schien hervorragend zu funktionieren."

Der Sequenzregisseur Wolfgang „Woolie" Reitherman, ebenfalls einer der Nine Old Men, gab später zu, dass er bei diesem Kampf auf der Seite des Drachen gestanden hatte. „Wenn man es nicht so angeht, neigt man unbewusst dazu, langsamer darauf hinzuarbeiten ... Der Schnitt war sehr modern, weil es für den Kampf keine vorbereitenden Szenen gab. Er brach urplötzlich über einen herein. Dafür brauchte es keine Begründung. Man musste nicht nachdenken. Die verdammte Bestie ließ einen keine Sekunde lang in Ruhe. Das ist etwas, was man nicht einfach so zeichnen kann, und das ist das Schöne am Trickfilm. So was funktioniert nur im Trickfilm ... es fühlt sich irgendwann an wie eine Naturgewalt."[28]

Nachfolgende Generationen von Trickfilmern waren voll des Lobes für die Kampfszenen. So steht für John Lasseter fest: „Das Design von diesem Drachen ist bis heute unerreicht – weil er aussieht wie sie (Maleficent). Die Szene ist ein Meisterwerk." Nachdem Eric Cleworth den Film jedoch als älterer Herr noch einmal gesehen hatte, meinte er: „Ich hielt ihn für den stärksten Teil des Films, aber als ich ihn das letzte Mal sah, kam er mir eher kurz vor. Ich wünschte, er hätte länger gedauert."[29]

Die eckigen, stilisierten Designs, über die die Animatoren sich beklagten, wurden auch für die Reinzeichner zum Problem. Diese mussten sicherstellen, dass die Figuren in jeder Szene exakt gleich aussahen, egal, von welchem Animator die ursprünglichen Zeichnungen stammten. Ron Dias, der im Team von Marc Davis an Maleficent und Aurora arbeitete, erinnert sich: „Bei den runderen Figuren kann man die Gestalt viel leichter bewegen und verformen als bei einer eckigen. Aber mit der Zeit verstand ich Aurora immer besser, und sie ist mir ans Herz gewachsen."[30]

Das Design für Aurora war so präzise und anspruchsvoll, dass die Reinzeichner nur acht Zeichnungen am Tag fertigzustellen brauchten – das entsprach gerade einmal einer Drittelsekunde Filmzeit. Und doch hatten die Künstler

23.32

Probleme, diese Quote zu erfüllen. Die Figur musste nicht nur absolut korrekt aussehen, die einzelnen Linien hatten an bestimmten Stellen dicker, an anderen dünner zu sein.

„Sleeping Beauty *hat ein einheitliches Design. Man merkt, dass die Figuren wirklich in den Hintergründen leben. Das hat mich sehr inspiriert.*“
John Lasseter

„Maleficent zerlegte man in einfache Formen, bei Aurora war es schwieriger“, fügt Blas hinzu. „Ihr Haar hat uns verrückt gemacht. Die Maße mussten genau stimmen: Ihre Nasenspitze befand sich auf einer Höhe mit ihren Ohrläppchen."

Diese zeitintensive Herstellung führte dazu, dass die Kosten gewaltig stiegen. Um Disneys Vorstellung von einer sich bewegenden Illustration zu verwirklichen, bedurfte es etwa einer Million Zeichnungen, wofür wiederum neun Jahre und sechs Millionen Dollar nötig waren – so viel wie noch nie. Und in dem Maß, wie die Kosten stiegen, stieg auch der Druck, den Film endlich fertigzustellen.

Floyd Norman berichtet: „Ich fing 1956 im Studio an, kam aber erst 1957 zu *Sleeping Beauty*. Roy beklagte sich: ‚Dieser Film kostet viel zu viel Geld, und es nimmt kein Ende. Stellt ihn endlich fertig.‘ Walt bildete diese Teams, die Feuerwehr spielten sollten. Sie schnappten sich alle Bilder und machten die Reinzeichnung, damit sie zu den Ink-&-Paint-Leuten und zur Aufnahme gehen konnten. Walt sagte: ‚Nehmt jeden, der einen Stift halten kann, und lasst ihn an dem Film arbeiten. Werdet einfach fertig damit.‘ Es war unser Blitzkrieg für *Sleeping Beauty*."[31]

Offensichtlich überwachte Disney die Auswahl der Sprecher und wählte für die Stimme von Aurora die Sopranistin Mary Costa. Nach dem Vorsprechen fuhren Costa und ihre Mutter nach

23.32 ***Aus der Ferne betrachtet Röschen König Stefans Schloss, ohne zu wissen, dass es ihr Zuhause ist. Cel-Setup.***

Hause nach Glendale. Costa erinnert sich: „Gegen fünf Uhr nachmittags klingelte das Telefon. Meine Mutter machte ein überraschtes Gesicht und brachte nur ‚Es ist Walt Disney' heraus. Danach lachte sie und erzählte, was er gesagt hatte: ‚Mrs Costa, ich glaube, Sie verstecken Prinzessin Aurora bei sich zu Hause in Glendale. Wir haben sie gesucht. Kann ich sie sprechen?'"

Kurz bevor sie mit den Aufnahmen begann, sprach Costa mit Disney: „Ich sagte ihm, dass ich mich auf die Aufnahmen freute, und er fragte mich, ob ich viele Farben einsetzen würde. Ich lachte, da ich nicht wusste, was er meinte", erinnert sie sich. „Disney sagte:

> ‚Jeder hat eine ganz eigene Farbpalette, wie ein Kaleidoskop. Sie können gern ins Studio von Marc Davis gehen, dann sehen Sie sich seine Storyboards an und fragen ihn. Sie müssen Röschen so gut kennen, dass Sie selbst zu dieser Figur werden. Was empfindet sie für ihre Patinnen, was hält sie davon, im Wald zu leben? Was hält sie von den vielen Grünschattierungen der Bäume und Büsche und all den Farben der Blumen? Lacht und weint sie mit ihren Patinnen? Ich möchte, dass Sie zu jedem Gedanken, der aus Ihrem Geist und Herzen kommt, eine dieser leuchtenden Farben finden. Lernen Sie Ihren Text auswendig, und wenn Sie vors Mikrofon treten, möchte ich, dass Sie wirklich zu Röschen werden. All die bunten Farben in Ihrem Kopf tragen Sie auf die Palette Ihrer Klangfarben auf und malen dann mit Ihrer Stimme.'"

„Dieses kreative Geschenk von Walt kam mir in meiner ganzen Gesangskarriere zugute", meint Costa abschließend.[32]

Einige der anderen Stimmkünstler waren Disney-Veteranen: Verna Felton, die die gute Fee in *Cinderella* und die Herzkönigin in *Alice in Wonderland (Alice im Wunderland)* gesprochen hatte, war Flora. Merryweather war Barbara Luddy, die in *Lady and the Tramp* der Hundedame Susi ihre Stimme geliehen hatte. Für Maleficent wählte Disney Eleanor Audley, die bereits für die Rolle von Cinderellas böser Stiefmutter, Lady Tremaine, besetzt worden war.

„Beim Trickfilm ist man sich seiner Stimme bewusster und geht in die Extreme, wo immer es möglich ist", meint Audley. „Zum Beispiel in der Szene, in der Maleficent mit dem Prinzen spricht, der immer älter wird und aus dem Tor taumelt – immer wenn ich die Chance hatte, süßlich statt böse zu sein, habe ich sie genutzt. Die Stiefmutter hatte eine größere Bandbreite: Sie konnte sarkastisch sein, nett und giftig. Es gab mehr Gelegenheiten, in verschiedene Gefühlslagen zu wechseln und damit zu spielen. Mit Maleficent habe ich gar nicht gespielt."[33]

Während der Produktion sagte Walt: „Wir brauchen Lieder. Lieder bringen Schwung und Bewegung in die Sache. Holt euch die Melodien aus dieser Tschaikowski-Musik."[34] Genau das hat der Komponist George Bruns getan und Motive

23.33 ***Ein frühes Gemälde eines eher einfach, doch ebenso stilisiert dargestellten Schlosses von Eyvind Earle***

23.33

aus dem Tschaikowski-Ballett umgearbeitet. Für die Szenen, in denen die guten Feen Auroras Geburtstag vorbereiten, benutzte man das erweiterte Motiv der Silberfee. Wenn Prinz Phillip und die eben erwachte Aurora die Treppe hinunterkommen, erklingt dazu die Fanfare der Apotheose. Und das Pas de deux des Gestiefelten Katers und der Weißen Katze ist zu hören, wenn Maleficent Aurora zum Spinnrad lockt.

Bruns meint dazu: „Es wäre einfacher gewesen, eine neue Filmmusik zu schreiben, aber sie (die Ballettmusik) ist, wie vieles von Tschaikowski, voller Melodien, und so ging es nur darum, einige davon auszuwählen."[35] Der Komponist Sammy Fain und der Songwriter Jack Lawrence fügten Texte hinzu und verwandelten den bekannten Walzer zum Lied „Once upon a Dream" („Einmal in einem Traum").

„Ich konnte völlig frei meinen eigenen Stil in die Bilder einbringen ... Nachdem Walt einmal gefallen hatte, was ich tat, hat er mir nie mehr gesagt, was ich tun soll."
Eyvind Earle

Neun Jahre nachdem Walt Disney den Titel hatte rechtlich schützen lassen, feierte *Sleeping Beauty* am 29. Januar 1959 Premiere, im 70-mm-

23.34 ***Der erlösende Kuss: Cel und Hintergrunddesign***

Technirama-Breitbildformat und Sechskanal-Stereoton. Die Kritiken fielen gemischt aus, die Einnahmen waren enttäuschend. Der Kritiker der *New York Times*, Bosley Crowther, schrieb: „Dieser erste lange Trickfilm seit *Lady and the Tramp*, der 1955 aus Disneys Werkstatt kam, erinnert nur allzu sehr an seinen ersten und bedeutendsten abendfüllenden Trickfilm *Snow White and the Seven Dwarfs*."[36]

Auch andere Kritiker sahen die Parallelen zu Disneys erstem Langfilm. Ebenso wie das *Boxoffice*-Magazin nannte *The Hollywood Reporter* das Werk „einen Aufguss der Geschichte von Schneewittchen"[37]. Philip Scheuer fand in der *Los Angeles Times* mehr Gefallen am Kurzfilm *Grand Canyon*, der im Vorprogramm lief.

Wie *Fantasia*, mit dem es die Künstler oft verglichen, ist *Sleeping Beauty* ein nicht gänzlich geglücktes Meisterwerk. Und genau wie *Fantasia* war es zunächst kein finanzieller Erfolg. Obwohl *Sleeping Beauty* die Produktionskosten von sechs Millionen Dollar wieder einspielen konnte, trieben die Kosten für Verleih und Werbung den Film in die roten Zahlen. Doch *Sleeping Beauty* fand noch sein Publikum. Als der Film auf Video und DVD erschien, fielen die Kritiken wohlwollender aus. Dave Kehr nannte ihn im *Chicago Reader* „das Meisterwerk des Nachkriegsstils der Disney-Studios"[38].

Als der Film 1979 erneut in die Kinos kam, schätzte Eric Larson, dass wohl das zwei- bis dreifache Budget nötig wäre, um *Sleeping Beauty* noch einmal zu produzieren. „Aber selbst wenn man das Geld hätte, woher nähme man das Talent?", fragt er. „Die Künstler waren auf der Höhe ihres Könnens und ihre Tricktechnik so perfekt, wie es nur möglich war. Seit 1934 hatte uns Walt zur Arbeit, Weiterbildung und Perfektion ermuntert. Heutige Animatoren besitzen einfach nicht mehr diese Erfahrung."

„Der Humor entsteht nicht durch den spielerischen Umgang mit Formen und Linien, sondern durch die karikierte Persönlichkeit der Könige."

Simon Otto

„Wir sagten damals immer, dass jeder beim Arbeiten den anderen über die Schulter sah und auf ihrem Schoß saß", fügt er hinzu. „Das hat mich an diesem verrückten Studio so beeindruckt: Jeder war bereit, das Wissen, das er besaß, zu teilen. Man musste nicht unbedingt etwas daraus machen, man erhielt es einfach so, ohne dass der andere sich für etwas Besseres hielt. So was hatte es zuvor nicht gegeben, und das wird es auch nie mehr geben."[39]

Pongo und Perdita / 101 Dalmatiner

One Hundred and One Dalmatians (1961)

Synopsis

Einer der beliebtesten Spielfilme von Disney, *One Hundred and One Dalmatians (101 Dalmatiner)*, folgt den Abenteuern von Pongo und Perdita – und ihren menschlichen „Haustieren" Roger und Anita Radcliff –, als deren 15 Welpen von der besessenen Cruella De Vil entführt werden, einer der großartigsten animierten Schurkenfiguren aller Zeiten. Erzählt aus der Perspektive der Hunde, verlagert sich die Geschichte aus London zu dem zerfallenden Landhaus Hell Hall. Bill Peets Drehbuch mischt Humor, Abenteuer und schreckliche Gefahren, die die ausgefeilte Animation ergänzen. Der Film stellte einen künstlerischen und technischen Durchbruch für Disney dar: Xerox-Fotokopien, moderne Grafiken und ein zeitgenössischer Schauplatz brachen mit den Traditionen, die das Studio mit *Snow White and the Seven Dwarfs (Schneewittchen und die sieben Zwerge)* festgelegt hatte. *One Hundred and One Dalmatians*, der über 200 Millionen Dollar einspielte, ist nach wie vor einer der erfolgreichsten Spielfilme in der Disney-Geschichte.

ERSTAUFFÜHRUNG USA 25. Januar 1961
ERSTAUFFÜHRUNG D 19. Dezember 1961 (als *Pongo und Perdita*)
WEITERE TITEL *Pongo und Perdi – Abenteuer einer Hundefamilie; 101 Dalmatiner – Abenteuer einer Hundefamilie*
LAUFZEIT 79 Minuten

Besetzung

PONGO ROD TAYLOR
ANITA LISA DAVIS
PERDITA CATE BAUER, LISA DANIELS
ROGER RADCLIFF BEN WRIGHT
HORACE BADUN FRED WORLOCK
JASPER BADUN, THE COLONEL, DIVERSE HUNDE J. PAT O'MALLEY
CRUELLA DE VIL, MISS BIRDWELL BETTY LOU GERSON
COLLIE TOM CONWAY
NANNY, LUCY, QUEENIE, DIE KUH MARTHA WENTWORTH
DANNY, DIE GROSSE DOGGE GEORGE PELLING
PATCH MICKY MAGA
ROLLY BARBARA BEAIRD
PRINZESSIN QUEENIE LEONARD
GRÄFIN MARJORIE BENNETT

Stab

PRODUCTION SUPERVISOR KEN PETERSON
REGIE WOLFGANG REITHERMAN, HAMILTON LUSKE, CLYDE GERONIMI
ARTDIRECTOR, PRODUCTION DESIGNER KEN ANDERSON
LEITENDE ANIMATOREN MILT KAHL, MARC DAVIS, OLLIE JOHNSTON JR., FRANK THOMAS, JOHN LOUNSBERY, ERIC LARSON
STORY BILL PEET, NACH DEM BUCH *HUNDERTUNDEIN DALMATINER* (*THE HUNDRED AND ONE DALMATIANS*) VON DODIE SMITH
HINTERGRÜNDE ALBERT DEMPSTER, RALPH HULETT, ANTHONY RIZZO, BILL LAYNE
LAYOUT BASIL DAVIDOVICH, MCLAREN STEWART, VANCE GERRY, JOE HALE, DALE BARNHART, RAY ARAGON, DICK UNG, HOMER JONAS, AL ZINNEN, SAMMIE JUNE LANHAM, VICTOR HABOUSH
LAYOUT STYLING DON GRIFFITH, ERNI NORDLI, COLLIN CAMPBELL
COLOR STYLING WALT PEREGOY
CHARACTER STYLING BILL PEET, TOM OREB
CHARACTER ANIMATION HAL KING, CLIFF NORDBERG, ERIC CLEWORTH, ART STEVENS, HAL AMBRO, BILL KEIL, DICK LUCAS, LES CLARK, BLAINE GIBSON, JOHN SIBLEY, JULIUS SVENDSEN, TED BERMAN, DON LUSK, AMBY PALIWODA
ANIMATION SPEZIALEFFEKTE JACK BOYD, ED PARKS, DAN MACMANUS, JACK BUCKLEY
MUSIK GEORGE BRUNS
ORCHESTRIERUNG FRANKLYN MARKS
SCHNITT DONALD HALLIDAY, ROY M. BREWER JR.
SOUND SUPERVISION ROBERT O. COOK
MUSIKSCHNITT EVELYN KENNEDY
SPEZIELLE VERFAHREN UB IWERKS, EUSTACE LYCETT

ONE GREAT BIG
ONEDERFUL MOTION PICTURE
WALT DISNEY'S
NEW ALL-CARTOON FEATURE
One Hundred and One
Dalmatians
technicolor®
Released by BUENA VISTA Distribution Co., Inc.
©Walt Disney Productions

One Hundred and One Dalmatians

TECHNICOLOR

24.02

24.05

24.03

24.04

24.06

24.07

Auf den Punkt

Von Charles Solomon

One Hundred and One Dalmatians unterscheidet sich hinsichtlich Stil, Inhalt, Schauplatz und Design grundlegend von Disneys unmittelbar vorausgehendem Spielfilm, dem aufwendigen *Sleeping Beauty (Dornröschen)*. Erst 30 Jahre später produzierte das Disney-Studio mit *The Little Mermaid (Arielle, die Meerjungfrau)* aus dem Jahr 1989 einen weiteren Märchenfilm.

Walt Disney Productions erlitt im Fiskaljahr 1959/60 einen bedeutenden finanziellen Verlust, der in erster Linie auf die hohen Produktionskosten von *Sleeping Beauty* und dessen enttäuschendes Abschneiden an der Kinokasse zurückzuführen war. Walt versammelte seine Mitarbeiter um sich und sagte: „Wir haben so etwas schon mal durchgemacht. Warum? Wir standen kurz vor der Zwangsvollstreckung, als wir vor dem Krieg unsere ausländischen Märkte verloren. Wir wären nach dem Krieg vielleicht untergegangen, wenn die Bank sich nicht bereitgefunden hätte, uns aufzufangen. Wir werden auch aus diesem Tief wieder herauskommen."[1]

Doch Walt stand unter dem Druck seiner Finanzberater, die von ihm verlangten, die Produktion abendfüllender Animationsfilme zu beenden und stattdessen die alten Filme wiederaufzuführen. Er hatte bereits damit aufgehört, Kurzfilme für das Kino zu produzieren. Der einzige animierte Kurzfilm aus dem Jahr 1960 war der 15 Minuten lange *Goliath II*.

24.08

Marc Davis, einer der gefeierten Nine Old Men des Studios, erinnert sich: „Die Haltung der Finanzleute war: ‚Es dauert zu lange, diese Spielfilme zu machen, sie sind zu teuer, und wir finden, ihr solltet sie nicht mehr machen.' Walt war schon fast bereit, die Animation fallen zu lassen, dann dachte er auf einmal: ‚Ich schulde den Leuten etwas.' In der Tat. Also sagte er: ‚Diese Jungs wissen zum Teufel noch mal, wie sie die Filme auch ohne viel Zutun von mir machen können.' Also überzeugte Walt die Finanzleute, dass es nicht fair wäre, den Jungs das anzutun."[2]

24.09

Die Entstehungsgeschichte von dem Film *One Hundred and One Dalmatians* – und auch die der Erzählung – „beginnt in London, vor nicht allzu langer Zeit ..."

Am Morgen des 3. Mai 1934, dem Tag ihres 38. Geburtstags, war Dorothy „Dodie" Smith überrascht, als ihre beste Freundin, die Schauspielerin Phyllis Morris, und ihr Verlobter Alec Beesley ihr eine Hutschachtel schenkten, in der sich ein Dalmatinerwelpe befand. Sie nannte den Hund Pongo. Erst kurz zuvor war aus der gescheiterten Schauspielerin und Angestellten in einem Möbelgeschäft die erfolgreiche Bühnenautorin Dorothy Smith geworden. Sie liebte schwarz-weiße Kleidung und scherzte, alles, was sie noch brauche, sei ein Dalmatiner als Accessoire – und für den Rest ihres Lebens hatte sie davon mindestens einen.

Im Jahr 1943 überraschten ihre Hunde Buzz und Folly sie nicht mit den erwarteten sieben, sondern gleich 13 bzw. 15 Welpen (je nach Quelle). Eines der Neugeborenen schien eine Totgeburt zu sein, doch Beesley massierte es, bis es Lebenszeichen zeigte. Mitte der 1950er-Jahre, als ihre Gesellschaftskomödien aus der Mode gekommen waren, beschloss Smith, ein Kinderbuch zu schreiben. Sie erinnerte sich an den winzigen, unbeweglichen Welpen und daran, wie ihre Freundin, die Charakterdarstellerin Joyce Kennedy, scherzhaft über Pongo gesagt hatte: „Er würde einen hübschen Pelzmantel abgeben."[3]

The Hundred and One Dalmatians (Hundertundein Dalmatiner) erschien im November 1956 und wurde sofort zu einem Hit bei den Kritikern und an der Ladenkasse. Der bekannte Journalist und Kinderbuchautor John Rowe Townsend schrieb: „Wenn Hunde lesen könnten, würden sie das Buch nicht aus der Hand legen."[4]

Das Disney-Studio erwarb die Rechte ein paar Monate später. In einem Brief an Walt Disney (begleitet von einem signierten Exemplar des Buches) vom 30. November 1957 schrieb Smith: „Ich möchte Ihnen sagen, wie stolz und glücklich ich darüber bin, dass Sie mein Buch verfilmen werden. Um ganz ehrlich zu sein, hatte ich immer

24.01 ***Die kräftigen Farben und die schnörkellose Grafik des Posters für* One Hundred and One Dalmatians *stehen im Gegensatz zum aufwendigeren Plakat für* Sleeping Beauty *zwei Jahre zuvor.***
24.02–07 ***Einzelbilder***
24.08 ***Ken Andersons Visual-Development-Gemälde von Roger und Pongo im Park fängt die hellen Farben und das warme Wetter eines Frühlingstages ein, der langweilig war – bis Pongo Perdita und Anita entdeckte.***
24.09 ***Perdita und Anita wissen noch nicht, dass ihr Nachmittagsausflug in den Regent's Park ihnen die Liebe ihres Lebens bescheren wird.***

gehofft, dass Sie das tun würden – so sehr, dass ich, während ich das Buch schrieb, mich oft dabei erwischte, wie ich mir die Szenen im Zeichentrick vorstellte. Vielleicht trug das dazu bei, ihnen eine gewisse bildliche Qualität zu verleihen."[5]

Walt antwortete ein paar Wochen später:

> „Ich weiß, es wird Sie freuen, wenn ich Ihnen mitteile, dass Ihre Geschichte unverzüglich in Produktion geht ... Es ist gut möglich – und ich hoffe es –, dass wir sie um die Weihnachtszeit 1960 zur Aufführung bringen können. Ich weiß, die Produktionszeit erscheint lang, aber es dauert endlos lange, eine Figur zu entwickeln, ihm eine Persönlichkeit zu verleihen und sie zum Leben zu erwecken ... wenn man bedenkt, dass die Produktion von *Sleeping Beauty* fast zwei Jahre gedauert hat, können wir uns glücklich schätzen, wenn wir die *Dalmatians* bis 1960 fertigstellen können."[6]
>
> (*One Hundred and One Dalmatians* kam am 25. Januar 1961 heraus.)

Bill Peet, der das Drehbuch zum Film schrieb – ein Novum für einen Disney-Zeichentrickfilm –, erinnert sich: „Walt ging das Buch durch, während er sich auf einer Kreuzfahrt in der Karibik befand. Ein Freund hatte ihm ein Exemplar gegeben und meinte, er solle es lesen. Als er zurückkam, gab er mir das Buch und sagte: ‚Hier, warum liest du das nicht mal?'"[7]

Abgesehen von Walt Disney selbst, galt Peet als bester Story Man des Studios. Joe Grant, Leiter des Character Model Department, das als Denkfabrik für die Storyentwicklung diente, erzählt: „Bill Peet konnte ein Storyboard erstellen, und wenn du es dir angeschaut hast, sahst du die Animation. Er war sehr gut, und er war eine große Inspiration für die Animatoren. Aber seine Persönlichkeit müsste man wohl eher als streitlustig bezeichnen. Er war sich seines Talents stets bewusst. Er hielt sich für den Größten, und bemerkenswerterweise war er das ja auch."[8]

Brad Bird, der mit dem Oscar ausgezeichnete Regisseur von *The Incredibles (Die Unglaublichen – The Incredibles)*, fügt hinzu: „Bill Peet war der größte Story Man der abendfüllenden Animationsfilme. Er besaß eine unfehlbare Fähigkeit, zum Kern einer Story vorzudringen, und seine Zeichnungen quollen über vor Charakter und Gefühl. Der Zeichentrickfilm und die Kunst des Erzählens im Film haben ihm viel zu verdanken."[9]

Walt vertraute Peet nicht nur die Adaption an, sondern auch die Zeichnung der ersten Storyboards. Zuerst war Peet nicht begeistert von dem Buch und dessen zielloser Erzählweise. Mr und Mrs Dearly, die Besitzer von Pongo und Missis – und Perdita, einer Streunerin, die sie als Amme für die Welpen adoptieren –, sind gütig, fürsorglich und durch und durch uninteressant. Peet kürzte Smith' Story, beseitigte Nebenfiguren und unnötige Ereignisse, darunter Cruellas Ehemann, eine Begegnung mit einem Zigeunerwagen und einen Besuch bei einem verwirrten alten Herrn, der Pongo und Missis für Geister hält.

In einem Interview erzählt Peet: „Als ich es das erste Mal las, war ich ziemlich ernüchtert, denn es gefiel mir nicht besonders. Ich fragte mich, wie viel Freiraum Walt mir einräumen würde: Wie sehr liebte er das Buch, und was liebte er daran? Der Anfang mit diesen beiden Leuten, den Dearlys, und ihren beiden Hunden war tödlich. Wen interessiert eine perfekte Ehe mit zwei perfekten Hunden und keiner anderen Beschäftigung außer Spazierengehen? Ich fing an, die Geschichte aus der Sicht des Hundes zu erzählen."[10]

Peet nimmt ein altes Exemplar des Drehbuchs zur Hand und liest: „Meine Geschichte beginnt in London, vor noch nicht allzu langer Zeit, und dennoch ist seither schon so viel passiert, dass es wie eine Ewigkeit scheint. Zu jener Zeit lebte ich mit meinem Haustier in einer Junggesellenwohnung gleich beim Regent's Park. Es war ein schöner Frühlingstag, eine langweilige Zeit im Jahr für Junggesellen. Oh, das ist mein Haustier Roger, Roger Radcliff. Ich bin der mit den Tupfen."

„Das ist ein ganz anderer Anfang", sagt Peet und erzählt weiter:

> „Der trübselig aussehende Dalmatiner starrt aus dem Fenster. Er hält Ausschau nach zwei Partnerinnen für alle beide, aber vor allem will

er dieser trostlosen Situation entkommen. Ich änderte den Namen der Hündin – Pongos Frau hieß Missis. Sie fanden Perdita auf der Straße und nahmen sie mit als Amme für die Welpen. Das wurde verworren, emotional gesehen. Ich warf sie raus, behielt aber ihren Namen. Ich dachte, Pongo und Perdita wäre viel besser als Pongo und Missis. Die Namen der Figuren sind wichtig.

Die Figuren waren schon da, aber ich wollte die beiden zusammenbringen, um eine romantische Situation zu erschaffen. Das würde die Begegnung der Hunde aufregend

24.10 ***Der Animator Frank Thomas posiert in dieser Werbeaufnahme mit einem Dalmatiner, der für ihn Modell sitzt.***

24.10

machen. Dann hätte man nicht diesen öden Anfang, bei dem alle gleich verheiratet sind. Die Persönlichkeiten, die man für die Animation entwickelt, sollten überlebensgroß sein. In einigen Fällen ist das nicht möglich, weil man es vielleicht mit einem Prinzen zu tun hat oder mit jemandem, mit dem man zurückhaltend umgehen muss. Aber die besten Figuren sind immer überlebensgroß – die Zwerge, die Mäuse, diejenigen, die sich für die Animation eignen."

Obwohl sie vielleicht nicht überlebensgroß erscheinen, sind die außerordentlich animationsgeeigneten Pongo, Perdita, Roger und Anita sympathische und interessante Figuren. Im Gegensatz zu den steifen Manieren, die frühere

Disney-Heroinen gegenüber den sie anbetenden Prinzen an den Tag legten, necken Roger und Anita einander, werden ungeduldig und teilen Augenblicke echter Zuneigung.

Andreas Deja, der Jafar in *Aladdin* und Lilo in *Lilo & Stitch* animierte, merkt an: „Die Beziehung zwischen Roger und Anita ist so echt: Sie sind verheiratet, aber sie flirten noch. Als Roger den Song *Cruella De Vil* singt, greift er sich seine Frau für einen Tanz, und sie macht unbeholfen mit. Er streicht mit dem Finger über ihren Rücken, und sie reagiert so, wie jeder reagieren würde. Sie haben eine Meinungsverschiedenheit über Cruella. Anita reißt Roger das Telefon aus der Hand. Ihr Verhalten ist realistisch und modern. So etwas hatten wir zuvor noch nicht gesehen. Vorher war alles sehr idealisiert, nicht so wie in einer echten Ehe."[11]

24.11

24.12

Im Buch ist Roger ein ungewöhnlich reicher „Finanzzauberer". Peet machte aus ihm einen Musiker bzw. aufstrebenden Songschreiber. Aus Roger einen Komponisten zu machen, so Peet, „gibt uns die Gelegenheit zu Songs, ohne sie hineinzuzerren, wie es in den alten MGM-Musicals gemacht wurde: ‚Es ist Zeit für einen Song.'"[12]

Auch zwischen Pongo und Perdita besteht eine tiefe und zärtliche Verbindung, die den Eindruck der Hundeversion einer glücklichen Ehe vermittelt. Da die Disney-Künstler bereits in *Bambi* und *Lady and the Tramp (Susi und Strolch)* glaubwürdige Liebesbeziehungen zwischen tierischen Figuren dargestellt hatten, scheint hier wenig Innovatives hinzugekommen zu sein. Frank Thomas und Ollie Johnston, zwei der Nine Old Men, schrieben jedoch ausführlich darüber, wie herausfordernd es war, Peets Storyboards von einer Schlüsselszene zu animieren, die zunächst „allzu subtil und delikat" schien.

Verzweifelt über Cruellas Angebot, ihre ungeborenen Welpen zu kaufen, versteckt sich Perdita unter dem Küchenherd. Pongo gesellt sich zu ihr und versucht, sie zu trösten. Rod Taylors Vortrag von Pongos Worten war „aufgeladen mit Emotionen", aber sein tröstender Ton deutete keine Handlungen an, die sich hätten animieren lassen. Der Schauplatz unter dem Herd gestattete den

24.11 ***Das Innere von Rogers und Anitas Zuhause sieht in diesem Vorabgemälde sehr viel stattlicher aus. Der Konzertflügel wurde durch ein bescheidenes Spinett ersetzt.***
24.12 ***Eine vorbereitende Studie von Walt Peregoy schafft einen Kontrast zwischen dem öden, grauen Äußeren von Hell Hall und seinem viktorianisch roten Inneren.***

24.13

Figuren nicht, sich umherzubewegen oder auch nur ihre Köpfe zu heben. Pongo leckt zärtlich ihre Wange und bekräftigt so die Verbundenheit zwischen ihnen – und ihrer beider Sorge über die Zukunft. Die Situation erforderte eine außerordentlich sorgfältige Planung und Ausführung.

Johnston, der die Szene animierte, berichtet: „Ich dachte, meine Güte, dieses (Layout) ist wirklich restriktiv. Ich hätte (Perdita) lieber in der Mitte des Raumes gehabt. Aber je mehr ich daran arbeitete, desto klarer wurde mir, dass das der beste Platz für sie war, denn dort war sie abgesondert, mit dem Rücken zur Wand. Man konnte ihren Kopf und dergleichen nicht bewegen, aber die Bewegungen, die ich einsetzte, waren gut. Besonders die kleine am Ende, als er ihr einen kleinen Kuss gibt."[13]

Obgleich sie schwierig auszuführen war, machte Johnston die Szene aufgrund ihres sanften Pathos denkwürdig, und eine neue Generation von Disney-Künstlern lobt seine Arbeit als inspirierende Mischung aus menschlichem Gefühl und tiertypischem Verhalten. Paul Felix, der Production Designer von *Big Hero 6 (Baymax – Riesiges Robowabohu)* und Besitzer zweier großer Hunde, erklärt: „Das ist so gut beobachtet, genau so würde ein Hund reagieren – er würde einfach die Wange lecken. Hier wurde so viel Wert auf gründliche Beobachtung gelegt, zum Beispiel die Art

24.13 ***In diesem Gemälde von Walt Peregoy braucht es lediglich eine simple geometrische Form, um Cruellas Erscheinen im Eingang zu dem improvisierten Lager der Baduns in Hell Hall anzudeuten.***

24.14–17 ***Cruella entreißt Horace Badun die Flasche, wirft sie in den Kamin und wird von der darauffolgenden Explosion erwischt. Marc Davis war der Ansicht, dass Animationszeichnungen wie diese nur als eine Sequenz in Bewegung betrachtet werden sollten, doch Animatoren haben seine außergewöhnlichen Einzelzeichnungen jahrzehntelang studiert.***

und Weise, wie Pongo sein Bett umkreist, bevor er sich hinlegt. Das macht den Film *One Hundred and One Dalmatians* aus: Eine Menschenwelt und eine Hundewelt werden beschrieben, und der Film gewinnt so viel dadurch, dass diese Hunde wie wirkliche Hunde sind."[14]

Peet behielt Smith' Schauplatz des modernen London bei, was einen deutlichen Bruch gegenüber früheren Disney-Spielfilmen darstellte. *Snow White*, *Pinocchio*, *Cinderella* und *Sleeping Beauty* sind in Märchenwelten angesiedelt. *Alice in Wonderland (Alice im Wunderland)*, *Peter Pan* und *Lady and the Tramp* spielen irgendwann im ausgehenden 19. Jahrhundert. Die zeitliche Einordnung von *Bambi* ist nicht näher definiert, und der Zirkuszug transportiert Dumbo und seine Mutter an einen Ort irgendwo in Florida. Kein Disney-Film zuvor war im Hinblick auf Zeit und Ort so genau festgelegt.

Deja merkt an: „Ein Disney-Film, der in unserer Zeit spielte, war etwas ganz Neues. Und da ist ein Realismus, den eine zeitgenössische Geschichte mitbringt, zu dem es auch gehört, dass jede Magie fehlt. Niemand hat irgendwelche speziellen Kräfte. Cruella ist einfach böse."[15]

Disney wählte den altgedienten Artdirector Ken Anderson, um das Erscheinungsbild des Filmes zu bestimmen. Anderson hatte es zu einer gewissen Studioberühmtheit gebracht, als er mit seinem neuen Feuerzeug Walt Disneys Schnurrbart versehentlich in Brand gesetzt hatte. Nach Ansicht von Davis war „Ken ein ungeheures Talent, aber wenn es jemand schaffte, ständig zur richtigen Zeit das Falsche zu tun, dann war das Ken".[16]

Der Animationshistoriker John Canemaker entgegnet: „*One Hundred and One Dalmatians* war ein Fall, wo etwas Richtiges zur richtigen Zeit getan wurde, aber in seinem blinden Enthusiasmus

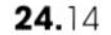

24.14

24.15

24.16

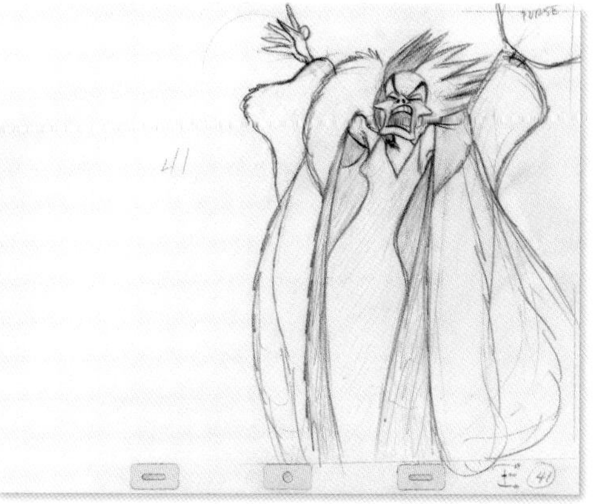

24.17

missinterpretierte Anderson Walt, der schließlich unzufrieden mit einem Film war, der (ironischerweise) die Animationsabteilung vor der Schließung bewahrte."[17]

Das Erscheinen des Kurzfilms *Ragtime Bear* des UPA-Studios im Jahre 1949 markierte einen Wendepunkt im amerikanischen Animationsfilm. Der Einfluss moderner Kunst und moderner Künstler wie vor allem Picasso und die Cartoonisten/Illustratoren Saul Steinberg und Ronald Searle begann, die traditionelle akademische Zeichenkunst zu verdrängen, die Disney in den 1930er-Jahren als Standard der Branche etabliert hatte. Im Gegensatz zur runden Dreidimensionalität der Silly Symphonies und der frühen Disney-Spielfilme waren die Charaktere in den Zeichentrickfilmen der 1950er-Jahre statischer, steifer und stärker stilisiert. Die Hintergründe wurden in ihrer Komplexität reduziert und sogar minimalistisch. Der spröde neue Stil verband die Animation nicht nur mit den zeitgenössischen Richtungen in der bildenden Kunst, Illustration und Karikatur, sondern auch mit der modernen Ästhetik des Industriedesigns.

Sogar die Disney-Künstler hatten angefangen, den neuen Stil in Kurzfilmen zu erkunden, etwa in *Pigs Is Pigs* (1954), *Paul Bunyan* (1958) und im oscarprämierten „Toot, Whistle, Plunk and Boom" („Die Musikstunde", 1953). Inmitten der komplexen Hintergründe von Eyvind Earle waren die Figuren in *Sleeping Beauty* steifer und stärker stilisiert als ihre Entsprechungen im gerade einmal vier Jahre zuvor produzierten *Lady and the Tramp*. Der neue Stil passte auch zum zeitgenössischen Rahmen von *Dalmatians*.

Ein wesentliches Merkmal des modernen Stils, den Anderson sich vorstellte, war ein neuer Ansatz zur Linienführung, der nichts mit demjenigen früherer Disney-Spielfilme gemeinsam hatte. Seit 1915 hatten die Animatoren ihre Figuren auf Papier gezeichnet, und ganze Teams von Frauen hatten die Zeichnungen auf Cels gepaust, klare Bögen aus Celluloseacetat, die vor den Hintergründen fotografiert wurden. Im Laufe der Jahre entwickelten die Inker schöne kalligrafische Linien mit Bleistift und Pinsel, aber die Animatoren waren der Ansicht, dass das Inking unweigerlich ihrer Arbeit etwas von ihrer Lebendigkeit nahm.

Anderson sagte: „Ich wusste durch meine eigene Animationsarbeit sehr genau, dass, wenn ein Inker die Arbeit durchpauste, etwas von ihrer

24.18

24.19

Lebendigkeit verloren ging. Durch eigene Experimente fand ich heraus, dass man nicht einmal selbst dieselbe Zeichnung auf ein Lightboard pausen kann. Die Pause sieht leblos aus, aber die Zeichnung darunter hat auf die eine oder andere Weise den Funken Leben, weil sie aus einer Idee oder einem Gefühl heraus konzipiert worden ist."[18]

Ein zweites Problem mit dem Einfärben per Hand waren die Kosten. Die reine Zahl der Arbeitsstunden, die erforderlich waren, um Cels einzufärben und zu bemalen, kostete ebenso viel oder sogar mehr als die Animation.

Ub Iwerks verbrachte mehrere Jahre damit, ein Xerox-Fotokopiergerät zu modifizieren, um eine neue Methode zur Übertragung der Animationszeichnungen zu kreieren. Strom und Chemikalien kamen zum Einsatz, um Linien aus schwarzem Pulver auf den Cels zu fixieren. Das Pulver haftete jedoch nie perfekt, und eine bestimmte Menge davon bröselte ab, wodurch die Linien eine durchbrochene, krümelige Struktur erhielten. Dann bemalten Mitarbeiter die Cels, wobei sie die traditionellen Acrylfarben benutzten. Die Animatoren waren erfreut, ihre Zeichnungen auf der Leinwand zu sehen. Nachdem er sich Szenen mit Cruella De Vil angeschaut hatte, sagte Davis: „Meine eigenen Zeichnungen zu sehen war eine sehr aufregende Erfahrung."[19]

Anderson schwebte die Verwendung einer ähnlichen Technik für die Hintergründe vor: Die

24.18 ***Die graue, regennasse Straße und die Gebäude heben Nannys Entsetzen hervor, als sie das Verschwinden der Welpen beklagt.***
24.19 ***Pongo und Perdita suchen in einer Kopfsteinpflastergasse von London nach ihren Welpen.***

Linien wurden auf Cels gezogen und dann über gröber ausgeführte Farbflächen gelegt. Diese Einheitlichkeit des Designs stellte einen Gegensatz zu früheren Disney-Spielfilmen dar. In *Snow White* und *Pinocchio* sind die Hintergründe kleine Meisterwerke in Wasserfarbe und Gouache, die altweltliche Innenansichten, Gebäude und Wälder in komplizierten Einzelheiten abbilden. Die relative Schlichtheit der Hintergründe in *One Hundred and One Dalmatians* bedeutete, dass die Bewegungen und weniger das Design der Figuren sie von ihrer Umgebung abhoben.

Anderson erinnerte sich später:

„Ich wollte, dass wir einen Film mit dem Xerox-Verfahren machten. Dann ging ich so weit zu versuchen, auch die Hintergründe zu vereinheitlichen, denn wir zeichneten unsere Figuren dreidimensional und malten sie flächig, also dachte ich, wir zeichnen die Hintergründe dreidimensional und malen sie auch flächig. Wir malen sie ebenfalls mit Cel-Farbe, damit das Medium überall einheitlich ist. Ich bereitete eine Menge Dinge vor, um sie Walt zu zeigen. Walt war nicht begeistert, aber er gab mir in der Zwischenzeit die Erlaubnis, daran zu arbeiten, allerdings ohne diesen Aspekt."[20]

Deja sagt hierzu: „Es ist für das Auge sehr viel angenehmer, wenn ein Artdirector eine Welt präsentiert, die so einheitlich ist. In den Filmen, die den *One Hundred and One Dalmatians* vorangingen, waren die Figuren auf Cels gemalt, während die Hintergründe sehr detailliert ausgeführt waren. In *One Hundred and One Dalmatians* war es eine komplette Welt. Ich denke, die Animatoren waren zufriedener damit, dass die Hintergründe, vor denen sich die Figuren bewegten, stilistisch so sehr dem entsprachen, was sie zeichneten."[21]

Der Background Stylist von *One Hundred and One Dalmatians*, Walt Peregoy, erläutert: „Ein Hintergrund schafft eine Welt für animierte Figuren. Er ist das Ambiente. Im Gegensatz zur Animation heutzutage versuchten wir gar nicht, einen

24.20

24.21

realfilmhaft gegenständlichen Hintergrund zu machen, der haargenau so aussieht wie eine Kulisse hinter animierten Vaudeville-Figuren. Die Figuren befinden sich nicht in irgendeiner besonderen Welt. Deshalb ist ein Stylist ein Stylist. Man kreiert eine Welt, die mit den Figuren kompatibel ist. Es ist ja nicht so, dass die Welt glaubhaft ist, weil man sie realistisch wiedergibt. Sie ist glaubhaft wegen der Integrität, der Sensibilität und des Bewusstseins des Designers."[22]

Um die Einheitlichkeit des Erscheinungsbildes des Films zu erhöhen, wurden die Linien in den Hintergründen ebenfalls mit dem Xerox-Verfahren erstellt. Felix legt dar:

> „Die unterbrochenen Linien helfen, das Alter der Stadt London zu vermitteln: Es gibt viele hübsche Körnungseffekte im alten Holz und bei den Fußmatten. Das ist sehr atmosphärisch und lässt das Ganze detailreich und gemütlich aussehen. Man fasste detaillierte Bereiche in Gruppen zusammen, damit jede Komposition eine wirklich angenehme Balance aus freiem und detailreichem Raum aufweist, was stimmiger wirkt ... Die Linienführung scheint stark von Searle beeinflusst zu sein, und es sieht einfach modern aus. Viele Farbzusammenstellungen unterscheiden sich sehr von dem, was bei Disney zuvor üblich war. Hier gibt es sehr subtile Nuancen von Farbtemperaturen, die gegeneinander ausgespielt wurden. Es wirkt so, als sei es eine Antwort auf das, was damals in der Kunstwelt geschah."[23]

Felix merkt zudem an, dass die Layouts und Hintergründe in *One Hundred and One Dalmatians* zwar weniger detailreich sind, aber die Stimmung der Geschichte stützen. „Etwas an der Abstraktion der Stimmung, die sie durch die Trennung der Farbe von der Linienführung erreichten, ist wirklich interessant. Als die Welpen flüchten, ergießt sich eine Menge Magenta über

24.20 ***Der hyperaktive Yorkshire Terrier versucht die Nachrichten aus dem Abendgebell aufzuschnappen.***
24.21 ***Beim Betrachten dieses Visual-Development-Gemäldes kann man förmlich fühlen, wie der kalte Wind über die verschneite Landschaft bläst – ein gewaltiges Hindernis für die Dalmatiner, die vor Cruella fliehen.***

24.22

Deja erläutert: „Das Xerox-Verfahren versetzte sie in die Lage, die Zeichnungen der Animatoren zu vervielfachen, sodass sie vielleicht drei Welpen animierten und sie in 15 oder 20 oder 50 oder so viele sie brauchten, verwandelten. (Animator) Ted Berman war damit beauftragt, aus drei oder vier Welpen organisch aussehende Massen zu machen. Er musste ihre Bewegungen versetzen, damit sie nicht aussahen, als machten sie alle das Gleiche zur selben Zeit."[26]

Der oscarprämierte Warner-Bros.-Regisseur Chuck Jones kommentiert dies trocken: „Nur Disney konnte einen Film mit 101 gefleckten Hunden machen. Wir hatten schon Schwierigkeiten, einen Film mit einem Hund mit nur einem Fleck zu machen."[27]

Jones' sarkastische Bemerkung reflektiert ein sehr reelles Problem, dem die Disney-Künstler gegenüberstanden. Im Realfilm bereitet ein gefleckter Hund nicht mehr Mühe als ein einfarbiger. Deja erläutert: „Die Charakteranimatoren mussten sich keine Sorgen über die Flecken auf den Hunden machen. Die wurden von den Effektanimatoren aufgebracht, die etwas von Anatomie verstehen mussten, denn die Flecken bewegen sich mit den Muskeln und ändern so ihre Form. Sie werden nicht einfach exakt übernommen. Wenn sich ein Hund bewegt und auf die Kamera zukommt und die Verkürzung ein-

die Möbel in dem verlassenen Haus, aber es wird kein echter Versuch unternommen, die Formen in irgendeiner Weise zu modellieren. Da ist nur die Unmittelbarkeit der Farben und der Figuren. Die Linienführung dient dazu, die Szenerie zu verdeutlichen, aber sie diktiert in keiner Weise die Stimmung – das ist irgendwie ein direkterer Weg, etwas zu übermitteln."[24]

Brad Bird fasst die Kraft dieser gebündelten Einfachheit zusammen, wenn er sagt: „Wenn man sich die Zeichnungen von Rogers Wohnung anschaut, dann sagen sie einem alles, was man über Roger wissen muss, und man muss Roger nicht einmal gesehen haben, um zu wissen, wer Roger ist. Es ist klar, dass er ein Junggeselle ist, es ist klar, dass sein Interesse der Musik gilt, es ist klar, dass er viel Zeit damit verbringt zu arbeiten. Und er ist mehr mit seiner Arbeit beschäftigt als mit seiner Wohnung, also läuft es dort auf eine ungeordnete, zufällige, künstlerische Art und Weise ab. Das ist sehr englisch. All die Teetassen, eine auf der anderen. Das ist großartig!"[25]

Der Einsatz von Xerografie machte es auch möglich, 99 Dalmatinerwelpen zu schaffen. Traditionell vermieden Animationsregisseure lieber Massenszenen, da das Zeichnen einer großen Anzahl von Hintergrundfiguren schlicht zu viel Arbeit im Verhältnis zum Ertrag bedeutete.

24.22 ***In diesem frühen Visual-Development-Gemälde lässt der Künstler die weißen Bereiche von Pongos Fell im Schnee verschwinden und reduziert ihn so auf ein sich bewegendes Muster aus schwarzen Flecken.***

24.23 ***Eine Studie der Welpen, die nach ihrer Flucht aus Hell Hall in der Molkerei schlafen, lässt erahnen, welch eine Herausforderung so viele Figuren für die Künstler gewesen sein müssen.***

setzt, mussten sie die Stellung der Flecken und ihren Umfang ändern."[28]

Der Einsatz moderner Grafik erstreckte sich auch auf die Character Designs, welche größtenteils von Milt Kahl verantwortet wurden, der von Tom Oreb und anderen Künstlern unterstützt wurde. Zu jener Zeit war Kahl mit einer Kunsthändlerin verheiratet und von Picasso fasziniert. Deja erinnert sich: „Als ich ihn Mitte der 1980er-Jahre besuchte, sagte er: ‚Picasso überwältigt mich einfach. Ich könnte niemals so denken wie er. Einige von seinen Arbeiten sind einfach nur hässlich, aber andere überwältigen mich total.'"[29]

An Kahls Design der Menschen und der Hunde in *One Hundred and One Dalmatians* ist Picassos Einfluss leicht zu erkennen. Pongo hat einen großen eckigen Kopf und einen Torso, der gerade Linien gegen Kurven und Winkel ausspielt. Seine unmöglich langen, dünnen Beine enden in kleinen Pfoten.

Laut Deja „geriet Milt in Streit mit Bill Peet, denn Milt stützte sein Design auf Peets Storyboards, fügte aber diese große Schnauze hinzu. Bill sagte Milt: ‚Das ist kein Dalmatiner, das ist eine dänische Dogge.' Milt machte dann die Schnauze ein wenig kleiner. Perditas Schnauze hingegen ähnelt mehr der eines echten Dalmatiners. Aber die Vergrößerung von Pongos Schnauze verleiht ihm etwas Maskulines."[30]

Als Pongo erfährt, von wie vielen Welpen er der Vater ist, taumelt er in einem komischen, betrunken aussehenden Gang umher. Auf einem Meeting erläuterte Kahl, wie er den normalen Gang eines Hundes analysierte, dann die Schrittfolge, die Fußstellung und den Rhythmus veränderte, um Trunkenheit anzudeuten. Als ein anderer Animator auf seine Erläuterung mit der Bemerkung reagierte: „Ich möchte nicht so schwer arbeiten", brauste Kahl auf: „Du arbeitest noch zehnmal härter, wenn du keine Ahnung hast, was du tust!"[31]

24.23

Obgleich er eigentlich einen geradlinigen Charakter hat, der dazu beiträgt, die Story zusammenzuhalten, hat Roger Radcliff wenig Ähnlichkeit mit den langweiligen, gut aussehenden Prinzen in Disneys Märchen. Er ist groß und dünn, mit langer Nase und großen Füßen. Aber er ist ein vielseitigerer und dynamischerer Charakter als selbst Phillip in *Sleeping Beauty*, der aktivste der Prinzen. Er stellt sich gegen Cruella, weigert sich, ihr die Welpen zu verkaufen, behandelt seine Frau mit glaubhafter Zuneigung und parodiert Cruella, als er mit einer Zigarette gestikulierend die Treppe hinabschreitet.

Anita stellte sich als die Figur heraus, die grafisch am schwierigsten zu definieren war.

Deja berichtet:

„Marc Davis machte einige Szenen, in denen sie Roger zum ersten Mal trifft, wenn sie in den See fallen. So schön das auch animiert ist, Anita sieht fast aus wie Dornröschen: Ihre Proportionen und ihr Gesicht gleichen ihr. Wir alle erinnern uns an diesen Film. Les Clark, der ebenfalls sehr gut darin ist, weibliche Figuren zu zeichnen, machte ein paar Szenen von ihr bei der Geburt der Welpen, aber etwas stimmte daran nicht. Dann verpasste Milt Anita ein etwas längeres Kinn und eine Brille, er vergrößerte den Abstand der Augen zur Nase, so wie man das bei einem hübschen Mädchen für gewöhnlich vermeiden würde. Er verlieh ihrem Aussehen ein wenig von einer Karikatur, ließ ihr aber ihren Reiz."[32]

Obwohl ihr Design stärker stilisiert ist, bewegen sich die Figuren mit plastischer Geschmeidigkeit. Ihre individuellen Bewegungsstile definieren ihre Persönlichkeiten ebenso klar wie Design und Stimmen. Das Aussehen ist modern, aber es ist immer noch unverwechselbar Disney.

Paul Felix kommentiert: „In den UPA-Filmen gibt es viel mehr Freiheit, die Dinge räumlich zu machen und abstraktere Formen zu verzerren, die mehr im Einklang mit dem sind, was ein Film emotional zu sagen versucht. Bei Disney war die Grenze zwischen Realismus und dieser Art von Abstraktion fließender. Es ist faszinierend, eine gestrichelte Linie um eine Figur herum zu sehen, die sich flüssig bewegt. Das hat etwas seltsam Zufriedenstellendes an sich."[33]

24.24

Deja stimmt dem zu: „Die Stilisierung verleiht der Disney-Animation nur eine weitere Ebene des Zaubers. Die alten Figuren wie Bambi oder Susi und Strolch hatten alle runde Volumina: Sie waren eher in Skulpturen verwandelte Zeichnungen. In *One Hundred and One Dalmatians* ist die raffinierte Flächigkeit eine weitere Überraschung für das Publikum. Und die Animatoren verwandelten diese Vorgaben in drei Dimensionen.“[34]

Obgleich Roger, Anita und die Hunde reizvoll sind, wird der Film von der gruseligsten und witzigsten aller Disney-Bösewichter beherrscht: Cruella De Vil. Im Gegensatz zur Bösen Königin aus *Snow White* und Maleficent (dt. Malefiz) ist Cruella weder eisig noch schön, sondern wild, extravagant und grotesk; mit großen Händen und Füßen sowie einem kantigen Gesicht, das einen wütenden Totenschädel andeutet.

24.24 ***In einer Schmiede finden die Dalmatiner den Ruß, mit dem sie sich tarnen. Die Romanautorin Dorothy „Dodie“ Smith hatte diese Szene bei einem Schornsteinfeger angesiedelt, was visuell weniger interessant gewesen wäre.***

Davis, der sie animierte, erzählt: „Ich hatte unterschiedliche Vorbilder im Hinterkopf, als ich Cruella zeichnete, darunter Tallulah (Bankhead, eine US-amerikanische Schauspielerin) und eine Frau, die ich kannte und die ein richtiges Ungeheuer war. Sie war groß und dünn und redete ununterbrochen. Man wusste nie, wovon sie gerade redete, aber man kam einfach nicht zu Wort. Was ich wirklich erreichen wollte, war, dass die Figur sich wie jemand bewegt, der einem unsympathisch ist.“[35]

Davis setzte ihre scharfkantigen Gliedmaßen und ihren spindeldürren Körper in Kontrast zu den üppig umhüllenden Formen eines schwarzweißen Pelzmantels. Betty Lou Gerson sorgte für ihr kehliges Krächzen. Cruella stürmt durch den Film, umgeben von einer Wolke aus giftig-gelbem Zigarettenrauch, schlägt Türen zu und schreit jeden an, der das Pech hat, ihre Wege zu kreuzen. Der Kritiker der *New York Times*, Howard Thompson, beschreibt sie als eine „sadistische Auntie Mame (aus dem Film *Die tolle Tante*), gezeichnet von Charles Addams und mit der Bassstimme einer Tallulah Bankhead ...“[36]

Obwohl sie beste Freunde waren, versuchte Kahl, Davis' Cruella mit seiner Animation von Madame Medusa in *The Rescuers* (*Bernard und Bianca – Die Mäusepolizei*, 1977) zu übertrumpfen, scheiterte aber. Da Cruella in *One Hundred and One Dalmatians* eine wichtige Rolle spielt, hat sie mehr zu tun, und ihre wechselnden Launen sind weniger berechenbar, aber unterhaltsamer.

One Hundred and One Dalmatians sorgte für Begeisterungsstürme bei den Kritikern. *Time* beschrieb den Film als „den witzigsten, charmantesten und ehrlichsten abendfüllenden Zeichentrickfilm, den Disney je produziert hat“.[37] Dorothy Smith schrieb an Walt Disney: „Ich fand die Animation brillant, die Farben schön und viele der Hintergründe unbeschreiblich ... Danke, lieber Walt Disney und Ihrem ganzen Studio, dafür, dass Sie einen so wunderbaren Film aus meinem Buch gemacht haben. Wir hoffen, dass Sie den großen Erfolg haben werden, den Sie verdienen.“[38]

Smith' Hoffnung bewahrheitete sich. *One Hundred and One Dalmatians* wurde der erste animierte Spielfilm, der bei seiner Erstaufführung mehr als zehn Millionen Dollar einspielte. (Wiederaufführungen ließen die Gesamtsumme auf über 200 Millionen Dollar steigen.) Jeder liebte den Film – außer Walt Disney. Vielleicht mochte er die große Aufmerksamkeit für einen Film nicht, zu dem er selbst nur ein Minimum beigetragen hatte, so wie das schon bei *Dumbo* 20 Jahre zuvor der Fall gewesen war. Er hasste Ken Andersons Xerox-Linien, die die Zuschauer daran erinnerten, dass sie sich Zeichnungen ansahen.

Anderson sagte später: „Walt hatte die Sichtbarkeit der Linien nie gemocht. Obwohl sie den Figuren mehr Lebendigkeit verliehen, waren sie doch das genaue Gegenteil von dem, was Walt beabsichtigte. Er wollte, dass die Leute glaubten, diese Dinge seien keine Zeichnungen, sondern tatsächliche Personen. Sein ganzes Streben war darauf ausgerichtet. Wenn ich mich also für eine Linie einsetzte – sichtbare Konturen –, dann machte ihn das sehr wütend. Ihm gefiel das ganz und gar nicht, und er machte etliche Bemerkungen, die mir wehtaten, weil ich geglaubt hatte, es würde ihm gefallen."[39]

Der Stress, dem sich Anderson ausgeliefert sah, führte zu zwei Schlaganfällen. Während er sich erholte, schickte ihm Disney Geschenke und ließ ihn auf der Gehaltsliste. Anderson sagte, er habe sogar mehr verdient als während seiner Vollzeitarbeit im Studio. Später arbeitete er an weiteren Disney-Filmen und für Disneyland.

Trotz Walts anfänglicher Ablehnung bleibt *One Hundred and One Dalmatians* einer der beliebtesten Disney-Filme. Nach Ansicht von Paul Felix „wird es einem schwerfallen, jemanden zu finden, der ihn nicht als einen seiner persönlichen Lieblingsfilme bezeichnen würde. Der Film ist ein wirklich starkes zeichnerisches Statement."[40]

Deja pflichtet bei: „Ich kann in dem Film keinen Fehler erkennen. Er gehört definitiv zu meinen drei Lieblingsfilmen, wegen der Kombination aus einer makellos erzählten Geschichte und frisch aussehender moderner Kunst. Er ist immer noch der am modernsten aussehende Disney-Film. Kein Film brachte den Disney-Stil weiter voran als *One Hundred and One Dalmatians*. Er ist einzigartig."[41]

Als er daran zurückdachte, wie der Film die Animationsabteilung des Disney-Studios rettete, zu einer Zeit, da Walts kaufmännische Berater auf eine Einstellung der Produktion

24.25

drängten, musste Ollie Johnston lachen: „Ich kann mich nicht daran erinnern, dass Walt jemals auf seine Leute aus der kaufmännischen Abteilung gehört hätte."[42]

24.25 ***„Wir werden eine Dalmatinerplantage haben." Die Rückkehr der geliebten Tiere – plus weiterer 86 Welpen – inspiriert Roger dazu, einen Song zu schreiben.***

Merlin und Mim / Die Hexe und der Zauberer

The Sword in the Stone (1963)

Synopsis

Der Artusroman *The Sword in the Stone* von T.H. White war eine neuzeitliche Version der alten Legende um König Arthur und gespickt mit Weisheit, ironischem Humor und magischen Verwandlungen. Trotz dieser scheinbar perfekten Vorlage waren die altgedienten Disney-Künstler zunächst uneins, welcher der nächste lange Trickfilm des Studios sein sollte. Außerdem war es für die Trickfilmabteilung nicht leicht, mit neuen Produktionsverfahren und finanziellen Beschränkungen zurechtzukommen. Die Geschichte, die sie schließlich schufen – von König Arthurs Kindheit und seiner Erziehung durch den Zauberer Merlin –, war zwar beim Kinopublikum von 1963 recht erfolgreich, sie erlangte jedoch nicht das Ansehen anderer Disney-Filme aus jener Zeit. Dennoch enthält dieser letzte lange Trickfilm, der zu Disneys Lebzeiten in die Kinos kam, herausragende Figurenanimation und beeindruckende Paradeszenen. Darüber hinaus ist es das Trickfilmdebüt des Komponistenduos Richard M. und Robert B. Sherman.

ERSTAUFFÜHRUNG USA 25. Dezember 1963
ERSTAUFFÜHRUNG D 17. Dezember 1964
DVD-TITEL *Die Hexe und der Zauberer – Merlin und Mim*
LAUFZEIT 79 Minuten

Stimmen

ARTHUR (FLOH) RICKIE SORENSON
ERZÄHLER, SIR HECTOR SEBASTIAN CABOT
MERLIN KARL SWENSON
ARCHIMEDES JUNIUS MATTHEWS
SIR PELINOR ALAN NAPIER
RITTER TUDOR OWEN
GROSSER RITTER THURL RAVENSCROFT
SIR KAY NORMAN ALDEN
MIM, OMA EICHHÖRNCHEN MARTHA WENTWORTH
EICHHÖRNCHENMÄDCHEN GINNY TYLER
DIENSTMAGD BARBARA JO ALLEN
ARTHUR (FLOH), ZUSÄTZLICHE AUFNAHMEN RICHARD UND ROBERT REITHERMAN
CHOR THE MELLOMEN

Stab

PRODUCTION SUPERVISOR KEN PETERSON
REGIE WOLFGANG REITHERMAN
ARTDIRECTOR KEN ANDERSON
LEITENDE ANIMATOREN FRANK THOMAS, MILT KAHL, OLLIE JOHNSTON, JOHN LOUNSBERY
STORY BILL PEET, INSPIRIERT DURCH EIN BUCH VON T.H. WHITE
CHARACTER ANIMATOREN HAL KING, ERIC LARSON, CLIFF NORDBERG, HAL AMBRO, DICK LUCAS, ERIC CLEWORTH, JOHN SIBLEY
CHARACTER DESIGN MILT KAHL, BILL PEET
HINTERGRÜNDE WALT PEREGOY, BILL LAYNE, AL DEMPSTER, ANTHONY RIZZO, RALPH HULETT, FIL MOTTOLA
LAYOUT DON GRIFFITH, BASIL DAVIDOVICH, VANCE GERRY, SYLVIA COBB, DALE BARNHART, HOMER JONAS
ANIMATION SPEZIALEFFEKTE DAN MACMANUS, JACK BOYD, JACK BUCKLEY
MUSIK GEORGE BRUNS
ORCHESTRIERUNG FRANKLYN MARKS
FILMSCHNITT DONALD HALLIDAY
SOUND SUPERVISION ROBERT O. COOK
MUSIKSCHNITT EVELYN KENNEDY

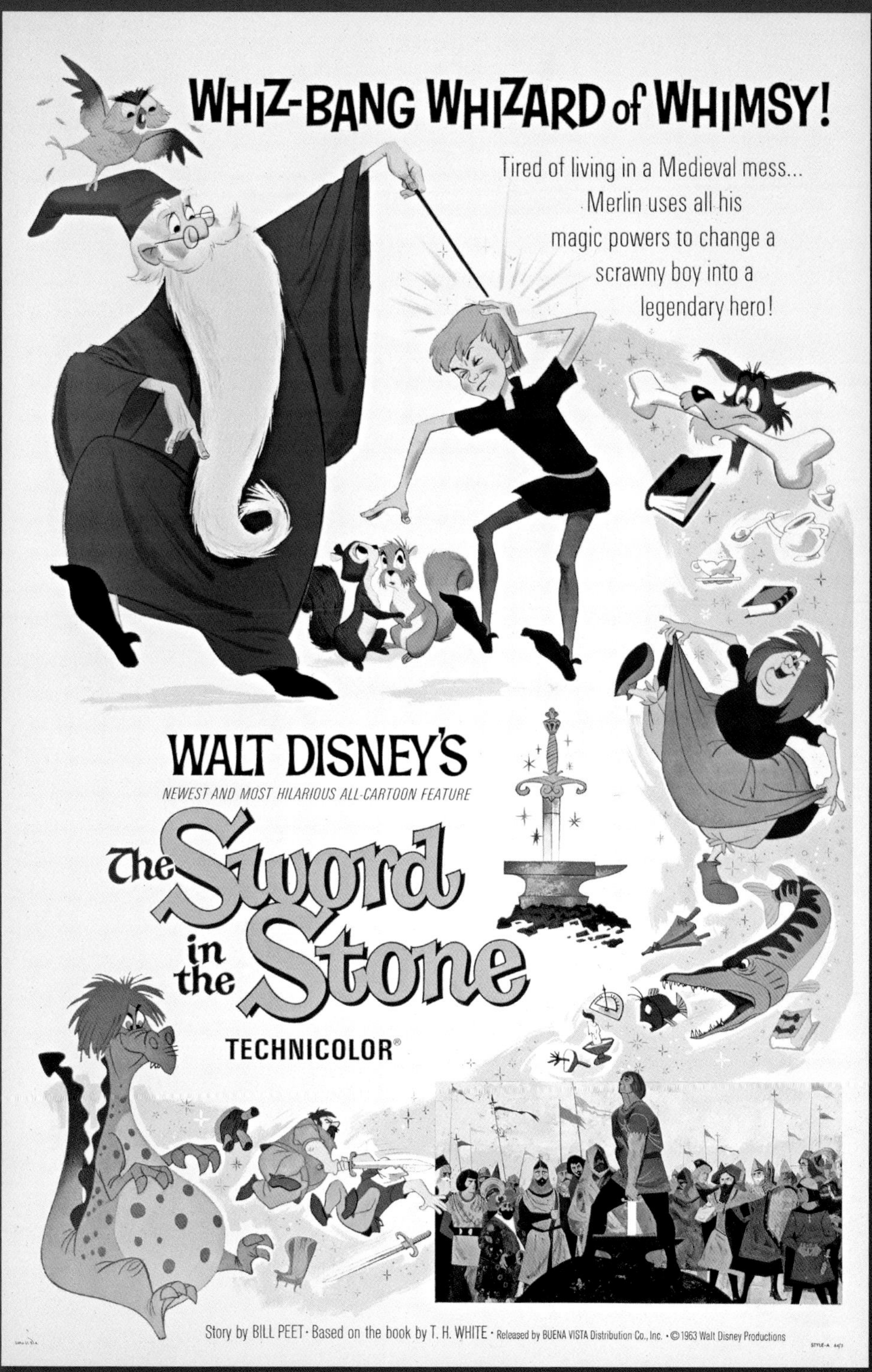
WHIZ-BANG WHIZARD of WHIMSY!
Tired of living in a Medieval mess... Merlin uses all his magic powers to change a scrawny boy into a legendary hero!
WALT DISNEY'S
NEWEST AND MOST HILARIOUS ALL-CARTOON FEATURE
The Sword in the Stone
TECHNICOLOR®
Story by BILL PEET · Based on the book by T. H. WHITE · Released by BUENA VISTA Distribution Co., Inc. · © 1963 Walt Disney Productions

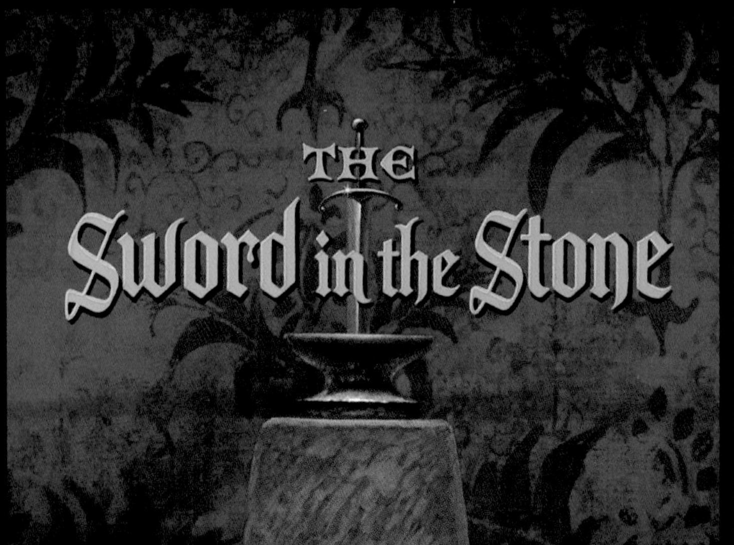

25.02

25.05

25.03

25.04

25.06

25.07

Ein den Geist verwirrendes Spiel

Von Brian Sibley

The Sword in the Stone war Walt Disneys 18. langer Trickfilm und der letzte, der vor seinem Tod erschien. Doch über 50 Jahre lang führte der Film ein Schattendasein. Bestenfalls wurde er übersehen oder ignoriert, schlimmstenfalls nicht ernst genommen, missachtet und verunglimpft.

1937 las der englische Gelehrte und Autor T. H. White (1906–1964) zum wiederholten Mal *Le Morte d'Arthur*, das Arthur-Epos von Sir Thomas Malory aus dem 15. Jahrhundert. Daraufhin kam ihm die Idee zu seinem, wie er es nannte, „Prolog zu Malory". Darin erzählt er von Arthurs Kindheit und seiner Erziehung durch den Zauberer Merlin (in Whites Schreibweise: Merlyn) und dessen sprechender Eule Archimedes.

Das Werk, das 1938 in Großbritannien erschien, wurde von der literarischen Prominenz gelobt, unter anderem von R. C. Sherriff, dem Autor des Stücks *Journey's End (Die andere Seite)*. Dieser schrieb, Whites Buch würde „mit *Alice (Alice im Wunderland)* und *The Wind in the Willows (Der Wind in den Weiden)* die Generationen überdauern". Diese zwei Bücher waren von den Disney-Studios schon damals für eine mögliche Verfilmung in Betracht gezogen worden.

Eine amerikanische Ausgabe von *The Sword in the Stone (Das Schwert im Stein)* folgte 1939. Ausgestattet war sie mit aufwendig gestaltetem Vorsatzpapier von Robert Lawson, dem Illustrator von Munro Leafs Kinderbuch *The Story of*

25.08

Ferdinand (Ferdinand der Stier), das Disney kurz zuvor in einen kurzen, mit einem Oscar ausgezeichneten Trickfilm verwandelt hatte. Whites Buch, das man in den populären Bücherklub Book of the Month Club aufgenommen hatte, verkaufte sich 142.000 Mal in vier Wochen, und Disney sicherte sich die Filmrechte.

Es folgten zwei Fortsetzungen: 1939 *The Witch in the Wood (Die Königin von Luft und Dunkelheit)* und 1940 *The Ill-Made Knight (Der missratene Ritter)*. Im darauffolgenden Jahr notierte T. H. White in seinem Tagebuch, er sei „der Autor von Walt Disneys nächstem abendfüllenden Trickfilm"[1]. Damit war er jedoch allzu optimistisch. Das Studio hatte mit *Pinocchio* und *Fantasia* alle Hände voll zu tun gehabt, arbeitete nun an *Dumbo (Dumbo, der fliegende Elefant)* und mühte sich gleichzeitig nach Kräften, *Bambi* fertigzustellen.

25.09

Dann kam der Zweite Weltkrieg, sodass man sich erst 1949 erneut auf Whites Buch besann und einige Entwürfe zeichnen ließ. Inzwischen verfolgte das Studio jedoch andere ehrgeizige Projekte, darunter *Cinderella* und das mehrfach aufgeschobene *Alice in Wonderland (Alice im Wunderland)*. Außerdem besaß man seit Längerem die Rechte an *Peter Pan*. Als Disney sich entscheiden musste zwischen der Geschichte vom Jungen, „der nicht groß werden wollte", und jener von der Kindheit König Arthurs, wählte er das Theaterstück von J. M. Barrie.

In den folgenden zehn Jahren veränderte sich vieles. Der Name Disney stand nun nicht mehr ausschließlich für kurze und lange Zeichentrickfilme, sondern für breit gefächerte Familienunterhaltung, darunter dramatische und lustige Realfilme, Fernsehserien und der Vergnügungspark Disneyland. Gegen Ende der 1950er-Jahre flatterte zudem das Angebot ins Haus, Attraktionen zur bevorstehenden New Yorker Weltausstellung 1964/65 beizusteuern.

Disney machte keinen Hehl daraus, dass die meisten dieser Projekte ihn mehr interessierten als der Trickfilm. Diese Neuausrichtung hatte sich in den 1950er-Jahren vollzogen und wurde durch die katastrophalen Einspielergebnisse von *Sleeping Beauty (Dornröschen)* noch verstärkt.

Die Animationsabteilung hatte an Bedeutung verloren, die Zahl der Animatoren war geschrumpft, und weniger Projekte erhielten grünes Licht. Die Kürzungen resultierten nicht nur aus Disneys wachsender Ernüchterung, sondern auch aus dem fortwährenden Widerstand seines Bruders Roy O. Disney. Dieser meinte, das Studio habe genug Filme in den Archiven, die sich wiederveröffentlichen ließen, sodass neue Trickfilmproduktionen keineswegs nötig wären.

Im Zuge weiterer Sparmaßnahmen übernahm das Studio die neu entwickelte Fotokopiertechnik. Mit ihr war es möglich, die Zeichnungen der Animatoren direkt auf die Cels zu übertragen, womit man auf das kostspielige und zeitaufwendige Tuschen von Hand verzichten

25.01 ***Das Filmplakat zum ersten Kinostart zeigt einige der magischen Momente des Films.***
25.02–07 ***Einzelbilder***
25.08 ***Hintergrund zur prächtigen Eröffnungsszene. Nach dem aufwendig stilisierten Design von Sleeping Beauty suchten die Disney-Künstler einen eher zeitgenössischen Zugang zur Welt des Mittelalters.***
25.09 ***Ein dramatischer Entwurf eines Disney-Künstlers***

25.10

konnte. Erstmals erfolgreich eingesetzt wurde das Fotokopierverfahren 1961 bei *One Hundred and One Dalmatians (Pongo und Perdi – Abenteuer einer Hundefamilie)*.

Nach *One Hundred and One Dalmatians* standen zwei Projekte zur Wahl, die beide seit 20 Jahren immer wieder in Betracht gezogen worden waren: *The Sword in the Stone* und *Chanticleer*. Letzteres basierte auf dem Bühnenstück *Chantecler*, das Edmond Rostand, der französische Autor von *Cyrano de Bergerac*, 1910 verfasst hatte. Es erzählt die Geschichte eines törichten Hahns, der glaubt, die Sonne gehe nur auf, wenn er zuvor kräht.

Ein Fürsprecher von Whites Arthur-Roman war der erfahrene Story Man Bill Peet, der kurz zuvor Dodie Smiths Buch *The Hundred and One Dalmatians (Hundertundein Dalmatiner)* für die Verfilmung bearbeitet hatte und auch an den Drehbüchern früherer Trickfilme – von *Pinocchio* bis *Sleeping Beauty* – beteiligt gewesen war. Peet, der selbst Kinderbücher schrieb und illustrierte, hatte zudem Originaldrehbücher für die Disney-Kurzfilme *Susie the Little Blue Coupe* (*Susie, das kleine blaue Coupé*, 1952) und *Goliath II* (1960) verfasst.

„Bei Merlins Zauberspruch fingen wir mit einem sehr englischen Namen an. Higginbottom. Dann kam hinzu, dass Merlin Latein kann, wodurch wir schließlich auf ‚Higitus Figitus' kamen."

Richard M. Sherman

Jene, die sich für *Chanticleer* starkmachten, hatten ebenfalls gerade ihre Arbeit an *One Hundred and One Dalmatians* beendet: Ken Anderson, der für den revolutionären Zeichenstil und das Design des Films verantwortlich war; Milt Kahl, der auf geniale Weise die symbiotische Beziehung zwischen dem Menschen Roger und seinem Hund Pongo animiert hatte; und Marc Davis, der mit seiner aggressiven, energiegeladenen Animation von Cruella de Vil eine legendäre Disney-Schurkin erschaffen hatte.

Hähne und Federvieh waren bereits in den Silly Symphonies *Cock o' the Walk* (*Hahnenkampf*, 1935) und *Farmyard Symphony* (*Eine Farm voller Melodien*, 1938) aufgetreten, doch Disney hatte Zweifel, ob der eitle und engstirnige Hahn Chanticleer eine sympathische Figur abgäbe. Disneys Skepsis hatte jedoch auch mit seiner Haltung zu *One Hundred and One Dalmatians* und vor allem zu Ken Andersons Arbeit an dem Film zu tun.

Bei einem Neuerer wie Disney mag es überraschen, dass er mit *One Hundred and One Dalmatians* wenig anfangen konnte. Weder schätzte er die Qualitäten des Drehbuchs noch den präzisen, modernen Look, der für die 1960er-Jahre wie geschaffen war. Statt der traditionellen Disney-Fantasiewelt und der gewohnten Zeichenkunst präsentierte sich ihm ein eher eckiger Stil mit tiefschwarzen Linien, den Anderson zu verantworten hatte und für den dieser nun geradestehen musste. Letztlich war es für Disney eine pragmatische Entscheidung. Ein *Chanticleer*-Film war ziemlich riskant und vermutlich teuer. Außerdem stritt er sich zu jener Zeit mit seinem Bruder Roy um die Kosten für Trickfilme und – noch wichtiger – um dessen Zustimmung zur Finanzierung eines Disneyland-Projekts an der amerikanischen Ostküste. Demgegenüber war *The Sword in the Stone* ein eher überschaubarer, vermutlich lukrativerer Film mit einem Jungen als Hauptfigur, dessen Kämpfe ein Publikum leichter zur Identifizierung einluden.

Aber noch mehr sprach für Peets Favoriten. 1958 hatte T. H. White *The Once and Future King (Der König auf Camelot)* veröffentlicht, das seine ersten drei Arthur-Romane in einem Band zusammenfasste und dem er eine vierte Erzählung, *The Candle in the Wind (Die Kerze im Wind)*, hinzufügte. Diese Neuausgabe erhielt äußerst positive Kritiken und inspirierte Alan Jay Lerner und Frederick Loewe dazu, den Stoff zu einem Musical umzuarbeiten.

Im Dezember 1960 feierte *Camelot* seine Premiere am Broadway. Richard Burton spielte König Arthur, und Julie Andrews (Lerners und Loewes erste „Fair Lady") war Königin Guinevere. Im darauffolgenden Jahr sah auch Walt Disney das Stück und war so beeindruckt von Julie Andrews' Auftritt, dass er ihr die Titelrolle in *Mary Poppins* anbot. Da die Arthur-Legende und insbesondere Whites Neuinterpretation derart beliebt waren und *Camelot* außerdem nur wenig auf Merlin und Arthurs Kindheit einging, gab es genug Gründe, um von jenen Rechten an *The Sword in the Stone* Gebrauch zu machen, die Disney 1939 erworben hatte.

25.10 ***Eine Cel vom Anfang des Films. Kay wird von seinem Adoptivbruder Wart auf die Jagd begleitet – wovon Kay nicht sonderlich begeistert ist.***
25.11 ***Milt Kahls Model-Sheet zum zerzausten Wolf, einer der wenigen komischen Figuren des Films***

25.11

Wie bereits bei *One Hundred and One Dalmatians* machte sich Bill Peet daran, ein Drehbuch zu verfassen und nicht, wie sonst bei Trickfilmen üblich, Storyboards zu erstellen. Whites Buch erwies sich als echte Herausforderung: Es verbindet Fantasy mit Sozialkritik und verwebt Magisches mit Polemischem. Außerdem wimmelt es in der Geschichte von Anachronismen: Merlin raucht eine Pfeife, einige Jahrhunderte bevor man in Europa Tabak überhaupt kannte; er fabuliert von sich bewegenden Bildern und bedauert, dass es im mittelalterlichen England weder Strom noch fließend Wasser gibt. Eine weitere Schwierigkeit war Whites Idee, dass sich Merlin rückwärts durch die Zeit bewegt und daher die Zukunft kennt, was die Erzählung oft genug ironisch und witzig macht.

In seiner Autobiografie erinnert sich Peet: „Walt war mit der ersten Version meines Drehbuchs unzufrieden. Er meinte, dass ihm Substanz fehle. Also tat ich mein Möglichstes, um die dramatischen Aspekte der Geschichte zu betonen und so für mehr Substanz zu sorgen."[2]

Im Buch verwandelt Merlin seinen Schüler Wart (dt. Floh) in verschiedene Tiere. Doch sein eigentliches Ziel bleibt es, Wart – der in Wirklichkeit der junge Arthur ist – auf den Thron vorzubereiten. Um die Geschichte möglichst dramatisch zu gestalten, konzentrierte sich Peet auf ebensolche Szenen, zum Beispiel auf das packende Zauberturnier, bei dem sich Merlin und Madame Mim in eine ganze Reihe Tiere verwandeln – von einer Raupe bis zu einem Nashorn.

Als das Drehbuch abgesegnet war, schuf Bill Peet im Alleingang ein Storyboard für den Film, das schließlich aus etwa 2000 Zeichnungen bestand. Wie er später zugab, enthielt es eine ganz persönliche Interpretation der Figur Merlin: „Der Zauberer Walt hat nie gemerkt, dass ich mich bei Merlin an ihm orientiert habe. In seinem Buch beschreibt T. H. White den Zauberer als alten Griesgram, streitsüchtig und launisch, zuweilen

25.12

25.13

auch verspielt und extrem intelligent. Walt war eher kein Griesgram und hatte auch keinen Bart, aber er war Großvater und eine wahre Persönlichkeit. In meinen Zeichnungen kopierte ich sogar Walts Nase."[3]

„Regel eins: Kein Mineral und keine Pflanzen, nur Lebewesen. Nummer zwei: Keine Wesen, die es nicht gibt, wie rosa Drachen oder so was. Nummer drei: Nicht unsichtbar machen!"
Madame Mim

Obwohl sich die Animatoren zunächst für unterschiedliche Projekte ausgesprochen hatten, mussten sie nun zusammenarbeiten. Ken Anderson wurde erneut zum Artdirector bestimmt und schuf eine stimmungsvolle Welt voll verrückter Details. Milt Kahl entwarf gemeinsam mit Peet die Figuren und war zusammen mit Frank Thomas, Ollie Johnston und John Lounsbery einer der Chefanimatoren. Marc Davis hingegen nahm Disneys Angebot an, einer seiner Imagineers zu werden. Er verabschiedete sich vollständig vom Trickfilm, und mit seinem einzigartigen Talent als Erzähler und Figurenentwickler erschuf er danach mehrere bedeutende Disneyland-Attraktionen.

The Sword in the Stone war der erste lange Disney-Trickfilm mit nur einem Regisseur, denn Disney hatte entschieden, die seit Langem gültige Hierarchie im Studio zu ändern. Nachdem er die Zahl der Chefanimatoren von zuvor sechs bis zehn auf vier reduziert hatte, sollten diese unter einem einzigen Regisseur arbeiten – und nicht mehr unter dreien, wie man es bei allen langen Trickfilmen der 1950er-Jahre von *Cinderella* bis *Sleeping Beauty* praktiziert hatte.

Zu diesem einzigen Regisseur bestimmte er Woolie Reitherman. Diesen kannte man als Spezialisten für klamaukige Szenen und übergroße Tiere – zum Beispiel den Wal Monstro aus *Pinocchio* oder die kämpfenden Dinosaurier aus *Fantasia* –, nicht jedoch als Experten für die Darstellung charakterlicher Feinheiten.

Weshalb also hatte Disney ihn den anderen Nine Old Men vorgezogen? Reitherman genoss seit Längerem das persönliche Vertrauen seines Chefs, was ein Kollege bestätigt, der sich an die folgenden Worte Disneys erinnert: „Wann immer ich wissen will, was das Volk von einem Film hält, den ich gerade produziere, frage ich Woolie.

25.12 ***Die nur teilweise Kolorierung lenkt die Aufmerksamkeit auf Warts überaus mühselige Hausarbeit. Unsignierter Entwurf eines Disney-Künstlers.***
25.13 ***Standbild vom Ritterturnier. Auch hier zeigt sich der Mangel an Hintergrunddetails, verglichen mit anderen Disney-Filmen.***

Irgendwie ist er durch und durch Amerikaner ... Wenn Woolie irgendetwas gut findet oder einen Vorschlag macht, berücksichtige ich es gerne."[4]

Der Animator Ward Kimball meinte zu Reithermans Beförderung, dass dieser unter allen infrage kommenden Kandidaten derjenige gewesen sei, der nicht „viel Ärger"[5] machen würde. Dieses Urteil mag nicht sonderlich freundlich klingen, doch da *The Sword in the Stone* ein um 40 Prozent geringeres Budget erhielt als *One Hundred and One Dalmatians*, musste der Regisseur jemand sein, der Befehle befolgen und zugleich erteilen konnte. Für die Gründe seiner Wahl hatte Reitherman eine eigene vielsagende Erklärung: „Ich war nicht auf Streit aus. Ich versuchte, die Gemüter zu beruhigen, wann immer es möglich war ... Man musste jeden respektieren und jedem zuhören, denn wir alle waren gleichgestellt."[6]

Sie mögen gleichgestellt gewesen sein, doch Disney hatte Bill Peet bereits außerordentlich große Entscheidungsfreiheit eingeräumt – nicht nur beim Drehbuch und Storyboard, sondern auch bei der Auswahl der Sprecherstimmen. Ebenso wie es Disney bei früheren Filmen getan hatte, engagierte Peet nun Sprecher, die Radioerfahrung besaßen und allein durch ihre Stimme überzeugende Charaktere erschaffen konnten. Karl Swenson, der die Rolle des Merlin erhielt, spielte den Zauberer als onkelhaften alten Mann, oft verwirrt und manchmal aufbrausend.

Für die wahnsinnige Mim konnte man die erfahrene Martha Wentworth gewinnen, die zuvor die betuliche Haushälterin Nanny in *One Hundred and One Dalmatians* gespielt hatte.

Archimedes, die mürrische, reizbare Eule, wurde von Junius Matthews gesprochen, der bereits verschiedene Tiere im Radio dargestellt hatte, darunter Rabbit in Hörspieladaptionen von A. A. Milnes *Winnie-the-Pooh* (eine Rolle, die er später auch bei Disneys Verfilmung übernehmen sollte). Angeblich wurde Disney auf Matthews aufmerksam, als dieser im Radio eine Kartoffel sprach.

Zu Beginn des Films hört man die bedeutungsschweren Worte von Warts polterndem Pflegevater Sir Ector (dt. Sir Hector), der vom englischen Schauspieler Sebastian Cabot gesprochen wurde. Dieser hatte bereits in Disneys Realfilmen *Westward Ho, the Wagons! (Zug der Furchtlosen)* und *Johnny Tremain* mitgespielt und erhielt später eine Hauptrolle in der Fernsehserie *Checkmate*. Alan Napier, ebenfalls ein Engländer, sprach Sir Ectors Trinkkumpan, den schlaksigen Sir Pelinore – eine deutlich abgespeckte Version der Figur, die in Whites Buch für Komik sorgt.

Die Rolle von Wart ging zunächst an den Kinderschauspieler Rickie Sorensen, der in *One Hundred and One Dalmatians* einen der Welpen gesprochen hatte und zu jener Zeit in der Fernsehserie *Father of the Bride* mitspielte. Doch als Sorensen in den Stimmbruch kam, übernahmen Wolfgang Reithermans Söhne Richard und Robert die Rolle. Mit dem Ergebnis, dass man bei Szenenwechseln deutlich die jeweils andere Stimme bemerkte.

Anders als bei *One Hundred and One Dalmatians* kehrte man mit *The Sword in the Stone* zum Trickfilm-Musical zurück, für das Disney bekannt war, und Reitherman und Peet wandten sich an das neue Komponistenduo des Studios, Richard M. und Robert B. Sherman. Die Brüder hatten Walt Disney bereits mit ihren Liedern für die Disney-Kinderstars Annette Funicello und Hayley Mills von ihrer Kunst überzeugt. Doch obwohl sie bereits an Melodien für das geplante Musical *Mary Poppins* arbeiteten, waren sie noch nicht so sehr in die Produktion involviert, dass sie die Handlung und Charakterisierung der Figuren hätten mitbestimmen können. Folglich hatten sie keinen Einfluss darauf, wie man ihre Lieder im Film einsetzte, und ihre Melodien wurden nie als Figurenmotive in die Hintergrundmusik integriert. „Wir haben über einen Zeitraum von zwei Jahren an *The Sword in the Stone* gearbeitet", sagt Richard Sherman, „aber wir haben uns nie hingesetzt und wirklich eine Filmmusik komponiert. Wir schrieben ein Lied für eine bestimmte Szene und warteten dann darauf, dass uns Bill Peet wieder zu sich rief und uns am Storyboard eine weitere Szene zeigte, für die er ein Lied wollte."[7]

Dennoch zeichneten sich diese Stücke bereits durch das aus, was für die Lieder der Sherman-

25.14

Brüder typisch sein sollte: eingängige Melodien mit witzigen Texten, die oft aus waghalsigen Wortspielen bestanden. So zeigte zum Beispiel *Higitus Figitus* – das Lied zu der Szene, in der Merlin den ganzen Inhalt seiner Hütte in seinen Koffer packt – auf wunderbare Weise ihr Talent für sprachlichen Unsinn. *Higitus Figitus* und auch der Song *Most Befuddling Thing* (mit englischen Wortschöpfungen wie „hodge-podgical", „confusiling" und „discombooberation") waren frühe Beispiele einer verrückten Kreativität, die in *Mary Poppins* das Lied *Supercalifragilisticexpialidocious* hervorbrachte.

25.14 *Entwurf eines Disney-Künstlers. Merlins Arbeitszimmer könnte auch das von Dr. Faust sein.*

Während *Higitus Figitus* dazu dient, Merlin vorzustellen, seine magischen Kräfte zu zeigen und ihn und Wart zur Burg von Sir Ector aufbrechen zu lassen, erläutern die Shermans in *The Magic Key* die Gründe, weshalb Merlin zu Warts Lehrmeister geworden war. Richard Sherman erinnert sich:

> „Bill Peet war ein Genie und ein großartiger Künstler, aber das Sentimentale war nicht seine Sache. Deshalb fehlt es *The Sword in the Stone* an wahrem Gefühl. Bob und ich taten mit unseren Liedern, was wir konnten, dennoch gelang es uns nicht, die Mauer aus genialer Kunst zu durchbrechen und die Geschichte gefühlvoller zu machen. *The Magic*

Key war eines der ersten Lieder, das wir schrieben. Für uns war es ein wichtiges Lied, denn es sollte erklären, was Merlin mit Wart eigentlich vorhatte. Leider hatten wir keine Chance, das mit unserer Musik auszudrücken. (Das Lied erschien nicht in der endgültigen Fassung des Films.) Doch wir wollten sagen, dass Wissen der geheime Schlüssel für Erfolg im Leben ist."[8]

The key to the doors to the future and past
Will both be yours to explore at last.
It's the greatest adventure of them all,
you'll see
A noggin full of knowledge is the magic key.
With a noggin full of knowledge
you're bound to find
The thrill of the ability to use your mind,
Mathematics and philosophy and history
Are very necessary for the magic key.

If you read your history and read it well
You can see why empires rose and fell.
And if you learn the lessons of your
history,
Yes, you're a possessor of the magic key.

Ein weiteres Lied, *The Blue Oak Tree*, wurde durch T. H. Whites ironische Kommentare zur Absurdität des mittelalterlichen Rittertums inspiriert. Der Text macht sich darüber lustig, wie die Ritter unentwegt in Schlachten oder bei Turnieren kämpfen (wenn sie nicht gerade trinken und Feste feiern), und dies nur aus sinnloser Treue zu einem Wappen mit einer blauen Eiche auf weißem Grund. Im fertigen Film ist das Lied nur ohne Text und als kurze Melodie zu hören, als Sir Ector und Sir Pelinore miteinander zechen. Zugleich zeigt sich in dieser ausgelassenen Szene eine deutliche Schwäche des Films.

Abgesehen von den Rittern, die auf den ersten Seiten des illuminierten Manuskripts ganz zu Anfang des Films erscheinen, ist in dieser mittelalterlichen Welt außer den Hauptfiguren kaum jemand zu sehen. Weitere Figuren erschei-

25.15

25.16

nen erst am Ende des Films: in der kurzen Turnierszene und als plötzlich „Statisten" auftauchen, die Wart dabei zusehen, wie er das Schwert aus dem Stein zieht. Hieran mag man erkennen, wie sehr sich die Sparmaßnahmen auf den Film tatsächlich auswirkten.

Das endgültige Aussehen des Films wurde erneut durch das Fotokopierverfahren bestimmt, obwohl dies für die mittelalterliche Welt eigentlich weniger passend war als für die zeitgenössische Geschichte von *One Hundred and One Dalmatians*. Nichtsdestotrotz schuf die akribische Arbeit von Artdirector Ken Anderson und den vielen Hintergrundkünstlern unter der Führung von Walter Peregoy eine dekorative Bilderbuchwelt. In ihr verband sich der omnipräsente schwarze Zeichenstrich mit einer Farbpalette aus zarten Blau-, Grün- und Grautönen, die wiederum in Kontrast standen zu den greller kolorierten Figuren: Merlin in Himmelblau, Wart in Rotbraun, Sir Ector in Rot und Madame Mim in Rosa und Violett. Besonders gelungen ist die Darstellung des kalten, unwirtlichen Waldes, in dem kahle Bäume schemenhaft vor düsteren Nebelschwaden auftauchen, das Innere von Merlins entzückender Hütte voller Bücher und Krimskrams, die Unterwasserwelt im Burggraben, als Wart zum Fisch wird, und die menschenleeren, schneebedeckten Straßen im winterlichen London.

Die Animation zeugt vom Talent eines Teams aus großartigen Künstlern. Milt Kahl und Ollie Johnston erweckten die staunende Unschuld und Verletzlichkeit des unbeholfenen jungen Wart zum Leben, von dessen Glaubwürdigkeit der Erfolg des Films maßgeblich abhing. Sie definierten auch Merlins vielschichtigen, launischen Charakter: Gerade noch ist er gütig und genial, im nächsten Moment blickt er finster drein, bis er wild gestikulierend in einem Wutanfall in die Luft geht. Zu den lustigsten Einfällen zählt John Lounsberys abgemagerter, hungriger,

25.15 ***Entwurf. Mehr als zwei Jahrzehnte nach Pinocchios Erlebnissen unter Wasser erkunden Wart und Merlin als Fische den Burggraben.***
25.16 ***Szenenentwurf. Eine aufwendig ausgearbeitete Gouache bereitet auf Warts Abenteuer unter Wasser vor.***

geifernder Wolf, der Merlin und Wart erfolglos auflauert – mit ähnlich katastrophalen Folgen, wie wir sie von Wile E. Coyote in den *Road-Runner*-Trickfilmen der Warner Brothers kennen. Frank Thomas hingegen haben wir die rührende Szene zu verdanken, in der Wart – in ein Eichhörnchen verwandelt – von einer schmachtenden echten Eichhörnchendame der Hof gemacht wird.

Das Zauberturnier war – und bleibt natürlich – ein Meisterstück des Trickfilms: Vor einer trostlosen, düsteren Landschaft mit kahlen Bäumen und in trübgrünes Licht getaucht, treten Merlin und Mim zu einem Kampf an, bei dem sie sich in die verrücktesten Tiere verwandeln. Abgesehen vom perfekten Timing jeder Verwandlung ist die Szene auch deshalb genial, weil jedes Tier, in das sie sich verwandeln, die vorherrschende Farbe und die charakteristischen Eigenheiten der beiden Zauberer behält. So kämpft etwa eine blaue Merlin-Maus mit Brille und Bart gegen eine violett und rosa gestreifte Klapperschlange mit Mims wuscheligen lila Haaren.

In Amerika kam *The Sword in the Stone* zu Weihnachten 1963 in die Kinos. „Ein warmherziger, weiser und amüsanter Film", schrieb Howard Thompson in *The New York Times*. Und weiter: „Der Humor ist raffiniert und für alle Altersklassen geeignet. Und manche der Figuren im England des fünften Jahrhunderts sind wahre Disney-Charakterköpfe."[9]

Indessen fielen im guten alten England die Kritiken gemischt aus. In der *Sunday Times* schrieb Dilys Powell: „Der große Innovator und seine Mitarbeiter – und allzu viele vergessen, was für ein Innovator Disney gewesen ist – schütteln noch immer ihre Witze aus dem Ärmel."[10] Weniger begeistert war der Kritiker des *Monthly Film Bulletin*: „Alles ist eine große Einöde. Disneys Welt existiert in einem Vakuum und ist so entrückt, dass sie keine Erkenntnis mehr bietet."[11] Und das war noch gar nichts im Vergleich zum Urteil des amerikanischen Kritikers Stanley Kauffmann. In *The New Republic* verriss er den Film als „süßes Milchgetränk aus pasteurisierten Zutaten à la Arthur. Alles, was darin vorkommt, Bilder und

Musik, ist ein Abklatsch aus früheren und besseren Disney-Filmen. Alles wirkt wie vom Fließband und freudlos gemacht."[12]

Trotz der teils harschen Kritik war *The Sword in the Stone* beim Publikum so beliebt, dass er zu einem der kommerziell erfolgreichsten Filme des Jahres 1963 wurde. Nach seinem ersten Kinostart wurde *The Sword in the Stone* von den Kritikern weitgehend ignoriert. Die meisten Bücher über Disney und seine Filme erwähnen das Werk eher beiläufig. Die Geschichte des kleinen Jungen, der König werden sollte, war jedoch auch die Vorbereitung auf die Geschichte eines anderen kleinen Jungen, der im Dschungel aufwuchs und der dem Studio nach Disneys Tod einen triumphalen Erfolg bescheren sollte. Davon abgesehen, mögen viele diesen Film wegen seiner heiteren, unbeschwerten Komik, seines einfachen, unprätentiösen Charmes und weil er Magie als etwas Alltägliches zeigt – wer wollte schließlich nicht gerne Merlins lebende Zuckerdose besitzen?!

25.17–18 ***Standbilder zum unbestrittenen Höhepunkt des Films: dem Zauberturnier von Merlin und Mim***

25.18

Mary Poppins

(1964)

Synopsis
Zwanzig Jahre lang bemühte sich Walt Disney um die Rechte an P. L. Travers' Geschichte vom Kindermädchen Mary Poppins. Instinktiv hatte er das Kinopotenzial der Hauptfigur erkannt, die mit einem Regenschirm einfliegt und das Leben der Banks-Familie verzaubert. Einen Film aus der Geschichte einer Autorin zu machen, die es zunächst ablehnte, die Rechte freizugeben, und dann darauf bestand, an dem Prozess der Adaption für die Leinwand beteiligt zu werden, stellte sich als schwierig heraus. Dessen ungeachtet erwies sich *Mary Poppins* nach seiner Erstaufführung 1964 als Meisterwerk mit seiner außergewöhnlichen Besetzung – angeführt von Julie Andrews –, seiner klassischen Disney-Animation, den brillanten Spezialeffekten und einer mit dem Oscar ausgezeichneten Filmmusik von den Brüdern Richard und Robert Sherman. Der Film wurde Disneys größter Triumph.

WELTPREMIERE 27. August 1964 (Los Angeles)
ERSTAUFFÜHRUNG USA 29. August 1964
ERSTAUFFÜHRUNG D 22. Oktober 1965
LAUFZEIT 140 Minuten

Besetzung
MARY POPPINS JULIE ANDREWS
BERT, MR. DAWES SR. DICK VAN DYKE
MR. BANKS DAVID TOMLINSON
MRS. BANKS GLYNIS JOHNS
ONKEL ALBERT ED WYNN
ELLEN HERMIONE BADDELEY
JANE BANKS KAREN DOTRICE
MICHAEL BANKS MATTHEW GARBER
KATIE NANNA ELSA LANCHESTER
CONSTABLE JONES ARTHUR TREACHER
ADMIRAL BOOM REGINALD OWEN
MRS. BRILL RETA SHAW
MR. DAWES JR. ARTHUR MALET
VOGELFRAU JANE DARWELL
MR. GRUBBS CYRIL DELEVANTI
MR. TOMES LESTER MATTHEWS
MR. MOUSLEY CLIVE L. HALLIDAY
MR. BINNACLE DON BARCLAY
MISS LARK MARJORIE BENNETT
MRS. CORRY ALMA LAWTON
MISS PERSIMMON MARJORIE EATON

Stimmen
TIERSTIMMEN MARC BREAUX, DAWS BUTLER, PETER ELLENSHAW, PAUL FREES, BILL LEE, SEAN MCCLORY, DALLAS MCKENNON, ALAN NAPIER, MARNI NIXON, J. PAT O'MALLEY, GEORGE PELLING, THURL RAVENSCROFT, RICHARD SHERMAN, DAVID TOMLINSON, GINNY TYLER

Stab
CO-PRODUCER BILL WALSH
REGIE ROBERT STEVENSON
DREHBUCH BILL WALSH, DON DAGRADI, NACH DEN KINDERBÜCHERN *MARY POPPINS* VON P.L. TRAVERS
KAMERA EDWARD COLMAN
SCHNITT COTTON WARBURTON
ARTDIRECTORS CARROLL CLARK, WILLIAM H. TUNTKE
SET DECORATORS EMILE KURI, HAL GAUSMAN
KOSTÜM- UND AUSSTATTUNGSBERATUNG TONY WALTON
AUSFÜHRUNG DER KOSTÜME BILL THOMAS
GARDEROBE CHUCK KEEHNE, GERTRUDE CASEY
BERATUNG P.L. TRAVERS
MUSIK UND LIEDER RICHARD M. SHERMAN, ROBERT B. SHERMAN
MUSIK SUPERVISOR, ARRANGEMENTS, DIRIGENT IRWIN KOSTAL
CHOREOGRAFIE MARC BREAUX, DEE DEE WOOD
REGIEASSISTENZ JOSEPH L. MCEVEETY, PAUL FEINER
MASKE PAT MCNALLEY
FRISUREN LA RUE MATHERON
TON ROBERT O. COOK
TONMISCHUNG DEAN THOMAS
MUSIKSCHNITT EVELYN KENNEDY
MUSIKALISCHE BEGLEITUNG DER TÄNZER NAT FARBER
ASSISTENT DES DIRIGENTEN JAMES MACDONALD
SECOND UNIT-REGISSEUR, REALAUFNAHMEN ARTHUR J. VITARELLI
REGIE DER ANIMATIONSSEQUENZEN HAMILTON LUSKE
ARTDIRECTION ANIMATION MCLAREN STEWART
ENTWURF DER KINDERZIMMER-ANIMATION BILL JUSTICE, XAVIER ATENCIO
ANIMATOREN MILT KAHL, OLIVER JOHNSTON JR., JACK BOYD, JOHN LOUNSBERY, HAL AMBRO, FRANK THOMAS, WARD KIMBALL, ERIC LARSON, CLIFF NORDBERG
HINTERGRÜNDE ALBERT DEMPSTER, DON GRIFFITH, ART RILEY, BILL LAYNE
SPEZIALEFFEKTE PETER ELLENSHAW, EUSTACE LYCETT, ROBERT A. MATTEY

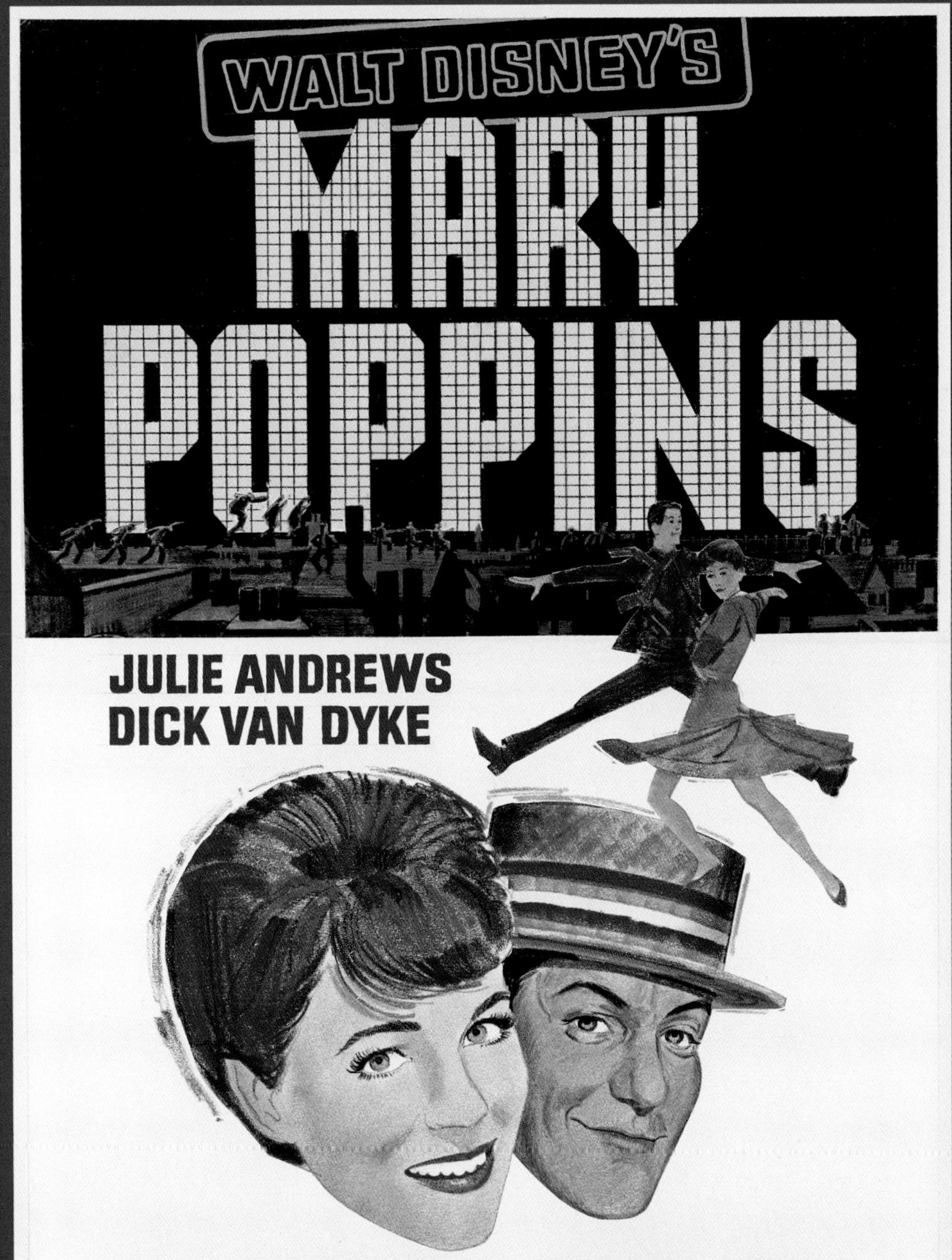
WALT DISNEY'S
MARY POPPINS
JULIE ANDREWS
DICK VAN DYKE
DAVID TOMLINSON GLYNIS JOHNS
CO-STARRING HERMIONE BADDELEY · KAREN DOTRICE · MATTHEW GARBER · ELSA LANCHESTER · ARTHUR TREACHER · REGINALD OWEN AND ED WYNN TECHNICOLOR®
Screenplay by Bill WALSH & Don DaGRADI
Based on the "Mary Poppins" books by P.L. Travers
Co-Producer Bill WALSH
Directed by Robert STEVENSON
Released by Buena Vista Distribution Co. Inc

Mary Poppins

26.02

26.05

26.03

26.04

26.06

26.07

Mary Poppins: Praktisch perfekt in jeder Hinsicht

Von Brian Sibley

Sogar für die Verhältnisse von Hollywood, einem Ort unvergleichlicher Spektakel, war der Abend des 27. August 1964 erstaunlich. Der Vorplatz von Grauman's Chinese Theatre strahlte im Scheinwerferlicht. Der angrenzende Parkplatz war mit importierten Blumen und Bäumen vollkommen umgestaltet. Mittendrin Berühmtheiten, Stars, die seit vielen Jahren nicht mehr bei einer Hollywoodpremiere erschienen waren und von fröhlichen Schornsteinfegern, Pearly Bands und tanzenden Pinguinen begrüßt wurden.

Den 62 Jahre alten Walt Disney dürfte die Premiere seines jüngsten Films *Mary Poppins* an den ähnlich verwegenen Abend 27 Jahre zuvor erinnert haben, als *Snow White and the Seven Dwarfs (Schneewittchen und die sieben Zwerge)* Premiere feierte. Damals, 1937, war Disney der junge Thronprätendent, der die herrschende Monarchie Hollywoods mit einem Projekt herausforderte, das unglaublich gewagt erschien, dem ersten abendfüllenden Zeichentrickfilm mit synchronisiertem Ton. Jetzt war er der Burgherr: ein international gefeierter Showman und Chef eines weltweiten Unterhaltungsunternehmens, das neben höchst erfolgreichen Animationsfilmen auch Realfilme, Fernsehshows sowie einzigartige Ferienerlebnisse im phänomenal erfolgreichen Disneyland-Park lieferte.

Die Geschichte nahm ihren Anfang Jahre zuvor, als ein amerikanischer Verleger dem Filmemacher (der damals nach dem Erfolg von *Snow White* gut bei Kasse war) ein Buch schickte, beigefügt eine Notiz mit den Worten: „Das ist zwar nicht Micky Maus (orig. Mickey Mouse), aber ich glaube, Sie werden Mary Poppins mögen."

Verfasserin von *Mary Poppins*, erstmals erschienen 1934, war P. L. Travers, und die Illustrationen

26.01 ***Das offizielle Poster zum Filmstart vermittelt das Gefühl einer Broadway-Show, tatsächlich wurde* Mary Poppins *aber erst 40 Jahre später als Bühnenmusical produziert und im Londoner West End uraufgeführt.***
26.02–07 ***Einzelbilder aus dem Film***
26.08 ***Ein stimmungsvolles Visual-Development-Bild von Mary Poppins' Ankunft zeigt die Kirschbäume in der Cherry Tree Lane in voller Blüte.***

stammten von Mary Shepard. Im darauffolgenden Jahr erschien die Fortsetzung *Mary Poppins Comes Back (Mary Poppins kommt zurück)*.

Pamela Lyndon Travers (eigentlich Helen Lyndon Goff, 1899–1996) war eine in Australien geborene britische Autorin. Sie schrieb nicht nur Kinderbücher, sondern war auch Schauspielerin, Dichterin, Journalistin und Essayistin mit einem leidenschaftlichen Interesse an Mystik und der Geschichte von Märchen und Volkskunde.

Das Disney-Studio äußerte erstmals im Dezember 1938 ein unverbindliches Interesse am Erwerb der Filmrechte an *Mary Poppins*. Ob Disneys Neugier schon durch das Buchexemplar selbst geweckt worden war, das ihm der Verleger geschickt hatte, oder erst – wie er später erzählte –, als er hörte, wie seine Frau Lillian den Töchtern aus dem Buch vorlas, er erkannte instinktiv das Leinwandpotenzial von Travers' magischem Kindermädchen.

Die Autorin hingegen war weniger begeistert. Später formulierte sie es mit der für sie typischen Herablassung so: Die Micky-Maus-Zeichentrickfilme seien ja vielleicht „prächtige Unterhaltung für die allgemeine Öffentlichkeit", aber sie missbillige die Art, wie Disney die jahrhundertealten Märchen behandele, für die sie selbst so viel Zuneigung hege.[1]

Unterdessen rief die Beliebtheit der Bücher weitere Interessenten auf den Plan. Zuerst schlug die gefeierte Comedienne Beatrice Lillie vor, *Mary Poppins* auf die Bühne zu bringen. Dann, in den

26.09

1940er-Jahren, komponierte Stephen Sondheim (als von seinem Mentor Oscar Hammerstein II. vorgeschlagene Kompositionsübung) Musikstücke für ein auf den Büchern basierendes Bühnenmusical. Aus keinem dieser Projekte wurde etwas.

Ein drittes Buch, *Mary Poppins Opens the Door (Mary Poppins öffnet die Tür)*, erschien 1943. Im darauffolgenden Jahr besuchte Disneys Bruder und Geschäftspartner Roy O. Disney die damals in New York lebende Autorin und schlug einen Film vor, in dem Zeichentrick und Realfilm kombiniert würden, so wie kurz zuvor auch in *The Three Caballeros (Drei Caballeros)*. Travers wand sich, verlangte, Walt solle sie selbst anrufen, aber auch als er das tat, wurde kein Fortschritt erzielt.

Und wieder zeigten andere Interesse. So arbeitete Vincente Minnelli angeblich an einem Drehbuch. Dann, im Dezember 1949, hatte Travers' magisches Kindermädchen sein Bildschirmdebüt in einem von CBS ausgestrahlten Livefernsehdrama mit der schlaksigen, spitznasigen Charakterschauspielerin Mary Wickes in der Titelrolle. Berichten zufolge erwarb Samuel Goldwyn kurz danach die Option für die Filmrechte an dem Buch, aber innerhalb eines Jahres ließ er die Option verfallen.

Ein viertes Buch mit Geschichten, *Mary Poppins in the Park (Mary Poppins im Park)*, erschien 1952. Sieben Jahre später umgarnte die Autorin heftig Audrey Hepburn in der Hoffnung, sie würde die Rolle in einer geplanten *Poppins*-Fernsehserie übernehmen. In einem ganzen Stoß gewaltig schmeichelnder Briefe erklärt Travis, sie „wünsche von ganzem Herzen und hoffe erwartungsvoll", dass Hepburn die Rolle spielen werde: „Ich trage das Herz auf den Lippen, wenn ich darum bitte, denn es bedeutet mir so viel."[2]

Ein Grund dafür, dass Travers Hepburn „stalkte", wie sie es nannte, war, die andere Option zu vermeiden: „Wenn ich mich vollständig an Disney kettete", schrieb sie voller Pathos, „würde mich das so frustrieren (denn ich mag seine Märchen nicht), dass ich, so glaube ich, künftig nicht mehr schreiben könnte."[3]

Hepburn hatte jedoch bereits bei verschiedenen Filmprojekten zugesagt, während Disney immer noch auf seine Chance wartete. Während eines Aufenthalts in London in jenem Jahr stattete er Travers in ihrem Haus in Chelsea einen Besuch ab. Viel hatte sich geändert in den 20 Jahren, seit er sich das erste Mal nach den

26.09 *Eine frühe Skizze von Admiral Booms maritimem Dach, in der die später verworfene Idee zu zwei tollpatschigen Freunden des Admirals, Binnacle und Barnacle, zu sehen ist*
26.10 *Einige der Spezialeffekte sind bis heute unübertroffen.*

Rechten erkundigt hatte. Er war nun, seitdem er mit Realfilmen Erfolge bei der Kritik und an der Kinokasse feierte, mehr als nur ein „Zeichentrickmacher". Viele dieser Filme – *Treasure Island (Die Schatzinsel), The Story of Robin Hood and His Merrie Men (Robin Hood und seine tollkühnen Gesellen)* und *Rob Roy, the Highland Rogue (Rob Roy – Der königliche Rebell)* – basierten auf britischen Literaturvorlagen und waren in England mit führenden britischen Schauspielern verfilmt worden.

Trotz Travers' Vorbehalten verlief die Begegnung unerwartet gut. Sowohl die Autorin als auch der Filmemacher – beide durch eigene Kraft emporgekommen, entschlossen, charismatisch – knüpften, etwas überraschend, ein aus gegenseitigem Respekt bestehendes Band zueinander.

Erstaunlicherweise gab Travers ihren Widerstand auf und stimmte zu, *Mary Poppins* als Realfilm zu produzieren. Die motivierende Kraft hinter dem Deal war Travers' Anwalt Arnold Goodman, der die außergewöhnlichen Bedingungen in der am 3. Juni 1960 unterzeichneten Vereinbarung ausgehandelt hatte.

Wie aus dem Buch *Mary Poppins: Anything Can Happen If You Let It* (2007) hervorgeht, sollte Travers einen Vorschuss von 100.000 Dollar erhalten, verrechnet mit fünf Prozent der Filmeinnahmen.

26.11

grundsätzlich eine Reihe nicht miteinander verbundener Kurzgeschichten war. Sie wählten sechs Schlüsselepisoden aus, entwarfen eine Reihe von Songideen und dachten sich eine rudimentäre Handlung aus, in der der Vater der Kinder mit seinem Armeeregiment nach Übersee reist, weshalb die Familie Unterstützung durch Mary Poppins benötigt.

Als die Brüder nur zwei Wochen später Disney ihre Ideen vorstellten, waren sie von seiner Reaktion überrascht: „Walt drehte sich um", erinnerte sich Robert Sherman später, „griff in seine Aktentasche und nahm sein Exemplar von *Mary Poppins* heraus, öffnete es und zeigte uns dieselben sechs Kapitel unterstrichen."[5]

Das war ein glücklicher Zufall, und obwohl Disney nicht viel von dem Handlungsentwurf der Shermans hielt, war er begeistert von den Liedern, die sie ihm vorspielten und vorsangen. Darunter waren *Supercalifragilisticexpialidocious (Supercalifragilisticexpialigetisch), The Perfect Nanny (Willst du diese Stellung haben), Jolly Holiday (Ist das ein herrlicher Tag)* – dieses Lied begann ursprünglich mit „Ev'rhthn' is wonderful with Mary" – und der Song für Mary Poppins über die Vogelfrau auf den Stufen der St.-Paul's-Kathedrale *(Feed the Birds / Täglich schon früh – Füttert die Vögelchen).*

Disney erkannte in *Tuppence a Bag* (wie *Feed the Birds* damals hieß) die Essenz des Films, den er machen wollte. Richard Sherman formulierte es so: „Symbolisch betrachtet, hat *Tuppence a Bag* nichts zu tun mit zwei Pence (Tuppence) oder Brotkrumen. Es geht darum, dass es nicht viel kostet, Liebe zu geben, dass es nicht viel kostet, im Leben anderer Menschen etwas zu bewirken."[6]

Die Antwort der Sherman-Brüder auf Disneys Poppins-Anliegen trug ihnen das Angebot ein, fest engagierte Songschreiber des Studios zu werden, angefangen bei dem Projekt, das dem Filmemacher am meisten am Herzen lag und für das er am hartnäckigsten gekämpft hatte.

Lange bevor Travers' Exposé seinen Schreibtisch erreichte, hatte Disney bereits damit begon-

Sie erhielt die Erlaubnis, ein Exposé zur Weiterleitung an das Studio zu erstellen, und würde hinsichtlich der Besetzung und in künstlerischen Fragen konsultiert werden. Zudem sollte sie das Skript zur Freigabe erhalten, etwas in Bezug auf einen Disney-Film Beispielloses.[4]

Allen Erwartungen zum Trotz war das „Poppins-Projekt" nun endlich angelaufen.

Während Travis (mithilfe des britischen Fernsehautors Donald Bull) ihr Exposé vorbereitete, plante Disney bereits seinen eigenen Ansatz, nämlich die Songschreiber Richard M. Sherman und Robert B. Sherman zu engagieren, die kurz zuvor bereits einige Lieder für Disney-Projekte komponiert hatten.

Disney erkundigte sich, ob die Brüder wüssten, was eine „Nanny" sei. Als sie fragten, ob er eine „Mutterziege" (engl. nanny goat) meine, erhielten sie eine kurze Einweisung in die englische Tradition der Kindermädchen oder „Nannies". Disney überreichte ihnen ein Exemplar von *Mary Poppins* und bat sie, das Buch zu lesen und ihm mitzuteilen, was sie über dessen Potenzial als Musicalfilm dächten.

Die Shermans erkannten schnell, dass *Mary Poppins* ungeachtet aller magischen Zutaten

26.11 ***Storyboard-Skizze: „Ich würde diese Silhouette überall erkennen."***
26.12 ***Der Einsatz von Pastellkreide und Buntstiften ist in der Hintergrundmalerei weit verbreitet. Für die „Jolly Holiday"-Sequenz benutzten Background Artists dieses Mittel, um die Kulisse an Berts Straßenmalerei anzupassen.***

nen, dem Film eine Form zu geben. Als es dann kam, versah er es mit zahlreichen Anmerkungen und kennzeichnete Passagen, die ihm besonders gefielen, wie etwa „Hopp hopp, ins Bett" und „Mary Poppins hüpft auf das Treppengeländer und gleitet auf ihm schnell nach oben". Er antwortete der Autorin jedoch nicht gleich. Stattdessen beauftragte er Don DaGradi, einen fest engagierten Autor und Trickzeichner, der an *Lady and the Tramp (Susi und Strolch)* und *Sleeping Beauty (Dornröschen)* mitgearbeitet hatte, mit den Sherman-Brüdern zusammenzuarbeiten.

Das Team traf sogleich einige wichtige Entscheidungen: Der Pflastermaler Bert sollte eine Schlüsselfigur mit ganz verschiedenen berufsbezogenen Verkleidungen werden, und die Handlung sollte anstatt in der düsteren Zwischenkriegszeit der 1930er-Jahre im farbenfroheren und glamouröseren Zeitalter Edwards VII. (1841–1910) spielen.

Die Shermans komponierten eine Flut neuer Songs. Dazu zählten *I Love to Laugh (Ich lach so gern)* für die Episode, in der Mary Poppins die Kinder zu einem Besuch bei ihrem Onkel Albert mitnimmt und sie unter der Zimmerdecke eine Teeparty feiern, sowie *Chim Chim Cher-ee (Chim Chim Cheree)*, der später einen Oscar gewann und von einem DaGradi-Sketch mit einem Schornsteinfeger inspiriert war. Die Figur des Schornsteinfegers, obgleich sie in den Geschichten nur eine Nebenrolle spielte, bot die Möglichkeit einer weiteren Tätigkeit für die Rolle des Bert.

Es gab viele weitere Songs, die im Laufe der Zeit aussortiert wurden, darunter ein einführender Song für Mary Poppins über ihren Namen und ein weiterer über das Aufstehen mit dem falschen oder dem richtigen Fuß.

Darüber hinaus gab es ein ausgelassenes, an William S. Gilbert und Arthur Sullivan erinnerndes Liedchen für Admiral Boom und einen Song namens *Chimpanzoo* (für eine Fantasieszene über einen Zoo, in dem Menschen in Käfigen von Tieren versorgt werden). Auch eine aufwendige Sequenz, in der Mary Poppins die Kinder mithilfe

26.12

eines magischen Kompasses um die Welt führt, schaffte es nicht auf die Leinwand. Von den Songs, die die Shermans für diese größere Episode geschrieben hatten, gelangten zwei schließlich noch in andere Filme: *The Land of Sand* wurde zum hypnotischen *Trust in Me (Hör auf mich)* von Kaa in *The Jungle Book (Das Dschungelbuch)*, während *The Beautiful Briny (Auf dem herrlichen Meeresgrund)* in der Filmmusik zu *Bedknobs and Broomsticks (Die tollkühne Hexe in ihrem fliegenden Bett)* landete.

All das lag jedoch in der Zukunft, als Disney im Dezember 1960 ein Telegramm an Travers schickte, um ihr mitzuteilen, dass sein Enthusiasmus ungeschmälert sei und er ihr in Kürze ein Treatment für den Film präsentieren werde. Im März des darauffolgenden Jahres checkte Travers im Beverly Hills Hotel ein: ein luxuriöses Vorspiel zu den darauffolgenden Wochen, die sich noch als überaus nervenaufreibend herausstellen sollten.

Travers' Besuch begann mit einer Reise nach Disneyland, zu der sie der Story Editor Bill Dover begleitete. Diese Erfahrung trug jedoch nicht dazu bei, ihre Befürchtungen zu verringern. Am folgenden Tag las sie das 46-seitige Treatment von DaGradi und den Shermans. Es sei, berichtete sie ihrem Anwalt, „so grob, so ungehobelt, so falsch in jeder Hinsicht", dass sie die ganze Nacht damit verbracht habe, „Verbesserungen, Einsprüche und Bedingungen zu tippen".[7]

Am nächsten Tag hieß Disney Travers mit einer persönlichen Tour durch sein Studio in seinem Reich in Burbank willkommen. Wäh-

26.13

26.13 ***Bevor es die moderne Greenscreen-Technologie gab, mussten echte Requisiten wie diese „gemalte" Straße in die Animation eingepasst werden.***
26.14 ***Diese Hintergrundmalerei für die „Jolly Holiday"-Sequenz passt zu dem Realfilmelement in der Abbildung links. Man achte auf die Lücke in der Mauer für das Realfilmtor.***

26.14

rend ihres Besuchs am Set des Films *Babes in Toyland (Aufruhr im Spielzeugland)*, der damals gerade produziert wurde, schauten sie sich den Dreh einer Szene an, in der man den Spielzeugmacher (Ed Wynn, der später Onkel Albert in *Mary Poppins* spielen sollte) schrumpfte und in einen Vogelkäfig sperrte.

Travers verlangte zu erfahren, ob die Idee für diese Episode von einem Ereignis in einer ihrer Geschichten „geborgt" worden sei, woraufhin Disney antwortete, es sei nicht ungewöhnlich, dass verschiedene Menschen auf ähnliche Gedanken kämen. Das war ein peinlicher und unglücklicher Auftakt für ihren ersten Tag der Verhandlungen über den Film.

„Wie eine Braut an den Altar", schrieb Travers damals, „wurde ich behutsam zu den Storyboards geführt (…)."[8] Das Drehbuch wurde als Folge von Zeichnungen präsentiert, als handele es sich um einen Trickfilm, und Disney erläuterte Travers Schritt für Schritt die Handlung, während die Shermans ihre Songs dazwischenschoben.

„Ich machte mir umfangreiche Notizen", schrieb Travers ein paar Tage später, „was Disney anscheinend als Ablehnung auffasste, denn er platzte damit heraus, es sei nötig, möglichst viele zu erfreuen. Er hörte gar nicht mehr auf, brüllte mich nieder, jedes Mal, wenn ich versuchte, etwas zu sagen, dabei wollte ich ihm versichern, dass ich mich ganz und gar nicht sperren wollte, sondern vielmehr helfen."[9]

Laut Travers' Bericht – offensichtlich geschrieben mit dem Ziel, die größtmögliche dramatische Wirkung zu erzielen – wurde die Autorin „von dieser Tirade ziemlich überwältigt" und verließ das Meeting „völlig in Tränen aufgelöst" und mit dem Verlangen, dass Disney ihr ein Ticket für den Abendflug nach New York buche.[10]

Disney überredete Travers schließlich, in die Sitzung zurückzukehren, und kam ihrer Forderung

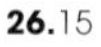

26.15

nach, die Gespräche auf Tonband und stenografiert zu dokumentieren. „Jemand", vermerkte sie triumphierend, „hat es gewagt, sich über den Meister hinwegzusetzen."[11]

Trotz der Tiraden und der Tränen war Travers' Wahrnehmung ihrer Beziehung zu Disney (später in dem Film *Saving Mr. Banks* fiktional dargestellt) komplex. „Zwischen uns", schrieb sie ein paar Wochen später, „gab es andauernd Gerangel, obgleich es offenkundig war, dass wir uns als Mann und Frau gegenseitig mochten – warum auch nicht?"[12]

Wie sich Richard und Robert Sherman erinnern, hatte jenes stürmische Treffen zur Folge, dass Disney sich für eine Auszeit nach Palm Springs verabschiedete, mit den Worten: „Jungs, ich überlasse sie euch!"[13]

In den folgenden zehn Tagen wurde das Filmtreatment einer Seite-für-Seite-, Zeile-für-Zeile- (und oft Wort-für-Wort-) Revision durch Travers unterzogen. „Ich habe mit dem Drehbuch angefangen", berichtete sie, „geschnitzt und modifiziert (...), Brücken zwischen Sätzen gebaut, Szenen selbst neu geschrieben, den Wechsel von einer Szene zur nächsten logisch gemacht (...) und den Textdichter und den Musiker ermuntert, die Songtexte mehr in Einklang mit dem Buch zu bringen (...). Ich habe jede Rolle vorgespielt, Londons Marktschreie vorgesungen und mir sogar einen von ihnen geschnappt, um ihm beizubringen, wie genau Mr und Mrs Banks im Jahre 1910 Walzer getanzt hätten (...)."[14]

Tatsächlich zeigen die Aufnahmen, die überlebt haben, dass Travers ebenso unerbittlich und stur sein konnte, wie Disney es anscheinend war. Don DaGradi und die Shermans ertrugen geduldig die täglichen Vorträge der Autorin: Mary Poppins würde „Nachtgewand" und nicht „Nachthemd" sagen, und unter gar keinen Umständen würde sie einen Ausdruck wie „rumtollen" benutzen – eine spezielle „Korrektur", die unbeachtet blieb.

Mr Banks würde auch keine Nanny „anheuern", sondern „einstellen" oder noch besser „engagieren". Und nicht nur das, „in der Annonce darf nicht stehen: ‚Bewerben Sie sich um sieben Uhr früh.' Ich weiß, Sie wollen, dass sie erscheint, während Mr Banks beim Frühstück ist, aber sieben Uhr morgens ist furchtbar früh, das würde niemand glauben."[15]

Trotz der Berichte von Travers darüber, wie sie behandelt wurde, und der leidvollen Erinnerungen der Sherman-Brüder an jene endlosen Diskussionen leistete die Autorin häufig auch einen Beitrag zu Sequenzen, die mit ihren Büchern nichts zu tun hatten, wie etwa die Szenen in der Bank und eine aufwendige, später jedoch fallen gelassene Sequenz, in der Mary Poppins und die Kinder in Admiral Booms Haus in Schiffsform in See stechen und in einen Wirbelwind geraten.

Travers, die Dichterin, versuchte auch, einen Beitrag zu den Songtexten zu leisten. Zwar scheiterte sie mit dem Beharren, *Let's Go Fly a Kite (Für zwei Pennies Papier schon genügt)* in das grammatikalisch korrekte „Let's Go *and* Fly a Kite" zu berichtigen, aber ein anderer Vorschlag von ihr wurde übernommen: Die Zeile „The saints and apostles look down as she *vends* her wares" wurde in „as she *sells* her wares" abgeändert.

Die Aufnahmen enthalten viele Überraschungen, so zum Beispiel ist zu hören, wie Travers, die später die Musik wegen ihrer „Banalität" schmähte, mit sanfter Stimme mitsingt, als Richard Sherman *Feed the Birds* spielte.

Obwohl sie seinerzeit zweifellos alles andere als hilfreich schienen, sind Travers' Notizen zum Charakter von Mary Poppins aufschlussreich: „(Sie) kommt mit großer Entschlossenheit (...). Sie kommt sowohl, um für sich selbst etwas zu finden, als auch, um etwas mitzubringen (...). Das, was sie finden will, ist eine glückliche Familie."[16]

Die Diskussionen offenbaren ihre persönliche Wahrnehmung des grundlegenden Unterschieds zwischen englischen und amerikanischen Befindlichkeiten: „Ich bin interessiert an den Fakten

26.15–16 ***Visual-Development-Skizze für die „Jolly Holiday"-Sequenz***

26.16

26.17

Nachdem Disney erklärt hatte, dass er alles, was er brauche, auf den Bändern und in den Mitschriften habe, reiste Travers nach New York ab, wo sie einen kleinen, wie sie es nannte, Dankesbrief schrieb, in dem sie ihrem Gastgeber mitteilte, dass ihr „die Atmosphäre des Studios sehr gefallen" habe, sie sich nach dem Gespräch mit ihm „glücklicher fühle" und über alles, was er gesagt habe, „nachdenken" werde.[21]

Im Grunde war das das Ende von Pamela Travers' Mitwirken an dem Film, obwohl sie schließlich im Vorspann als „Beraterin" genannt wurde.

hinter den Träumen (...) und ihr seid interessiert an den Träumen hinter den Fakten. Ihr Amerikaner seid alle viel zu entrückt."[17]

Die Aufnahmen jener Sitzungen lassen auch einen flüchtigen Blick auf ihre wahren Gefühle über das Filmprojekt zu. Trotz ihrer späteren Proteste, wie entsetzlich sie und ihr Werk behandelt worden seien, heißt es in einer unterstrichenen Passage der Niederschriften: „Wenn das hier alles vorbei ist, hätte Mrs Travers gern ein Pferdekarussell für ihren Garten. Bitte."[18]

Disney kehrte in einer versöhnlichen Stimmung in das Studio zurück. Bill Dover berichtete, beim Lunch habe sich der Boss über Travers' Beitrag, für den sie ein Honorar erhalten sollte, erfreut gezeigt. Weiterhin kündigte er an, wenn das Drehbuch fertig sei, würden die Autoren nach London reisen, damit Travers dem Drehbuch den „letzten Schliff geben" könne.[19] Das reichte der Autorin allerdings nicht, die nicht nur weiter in Burbank am Drehbuch arbeiten wollte, sondern auch „die Befugnis erhalten wollte, sich mit dem Direktor darüber zu beraten, wie die Rollen zu spielen sind". Während Dover hinsichtlich Disneys Reaktion auf diese Forderungen keinerlei Zweifel hatte, äußerte Travers, die ehemalige Schauspielerin, ein weiteres überraschendes Anliegen: „Zum Schluss sagte ich, dass ich wohl gern selbst eine kleine Rolle spielen wollte. Der Ärmste, er war dem Tode nahe, obwohl er ein ganzes Porterhouse-Steak verspeiste."[20]

Travers war nicht bereit, ihre Versuche, auf den Film Einfluss zu nehmen, aufzugeben, und traf sich mit Leonard Gershe, einem Drehbuchautor der Fred-Astaire-Musicalfilme *Funny Face (Ein süßer Fratz)* und *Silk Stockings (Seidenstrümpfe)* – und ein „begeisterter Verehrer" der *Poppins*-Bücher –, in der Hoffnung, Disney würde ihn vielleicht engagieren, um das Drehbuch auszuarbeiten. Aber Disney hatte andere Pläne. Er holte Lowell S. Hawley ins Team, der für das Studio die Drehbücher zu den Filmen *Swiss Family Robinson (Dschungel der 1000 Gefahren)* und *Babes in Toyland* geschrieben sowie an der Disney-Fernsehserie *Zorro* mitgeschrieben hatte.

Hawleys Drehbuch hatte nicht viel mit dem endgültigen Film zu tun. Er stellte Mr Banks als einen „Schurken" dar, der Mary Poppins entließ und somit die Kinder dazu veranlasste, von zu Hause wegzulaufen, um sie zu finden. Hawley

26.17 ***Eine frühe Bearbeitung für die animierten Pinguine, wie sie für die verworfene Sequenz „The Chimpanzoo" gezeichnet wurde***
26.18 ***Die Animatoren Ollie Johnston und Frank Thomas spielen vor einem beeindruckten Publikum, bestehend aus Animationsregisseur Hamilton Luske und Animation-Artdirector Mac Stewart, ihr Pinguinprogramm ab.***

schrieb später noch die Drehbücher zu weiteren Disney-Filmen, darunter *In Search of the Castaways (Die Abenteuer des Kapitän Grant)*, aber er war nicht verantwortlich für die endgültige Version von *Mary Poppins*. Diese Aufgabe fiel Bill Walsh zu, Autor und Produzent der beliebten Fernsehsendungen *The Mickey Mouse Club* und *Davy Crockett* sowie mehrerer Spielfilme.

Das Drehbuch, das aus der Zusammenarbeit von Walsh und DaGradi hervorging, kommt dem fertigen Film am nächsten: Bert ist nun der Schornsteinfeger, Mr Banks wird mehr als engstirnig und arbeitswütig denn als tyrannisch charakterisiert, während seine Frau eine leidenschaftliche Anhängerin der Ladies Votes and Vigilance League ist (ein früher Hinweis darauf, dass sie dazu berufen war, zu einer Suffragette zu werden), und der Wendepunkt der Geschichte sind der Bank Run und George Banks' anschließende Degradierung.

Inzwischen begann Disney, sich Gedanken über die Besetzung zu machen. Zunächst hatte er Bette Davis für die Titelrolle vorgesehen, aber nun, da der Film ein Musical war, brauchte er ganz klar eine Hauptdarstellerin, die singen konnte.

Sein erster Gedanke fiel auf Mary Martin, den Star der Broadway-Produktionen *South Pacific*, *Peter Pan* und *The Sound of Music*, die ebenfalls versucht hatte, die Rechte an Travers' Büchern zu erwerben. Seit Martins letztem Film war jedoch schon ein Jahrzehnt vergangen, und sie lehnte ab.

Gegen Ende des Jahres 1961 machte Disney bei der Rückkehr von einer Reise nach Europa einen Zwischenstopp in New York und besuchte eine Vorstellung von Lerner und Loewes Artus-Musical *Camelot*, mit Richard Burton als König und Julie Andrews als Königin Guinevere.

Andrews war bekanntermaßen im Broadway-Hit *My Fair Lady* in der Rolle der Eliza Doolittle zu bewundern gewesen, und als Disney nun sah, wie sie sich durch die fantastische *Camelot*-Nummer *What Do the Simple Folk Do? (Was mag das arme Volk tun?)* sang, pfiff und tanzte, wusste er, dass er seine Mary Poppins gefunden hatte.

Backstage, nach der Show, bot Disney Andrews die Rolle an und lud sie und ihren damaligen Ehemann, den Designer Tony Walton, ein, das Studio zu besuchen, die kreativen Köpfe zu treffen und das Projekt weiter zu erörtern.

Als sie die Bücher las, fragte sich Andrews, wie man sie nur in einen Film verwandeln könnte. Ihre Befürchtungen lösten sich jedoch in nichts auf, sobald sie die Storyboards sah und die Songs hörte, die so wunderbar im Einklang waren mit ihrem eigenen, frühen musikalischen Hintergrund. „Was mir so sehr gefiel", erinnert sie sich, „war, dass mein musikalischer Werdegang, lange bevor ich zum Broadway kam, im Vaudeville und Varieté begonnen hatte. Die Songs, die sie mir

26.18

26.19

am ersten Tag vorspielten, erinnerten mich so wunderbar daran. Sie hatten diese umwerfende, unwiderstehliche Qualität der guten, alten Vaudeville-Songs, und ich liebte sie!"[22]

Andrews hatte Vorbehalte gegen die Ballade *The Eyes of Love*, die die Sherman-Brüder als Titelsong vorgesehen hatten. Sie hielt den Song für zu sentimental und nicht sehr „poppinsisch". Bei der Suche nach einer Alternative bedienten sich die Komponisten einer Erfahrung von Robert Shermans Sohn, der kurz zuvor in der Schule eine Schluckimpfung auf einem Zuckerwürfel erhalten hatte. Das Ergebnis wurde zu einem der berühmtesten Songs des Films: *A Spoonful of Sugar (Wenn ein Löffelchen voll Zucker)*.

Disney bot Andrews einen weiteren Anreiz, indem er vorschlug, dass Tony Walton der Designberater des Films werden sollte. Dennoch blieb ein Hindernis übrig: Warner Bros. plante eine Filmfassung von *My Fair Lady*, und Andrews war noch immer eine Kandidatin für die Rolle, die sie zu einem Broadway-Star gemacht hatte.

Disney war so erpicht auf eine Zusage von Andrews, dass er sich verpflichtete, sie aus dem Vertrag zu entlassen, sollte ihr die Rolle der Eliza angeboten werden. Jack Warner entschied jedoch, dass Andrews ein zu hohes Risiko für die Kinokasse darstelle, und setzte stattdessen auf den Glamour von Audrey Hepburn. Warners Verlust war zweifellos Disneys Gewinn.

Die schwangere Andrews kehrte nach England zurück, um dort ihr Kind zur Welt zu bringen. Kurz nach der Geburt ihrer Tochter Emma und noch im Krankenhaus erhielt Andrews einen Anruf von P. L. Travers, die hören wollte, wie die Stimme der Schauspielerin klinge. Travers schien zufrieden und gab etwas widerwillig ihre Zustimmung. Andrews sei „zu hübsch", aber immerhin habe sie die passende Nasenform für Mary Poppins.[23]

Als Filmpartner Bert nahm Disney Dick Van Dyke unter Vertrag, dessen gleichnamige Fernsehshow seinerzeit auf dem Höhepunkt ihrer Beliebtheit stand und dessen leutseliger Charme, unbändige Energie und gekonntes Comictiming ihn zum perfekten Begleiter für Mary Poppins machten.

Der britische Schauspieler David Tomlinson verkörperte den aufgeblasenen und pedantischen Mr Banks perfekt, dessen Verwandlung in einen liebenden Vater das emotionale Herzstück des Films darstellt.

Für die Rolle der Mrs Banks, die als begeisterte, wenn auch einfältige Angehörige der Suffragettenbewegung neu erfunden worden war, wollte Disney Glynis Johns, die bereits in seinen Filmen *The Sword and the Rose (Eine Prinzessin verliebt sich)* und *Rob Roy, the Highland Rogue* mitgespielt hatte. Als man Johns in das Studio eingeladen hatte, war ihr keine bestimmte Rolle genannt worden. Daher erwartete sie, als sie eintraf, dass man ihr die Titelrolle anbieten würde. Disney entschärfte die peinliche Situation, indem er Johns sagte, die Sherman-Brüder hätten eine besondere Nummer speziell für sie komponiert, die sie als Mrs Banks singen würde, und man werde sie ihr nach dem Lunch vorspielen.

In aller Eile adaptierten die Brüder *Practically Perfect in Every Way*, einen zuvor fallen gelassenen Song, der eigentlich für Mary Poppins vorgesehen gewesen war, und schrieben den Text neu. Er fing nun so an: „We're clearly soldiers in petticoats (…)." Johns wurde überredet, die Nebenrolle anzunehmen, und *Sister Suffragette (Wir sind die Kämpfer fürs Frauenrecht)* wurde die erste komplette Musicalnummer des Films.

Die Besetzung wurde durch einen außergewöhnlichen Aufmarsch britischer Charakterdarsteller abgerundet: Hermione Baddeley, Elsa Lanchester, Arthur Treacher und Reginald Owen. Der altgediente Vaudeville- und Rundfunkstar Ed Wynn wurde als Onkel Albert verpflichtet, und Disney bat die 83 Jahre alte Jane Darwell (die 1940 den Oscar als beste Hauptdarstellerin für *The Grapes of Wrath / Früchte des Zorns* gewonnen hatte), aus dem Ruhestand zurückzukommen und die Vogelfrau zu spielen.

Trotz der Präsenz so vieler erfahrener Schauspieler war es äußerst wichtig, dass die Kinder, Jane und Michael, überzeugend dargestellt würden. Disney verpflichtete zwei britische Kinder, Karen Dotrice und Matthew Garber, die in dem kurz zuvor produzierten Tierfilm des Studios *The Three Lives of Thomasina (Die drei Leben von Thomasina)* mitgespielt hatten.

Ebenso viel Aufmerksamkeit schenkte Disney dem Talent hinter der Kamera. Er stellte eine Crew zusammen, die die erforderlichen Fähigkeiten für ein Filmmusical mit großem Budget besaß. Dazu gehörten die Choreografen Marc Breaux und Dee Dee Wood, die für die energiegeladenen Choreografien verantwortlich waren, und der Musicalarrangeur und Dirigent Irwin Kostal, der die *West Side Story* orchestriert und zuvor mit Andrews für das Fernsehen zusammengearbeitet hatte. Der Designberater Tony Walton wurde unterstützt von dem sechsmal für den Oscar nominierten Artdirector Carroll Clark und dem Bühnenbildner Emile Kuri, zu dessen Referenzen *War of the Worlds (Kampf der Welten)* und *20,000 Leagues Under the Sea (20.000 Meilen unter dem Meer)* zählten.

Die Trickeffekte in der Realfilmszene im Kinderzimmer wurden von Xavier Atencio und Bill Justice entworfen, während für die „Jolly

26.19 ***Dick Van Dyke, Ed Wynn, Matthew Garber und Karen Dotrice in einer Pause während des Drehs von „I Love to Laugh" unter der Zimmerdecke***

26.20

Holiday"-Sequenz, eine der Schlüsselszenen des Films, einige der größten Trickfilmtalente des Studios beschäftigt wurden, darunter sieben der legendären Nine Old Men. Ein weiterer Disney-Veteran, Hamilton Luske, leitete die Trickfilmeinheit, während die Bilderbuchansicht des edwardianischen London im Film der Spezialeffekte-Zauberkunst von Peter Ellenshaw und Eustace Lycett zu verdanken ist.

Die Filmaufnahmen begannen am 6. Mai 1963 unter der kompetenten Regie von Robert Stevenson, der zuvor bereits bei zehn Filmen und einer Reihe von Fernsehserien für das Studio Regie geführt hatte.

Während Julie Andrews die hölzerne Graumäusigkeit der Mary Poppins in den Büchern abging, gelang es ihr, der Figur „eine sperrige Grazie",[24] wie Disney es nannte, zu verleihen, betont durch ihren schnellen Gang („Die Kinder", erinnerte sie sich, „mussten sich ziemlich beeilen, um mit mir Schritt zu halten!"[25]) und ihre abgespreizten Füße in den Flugszenen, wie sie in den

26.20–22 ***Die unvergessliche Gesangs- und Tanzsequenz auf den Dächern von London wurde in diesen Storyboard-Skizzen sorgfältig vorbereitet.***

Buchillustrationen von Mary Shepard zu sehen sind. Travers zollte später Andrews' „Integrität und wahrem Sinn für Komik" Tribut. Sie habe bewiesen, dass sie die „wesentlichen Qualitäten" der Figur begriffen hatte.[26]

Andrews korrespondierte regelmäßig mit der Autorin und vermittelte ihr enthusiastische Einblicke in den Dreh: „Dick Van Dyke ist als Bert ganz großartig. Er ist äußerst gewinnend, und ich denke, dass er und ich auf der Leinwand gut zusammen aussehen (...) die Kinder sehen bezaubernd aus – Michael hat so ein ausdrucksstarkes Gesicht (...) Jane ist süß und eine ziemlich gute kleine Schauspielerin (...) Ed Wynn ist als Uncle Albert köstlich, sehr liebenswert und so fröhlich (...) Tonys Kostüme sind eine Freude, und ich bin stolz, sie zu tragen (...) die Orchestrierungen sind wirklich schön (...). Bitte machen Sie sich keine Sorgen. Ich bin wirklich überzeugt, dass Sie zufrieden sein werden, wie die Dinge hier vorangehen (...)."[27]

Wenn sich jemand Sorgen machte, war das Disney. Der ursprüngliche Etat wurde so sehr überschritten, dass der Film zehn Millionen Dollar würde einspielen müssen, um die Gewinnschwelle zu erreichen. Darüber hinaus fürchtete er, der

26.21

Film könnte zu lang sein, und überlegte, das Schlaflied *Stay Awake (Bleibt schön wach und schlaft nicht ein)* zu streichen. Er beugte sich jedoch dem Druck von Andrews und Travers, die der Ansicht waren, dass es zu Mary Poppins' Charakter passe, die Kinder mit einem Lied in den Schlaf zu singen, das ihnen sagte, sie sollten wach bleiben.

Auch Ed Wynns Lachgassequenz hätte es beinahe nicht auf die Leinwand geschafft. In sich geschlossen, hätte sie leicht entfernt worden können, ohne die gesamte Story zu beschädigen. Sie war jedoch sehr witzig und voller hervorragend umgesetzter Spezialeffekte, und die umwerfende Vaudeville-Darbietung der komischen Nummer *I Love to Laugh* war eine absolute Glanzleistung. Disney schaute sich die Sequenz gemeinsam mit den Shermans erneut an, und noch bevor sie zu Ende war, wandte er sich zu ihnen und verkündete: „Alles bleibt so, wie es ist."[28]

Nach 21 Tagen Proben und 105 Drehtagen mit 1029 Set-ups fand am 6. September 1963 der letzte Drehtag mit Jane Darwells Szenen als Vogelfrau statt. *Mary Poppins* wurde mit einer Gesamtdauer von 140 Minuten und Gesamtkosten von 5,4 Millionen Dollar abgeschlossen. Nur Disney konnte einen so aufwendigen Film zu solch niedrigen Kosten zustande bringen.

Verschwenderisch ausgestattet, in Szene gesetzt und fotografiert, bewegte sich der Film mühelos durch sein hinreißendes Thema, unterstützt durch ein geschickt geschriebenes Drehbuch voller Momente von robuster Comedy, subtilem Witz, verhaltener Schärfe, geschmückt mit einer Filmmusik von atemberaubender Brillanz: 16 Songs – von eindringlichen Balladen bis zu lärmenden Märschen –, von denen die Hälfte sofort zu Standards wurden und das auch blieben. Da war die fantastische, ausgelassene Choreografie auf den Dächern von London und die lebhafte „Jolly Holiday"-Sequenz, in der Mary Poppins und Bert zusammen mit Zeichentrickpinguinen und Straßenmusikanten herumtollen.

Als die Einladungen für die Weltpremiere in Grauman's Chinese Theatre in die Welt hinausgingen, fehlte ein bedeutender Name auf der Liste der Eingeladenen: P. L. Travers. Unermüdlich bis zum Schluss, telegrafierte sie Disney, sie sei auf dem Weg nach Hollywood, und verlangte Einzelheiten über Ort und Zeit. „Postwendend kam eine Einladung", berichtete sie daraufhin und fügte hinzu: „Unterschätze nie die Kraft einer Frau!"[29]

Im selben Brief teilt sie mit, wie sie reagierte, als sie schließlich den Film anschaute: „Wie Kreide zu Käse, so verhält sich der Film zum Buch (...). Tränen rannen mir die Wangen hinunter, weil alles so verzerrt war (...). Ich war so geschockt, dass ich das Gefühl hatte, ich würde nie wieder schreiben, geschweige denn lachen können! Disney und die Drehbuchschreiber waren völlig konsterniert."

Einen Absatz darunter fügt Travers jedoch ganz pragmatisch hinzu: „Ich machte es später wieder gut mit reichlich Lob für sie und der Anordnung an mich selbst, auf dem Weg zur Bank nicht zu weinen. Ich werde mich daran gewöhnen (...)."[30]

Die New Yorker Premiere fand in der 5.933 Plätze fassenden Radio City Music Hall statt, und schon wieder war die Autorin zugegen. Das Tempo, in dem Travers sich von der tränenauslösenden Hollywoodvorführung erholte, veranlasste später ihren Anwalt zu schreiben: „Was für eine Schaumschlägerin Sie doch sind. Wenn die Premiere Ihnen wirklich so viel Kummer bereitet hat, warum gehen Sie dann in New York wieder hin und in London auch – und dann noch mal in Istanbul!!"[31]

Obgleich sie in späteren Jahren ihren literarischen Bewunderern wiederholt den Eindruck vermittelte, sie sei immer noch zutiefst verzweifelt wegen des Films, hatte sie in Wirklichkeit bei der Übertragung der Geschichte von der Buchseite auf die Leinwand vielen Aspekten, die sie später anprangerte, zugestimmt. Obwohl sie häufig versicherte, den Film zu hassen, begann sie in den 1980er-Jahren, für Disney an einer Fortsetzung mitzuarbeiten. Der Spielfilm *Mary Poppins Returns* (*Mary Poppins' Rückkehr*) kam 2018 in die Kinos.

Die Kritiken von 1964 waren überschwänglich: *The Saturday Review* pries *Mary Poppins* als „eines der großartigsten Werke der Unterhaltung, die je in Hollywood produziert wurden".[32] Trotz gelegentlicher Verrisse, in denen der Film als „großer Windbeutel mit Marshmallowüberzug"[33] geschmäht oder die Umbenennung in „Lollipoppins" vorgeschlagen wurde, stimmte doch die Mehrheit mit der *New York Herald Tribune* überein, dass es „ein reizendes, fantasievolles und technisch überragendes Filmmusical ist, das vor Originalität, Melodie und zauberhaften Darbietungen sprüht".[34]

Dann folgte die Anerkennung durch die Industrie: zuerst ein Golden Globe Award als beste Hauptdarstellerin für Julie Andrews, die gegen Audrey Hepburn in *My Fair Lady* gewann – jener Schauspielerin, von der Travers einmal gehofft hatte, sie würde Mary Poppins spielen. Andrews stichelte zu Beginn ihrer Dankesrede: „Ich möchte dem Menschen danken, der all dies ermöglicht hat: Mr Jack Warner!"[35]

26.22

26.23

Andrews triumphierte ebenso bei der 37. Oscarverleihung, wo sie ebenfalls die Auszeichnung als beste Hauptdarstellerin gewann (während Hepburn gar nicht nominiert wurde). Der Film hatte die überwältigende Zahl von 13 Nominierungen erhalten, die meisten für einen Film seit *Ben Hur*. *Mary Poppins* verlor gegen *My Fair Lady* bei den Auszeichnungen als bester Film und für die beste Regie, trug aber Richard und Robert Sherman die Oscars für den besten Song *(Chim Chim Cher-ee)* und die beste Filmmusik ein. Der Oscar für den besten Schnitt ging an Cotton Warburton, während die Herren Luske, Ellenshaw und Lycett die Auszeichnung für die besten visuollon Effokto oinsammolton. Ein Sondorprois erhielt Disneys langjähriger Mitarbeiter Ub Iwerks für die Entwicklung des technischen Verfahrens zur Kombination von Realfilm und Animation.

In seiner Besprechung von *Mary Poppins* in der *New York Times* beschrieb Bosley Crowther den Film als „einen ganz wunderbaren, heiteren Film (…), der aus allen Nähten platzt vor Poppins-Wundern". Er fügte hinzu: „Natürlich ist er sentimental. Und wie Mary Poppins sagt: ‚Praktisch perfekte Menschen lassen niemals zu, dass Sentimentalität ihre Gefühle verwirrt.' Aber da ich nicht praktisch perfekt bin, finde ich ihn unwiderstehlich. Viele andere Erwachsene werden das auch finden. Und die Kinder sowieso."[36]

Und das haben sie, seit mehr als 50 Jahren. *Mary Poppins* war wohl Disneys größter professioneller und persönlicher Triumph in einer Karriere mit vielen erstaunlichen Leistungen. Der Mann, der sich Sorgen gemacht hatte, ob der Film überhaupt schwarze Zahlen schreiben würde, erlebte, wie der Film weltweit 67 Millionen Dollar einspielte.

Damals, nach dem phänomenalen Erfolg des Films, ahnto noch niomand, dass nur zwoi Jahro später der Mann, der es zu seiner Mission gemacht hatte, *Mary Poppins* auf die Leinwand zu bringen, nicht mehr leben würde.

26.23 ***Der berühmte Matte-Painting-Künstler Peter Ellenshaw verfasste diesen Blick über die Dächer von London. Die Raucheffekte wurden später vom Effects-Team hinzugefügt.***

Winnie Puuh

Winnie the Pooh (1966/1968)

Winnie Puuh und der Honigbaum

Winnie the Pooh and the Honey Tree (1966)

Synopsis
Obwohl Walt Disney A. A. Milnes Pooh-Bücher Ende der 1930er-Jahre für einen abendfüllenden Spielfilm in Betracht gezogen hatte, realisierte er das Projekt 1966 schließlich als Kurzfilm. Visuell orientierte sich die Geschichte an den ursprünglichen Illustrationen von Ernest H. Shepard, die Handlung wurde mit der Komik des Trickfilms garniert, einer neuen amerikanischen Figur, die nicht auf Milne zurückging, sowie mit Musik von den Sherman-Brüdern.

ERSTAUFFÜHRUNG USA 4. Februar 1966
ERSTAUFFÜHRUNG D 1967 als Teil des Kompilationsfilms *Winnie Puuh ... und der Honigbaum*; genaues Datum unbekannt
LAUFZEIT 26 Minuten

Stimmen
WINNIE PUUH STERLING HOLLOWAY
KANINCHEN (RABBIT) JUNIUS MATTHEWS
EULE HAL SMITH
GOPHER HOWARD MORRIS
ERZÄHLER SEBASTIAN CABOT
RUH CLINT HOWARD
KÄNGA BARBARA LUDDY
CHRISTOPHER ROBIN BRUCE REITHERMAN
I-AAH RALPH WRIGHT

Stab
REGIE WOLFGANG REITHERMAN
STORY-ADAPTATION LARRY CLEMMONS, XAVIER ATENCIO, VANCE GERRY, RALPH WRIGHT, KEN ANDERSON, DICK N. LUCAS, NACH EINEM ROMAN VON A. A. MILNE
HINTERGRÜNDE AL DEMPSTER, BILL LAYNE, ART RILEY
LAYOUT DALE BARNHART, BASIL DAVIDOVICH, DON GRIFFITH, SYLVIA ROEMER
ANIMATOREN HAL AMBRO, ERIC CLEWORTH, JOHN EWING, FRED HELLMICH, BILL KEIL, HAL KING, ERIC LARSON, JOHN LOUNSBERY, DAN MACMANUS, JOHN SIBLEY, WALT STANCHFIELD
MUSIK UND DIRIGENT BUDDY BAKER
MUSIK UND LIEDER RICHARD M. SHERMAN, ROBERT B. SHERMAN

At last, the "bear of very little brain" but lots of enchanted stuff(ing) brings his pooh-whimsy to the screen.

Walt Disney

presents

Winnie the Pooh and the honey tree

An all-cartoon featurette

Technicolor®

Just as you remember them ...

KANGA (and ROO)

RABBIT

OWL

TIGGER

EEYORE

PIGLET

Based on the books written by A. A. MILNE • Released by BUENA VISTA Distribution Co., Inc. • ©1965 Walt Disney Productions

LOOK TO THE NAME WALT DISNEY FOR THE FINEST IN FAMILY ENTERTAINMENT.

HIP HIP POOHRAY!

WALT DISNEY
presents
Winnie the Pooh
and the blustery day

An all-cartoon featurette

Technicolor

Based on the books written by A.A.MILNE Released by BUENA VISTA Distribution Co., Inc. ©1968 Walt Disney Productions

27.02

Winnie Puuh und das Hundewetter

Winnie the Pooh and the Blustery Day (1968)

Synopsis

Der Erfolg des ersten Pooh-Films führte zu einer Fortsetzung, die die zunächst nicht berücksichtigten Figuren Piglet (dt. Ferkel) und Tigger einführte, wobei Letzterer später ähnlich beliebt wurde wie Pooh selbst. Der gewonnene Oscar sorgte für weitere, unterschiedlich lange Fortsetzungen mit Pooh und seinen Freunden und für ein lukratives Lizenzgeschäft.

ERSTAUFFÜHRUNG USA 20. Dezember 1968
ERSTAUFFÜHRUNG D 1971 als Kinovorfilm; genaues Datum unbekannt
LAUFZEIT 25 Minuten

Stimmen

ERZÄHLER SEBASTIAN CABOT
WINNIE PUUH STERLING HOLLOWAY
FERKEL JOHN FIEDLER
CHRISTOPHER ROBIN JON WALMSLEY
EULE HAL SMITH
I-AAH RALPH WRIGHT
KANINCHEN (RABBIT) JUNIUS MATTHEWS
GOPHER HOWARD MORRIS
KÄNGA BARBARA LUDDY
RUH CLINT HOWARD
TIGGER PAUL WINCHELL

Stab

REGIE WOLFGANG REITHERMAN
STORY LARRY CLEMMONS, RALPH WRIGHT, JULIUS SVENDSEN, VANCE GERRY, NACH EINEM ROMAN VON A.A. MILNE
LEITUNG STORY WINSTON HIBLER
HINTERGRÜNDE AL DEMPSTER, BILL LAYNE
LAYOUT DALE BARNHART, BASIL DAVIDOVICH, DON GRIFFITH, SYLVIA ROEMER
ANIMATOREN OLLIE JOHNSTON, FRANK THOMAS, FRED HELLMICH, MILT KAHL, HAL KING, JOHN LOUNSBERY, DAN MACMANUS, DAVID MICHENER, WALT STANCHFIELD, ART STEVENS
MUSIK UND DIRIGENT BUDDY BAKER
MUSIK UND LIEDER RICHARD M. SHERMAN, ROBERT B. SHERMAN

27.03

27.06

27.04

27.05

27.07

27.08

Ein Bär von geringem Verstand

Von Brian Sibley

Irgendwann kam es dazu, dass Micky Maus (orig. Mickey Mouse), die etwa 40 Jahre lang Disneys international berühmteste und am gründlichsten vermarktete Figur gewesen war, durch einen sehr britischen Bären übertrumpft wurde: Winnie the Pooh (dt. Winnie Puuh).

Poohs Filmkarriere begann mit einem kurzen 26-Minuten-Film, *Winnie the Pooh and the Honey Tree*, der 1966 erschien, im letzten Lebensjahr von Walt Disney. Das Interesse des Filmemachers an A. A. Milnes berühmten Kindergeschichten über Christopher Robin und seinen Teddybären war bereits 30 Jahre zuvor erwacht, als er nach dem Erfolg von *Snow White and the Seven Dwarfs (Schneewittchen und die sieben Zwerge)* versuchte, die Filmrechte einiger populärer Bücher zu erwerben. 1938 wandte er sich an Milnes Londoner Agenten, wobei es um drei Werke ging: Milnes Theaterstück *Toad of Toad Hall*, das auf Kenneth Grahames *The Wind in the Willows (Der Wind in den Weiden)* basierte, sowie um die Bücher *Winnie-the-Pooh (Pu der Bär)* (von Milne mit Bindestrichen geschrieben) und *The House at Pooh Corner (Pu der Bär baut ein Haus)*.

Milnes Geschichten basierten auf den Stofftieren im Kinderzimmer seines kleinen Sohnes Christopher Robin und wurden mit den legendären Illustrationen von Ernest H. Shepard verse-

27.09

27.10

hen. Im Disney-Studio war bestens bekannt, dass etliche Trickfilmzeichner die Arbeiten von Milne und Shepard verehrten. Aber selbst wenn Disney das gewusst haben sollte, zog er es vor, sein Interesse an den Werken mit keinem seiner Mitarbeiter zu besprechen, weder als er erstmals um die Rechte nachsuchte noch während der weiteren Versuche in den darauffolgenden 20 Jahren.

Es mag vielleicht überraschen, dass Disney sich so intensiv um die Rechte an den Pooh-Geschichten bemühte, besonders nach den unfreundlichen Kritiken an seiner Version von *Alice in Wonderland (Alice im Wunderland)* von 1951 – ein Werk, das ebenso wie Milnes Bücher für viele als unantastbar galt. A. A. Milne starb 1956, und zwei Jahre später verkaufte seine Witwe die Filmrechte an den Pooh-Geschichten an den Fernsehsender NBC. Im Oktober 1960 behandelte eine Episode der *Shirley Temple Show* 50 Minuten lang die Pooh-Geschichten: Temple erzählte sie, und die berühmten Baird-Marionetten spielten sie nach. Im folgenden Jahr gingen die Rechte an die Milne-Erben zurück und wurden schließlich von Disney erworben.

Der Schauspieler Junius Matthews, der zu jener Zeit die Eule Archimedes für den Film *The Sword in the Stone (Die Hexe und der Zauberer – Merlin und Mim)* sprach, dürfte Disneys Pläne zusätzlich gefördert haben. Junius Matthews hatte in einer Hörspielfassung der Pooh-Geschichten Rabbit gesprochen und nach eigener Aussage im Studio „für Milne ständig die Werbetrommel gerührt"[1].

Disney konnte das Projekt jedoch nicht fortsetzen, da er in den USA keine Vermarktungsrechte an den Pooh-Figuren besaß, denn diese Rechte waren von Milne im Jahre 1930 verkauft

27.01 ***Filmplakat für* Winnie the Pooh and the Honey Tree *(1966), das die Leser der Bücher ansprechen sollte***
27.02 ***Filmplakate für* Winnie the Pooh and the Blustery Day *(1968) zeigten groß die zuvor übergangenen Figuren Tigger und Piglet.***
27.03–05 ***Einzelbilder aus dem Realfilmvorspann von* Winnie the Pooh and the Honey Tree, *eine Filmszene mit dem Esel Eeyore und eine Szene, in der Pooh wegen seiner Vorliebe für Honig in eine Notlage gerät.***
27.06–08 ***Einzelbilder aus* Winnie the Pooh and the Blustery Day: *Tiggers Ankunft im Wald, Poohs Albtraum mit Honig stehlenden Heffalumps, Piglet in Not während der Überschwemmung und die folgende „Heldenparty", die Christopher Robin für Piglet and Pooh veranstaltet.***
27.09 ***Visual Development von einem Disney-Studiokünstler für den Realfilmvorspann, der in Christopher Robins Kinderzimmer spielt.***
27.10 ***Concept Art, die die verschiedenen Abschnitte von Poohs Abenteuer so darstellt, als wären sie einzelne Bücher.***

worden. Verhandlungen mit den Rechteinhabern führten zur ersten von mehreren Lizenzvereinbarungen, und 1964 begannen schließlich die Story-Konferenzen. Diese führten dazu, dass Disney seine Pläne radikal änderte. Statt eines abendfüllenden Films sollte zunächst ein 26-minütiger Kurzfilm entstehen. Wäre dieser erfolgreich, sollte möglicherweise ein längerer Pooh-Film folgen.

Es wurde behauptet, dass Disney sich Sorgen gemacht habe, ob Milnes Bücher beim heimischen Publikum ausreichend bekannt seien, aber das erscheint angesichts ihrer phänomenalen Beliebtheit in den Vereinigten Staaten eher unwahrscheinlich. Die amerikanische Ausgabe von *Winnie-the-Pooh* verkaufte sich allein im ersten Jahr nach ihrem Erscheinen 150.000 Mal. *The House at Pooh Corner* erwies sich als ebenso erfolgreich, und zwei Jahrzehnte später überquerten die Originalstofftiere von Christopher Robin Milne den Atlantik und unternahmen, für 50.000 Dollar versichert, eine Tournee durch die Vereinigten Staaten. Derweil spielten Maurice Evans und Jimmy Stewart äußerst beliebte Grammofonaufnahmen der Geschichte ein.

Wahrscheinlicher ist, dass Disneys Sorgen daher rührten, dass die Pooh-Bücher nicht die typischen Handlungselemente enthielten, die seine Kinofilme auszeichneten: Liebe, Drama, Spannung und die Bedrohung durch einen Schurken.

Disneys nächste unerwartete Entscheidung war, das Projekt nicht den Pooh-Liebhabern in seinem Studio zu überlassen, sondern Künstlern, die von Milnes Honig liebendem Teddybär nicht unbedingt begeistert waren.

Wolfgang „Woolie" Reitherman, ein auf Action spezialisierter Trickfilmzeichner, war besonders frustriert darüber, dass man ausgerechnet ihn zum Regisseur des Films ernannt hatte. Hingegen waren Frank Thomas, Ollie Johnston und Milt Kahl, die die Bücher kannten und liebten, fassungslos, dass sie übergangen worden waren. Dem Animationsteam gehörten nur zwei von Disneys berühmten Nine Old Men an: John Lounsbery und Eric Larson.

Frank Thomas meinte dazu später, Disney habe befürchtet, dass, wenn er und die anderen Milne-Enthusiasten „das in die Finger gekriegt hätten, wir zu nah an der Buchvorlage geblieben wären und ... dann wäre etwas zu Gekünsteltes daraus entstanden"[2].

Ollie Johnstons Ansicht über diese Entscheidung war, dass Disney „das Pooh-Material unbedingt in etwas verwandeln wollte, was eindeutig ein Disney-Film wäre"[3]. Wenn das stimmte, dann war Woolie Reitherman, der stets liefern konnte, was Disney von ihm wollte, und den keine sklavische Verehrung Milnes behinderte, die ideale Wahl.

Erste Opfer der Neuinterpretation waren Poohs Lieder: simple, naive Weisen (wie „ein Bär von geringem Verstand" sie erdacht haben könnte), von denen es zahlreiche Tonaufnahmen gab. Disney ließ Milnes Verse streichen und gab bei seinen frisch engagierten Komponisten Richard M. und Robert B. Sherman neue Lieder in Auftrag.

Die Sherman-Brüder gestanden später, dass sie die Pooh-Bücher zunächst für wenig mehr als „kindlichen Blödsinn"[4] hielten. Während sie jedoch an der Filmmusik für *Mary Poppins* arbeiteten, führte eine zufällige Unterhaltung mit dem in England geborenen Design Consultant (und damaligen Ehemann von Julie Andrews) Tony Walton dazu, dass sie ihre Meinung änderten. Walton, der die Pooh-Geschichten seit seiner Kindheit liebte, erzählte ihnen, dass er früher, als pummeliges, verunsichertes Kind, in dem tendenziell übergewichtigen Bären einen Freund gefunden habe.

Waltons Enthusiasmus war ansteckend, und so begannen die Shermans, „sich in Pooh zu verlieben"[5] und die notwendige Inspiration für ihre Kompositionen zu finden, die wie die Lieder von Milne bewusst simpel waren. In ihrem Buch *Walt's Time* erinnern sich die Brüder: „Die Lieder, die wir für die *Pooh*-Filme schrieben, waren alle federleicht."[6] Andererseits stellen sie fest: „Wir verloren nie aus dem Blick, dass wir, so ‚milnesk' wir auch sein wollten, ebenso sehr Disney sein mussten."[7]

27.11 ***Die Filme zeigen ein Pooh-Buch mit Seiten, die umgeblättert werden, und animierten Illustrationen.***

I am a Bear of No Brain at All."

"Am I?" said Pooh hopefully. And then he brightened up suddenly.

"Anyhow," he said, "it is nearly Luncheon Time." And then he thought a little and said, "Oh, no, *I* did. I forgot." Indeed, he had eaten most of the jar of honey at the bottom was something mysterious, a shape and no more. But as he got nearer to it his nose told him that it was indeed honey, and his tongue came out and began to polish up his mouth, ready for it. And there was a little left in the jar.

Rabbit said, "Honey or condensed milk with your bread?" he was so excited that he said, "Both," and then, so as not to seem greedy, he added, "But don't bother about the bread, please. So what about a mouthful of something?"

Bei dieser Disneyfizierung von Milne stieß Woolie Reitherman auf mehrere Hindernisse: Abgesehen davon, dass eine dramatische Handlung fast gänzlich fehlte, war da das typisch Englische von Milnes oft schrulliger Prosa. „Adaptionsprobleme gab es viele", erinnert sich Ralph Wright aus dem Storyteam des Films. „Wie sollte man den ursprünglichen Stil Milnes beibehalten und gleichzeitig die Geschichte für das amerikanische Publikum verständlich machen, ohne wiederum die Briten zu verärgern?"[8]

Was man sich klugerweise zunutze machte, war die symbiotische Beziehung zwischen Milnes Text und Shephards Lineart-Illustrationen mit ihren entwaffnend einfachen Charakterisierungen und den andererseits detaillierten, schraffierten Hintergründen. Die Lösung bestand darin, die Geschichten anhand der konkreten Bücher zu erzählen, wobei Pooh und seine Freunde sich von Seite zu Seite bewegten und gelegentlich mit dem Text interagierten. Dieser besondere Ansatz, und dass man Sebastian Cabot mit seinem wohlklingenden Englisch zum Erzähler machte, erwies sich für den Film als Rettung und milderte die andererseits deutlichen Abweichungen vom Original.

Das Drehbuch basierte auf den ersten Kapiteln von Milnes erstem Buch. Für die Adaption verantwortlich waren neben Ralph Wright etliche erfahrene Studiokräfte, darunter Ken Anderson, Larry Clemmons und Xavier Attencio. Hinzu kamen beträchtliche Beiträge von Disney selbst.

Infolgedessen wurde der zurückhaltende Humor der Bücher häufig „aufgepeppt" mit Gags, die sich auch für einen Kurzfilm mit Goofy oder Donald Duck geeignet hätten. Als zum Beispiel Pooh in Rabbits Haustür stecken bleibt, dekoriert Rabbit Poohs Hinterteil zu einem gerahmten Elch mit Geweih, anstatt der banalen Variante des Buches zu folgen, in der Rabbit

27.12

Poohs Beine als Wäscheständer benutzt, um seine Handtücher aufzuhängen.

Doch die wesentliche Veränderung gegenüber dem Original, die dramatische Auswirkungen auf die Rezeption des Films in Poohs Heimat haben sollte, war die Einführung einer Figur, die nicht nur in Milnes Hundert-Morgen-Wald, sondern überall auf den Britischen Inseln ein Fremdling war: ein Erdhörnchen! Zwar waren in den Büchern ein Känguru und ein Tiger vorgekommen, aber die waren – ebenso wie Pooh, Piglet und Eeyore (dt. I-Aah) – Stofftiere, während das Erdhörnchen namens Gopher ebenso wie Milnes Rabbit und Owl (dt. Eule) ein echtes Tier war. Reitherman verteidigte die Einführung des Eindringlings mit den übergroßen Zähnen damit, dass dieser ein „volkstümliches, bodenständiges, durch und durch amerikanisches Image besitzt"[9].

Gopher, ein Experte für Grabungsarbeiten, der das Publikum wiederholt daran erinnert, dass er „nicht im Buch vorkommt, wisst ihr?", spricht mit einem klischeehaften, pfeifenden Opa-Akzent, für den Howard Morris sorgte, den man aus *The Andy Griffith Show* als lärmenden Mann aus den Bergen kannte.

Die Stimmen der eigentlichen Milne-Figuren kamen von Junius Matthews, der nach seinem Erfolg im Radio erneut Rabbit sprach, von Hal Smith als Owl, Disneys viel beschäftigter Barbara Luddy (Lady (dt. Susi) in *Lady and the Tramp (Susi und Strolch)* und Merryweather (dt. Sonnenschein) in *Sleeping Beauty (Dornröschen)*) als Kanga und vom Story Man Ralph White, der mit seiner abgrundtiefen Stimme Eeyores wenige, kummervolle Dialoge beisteuerte.

Disneys altgedientes Stimmtalent Sterling Holloway erhielt mit der Titelfigur die beste Rolle in seiner langen Karriere. Seine wehmutsvoll-unschuldige Naivität glänzte besonders im Zusammenspiel mit Sebastian Cabots Erzählerstimme.

Obgleich sie im Titellied der Sherman-Brüder erwähnt wird, fehlt die Figur Piglet, die im Buch Poohs treuer Begleiter ist. Als *Winnie the Pooh and the Honey Tree* 1966 als Vorfilm für Disneys Realfilmkomödie *The Ugly Dachshund (Geliebter Haustyrann)* herauskam, war es der Pooh-Kurzfilm, der in die Schlagzeilen kam, zumindest in Großbritannien. „Es scheint", schrieb die Londoner *Daily Mail* empört, „dass im ganz und gar nicht zauberhaften Wald der Filmindustrie ein Erdhörnchen mehr wert ist als ein Piglet."[10]

Die Journalisten der Fleet Street stürzten sich geradezu auf das, was die *Mail* übertrieben als Disneys „unerhörten Angriff auf eines der letzten stolzen Überbleibsel des britischen Empire"[11] bezeichnete.

Der Filmkritiker der Londoner *Evening News*, Felix Barker, war besonders erbost darüber, dass Christopher Robin mit amerikanischem Akzent gesprochen wurde – nämlich dem von Bruce Reitherman, dem Sohn des Regisseurs. Da Barker wusste, dass der Film 1966 als Vorfilm für die

27.12 ***Solche frühen Entwürfe für den Film enthielten Elemente aus Ernest H. Shepards ursprünglichen Illustrationen.***

Royal Film Performance von *Born Free (Frei geboren – Königin der Wildnis)* gezeigt werden sollte, blies er zum Angriff auf Disney und telegrafierte an das Unternehmen:

BEDAUERE, DASS DER HIER GEZEIGTE KURZFILM MIT CHRISTOPHER ROBIN IHM EINEN AMERIKANISCHEN AKZENT GIBT STOPP MÖCHTE DARAUF HINWEISEN DASS ER PRAKTISCH EIN ENGLISCHER VOLKSHELD IST STOPP EINE DERARTIGE BEHANDLUNG SORGT GARANTIERT FÜR KRITIK STOPP BITTE ZIEHEN SIE NEUSYNCHRONISATION VOR DER ROYAL FILM SHOW IN BETRACHT STOPP.[12]

Von Disney kam keine Antwort, aber Barker setzte seine Kampagne fort, indem er betonte, *The House at Pooh Corner* sei nicht das Werk eines Amerikaners wie Damon Runyon, und er stellte die Frage, ob Disney es wohl gewagt hätte, Johnny Appleseed (dt. Hänschen Apfelkern) einen *englischen* Akzent zu verpassen. Schließlich, nachdem das Studio mehrere Wochen lang geschwiegen hatte, stellte sich heraus, dass man die einzige Kopie von *Winnie the Pooh and the Honey Tree*, die nach Großbritannien verliehen worden war, nach Burbank zurückgerufen hatte. „Disney wird die Stimme neu aufnehmen!", verkündete Barker triumphierend. „Lang lebe Onkel Walt! Es lebe Britannien!"[13]

Zu dieser kleinen Sensation bemerkte Disney-Autor Ralph Wright später (vermutlich mit seiner düsteren Eeyore-Stimme): „Es war die alte Geschichte: Man versucht, es jedem recht zu machen, und schafft es nicht."[14]

Der ursprüngliche Illustrator des Buches, E. H. Shepard, nannte den Film ein „völliges Zerrbild",[15] aber Milnes Witwe war Berichten zufolge entzückt, ebenso wie die meisten Kinogänger und viele Kritiker. „Die Disney-Techniker, die verantwortlich sind für diese betörende Miniatur", schrieb Howard Thompson in der *New York Times*, „besaßen die Klugheit, mitten in die Milne-Seiten hineinzugreifen, so wie Pooh in den Honig langt … wir können nur hoffen, dass *Winnie the Pooh and the Honey Tree* bedeutet, dass eine ganze Serie hinterherkommt."[16]

27.13

In der Tat begann schon bald darauf die Arbeit an einer Fortsetzung mit dem vorläufigen Titel „Winnie the Pooh and the Heffalumps", die schließlich 1968 als *Winnie the Pooh and the Blustery Day* herauskam.

Inzwischen war Walt Disney gestorben, aber Woolie Reitherman lernte aus den Problemen mit *Honey Tree* und vermied es, dessen Fehler zu wiederholen: Das Animationsteam wurde durch einige der besten Künstler des Studios verstärkt, darunter Frank Thomas, Ollie Johnston und Milt Kahl. Die Geschichte folgte den Milne-Vorlagen mit größerer Treue, Christopher Robin wurde nun von dem in Großbritannien geborenen Jon Walmsley (am besten bekannt für seine Rolle als Jason in der Fernsehserie *The Waltons (Die Waltons)*) gesprochen, und obwohl Gopher zu einem letzten, trotzigen Kurzauftritt kam, erhielt das bislang übergangene Piglet eine wichtige Rolle, gesprochen mit angemessener Bescheidenheit von John Fiedler.

27.14

27.15

Das animierte Buch kam erneut in kunstvoller Weise zum Einsatz, indem die Wörter vom Wind von den Seiten geblasen oder vom starken Regen heruntergespült wurden. Die Musik der Sherman-Brüder trieb die Handlung leichtfüßig voran, wobei das Lied *Heffalumps and Woozles (Heffalumps und Wusel)* eine fantasievolle Traumszene begleitete, die an die Parade der rosa Elefanten in *Dumbo (Dumbo, der fliegende Elefant)* erinnerte. Eine der effektivsten und denkwürdigsten Nummern der Brüder, *The Wonderful Thing About Tiggers*, führte einen gestreiften Neuling ein. Dieser kam mit der bezaubernd exzentrischen Stimme des berühmten Bauchredners Paul Winchell daher und hatte eindeutig das Zeug zum neuen Disney-Star.

Für einen kleinen Film war *Blustery Day* ungeheuer erfolgreich und gewann in jenem Jahr verdientermaßen den Oscar in der Kategorie „Bester animierter Kurzfilm".

1974 folgte ein dritter Film, *Winnie the Pooh and Tigger Too (Winnie Puuh und Tigger dazu)*, der, wie der Titel andeutet, auf Tiggers Beliebtheit aufbaute. Drei Jahre später verband man die drei Filme zu *The Many Adventures of Winnie the Pooh (Die vielen Abenteuer von Winnie Puuh)*. Abgerundet durch einen bewegenden Epilog, der auf dem Schlusskapitel von Milnes *The House at Pooh Corner* basierte, war dies der abendfüllende Film, den Disney beinahe 40 Jahre zuvor geplant hatte.

Mit einem weiteren Kurzfilm, *Winnie the Pooh and a Day for Eeyore (Winnie Puuh und I-Aahs Geburtstag)*, und drei Jahrzehnten mit Fernsehproduktionen und Kinofilmen, darunter *The Tigger Movie (Tiggers großes Abenteuer)*, *Piglet's Big Movie (Ferkels großes Abenteuer)*, *Pooh's Heffalump Movie (Heffalump – Ein neuer Freund für Winnie Puuh)* und zuletzt *Winnie the Pooh (Winnie Puuh)* – von den Attraktionen in Disneys Themenparks gar nicht zu reden , wurde A. A. Milnes Bär von geringem Verstand für Disney zu einer dauerhaft einträglichen Marke.

27.13 *Entwurf, unter anderem mit frühen Versionen von Piglet und Tigger, die erst im zweiten Film vorkamen.*
27.14–15 *Mit dem stets umherhüpfenden Tigger hatten die Künstler eine dynamische Figur, die lebhafte Szenen ermöglichte. Zeichner: Milt Kahl*

Das Dschungelbuch

The Jungle Book (1967)

Synopsis
The Jungle Book, der letzte abendfüllende Zeichentrickfilm, bei dem Walt Disney persönlich die Leitung innehatte, markiert eine Abkehr von der Art und Weise, wie das Studio bislang seine Filme produziert hatte. Nicht mehr eine perfekt ausgearbeitete Handlung stand im Vordergrund, sondern Charakterszenen. Liebhaber der Disney-Filme halten dieses Werk in besonderen Ehren. Sie bewundern die außerordentliche Trickfilmkunst der vier Nine Old Men des Studios: Ollie Johnston, Milt Kahl, John Lounsbery und Frank Thomas. Bis heute studieren Trickfilmkünstler die nuancierte Darstellung und tief empfundene Beziehung zwischen Mogli (orig. Mowgli) und Balu (orig. Baloo) oder die unbekümmerte Freude im Duett zwischen Balu und König Louie (orig. King Louie). Bei der Erstaufführung monierten Kritiker den allzu freien Umgang mit den Geschichten von Kipling. Die Zuschauer hatten mit diesen Freiheiten jedoch keine Probleme. Der Film wurde ein gewaltiger Erfolg, insbesondere in Europa, und seine Beliebtheit hat sich bis heute gehalten.

ERSTAUFFÜHRUNG USA 18. Oktober 1967
ERSTAUFFÜHRUNG D 13. Dezember 1968
LAUFZEIT 78 Minuten

Stimmen
BALU PHIL HARRIS
BAGHIRA SEBASTIAN CABOT
KÖNIG LOUIE LOUIS PRIMA
SHIR KHAN GEORGE SANDERS
KAA STERLING HOLLOWAY
COLONEL HATHI J. PAT O'MALLEY
MOGLI BRUCE REITHERMAN
WINIFRED VERNA FELTON
BABYELEFANT CLINT HOWARD
GEIER CHAD STUART, LORD TIM HUDSON, J. PAT O'MALLEY, DIGBY WOLFE
AKELA JOHN ABBOTT
RAMA BEN WRIGHT
MÄDCHEN DARLEEN CARR

Stab
REGIE WOLFGANG REITHERMAN
LEITENDE ANIMATOREN MILT KAHL, FRANK THOMAS, OLLIE JOHNSTON, JOHN LOUNSBERY
STORY LARRY CLEMMONS, RALPH WRIGHT, KEN ANDERSON, VANCE GERRY, NACH DEN MOGLI-GESCHICHTEN VON RUDYARD KIPLING
CHARACTER ANIMATION HAL KING, ERIC LARSON, WALT STANCHFIELD, ERIC CLEWORTH, FRED HELLMICH, JOHN EWING, DICK LUCAS
STILVORGABEN HINTERGRÜNDE ALBERT DEMPSTER
HINTERGRÜNDE BILL LAYNE, ART RILEY, RALPH HULETT, THELMA WITMER, FRANK ARMITAGE
LAYOUT DON GRIFFITH, BASIL DAVIDOVICH, DALE BARNHART, TOM CODRICK, SYLVIA ROEMER
ANIMATION SPEZIALEFFEKTE DAN MACMANUS
MUSIK GEORGE BRUNS
LIEDER UND TEXTE ROBERT B. SHERMAN UND RICHARD M. SHERMAN, „THE BARE NECESSITIES" („PROBIER'S MAL MIT GEMÜTLICHKEIT"), TERRY GILKYSON, GESUNGEN VON PHIL HARRIS
ORCHESTRIERUNG WALTER SHEETS
PRODUCTION MANAGER DON DUCKWALL
FILMSCHNITT TOM ACOSTA, NORMAN CARLISLE
TON ROBERT O. COOK
MUSIKSCHNITT EVELYN KENNEDY

The Jungle is JUMPIN'!

WALT DISNEY presents

The Jungle Book

With voice talents by

Phil HARRIS "Baloo" the Bear

Sebastian CABOT "Bagheera" the Panther

Louis PRIMA "King Louie" the Ape

George SANDERS "Shere Khan" the Tiger

Sterling HOLLOWAY "Kaa" the Snake

Inspired by the RUDYARD KIPLING "Mowgli" Stories

TECHNICOLOR®

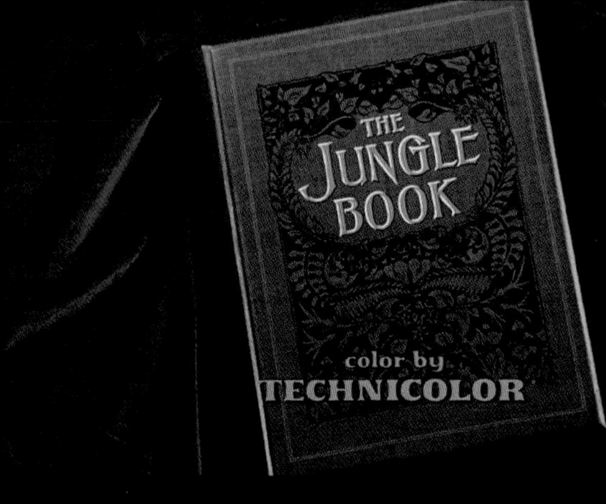

28.02

28.05

28.03

28.04

28.06

28.07

Das letzte Hurra

Von Charles Solomon

„Eines Tages passte Milt Kahl Walt Disney nach einer Testvorführung in der Sweat Box ab und fragte: ‚Worum zum Teufel geht es in der Geschichte?' Walt sagte: ‚Keine Sorge, Milt, das mit der Geschichte wird schon.' Bei einer späteren Vorführung saß Walt in der ersten Reihe, drehte sich um und erzählte uns von dem Mädchen und wie der Junge sie erblickt. Wir hatten uns nie, aber auch wirklich nie, etwas derart Kitschiges ausgedacht. Wäre das von irgendjemand anderem gekommen, hätte man ihn aus dem Studio geworfen. Aber es hat funktioniert."[1]

Disney-Künstler und Character Designer
Vance Gerry

The Jungle Book war in den Vereinigten Staaten und in Europa ein außerordentlicher Erfolg, gleichzeitig lastet auf dem Film, dass er der letzte abendfüllende Zeichentrickfilm war, den Walt Disney persönlich beaufsichtigte. Zudem steht der Film für einen Wendepunkt in der Geschichte des Studios, denn die Künstler legten ihr Hauptaugenmerk nicht mehr auf einen fesselnden Handlungsverlauf, sondern konzentrierten sich auf die Beziehungen zwischen den Figuren.

Die *Jungle-Book*-Geschichten waren dauerhaft beliebt, seit Rudyard Kipling sie 1894/95 veröffentlicht hatte. Jahrelang wollte Drehbuchautor Bill Peet Disney überreden, das Werk zu verfilmen, schließlich waren die Tierfiguren für den Trickfilm

bestens geeignet. Als Peet das Drehbuch für *The Sword in the Stone (Die Hexe und der Zauberer – Merlin und Mim)* beendet hatte, erwarb Disney von Kiplings Erben die Rechte, und Peet machte sich an die Bearbeitung.

Peets düstere Nacherzählung, datiert auf den 23. April 1963, enthielt Handlungsteile und Figuren aus den meisten der acht Geschichten mit Mogli. In dieser Version lebt Mogli vorübergehend in der Menschensiedlung, kehrt aber in den Dschungel zurück. Buldeo, der Jäger des Dorfes, zwingt Mogli, ihn zum Schatz in einer Ruinenstadt zu führen. Shir Khan (orig. Shere Khan) greift Buldeo an und tötet ihn, und Mogli erschießt den Tiger mit Buldeos Gewehr. Außerdem fügte Peet Figuren hinzu, etwa den Geier Ishtar, ein kurzsichtiges Nashorn und einen Orang-Utan, der der König der Affen ist.

Obwohl Peets Geschichte düsterer war als der endgültige Film, bestimmten die eindringlichen Entwürfe auch in der Folge die Persönlichkeiten und das Aussehen der meisten Hauptfiguren. In Peets Zeichnungen wirkt Baghira (orig. Bagheera) bereits korrekt und anständig, Balu, „der große, ernste alte Braunbär"[2], der Mogli das Gesetz des Dschungels beibringt, ist ein lachender Meister Petz mit breitem Hinterteil, „eine Art vergnügte Version von Br'er Bear (dt. Brumm der Bär)".[3] Peet schlug anscheinend ein Wortspiel mit dem Ausdruck „bare necessities" vor, was zu dem Lied von Terry Gilkyson führte.

28.09

Die Vorbereitungen zu *The Jungle Book* waren wohl stürmisch. In einem Memo vom 20. Januar 1964 teilte Regisseur Wolfgang Reitherman Peet mit, er habe mit Disney über eine Diskussion vom Tag zuvor gesprochen. Reitherman war der Ansicht, dass man sich nicht nur zu den Stimmen und Persönlichkeiten von Balu und Baghira einigen, sondern auch honorieren müsse, „welch einen

28.08

28.01 ***Filmplakat***
28.02–07 ***Einzelbilder***
28.08 ***Ein Größenvergleich der Figuren zeigt auch das Nashorn Rocky, das später aus dem Film entfernt wurde.***
28.09 ***Der Buchdeckel im Vorspann spiegelt eventuell viktorianisches Design.***

28.10

Beitrag die Animatoren und die Musikabteilung zu deiner Geschichte leisten, und dass sie das Recht haben, Dinge mitzuentscheiden. Denk daran, dass nicht du den Film animieren wirst. Das ist unser Problem, und zwar ein großes".

Abschließend merkte Reitherman an: „Man sollte nicht vergessen, dass ein abendfüllender Zeichentrickfilm für jeden zwei Jahre Schwerstarbeit bedeutet und dass wir nie einen ‚lustigen' Film auf die Leinwand bekommen, wenn wir nicht schon bei der Arbeit ‚lustig' und begeistert sind."[4]

Über den Grund von Bill Peets Ausstieg bei *The Jungle Book* kursieren etliche Geschichten. Einige Künstler sagen, er habe Walt verärgert, indem er versucht habe, den Film ganz nach seinen Vorstellungen zu produzieren. Peet gab an, er und Walt hätten sich wegen der Stimme für Baghira gestritten. Am 18. November 1964 kündigte Peet beim Studio, um sich auf das Schreiben und Illustrieren von Kinderbüchern zu konzentrieren, was er eigentlich erst nach dem Abschluss von *The Jungle Book* vorgehabt hatte. Sein Weggang bedeutete einen schweren Verlust, denn Peet war – nach Disney selbst – der beste Geschichtenentwickler des Studios gewesen.

Disney übertrug die Ausarbeitung der Handlung an Larry Clemmons, der zuvor Gags für den Rundfunk geschrieben hatte. Zu Clemmons' Team gehörten Ralph Wright, Ken Anderson und Vance Gerry. Gerry berichtet: „(Nach Peets Weggang) bekamen wir einen Autor namens Larry Clemmons. Wir arbeiteten mit ihm an einem Drehbuch, das wir dann Walt schickten, und der sagte Ja oder Nein. Als wir das Drehbuch fertig hatten, erstellten wir gleich die Storyboards, was der vollkommen falsche Weg war, aber Walt war vermutlich beschäftigt. Clemmons war sehr gut, wenn es darum ging, Stimmen und Talente zu engagieren, und er konnte sehr gut schreiben. Aber jeder warf ihm vor, er sei ein Radioautor, und das war er ja tatsächlich. Er schrieb, als wäre es für eine Radiosendung, und es war schwierig, auf diese Weise Zeichentrickfilme zu machen."[5]

Als das Team von Peets Version abrückte, wurde die Geschichte heiterer. Die Künstler warfen die ursprünglichen Geschichten fast komplett über Bord, beibehalten wurden nur die Figurennamen und die Tierarten der Charaktere. Balu wurde zu „diesem faulen, heruntergekommenen Dschungelpenner"[6]. Der stets zuvorkommende Baghira wurde ein pingeliger, oberlehrerhafter Kater, Kaa, die uralte und weise Pythonschlange, ein zischender, komischer Bösewicht. Hathi der Elefant verwandelte sich in einen aufgeblasenen, britischen Offizier im Ruhestand. Diese Veränderungen veranlassten das *Time Magazine* zu dem Kommentar: „*The Jungle Book* basiert auf Kipling etwa so, wie eine Fuchsjagd auf Füchsen basiert."[7]

Ein Memo über mögliche Stimmen für die Figuren vom 31. August 1965 nennt Hans Conried, Sabu und Frank Gorshin für Baghira sowie Harry von Zell, Jim Backus und Thurl Ravenscroft für Balu. Disney schlug Phil Harris für Balu vor, nachdem er dessen Auftritt bei einer Wohltätigkeitsveranstaltung gesehen hatte. Milt Kahl, einer der vier Nine Old Men, die an dem Film beteiligt waren, erinnert sich: „Wir versuchten, die Atmosphäre von Kipling beizubehalten, aber als Phil Harris dazukam, war Kipling kein Thema mehr – und Walt war begeistert."[8]

Zum ersten Mal in einem Disney-Spielfilm bestimmten die Sprecher die Erscheinung vieler Figuren. Phil Harris' Verkörperung eines beschwipsten Lebemanns war die Inspiration für Balu. Shir Khan, der arrogante Tiger, erinnert an George Sanders. Der Filmhistoriker Leonard Maltin

28.10 ***In dieser Concept Art schaut Baghira zu, wie sich das Rudel am Ratsfelsen trifft, um Moglis Zukunft zu besprechen.***
28.11 ***Gemeinsam mit seinen Adoptivbrüdern, die im Buch eine größere Rolle spielen, bringt Mogli dem Mond ein Ständchen.***

28.11

28.12

beschreibt das so: „Wenn man Balu zuschaut (und zuhört), denkt man nicht an einen Bären, man denkt an Phil Harris. Ebenso ist das, was Louis Prima und George Sanders sprachlich abliefern, so markant, dass es schwerfällt, sich auf ihre Figuren auf der Leinwand einzulassen."[9]

Eric Goldberg, der den launenhaften Dschinn in *Aladdin* animierte – weitgehend eine Karikatur des Komikers Robin Williams –, entgegnet: „Ich denke, es gibt da einen Präzedenzfall: Man erkennt eindeutig Spuren von Ed Wynn und Jerry Colonna als Mad Hatter (dt. der verrückte Hutmacher) und als March Hare (dt. Märzhase) in *Alice in Wonderland (Alice im Wunderland)*."[10]

Kahl, von dem das endgültige Aussehen und die Animation von Shir Khan stammen, erinnert sich: „Shir Khan ist nicht wirklich eine Karikatur von Sanders, aber bei solch einer Stimme und wenn man Sanders kennt, sieht man zwangsläufig eine Ähnlichkeit – es lässt sich einfach nicht vermeiden. Als wir mit dem Film anfingen, dachten wir an einen eher zweidimensionalen Schurken wie Jack Palance. Dann zeichnete Ken Anderson einen Tiger mit Basil Rathbone im Hinterkopf, eine herablassende Figur, die irgendwie über den Dingen stand. Es wurde eine ziemlich beeindruckende Figur – so höflich und kühl."[11]

„Die Animation von Shir Khan ist eine deutliche Aussage", erklärt Andreas Deja, der Scar in *The Lion King (Der König der Löwen)* animierte. „Das ist einer dieser Augenblicke, in denen der Künstler eine perfekte Figur erschafft, so wie Tytla mit Chernabog in ‚Eine Nacht auf dem kahlen Berge' (‚Night on Bald Mountain'). Shir Khan ist ein Tiger, der über den Dingen steht: Er ist mehr ein Denker und jemand, dem es Spaß macht, böse zu sein."[12]

Die Künstler merkten, dass die Arroganz, die Kahl in seinen Zeichnungen andeutete, keine Pose von Sanders war. Ollie Johnston erinnert sich daran, dass Larry Clemmons den Schauspieler

Ken Anderson
Sept. - 1965

WOOLIE

SHERE KHAN - THE NON-MANEATING TIGER

PHYSICAL ATTRIBUTES:

He is huge, rangy and powerful. He has been too fat, but now his skin hangs loosely on him due to a rigid self-imposed vegetable diet. He is toothless with the exception of one large protruding lower fang. His claws are all in good working order and can be sprung open like a switch blade knife.

CHARACTERISTICS:

He is exceedingly vain and proud of his title SHERE KHAN, which means Lord of the Jungle. The reason for his diet was that he was getting too fat for his suit. Now he points with pride to the beautiful pin stripes and top grade material. He is noxiously proud of his will power and of the fact that he is now a non-man-eating man eater. Man, he explains, is too full of calories. He knows exactly how many calories per man at a glance - fat or thin, and permits himself

(continued)

28.13

28.12 ***Fünf der Nine Old Men (von links nach rechts): Milt Kahl, Ollie Johnston, John Lounsbery, Frank Thomas und Wolfgang „Woolie" Reitherman***

28.13 ***Ken Andersons Skizzen, die er auf Notizpapier gezeichnet und auf eine Seite mit Aufzeichnungen geklebt hatte, definierten die Persönlichkeit von Shir Khan.***

28.14

bei einem Mittagessen im Studio fragte, ob er eine Zeichnung von Shir Khan haben wolle. „Er sagte: ‚Gerne' und aß weiter. Larry fragt: ‚Möchten Sie, dass Walt sie signiert?', worauf er antwortet: ‚Wie absurd!' Niemand war ihm wichtig, das war für mich eindeutig ... Aber diese spezielle Rolle passte so perfekt zu ihm."[13]

„Walt gefiel Kaa so sehr, dass er vorschlug, Kaa solle später noch einmal in der Geschichte erscheinen: ‚Wenn man schon etwas Unterhaltsames hat, sollte man es auch nutzen.'"

Frank Thomas und Ollie Johnston

Dieses Karikaturhafte wandte man auch bei den neuen Figuren an, besonders bei König Louie. Peet hatte ihn in den ersten Skizzen als Orang-Utan gezeichnet, obwohl diese Affenart in Borneo beheimatet ist und nicht in Indien. Das endgültige Aussehen und die Animation lehnten die Figur immer mehr an Louis Prima an, den Sänger, der den Affenkönig sprach. Das Jitterbug-Duett mit Balu und König Louie zu *I Wan' na Be Like You (Ich wäre gern wie du)* ist ein Höhepunkt des Films.

„Ich würde sagen, 90 Prozent der Animation von König Louie kamen von Milt Kahl und Frank Thomas. Wenn man die beiden zusammenarbeiten lässt, kommt immer etwas Großes heraus", urteilt Deja. „Genau betrachtet, waren da zwei unterschiedliche Philosophien und Stile am Werk, dennoch erscheint es wie aus einem Guss."

„König Louie hat kurze Beine und diesen dicken Bauch, der während Franks Tanzszene auf und ab wippt", fügt er hinzu. „Milt erfand diese unvergessliche Szene, in der König Louie sich Mogli

28.14 ***Layoutkünstlerin Sylvia Roemer schaut sich die Illustrationen von Ken Anderson an.***
28.15 ***Robert B. Sherman, Louis Prima und Richard M. Sherman bei Studioaufnahmen***

vorstellt und sagt: ‚Das bin ich!' Er steht auf einer Hand und zeigt mit den anderen drei Händen auf sich. Dabei hält er vollkommen das Gleichgewicht. Wenn ein großer Affe sich so hinstellen könnte, würde es genauso aussehen wie in diesen Zeichnungen."[14]

Das Design der Schlange Kaa erwies sich als schwieriger, da viele Menschen Schlangen abstoßend finden. Die Künstler setzten ihren Kopf im rechten Winkel zu ihrem Körper, um auf diese Weise einen Hals anzudeuten. Sie machten aus dem dreieckigen Kopf der Schlange ein schachtelförmiges Viereck mit einer Schnauze und verlegten ihre normalerweise seitlich platzierten Augen nach oben.

„So wie Kaa sich da zerknautscht und zerknittert davonwindet, wobei sich einzelne Körperabschnitte unterschiedlich schnell bewegen … es war so gut, dass man es zweimal verwendet hat."
Eric Goldberg

In der Geschichte von Kipling vollführt die Pythonschlange einen geschmeidigen Tanz, der die Affen, die Mogli entführt haben, hypnotisiert. Die Disney-Künstler verpassten der Figur hypnotische Augen, die ihre Farbe ändern. Disney-Veteran Sterling Holloway, der Kaa sprach, verlängerte die S-Laute, womit er die Animatoren begeisterte und der komische Bösewicht zusätzlich charakterisiert wurde.

Frank Thomas und Ollie Johnston erinnern sich: „Sobald neue Vorschläge kamen, konnte Sterling die neuen Worte durch die Art und Weise, wie er sie las, zum Leben erwecken. Wir schrieben und formulierten um, und er machte weitere Vorschläge, bis wir gemeinsam entschieden, dass Kaas Schwäche darin bestand, dass die Schlange den Mund nicht halten konnte, wenn sie gerade obenauf war. Wenn sie alles hatte, was sie wollte, überreizte sie ihr Blatt und verlor."[15]

Peets erste Entwürfe eines glatzköpfigen Geiers waren raffiniert, und die Künstler fügten drei weitere Geier hinzu, deren Federn dem Pilzkopflook der Beatles und anderer britischer Bands

28.15

ähnelten, die in Amerika damals Furore machten. Das Lied des zerzausten Quartetts war ursprünglich eine Rocknummer mit einem markanten Gitarrenriff, verwandelte sich aber schließlich in etwas, was man für zeitloser hielt: ein schräges Barbershop-Arrangement.

Die Künstler verwarfen Peets jähzorniges Nashorn. Der Komiker Frank Fontaine, der für seine Rolle als Crazy Guggenheim in *The Jackie Gleason Show* bekannt war, stellte seine Stimme für Probeaufnahmen zur Verfügung. Anscheinend war Disney von einem betrunken klingenden Nashorn, das kaum noch richtig reden konnte, nicht sonderlich begeistert. Außerdem wurde ihm klar, dass der Film keine weiteren Nebenfiguren benötigte.

„Ich hatte gehofft, ich würde eines Tages zwei oder drei von Milts Nashornszenen, die es nicht in den Film geschafft hatten, finden. Aber es blieb bei einer Skizze, die er nach Bill Peets Handlungsentwürfen angefertigt hatte", seufzt Deja. „Das ist eine lustig aussehende Figur mit einem Überbiss und einem wirklich tief hängenden Körper auf kurzen Beinen. Ich wollte zu gern sehen, wie diese Figur sich bewegt, und sicher wollte Milt das auch."[16]

In den ursprünglichen Geschichten ist Balu zwar Moglis Lehrer, doch bei seinen sonstigen Abenteuern spielt er nur eine untergeordnete Rolle. So blieb Balu auch in Peets erstem Entwurf eine unbedeutende, wenn auch heitere Figur. Mit der Animation von Thomas und Johnston begann Balu ein Eigenleben zu entwickeln. Walt gefiel es, und die Rolle der Figur wurde ausgebaut.

„Als Balu erst einmal zu einer klar umrissenen Persönlichkeit geworden war, war er so unterhaltsam, dass man ihn unmöglich aus dem restlichen Film heraushalten konnte", erläutern Thomas und Johnston. „Statt des eigentlich vorgesehenen Kurzauftritts wurde er mehr und mehr in die Geschichte eingearbeitet, bis er zu der Triebkraft wurde, durch die der Film funktionierte. Phil Harris' Leistung verlieh einer farbenfrohen Figur Aufrichtigkeit, was zusätzliches Interesse weckte an allem, was er tat. Entscheidend war aber, dass dieser Bär plötzlich viel Wärme ausstrahlte, etwas, was dieser Film gebraucht hatte."[17]

Johnston fügte später hinzu: „Diese Beziehung zwischen dem Bären und dem Jungen baut sich allmählich auf. Es gibt nicht die eine Szene, über die sich sagen lässt: ‚Das hier ist die Szene, in der die beiden Freunde werden.' Wir wollten dieses Gefühl echter Zuneigung zwischen den beiden nach und nach aufbauen – dass sie einander brauchten und dass zwischen ihnen ein echtes Band bestand. Wir mussten dafür sorgen, dass das Publikum das fühlte."[18]

Goldberg erklärt: „Ollies Animation von Balus Tanz zu *Bare Necessities (Probier's mal mit Gemütlichkeit)* hat mich immer umgehauen, weil sie so gut ist: Das ist großartige Zeichenkunst und eine großartige Animation, die anzuschauen eine Freude ist. Sie besteht nur aus einem Stapel Zeichnungen und vermittelt dennoch so viel Leben, so

28.16

28.17

viel Schwung, so viel Stil und so viel Können. Er lässt es unbeschwert aussehen. Nie entsteht der Eindruck eines unsichtbaren Künstlers, der einen Bleistift führt. Die Figuren beherrschen ihre Körper. Sie sind auf der Leinwand lebendig. Für mich ist der Lackmustest für großartige Animation, ob die Figuren so aussehen, als ob sie aus eigenem Antrieb handeln."[19]

Balu konnte jedoch auch ernste Gefühle ausdrücken. Thomas' Szenen, in denen Balu darüber nachdenkt, wie er Mogli erklären soll, dass dieser nicht mehr im Dschungel leben kann, sind zu einer Messlatte für spätere Animatoren geworden. Die Figur reibt sich den Nacken und die Brust, während sie nach einem Weg sucht, das Unerfreuliche auszusprechen. Das sind Gesten, die in neueren Filmen in ähnlichen Situationen häufig imitiert wurden.

Deja merkt hierzu nachdenklich an: „Nicht nur Balus heitere Momente wirken echt, etwa wenn er singt oder den Fluss hinabtreibt. Durch die tiefe Freundschaft zwischen Mogli und Balu wirken auch die dramatischen Szenen glaubhaft, in denen er dem Jungen sagen muss, dass er ihn zur Menschensiedlung bringt. Man kann in Franks Animation sehen, dass Balu hin- und hergerissen ist. Er möchte es ihm nicht sagen, weil er Moglis Reaktion ahnt. Ein erstklassiger Schauspieler wie Frank meistert auch eine Szene, in der eine Figur mit sich uneins ist. Er sagte, er habe in der Armee einen Mann gekannt, der beim Nachdenken so was tat, wie sich an der Brust zu

28.16–17 ***Diese stimmungsvollen Concept-Ink-Zeichnungen zeigen Baghira, der versucht, Mogli in die Menschensiedlung zurückzubringen.***

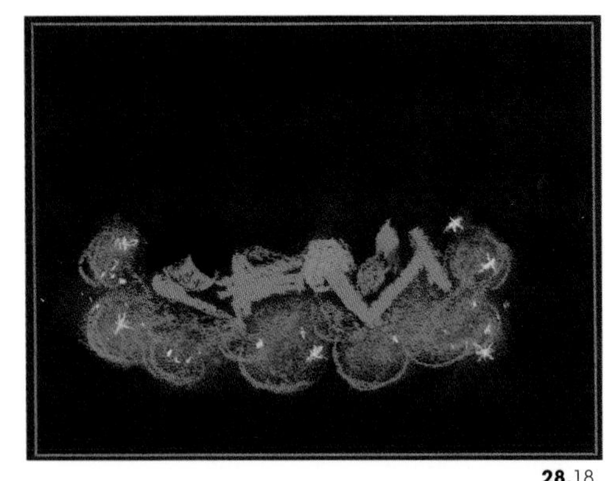

28.18

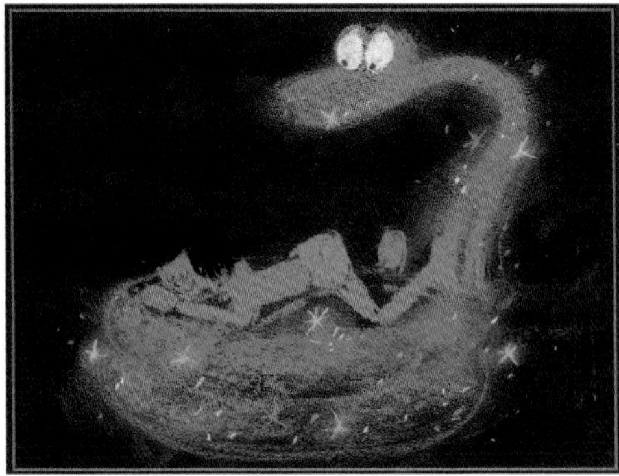

28.19

28.20

kratzen. Frank stützte die Animation auf das wahre Leben. Das ist der Grund, warum sie so echt erscheint."

„Walt strukturierte seine Filme folgendermaßen: ‚Findet die unterhaltsamen Szenen, und ich spinne darum herum eine Geschichte.' So hat er es bei The Jungle Book gemacht."
Vance Gerry

Deja fügt bedauernd hinzu: „Aber er hat etwas in Gang gesetzt, das *zu* inspirierend auf andere Trickfilmer gewirkt hat, denn die haben diese Gesten kopiert."[20]

Während die Künstler Balu entwickelten, wurde auch die Persönlichkeit von Baghira zum Thema. Ein Bär, der so extrovertiert und sorglos ist wie Balu, brauchte einen Gegenspieler, der für Kontrast und Konflikt sorgen würde. Thomas und Johnston erzählen: „Wir begannen zu überlegen, wie dieser neue Balu uns bei Baghira weiterhelfen könnte. Was könnte besser zusammen mit einem Freigeist funktionieren als ein missgestimmter, mürrischer Spießer? Je lockerer der Bär wurde, umso unterhaltsamer wurde der Panther."[21]

Johnston fügt später hinzu: „Es gab einen Geschichtenentwickler, der alle Bleistifte stets angespitzt in einer Reihe vor sich auf den Schreibtisch legte, jeden Papierstapel auf Kante, alles in schönster Ordnung. Wir dachten, genauso würde Baghira sein. Balu wäre jemand, der seine Füße auf den Schreibtisch legt, daneben ein angebissenes Brot und überall Krümel. Er wäre völlig unkompliziert, jemand, der die Freuden des Lebens genießt, der isst, sich kratzt, singt und Rhythmus im Blut hat. So hat Walt ihn gesehen, voller Rhythmus."[22]

Als Balu Mogli kennenlernt und ihm hilft, im Dschungel zu überleben, ist Baghira entsetzt darüber, dass dieser verantwortungslose Bär sich um diesen schutzlosen Jungen kümmert. Deja sagt hierzu: „Baghira fragt Balu: ‚Und was für ein Leben hast du ihm zu bieten?' Dann ist da Franks schöne Großaufnahme, in der Balu Baghira

28.18–20 ***In diesen frühen Story Sketches werden Moglis schöne Träume zum Albtraum, als gemütliche Wolken sich ins Kaas tödlichen Schlangenkörper verwandeln.***
28.21 ***In diesem dramatischen Cel-Setup verhindert Baghira gerade noch, dass Kaa Mogli verschlingt.***

nachäfft: ‚Was hast du ihm zu bieten?' Ich hatte noch in keinem Trickfilm solch eine Interaktion gesehen. Das ist ein inniger, authentischer Moment, der nicht nur die Handlung vorantreibt."[23]

„Balu ist der Onkel, den man gerne hätte, weil er für jeden Spaß zu haben ist. Baghira will, dass du in die Schule gehst, hart arbeitest und es zu etwas bringst."
Andreas Deja

Mogli, um den Baghira sich sorgt und den Balu über alles mag, ist hier die am wenigsten interessante Figur. Seine Interaktionen mit Balu sind warmherzig und glaubwürdig, aber er ist für gewöhnlich ein Beobachter, umgeben von größeren, interessanteren Figuren. Deja beschreibt das so: „Die meiste Zeit reagiert Mogli mehr, als dass er agiert. Er ähnelt hier Alice, die auf ihre Umgebung und andere Figuren ebenfalls nur reagiert."[24]

Die Künstler charakterisierten ihre Figuren immer genauer, während die Handlung dagegen allenfalls skizzenhaft blieb. Kahl erläutert:

„Wir hatten schon vier Szenen in diesem Film animiert, bevor wir wussten, wohin zum Teufel sich die Geschichte überhaupt bewegen würde ... Ich glaube, niemand außer Walt konnte auf diese Weise einen Film machen ... Frank Thomas und ich machten die erste Nacht im Wald, in der der Leopard den Jungen mit nach Hause nimmt. Wir entwickelten Baghira und den Jungen und die Schlange ... Inzwischen beschäftigte sich Ollie Johnston mit Balu, und Phil Harris kam auch noch dazu. Der Junge wird von den Bandar-Log (den Affen) entführt, und wir hatten die Szenen mit König Louie. Ja, (wir arbeiteten) von der Mitte nach außen: Wir hatten überhaupt keine Geschichte. Wir hatten weder einen Anfang noch ein Ende, noch sonst etwas."[25]

28.21

Nach Ansicht der Animatoren war es Disney, der diese Sequenzen zu einer zusammenhängenden Geschichte verknüpfte. Dennoch ist die Handlung weniger wichtig als die Persönlichkeiten der Figuren, die die Künstler ebenfalls auf Disney zurückführen. Johnston erinnert sich daran, wie Walt Disney in einem Flur des Studios vorführte, wie Balu sich bewegte. „Was passierte", erzählt Kahl, „war, dass die Figuren vielschichtiger wurden, und dort setzte Walt an, um eine Geschichte zu entwickeln. Überhaupt kam viel von der Komplexität der Figuren von ihm."[26]

„Walt erfasste sofort das Wesentliche eines Films und einer Handlung", fügt Reitherman hinzu. „Bei der Arbeit an *Jungle Book* versuchte ich ständig, den Schwerpunkt auf die Persönlichkeiten zu legen und die Handlung einfach zu halten. In den Filmen, die ich seither gemacht habe, habe ich mich auf die Persönlichkeit konzentriert, eindringliche Charakterisierungen und eindringliche Stimmen, die zu den Figuren passen. Auf diese Art ließen sich die Filme viel einfacher konzipieren."[27]

In nachfolgenden Disney-Kinofilmen war die Handlung oft nur noch ein Mittel, um hervorragend animierte Sequenzen zu verbinden, ein Trend, der sich bis zu *The Fox and the Hound (Cap und Capper)* fortsetzte. Aber eine gut ausgearbeitete Handlung und lebensechte Figuren schließen sich nicht gegenseitig aus: *Pinocchio*, *Bambi* und *Dumbo (Dumbo, der fliegende Elefant)* beinhalten nuanciert dargestellte, gefühlsechte Figuren *und* mitreißende Geschichten.

Goldberg erläutert: „*Jungle Book* ist ein Film der Animatoren. Es gibt so viel, was man von dem Film lernen kann. Ich nenne ihn gern das letzte Hurra der alten Künstler. Das soll nicht heißen, dass sie danach nichts Schönes mehr gemacht haben. Aber es ist der letzte Film, an dem Disney persönlich beteiligt war, und man hat den Eindruck, dass er der letzte große klassische Disney-Film ist, den diese Männer gemacht haben."[28]

28.22

The Jungle Book war auch der erste Disney-Spielfilm, in dem in größerem Umfang Szenen aus früheren Filmen wiederverwendet wurden. Vieles von der Animation von Colonel Hathis Elefantenherde wurde aus dem Kurzfilm *Goliath II* (1960) übernommen. Wesentliche Szenen, als Mogli vor König Louie gerettet wird, wurden aus „Wind in the Willows" („Das Erlebnis von Taddäus Kröte") kopiert, dem ersten Teil von *The Adventures of Ichabod and Mr. Toad* (*Die Abenteuer von Ichabod und Taddäus Kröte,* 1949).

Der Animator John Ewing beschreibt, wie er den Auftrag von Reitherman erhielt:

„Woolie wollte eine rasante und witzige Sequenz. ‚Du kennst die Verfolgungsjagd

28.23

aus »Wind in the Willows«?', fragte er. ,Oh ja', antwortete ich und erinnerte mich nur vage an die Sequenz, die er meinte. ,Also, du musst einfach nur die Wiesel in Affen umzeichnen', sagte Woolie, ,und Mole und Rat in Balu und Baghira.' ,In Ordnung', sagte ich und versuchte, selbstbewusst zu klingen. ,Und aus dem aufgerollten Schriftstück machst du Mogli.' – ,In Ordnung.' – ,Hol dir die Zeichnungen aus dem Archiv', sagte Woolie, ,und viel Glück!' Es war extrem harte Arbeit. Aus Wieseln Affen zu machen war nicht allzu schwierig. Aber Rat in Balu zu verwandeln war praktisch unmöglich, und die Urkunde für Herrenhaus Kröte zu Mogli zu machen war ganz und gar unmöglich. Aber ich machte es, und es hat funktioniert."[29]

Obgleich man dieses Vorgehen aus ökonomischen Gründen einführte und bis zu *The Black Cauldron* (*Taran und der Zauberkessel*, 1985) beibehielt, verursachte der Aufwand, um die alten Zeichnungen zu überarbeiten, zu kopieren und auszumalen, wahrscheinlich ähnlich hohe Kosten wie eine neue Animation.

Die mitreißende Filmmusik kam dem Film immens zugute. Gilkysons *The Bare Necessities* wurde in der Kategorie „Bester Song" für einen Oscar nominiert. Alle anderen Lieder wurden von Robert und Richard Sherman komponiert, die bei *Mary Poppins* schon Oscars in den Kategorien „Beste Filmmusik" und „Bester Song" gewonnen hatten und zu Walts Hauskomponisten geworden waren. *I Wan'na Be Like You* sorgt nach wie vor für Begeisterung, wenn der Film gezeigt wird.

Eine kuriose Entstehungsgeschichte hat das Lied von Kaa. Die Sherman-Brüder erinnern sich:

28.22 ***Ein gemalter Entwurf mit Balu und Mogli, die sich glücklich auf einem Dschungelfluss treiben lassen***
28.23 ***Auf diesem Setup aus Cels und Hintergrund probieren es Mogli und Balu mal mit Gemütlichkeit.***

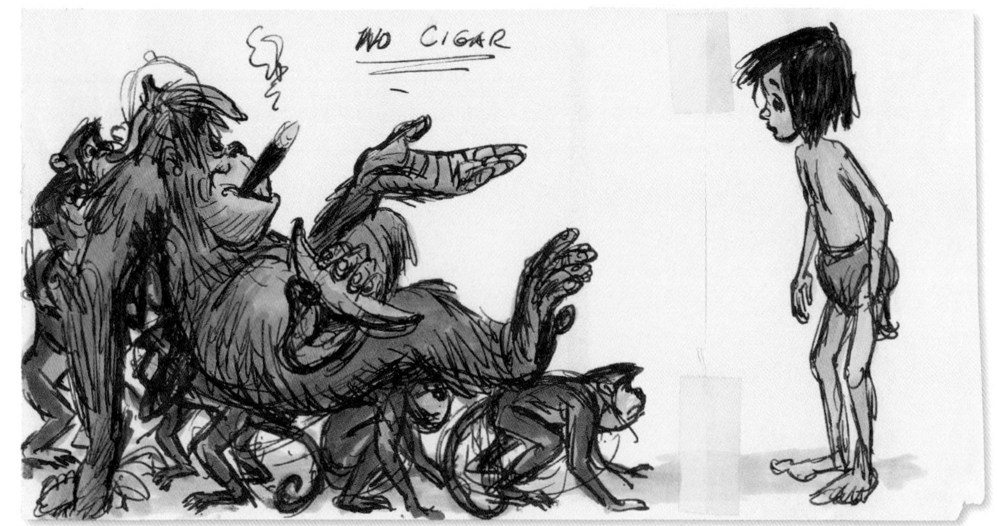

28.24

„*Trust in Me (Hör auf mich)* sollte ursprünglich ein Stück für *Mary Poppins* mit dem Titel *The Land of Sand* sein. In jener Version des Liedes finden sich Mary und die Kinder auf wundersame Weise mitten in der Sahara wieder, und sie singt ein geheimnisvolles Lied über die Bilder, die man im Sand sehen kann. Die Szene wurde geschnitten, aber die Melodie hat uns immer verfolgt ... und so änderten wir den Text und die Melodie ein wenig (wir fügten eine Menge zischende ‚S'-Wörter hinzu), und es wurde daraus ‚Trust in Me'."[30]

Nach dem Tod von Walt Disney am 15. Dezember 1966 waren die Künstler am Boden zerstört. Schlagzeilen in der ganzen Welt sprachen vom Ende einer Ära, und Tausende Menschen schickten Kondolenzbriefe an das Studio. In der jüngeren Geschichte löste nur der Tod von Steve Jobs eine ähnliche Anteilnahme aus. Die Künstler verloren den Wegbereiter, dem sie drei Jahrzehnte lang gefolgt waren und der die Kunst des Trickfilms fortentwickelt hatte, um seine Visionen zu verwirklichen.

Kahl sagt knapp: „Das Schlimme ist, Walt musste gehen und uns wegsterben. Er war ein Mensch, wie es ihn in mehreren Generationen nur einmal gibt. Walt war wirklich ein Genie und ein absolut wunderbarer Geschichtenerzähler."[31]

The Jungle Book kam am 18. Oktober 1967 in die amerikanischen Kinos, zehn Monate nach Disneys Tod und 30 Jahre nach der Premiere von *Snow White and the Seven Dwarfs (Schneewittchen und die sieben Zwerge)*. Der Film wurde ein Riesenerfolg in den USA und Europa. Bis heute wird er geliebt, und er hat viele junge Künstler dazu gebracht, Trickfilmkünstler zu werden.

„Auf der ganzen Welt ist* The Jungle Book *ungeheuer beliebt. Man schaut sich die großartigen Auftritte mit der wunderbaren Musik an, und sie wirken kein bisschen veraltet."

Eric Goldberg

Deja sagt: „*Jungle Book* zu sehen war so ein Erlebnis, bei dem einem die Kinnlade herunterfällt. Dein Leben ändert sich, weil du so verzaubert bist von dem, was du gerade gesehen hast. Je mehr ich darüber nachdachte, desto klarer wurde mir, dass ich das zu meinem Beruf machen sollte, obwohl es bedeuten würde, mein Land und meine Familie zu verlassen und Englisch zu lernen. Alle hielten das für eine verrückte Idee, womit sie auch irgendwie recht hatten. Aber es hat etwas für sich, von etwas getrieben zu sein."[32]

Brad Bird, Oscarpreisträger und Regisseur von *Ratatouille* und *The Incredibles (Die Unglaublichen – The Incredibles)*, erinnert sich: „Als ich *Jungle Book* sah, machte etwas klick. Ich hatte zuvor schon Trickfilme gesehen, aber mir fiel auf, dass diese Figuren sich nicht nur bewegten wie die Tiere, die sie sein sollten, sie bewegten sich auch wie die Persönlichkeiten, die sie sein sollten. Nicht nur bewegt sich der Panther wie ein Panther, er bewegt sich wie ein spießiger Panther. Mir wurde klar, dass Menschen sich das ausgedacht hatten. Das war eine Offenbarung. Ich fragte mich: ‚Wie bekomme ich das hin?'"[33]

Zur oft nicht einfachen Entstehungsgeschichte des Films meint Deja: „Es gab so vieles, woran der Film hätte scheitern können. Das Schlimmste war natürlich, dass Walt mittendrin starb. Die ganze Produktion hätte ohne seine Führung einfach zusammenbrechen können. Einen Film zu machen, der völlig von Kipling abwich, und ihn auf die Disney-Art zu machen, hätte schiefgehen können, so wie das bei *Alice* passiert ist. Doch ‚der kleine Film', wie Woolie ihn nannte, weil er nicht den ganzen Schnickschnack enthielt, fand irgendwie sein Publikum."

„Der Film hat Europa erobert, weil er eindrückliche Figuren zeigt und ihre Beziehungen zueinander – das ist die eigentliche Stärke des Films", fasst er noch zusammen. „Ich bin in Deutschland aufgewachsen, wo jeder diese Figuren liebt. Alle Kinder haben sie gezeichnet. Für mich gehört *Jungle Book* zu den fünf allerbesten Disney-Zeichentrickfilmen."[34]

28.24 ***Ein früher Entwurf von König Louie zeigt seine lässige Art. Später kamen die Animatoren auf die Idee, seine Füße wie Hände einzusetzen.***
28.25 ***Ein Cel-Setup mit Louie, dem selbst ernannten „König im Affenstaat"***
28.26 ***Louis Prima und der Saxophonist Sam Butera nehmen* I Wan'na Be Like You *auf.***

28.25

28.26

Anmerkungen

Zitate aus den Mitschriften der Storykonferenzen wurden mit freundlicher Genehmigung der Walt Disney Archives verwendet, wenn nicht anders angegeben.

Einleitung

1 Zitiert nach Dave Smith, *The Quotable Walt Disney.* New York 2001, S. 155.
2 Zitiert nach Sergej Eisenstein: *Disney.* Oksana Bulgakowa, Dietmar Hochmuth (Hrsg. und Übers.). Berlin/San Francisco 2012, S. 40.
3 David Low, „Leonardo da Disney", in: *New Republic*, 5. Januar 1942, S. 17.
4 Dorothy Grafly (ungenannt), „American Cartoon Gives the World an American Art," in: *Philadelphia Public Ledger*, 23. Oktober 1932.
5 Zitiert nach Bill Mikulak, „Disney and the Art Worlds: The Early Years", in: Maureen Furniss, *Animation: Art und Industry.* New Barnet 2009, S. 112.
6 Ebd.
7 Ebd.
8 Richard Schickel, *The Disney Version.* New York 1968, S. 39.
9 Interview mit John Hench von Dave Smith, 1. Mai 2002, Transkript. Walt Disney Archives, Band DES602.

Zitat
S. 8 Walt Disney, zitiert nach *Wisdom: The Magazine of Knowledge for Lifetime Learning and Education*, Vol 22, Dezember 1959, S. 80.

1. Laugh-O-grams

1 David Gerstein: „Lost Laugh-O-Grams Found – And Shown", in: *Ramapith*, URL: http://ramapithblog.blogspot.com/2010/10/lost-laugh-o-grams-foundand-shown.html, 14. Oktober 2010.

Zitat
S. 17 Walt Disney, zitiert nach Michael Barrier, *The Animated Man: A Life of Walt Disney.* Los Angeles 2007, S 39.

2. Von Alice zu Micky

1 Brief von Margaret Winkler an Walt Disney, 26. Dezember 1923. Mit freundlicher Genehmigung der Walt Disney Archives.
2 *Moving Picture World,* 12. November 1927, S. 36.
3 Zitiert nach Russell, Karen Merritt: „Mythic Mouse", in: *San Jose Mercury News, West Magazine,* 19. Juni 1988, S. 8.

3. Hyperion-Studios

1 Interview mit Marc Davis von Charles Solomon, 18. August 1986.
2 Zitiert nach Bob Thomas: *Building a Company: Roy O. Disney und the Creation of an Entertainment Empire.* New York 1998, S. 53.
3 Zitiert nach Didier Ghez (Hrsg.): *Walt's People: Talking Disney with the Artists Who Knew Him.* Vol. 10, Philadelphia 2011, S. 64.
4 Interview mit Bill Melendez von Charles Solomon, August 1985.
5 Interview mit Joe Grant von Charles Solomon, März 2000.
6 Ebd.
7 Zitiert nach Bob Thomas, *Building a Company*, S. 53.
8 Interview mit Richard Huemer von Joe Adamson, in: AFI-UCLA Oral History Project, URL: https://archive.org/details/recollectionsofr00huem, 1969.
9 Ebd.
10 Interview mit Joe Grant von Charles Solomon, März 2000.
11 Interview mit Art Babbitt von Charles Solomon, Juli 1985.
12 Ebd.
13 Ebd.
14 Zitiert nach Charles Solomon: „Training Disney Artists: Don Graham und the Chouinard School", in: Bruno Girveau (Hrsg.): *Once Upon a Time Walt Disney: The Sources of Inspiration for the Disney Studios.* Paris 2006, S. 80.
15 Interview mit Ward Kimball von Charles Solomon, 28. August 1986.
16 Hamilton Luske: „Character Handling", 6. Oktober 1938. Mit freundlicher Genehmigung der Walt Disney Archives.
17 Zitiert nach Charles Solomon: *Enchanted Drawings: The History of Animation.* New York 1989, S. 50.
18 Zitiert nach Frank Thomas, Ollie Johnston: *Disney Animation: The Illusion of Life.* New York 1981, S. 561.
19 Interview mit Art Babbitt von Charles Solomon, Juli 1985.
20 Interview mit Tyrus Wong von Charles Solomon, 21. Juli 1990.
21 Interview mit Bill Peet von Charles Solomon, November 1985.
22 Interview mit Richard Huemer von Joe Adamson, 1969.
23 Interview mit Grim Natwick von Charles Solomon, 28. Februar 1984.
24 Interview mit Marc Davis von Charles Solomon, 18. August 1986.
25 Interview mit Leo Salkin von Charles Solomon, September 1985.
26 Interview mit Chuck Jones von Charles Solomon, August 1985.

27 Zitiert nach Charles Solomon: *Enchanted Drawings*, S. 57.
28 Interview mit Joe Grant von Charles Solomon, März 2000.
29 Ebd.
30 Interview mit Leo Salkin von Charles Solomon, September 1985.
31 Homer Brightman: *Life in the Mouse House: Memoir of a Disney Story Artist*. Orlando 2014, S. 16–17.
32 Interview mit Leo Salkin von Charles Solomon, September 1985.
33 Ebd.
34 Interview mit Marc Davis von Charles Solomon, 18. August 1986.
35 Interview mit Richard Huemer von Joe Adamson, 1969.
36 Interview mit Leo Salkin von Charles Solomon, September 1985.
37 Interview mit Joe Grant von Charles Solomon, März 2000.
38 Ebd.
39 Interview mit Ward Kimball von Charles Solomon, 28. August 1986.
40. Interview mit Ed Catmull von Charles Solomon, 9. September 2015.
41 Interview mit John Lasseter von Charles Solomon, 2. September 2015.
42 Interview mit Marc Davis von Charles Solomon, 18. August 1986.

4. Silly Symphonies

1. Salvador Dalí: „Surrealism in Hollywood", *Harper's Bazaar*, June 1937, S. 132.
2 Sergei Eisenstein: *Eisenstein on Disney*. Jay Leyda (Hrsg.), London 1988, S. 23.
3 Michael Barrier, Milton Grey, Bill Spencer: „An Interview with Carl Stalling", in: *Funnyworld* 13 (1971). Nachzulesen auch unter URL: http://www.michaelbarrier.com/Funnyworld/Stalling/Stalling.htm.
4 Paul Rotha: *The Film Till Now: A Survey of the Cinema*. New York 1939, S. 64.
5 Vgl. Russell Merritt, J.B. Kaufman: *Walt Disney's Silly Symphonies: A Companion to the Classic Cartoon Series*. Los Angeles, New York 2016. Zitiert nach einem unveröffentlichten Manuskript.
6 Ebd.
7 Memo von Walt Disney an Ted Sears und das Story Department, 23. Dezember 1935.
8 Vgl. Didier Ghez: *They Drew as They Pleased: The Hidden Art of Disney's Golden Age*. San Francisco 2015, S. 174–202.
9 Sergei Eisenstein: „On Disney", in: Edoardo Bruno, Enrico Gezzi (Hrsg.): *Walt Disney*. Ausstellungskatalog, La Biennale di Venezia, Venedig/Rom 1985, S. 27.

Zitate
S. 54 Arthur Mann: *Harper's Monthly*, Mai 1934, S. 719.
S. 55 Paul Rotha: *The Film Till Now* London 1951, S. 516.
S. 57 *Walt Disney*. Ausstellungskatalog, Los Angeles County Museum of Art, 1940.
S. 60 *Fortune*, November 1934, S. 88.

5. Schneewittchen und die sieben Zwerge

1 Zitiert nach Rudy Behlmer: *America's Favorite Movies: Behind the Scenes*. New York 1982, S. 49.
2 Sofern nicht anders angegeben, stammen alle Zitate in diesem Essay aus Interviews, die der Autor in den Jahren 1985 und 1986 in Kalifornien geführt hat.
3 Walt Disney: „Why I Chose Snow White", in: *Photoplay Studies 3*, Nr. 10 (1937), S. 7–8.
4 Laurens van der Post: *Venture to the Interior*. London 1952, S. 22.
5 Interview mit Marc Davis in: *Crimmer's Journal*, Winter 1975, S. 40.
6 Jonathan Rosenbaum: „Walt Disney", *Film Comment*, Januar/Februar 1975, S. 65.
7 Zitiert nach Leonard Maltin: *Of Mice and Magic: A History of American Animated Cartoons*. New York 1987, S. 56.
8 William Paul: „Pantheon Pantheist", in: *The Village Voice*, 2. August 1973, S. 74.

Zitate
S. 69 Walt Disney, zitiert nach Howard Green: „Epics of Animation: Snow White und the Seven Dwarfs", *Cinemagic* 36 (1987), S. 44.
S. 71 Walt Disney, zitiert nach Dave Smith: *The Quotable Walt Disney*. New York 2001, S. 30.

6. Pinocchio

1 Charles Solomon: „Sleeping Beauty", in diesem Band, S. 374–397.
2 Vgl. Kathy Merlock Jackson: *Walt Disney, from Reader to Storyteller: Essays on the Literary Inspirations*. North Carolina 2014, S. 11.
3 Vgl. Didier Ghez: *Disney's Grand Tour: Walt and Roy's European Vacation, Summer 1935*. Dallas 2013, S. 84.
4 Aufzeichnungen aus Storykonferenz, 3. Dezember 1937.
5 Umberto Eco: Einführung zu Pinocchio von Carlo Collodi. New York 2011, IX–XI.
6 Maurice Sendak: „Walt Disney's Triumph: The Art of Pinocchio", in: *The Washington Post*, 10. Juli 1988.
7 Aufzeichnungen aus Storykonferenz, 14. Januar 1939.
8 Aufzeichnungen aus Storykonferenz, 16. Januar 1939.
9 Ebd.

10 Memo von Walt Disney an Ted Sears und das Story Department, 23. Dezember 1935
11 Vgl. J. B. Kaufman: *Pinocchio: The Making of the Disney Epic*. San Francisco 2015.
12 Sergei Eisenstein: „On Disney", in: Edoardo Bruno, Enrico Ghezzi (Hrsg.): *Walt Disney*. Ausstellungskatalog, La Biennale di Venezia, Venedig – Rom 1985, S. 25.
13 Walt Disney: „Why I Picked Pinocchio", in: *Los Angeles Times*, 1. Oktober 1939.
14 Andreas Deja: „The One and Only", in: *Deja View*, URL: http://andreasdeja.blogspot.de/2015_06_22_archive.html, 22. Juni 2015.
15 Aufzeichnungen aus Storykonferenz, 18. Januar 1938.
16 Vgl. Maurice Sendak: „Walt Disney's Triumph".
17 Aufzeichnungen aus Storykonferenz, 26. Mai 1938.
18 Aufzeichnungen aus Storykonferenz, 15. März 1938.
19 Aufzeichnungen aus Storykonferenz, 13. März 1938.
20 Archer Winsten: „As You Watch This Picture", in: *New York Post*, 8. Februar 1940.
21 Zitiert nach Eugene: „Orson Welles", in: *New York Film Academy: Student Resources*, URL: https://www.nyfa.edu/student-resources/orson-welles/, 6. Juni 2014.
22 Vgl. Michael Barrier: *Hollywood Cartoons: American Animation in Its Golden Age*. New York 1999, S. 318, 602.
23 Zitiert nach Bob Thomas: *Walt Disney: An American Original*. New York 1994, S. 161.
24 Zitiert nach Philip K. Scheuer: „Town Called Hollywood", in: *Los Angeles Times*, 12. Januar 1941, C3.
25 Frank S. Nugent: „The Screen in Review: *Pinocchio*, Walt Disney's Long-Awaited Successor to *Snow White*, Has Its Premiere at the Center Theatre", in: *New York Times*, 8. Februar 1940.
26 Aufzeichnungen aus Storykonferenz, 1. Dezember 1939.
27 *Walt Disney*. Ausstellungskatalog, Los Angeles County Museum of Art, 1940.
28 Maurice Sendak: „Walt Disney's Triumph".

Zitate

S. 92 Walt Disney: „Why I Picked Pinocchio", *Los Angeles Times*, 1. Oktober 1939, H8.
S. 95 Terry Gilliam: „The 10 best animated films of all time", in: *The Guardian*, URL: http://www.theguardian.com/film/2001/apr/27/culture.features1, 27. April 2001.
S. 99 Jack Kinney: *Walt Disney und Assorted Other Characters*. New York 1988, S. 111.
S. 100 Russell Merritt: „Disney's Byzantine Lumbor Number", in: J. B. Kaufman (Hrsg.): *Pinocchio: The Making of the Disney Epic*. San Francisco 2015), S. 294.
S. 107 Aufzeichnungen aus Storykonferenz, 19. Mai 1938.
S. 113 Walt Disney: „The Inside Story of the Filming of *Pinocchio*", in: *News of the World*, 21. März 1940.
S. 114 Frank S. Nugent: „The Screen In Review: *Pinocchio*, Walt Disney's Long-Awaited Successor to *Snow White*, Has Its Premiere at the Center Theatre", in: *New York Times*, 8. Februar 1940.

7. Fantasia

1 Zitiert nach Ted Vollmer: „$50-Million Dollar Gift Offered to Music Center: Funds for New Home for Philharmonic Would Resolve Long Dispute Over Expansion Plans", in: *Los Angeles Times*, 14. Mai 1987.
2 Vgl. Memo von Bob Carr an Walt Disney, 23. Oktober 1940. Mit freundlicher Genehmigung von Daniel Kothenschulte.
3 *Fantasia*, offizielles Programmheft, Walt Disney Studios, 1940.
4 Zitiert nach John Culhane: *Walt Disney's* Fantasia. New York 1983, S. 29.
5 Ebd.
6 Aufzeichnungen aus Storykonferenz, 2. August 1939.
7 Aufzeichnungen aus Storykonferenz, 8. November 1938.
8 Zitiert nach John Culhane: *Walt Disney's* Fantasia, S. 37.
9 Aufzeichnungen aus Storykonferenz, 21. August 1939.
10 Aufzeichnungen aus Storykonferenz, 28. Februar 1939.
11 Aufzeichnungen aus Storykonferenz, 24. Oktober 1938.
12 Aufzeichnungen aus Storykonferenz, 23. Januar 1939.
13 Aufzeichnungen aus Storykonferenz, 2. März 1939.
14 Continuity Treatment, 6. November 1939.
15 Robert D. Feild: *The Art of Walt Disney*. New York 1942, S. 53.
16 Memo von Bob Carr an Walt Disney, 23. Oktober 1940.
17 Aufzeichnungen aus Storykonferenz, 13. September 1938.
18 Ebd.
19 Aufzeichnungen aus Storykonferenz, 14. Mai 1940.
20 Zitiert nach John Culhane: Walt Disney's Fantasia, S. 120.
21 Aufzeichnungen aus Storykonferenz, 2. November 1938.
22 Aufzeichnungen aus Storykonferenz, 17. Oktober 1938.
23 Ebd.
24 Ebd.
25 Ebd.

26 Aufzeichnungen aus Storykonferenz, 8. August 1939.
27 Zitiert nach Robin Allan: *Walt Disney & Europe*. London 1999, S. 145.
28 Deems Taylor: *A Pictorial History of the Movies*. New York 1943, S. 333.
29 Aufzeichnungen aus Storykonferenz, 17. Oktober 1938.
30 Ebd.
31 Aufzeichnungen aus Storykonferenz, 28. September 1938.
32 Interview mit Wilfred Jackson von Michael Barrier, Milton Gray, Bob Clampett, URL: http://michaelbarrier.com/Interviews/Jackson1973/Jackson1973.html, 1973.
33 *Fantasia*, offizielles Programmheft, Walt Disney Studios, 1940.
34 Zitiert nach John Culhane: *Walt Disney's* Fantasia, S. 194.

Zitate
S. 123 Aufzeichnungen aus Storykonferenz, 11. November 1938.
S. 125 Bianca Majolie, zitiert nach John Canemaker, *Before the Animation Begins: The Art und Lives of Disney Inspirational Sketch Artists*. New York 1996, S. 103–104.
S. 134 Walt Disney, Ausstellungskatalog, Los Angeles County Museum of Art, 1940.
S. 139 Aufzeichnungen aus Storykonferenz, 23. Januar 1939.
S. 140 Aufzeichnungen aus Storykonferenz, 23. Januar 1939.
S. 144 Jules Engel, Interview mit Jules Engel in: *AFI-UCLA Oral History Project*, URL: http://oralhistory.library.ucla.edu/viewItem.do?ark=21198/zz002h29mv&fileSeq=null&xsl=null, Band II, 23. Januar 1976.
S. 144 *Fantasia*, offizielles Programmheft, Walt Disney Studios, 1940.

8. Burbank-Studios
1 Vgl. Steven Watts: *The Magic Kingdom: Walt Disney and the American Way of Life*. Columbia 2001, S. 167. („Unser Studio war eher eine Schule als ein Unternehmen.")
2 Transkript von Frank Lloyd Wrights Vorlesung vom 26. Februar 1939, Nachdruck in: Don Hahn, Tracey Miller-Zarneke: *Before Ever After: The Lost Lectures of Walt Disney's Animation Studio*. Los Angeles/New York 2015, S. 364.
3 Interview mit Ben Sharpsteen von Richard Hubler, 29. Oktober 1968, 4. Mit freundlicher Genehmigung der Walt Disney Archives.
4 Arthur Millier: „Brush Strokes",in: *Los Angeles Times*, 17. September 1939.
5 Kem Weber: „Man-Made Magic Gets Itself Properly Housed", in: *Arts and Architecture*, Januar 1940, S. 29.
6 Interview mit Frank Crowhurst von Gerrit Roelof: „Discussion on New Burbank Disney Studio", 16. April 1940. Mit freundlicher Genehmigung der Walt Disney Archives.
7 Anonymous: „Piano Gets Disney Treatment", in: *Arts and Architecture*, Januar 1940, S. 34.
8 Zitiert nach Michael Barrier: *The Animated Man: A Life of Walt Disney*. Berkeley, Los Angeles/London 2008, S. 160.
9 Interview mit Kem Weber über das Design des Studios, 1940. Mit freundlicher Genehmigung der Walt Disney Archives.
10 Brief von Kem Weber an Walt Disney, 31. Oktober 1940. Mit freundlicher Genehmigung der Walt Disney Archives.

Zitate
S. 148 John D. Ford: „An Interview mit John und Faith Hubley", in: Danny Peary, Gerald Peary (Hrsg.): *The American Animated Cartoon: A Critical Anthology*. New York 1980, 183.
S. 152 Ben Sharpsteen, Interview mit Ben Sharpsteen von Richard Hubler, 29. Oktober 1968, 4. Mit freundlicher Genehmigung der Walt Disney Archives.

9. Walt Disneys Geheimnisse
Zitate
S. 161 Interview mit Chuck Jones von Mike Barrier, URL: http://www.michaelbarrier.com/Funnyworld/Jones/interview_chuck_jones.htm, 1971.
S. 163 Walt Disney, zitiert nach Hedda Hopper: „Hedda Hopper's Hollywood", in: *Los Angeles Times*, 19. November 1940.
S. 163 Interview mit Jack Kinney, 1984, zitiert nach Didier Ghez (Hrsg.): *Walt's People*, Vol. 16, Orlando 2015, S. 72.

10. Dumbo
1 David Mamet: *On Directing Film*. New York 1991, S. 80.
2 Zitiert nach *Taking Flight: The Making of Dumbo*. Bonus Feature auf Blu-ray, 2013.
3 Interview mit Richard Huemer von Joe Adamson, in: *AFI-UCLA Oral History Project*, URL: https://archive.org/stream/recollectionsofr00huem/recollectionsofr00huem_djvu.txt, 1969, S. 170.
4 Zitiert nach Leonard Maltin: *The Disney Films*. New York 1973, S. 49.
5 Nähere Angaben finden sich in Michael Barrier: *The Animated Man*. Los Angeles 2007, S. 176–178.
6 Interview mit Walt Disney von Pete Martin, Transkript, Band 7, S. 31. Mit freundlicher Genehmigung der Walt Disney Archives.
7 Zitiert nach Eric Pace: „Helen A. Mayer, Dumbo's Creator, Dies at 91", in: *New York Times*, 10. April 1999.

8 Korrespondenz. Mit freundlicher Genehmigung der Walt Disney Archives.
9 Interview mit Joe Grant von Michael Barrier, URL: http://www.michaelbarrier.com/Interviews/Grant/interview_joe_grant.htm, 14. Oktober 1988.
10 Interview mit Richard Huemer von Joe Adamson, S. 168.
11 Das Original befindet sich in den Walt Disney Archives.
12 Bill Tytla, Action-analytic Lecture, 10. Dezember 1936. Zitiert nach Michael Barrier: *Hollywood Cartoons: American Animation in Its Golden Age*. New York 1999, S. 313.
13 Zitiert nach Anonym: „Cinema: Mammal-of-the-Year", in: Time, 29. Dezember 1941, S. 17.
14 Zitiert nach ebd., S. 29.
15 Interview mit Richard Huemer von Joe Adamson, S. 169.
16 Vgl. Mark Langer: „Regionalism in Disney Animation: Pink Elephants and Dumbo", in: *Film History* 4, Nr. 4 (1990), S. 305–321.
17 *Dumbo, the Flying Elephant,* Originaltyposkript. Mit freundlicher Genehmigung der Walt Disney Archives.
18 Frank Thomas, Ollie Johnston: *Disney Animation: The Illusion of Life*. New York 1981, S. 100.
19 Vgl. Mark Langer: „Regionalism in Disney Animation", S. 306.
20 In der Animation Research Library befindet sich eine größere Sammlung nicht immer zusammenhängender abstrakter und semiabstrakter Storyboardzeichnungen unter dem Arbeitstitel „Surrealist Short".
21 Interview mit James Bodrero von Milton Gray, URL: http://www.michaelbarrier.com/Interviews/Bodrero/Bodrero_interview.html, 29. Januar 1977.
22 Interview mit Richard Huemer von Joe Adamson, S. 158.
23 Interview mit Ward Kimball von Michael Barrier, URL: http://www.michaelbarrier.com/Interviews/Kimball/interview_ward_kimball.htm, 12. Dezember 1986.
24 Zitiert nach Wade Sampson: „From Ukulele Ike to Jiminy Cricket: Cliff Edwards", in: *Mouse Planet,* URL: http://www.mouseplanet.com/9135/From_Ukelele_Ike_to_Jiminy_Cricket_Cliff_Edwards, 10. Februar 2010.
25 Bosley Crowther: „Walt Disney's Cartoon, Dumbo, a Fanciful Delight, Opens at the Broadway — You'll Never Get Rich,' with Fred Astaire and Rita Hayworth, Is Seen at the Music Hall — New Film at Palace", in: *New York Times,* 24. Oktober 1941.
26 Anonym: „Cinema: Mammal-of-the-Year".
27 Interview mit Richard Huemer von Joe Adamson, S. 218.

Zitate
S. 168 Walt Disney,anlässlich der Einführung des Films auf Disneyland TV.
S. 171 Walt Disney, zitiert nach Michael Barrier, *The Animated Man*. Berkeley 2008, S. 184.
S. 173 Bill Tytla, zitiert nach Steven Watts: *The Magic Kingdom: Walt Disney and the American Way of Life*. Columbia 2001, S. 95.
S. 175 Bill Peet: *Bill Peet: An Autobiography*. Boston 1989, S. 112.
S. 176 Ward Kimball, zitiert nach Leonard Maltin: *The Disney Films*. New York 1973, S. 49.
S. 181 Interview mit Ward Kimball von Michael Barrier, URL: http://www.michaelbarrier.com/Interviews/Kimball/interview_ward_kimball.htm, 12. Dezember 1986.
S. 183 Interview mit Richard Huemer von Joe Adamson, S. 158.
S. 186 Cecilia Ager: *PM*. Tageszeitung, New York, 24. Oktober 1941.

11. Bambi
1 Aufzeichnungen „Sweat Box"-Konferenz, 11. März 1941.
2 Bosley Crowther: „*Bambi* review", in: *New York Times,* 23. August 1942.
3 Manny Farber: „Saccharine Symphony – *Bambi*", in: *The New Republic,* 29. Juni 1942, Nachdruck in: Danny und Gerald Peary: *The American Animated Cartoon: A Critical Anthology*. New York 1980, S. 91.
4 Brief von Toni Spitzer (Disney) an Barret McCormick (RKO), 23. März 1942. Mit freundlicher Genehmigung der Walt Disney Archives.
5 Vgl. Ollie Johnston, Frank Thomas: *Walt Disney's Bambi: The Story and the Film*. New York 1990.

Zitate
S. 199 Firmenanzeige, *The Hollywood Reporter,* 30. Juni, 1942, 5.

12. Ruf des Südens
1 Brief von Norm Ferguson an Walt Disney, 14. Oktober 1944. Mit freundlicher Genehmigung der Walt Disney Archives.

Zitate
S. 217 Vincent de Pasca:, „Walt Disney Proves Real U.S. Good-Will Ambassador", in: *The Hollywood Reporter*, 25. September 1941, 5.
S. 220 Walt Disney in der Radiosendung *The Coca-Cola Hour,* 27. Dezember 1942.
S. 224 Telegramm von Nelson Rockefeller an Walt Disney, 14. November 1944. Mit freundlicher Genehmigung des Rockefeller Archive Center.
S. 226 Anonym: „Third South American Film to Salute Cuba", in: *Brooklyn Eagle,* 17. Mai 1943.

S. 228 Theodore Strauss: „Donald Duck's Disney", in: *New York Times,* 7. Februar 1943, Section 2, 3.
S. 231 Brief von Norm Ferguson an Walt Disney, 14. Oktober 1944. Mit freundlicher Genehmigung der Walt Disney Archives.

13. Make Mine Music

1 Jim Korkis: „Walt Disney Talks about the Disney Package Features", in: *MousePlanet,* URL: https://www.mouseplanet.com/11239/Walt_Talks_About_the_Disney_Package_Features, 2. Dezember 2015.
2 Walt Disney: „Some Facts about Melody Time", in: *Film Review,* zitiert nach ebd.
3 Interview mit James Algar von Robin Allan, ca. 1980er-Jahre.
4 Bosley Crowther: „THE SCREEN IN REVIEW; *Make Mine Music!* Animated Cartoon by Walt Disney, in Which Casey Once More Swings Bat, Arrives at Globe", in: *New York Times,* 22. April 1946.

Zitate
S. 238 Walt Disney: „Some Facts about Melody Time", in: *Film Review,* zitiert nach ebd.
S. 242 Sergei Eisenstein: „On Disney", in: Edoardo Bruno, Enrico Ghezzi (Hrsg.): *Walt Disney.* Ausstellungskatalog, La Biennale di Venezia, Venedig – Rom 1985, S. 56
S. 245 Interview mit Walt Disney von Pete Martin, Juni bis Juli 1956, Transkript. Mit freundlicher Genehmigung der Walt Disney Archives.
S. 246 Bosley Crowther in: *New York Times,* 22. April 1946
S. 248 Nelson Eddy, am Ende von *Make Mine Music.*

14. Fröhlich, frei, Spaß dabei

Zitate
S. 255 *Life,* 13. Oktober 1947, S 117.
S. 257 Bosley Crowther: „*Fun and Fancy Free,* a Disney Cartoon, with Bongo, Escaped Circus Bear, Provides Gay and Colorful Show at Globe", in: *New York Times,* 29. September 1947.

15. Musik, Tanz und Rhythmus

1 Interviews mit Frank Thomas und Ollie Johnston von Robin Allan, 1985 und 1986.
2 W. D. Haley: „Johnny Appleseed: A Pioneer Hero", in: *Harper's New Monthly Magazine,* Vol. XLIII, November 1871, S. 831, 832, 834.
3 Aufzeichnungen aus Storykonferenzen, 1947.
4 Interview mit Marc Davis von Robin Allan. Unveröffentlicht.
5 John Grant: *Encyclopedia of Walt Disney's Animated Characters.* London 1987, S. 228.

Zitate
S. 265 Bobby Worth und Ray Gilbert, Text zu „Once Upon a Wintertime" aus *Melody Time.*
S. 268 Aus dem Drehbuch von *Melody Time.*

16. Onkel Remus' Wunderland

1 R. Bruce Bickley Jr.: *Joel Chandler Harris: A Biography and Critical Study.* Athen 1987, S. 12.
2 Ebd., S. 38.
3 Jim Korkis: *Who's Afraid of the Song of the South? And Other Forbidden Disney Stories.* Orlando, FL 2012, S. 7.
4 Zitiert nach Patrick McGilligan, Paul Buhle: *Tender Comrades.* New York 1997, zitiert nach Jim Korkis: *Who's Afraid of the Song of the South?,* S. 30–31.
5 Zitiert nach ebd.
6 Zitiert nach ebd.
7 Bosley Crowther: *New York Times,* 28. November 1946.
8 *The Ottawa Journal,* 12. Juni 1947, S. 27.
9 Zitiert nach Jim Korkis: *Who's Afraid of the Song of the South?,* S. 26.
10 Zitiert nach ebd., S. 53–54.
11 E-Mail von Andreas Deja an Leonard Maltin, 27. September 2015.
12 Private Aufnahme von Howard Green, circa 1985.
13 E-Mail von Andreas Deja an Leonard Maltin, 27. September 2015.
14 John Canemaker: *The Art and Flair of Mary Blair.* Los Angeles/New York 2014, S. 28.
15 E-Mail von Pete Docter an Leonard Maltin, 27. September 2015.

17. Die Abenteuer Ichabod und Taddäus Kröte

1 Zitiert nach Richard Schickel: *The Disney Version: The Life, Times, Art and Commerce of Walt Disney.* London 1986, S. 276.
2 Zitiert nach Richard Holliss, Brian Sibley: *The Disney Studio Story.* New York 1988, S. 59.
3 Anonym: „The Adventures of Ichabod and Mr. Toad *Sees the Return of Disney to Realm of Pure Animation*", in: *New York Times,* 10. Oktober 1949.
4 Zitiert nach Robin Allan: *Walt Disney & Europe.* London 1999, S. 199.
5 Zitiert nach Michael R. Pitts: *Fiction and Fantasy Films, 1929–1956.* North Carolina 2015, S. 10.
6 Zitiert nach ebd.
7 Anonym: „The Adventures of Ichabod and Mr. Toad *Sees the Return of Disney to Realm of Pure Animation*".
8 Zitiert nach Richard Holliss, Brian Sibley: *The Disney Studio Story.*

Zitate
S. 291 Aus dem Drehbuch.

18. Ein Champion zum Verlieben

Zitat
S. 298 Leonard Maltin: *The Disney Films.* New York 1995, S. 85.

19. Cinderella / Aschenputtel

1 Interview mit Richard Sherman von Mindy Johnson, 14. September 2015.
2 Interview mit Roy Disney von Richard G. Hubler, 18. Juni 1968. Mit freundlicher Genehmigung der Walt Disney Archives.
3 Studioveröffentlichung, Zitat aus einer Rede Walt Disneys bei der Verleihung des „Showman of the World Award" der National Association of Theatre Owners, 1. Oktober 1966.
4 Vgl. Interview mit Roy Disney von Richard G. Hubler, 18. Juni 1968. Mit freundlicher Genehmigung der Walt Disney Archives.
5 Douglas Bell: *An Oral History with Marc Davis.* Margaret Herrick Library, Academy of Motion Picture Arts and Sciences, August bis Dezember 1997.
6 Interview mit Alice Davis von Mindy Johnson, 3. September 2015.
7 Zitiert nach Dave Smith (Hrsg.), *Walt Disney – Famous Quotes.* Lake Buena Vista, FL, 1994, S. 77.
8 *„From Rags to Riches: The Making of Cinderella"*, in: *Cinderella Platinum Edition.* Burbank, CA 2005, DVD.
9 Douglas Bell: *An Oral History with Marc Davis.* Margaret Herrick Library, Academy of Motion Picture Arts and Sciences, August bis Dezember 1997.
10 *„From Rags to Riches: The Making of Cinderella"*.
11 *„The Real Fairy Godmother"*, in: *Cinderella Diamond Edition.* Burbank, CA 2012, Blu-Ray.
12 Zitiert nach Charles Solomon: *A Wish Your Heart Makes: From the Grimm Brothers' Aschenputtel to Disney's Cinderella.* New York/Los Angeles 2015, S. 95.
13 *„From Rags to Riches: The Making of Cinderella"*.
14 Vgl. John Grant: *Encyclopedia of Walt Disney's Animated Characters.* New York 1993, S. 226.
15 Interview mit Lucille Williams Bosché von Mindy Johnson, 11. Juni 2015.
16 Zitiert nach Charles Solomon: *A Wish Your Heart Makes,* S. 64, 68.
17 *„From Rags to Riches: The Making of Cinderella"*.
18 Produktionsnotizen zu *Cinderella,* 23. Oktober 1987.

Zitate

S. 306 Frank Thomas, zitiert nach Charles Solomon: *A Wish Your Heart Makes,* S. 44.
S. 308 Walt Disney: „Ways of Telling the World's Great Stories", in: Joe Grant: *Encyclopedia of Walt Disney's Animated Characters,* S. 228.
S. 310 Eleanor Audley, zitiert nach Charles Solomon: *A Wish Your Heart Makes,* S. 60.
S. 315 Walt Disney, zitiert nach Charles Solomon: *A Wish Your Heart Makes,* S. 29.
S. 318 Bill Peet zitiert nach Solomon: *A Wish Your Heart Makes,* S. 32.
S. 320 Aus dem Drehbuch zu Cinderella.

20. Alice im Wunderland

1 Brian Sibley: Nachwort zu Lewis Carroll: *Alice's Adventures in Wonderland.* With David Hall's previously unpublished illustrations. Methuen, MA 1986, S. 143.
2 Robin Allan: *Walt Disney and Europe.* New Barnet 1999, S. 213–214.
3 Gilbert Seldes: „Profiles: Mickey Mouse Maker", in: *New York Times,* 19. Dezember 1931.
4 Robin Allan: *Walt Disney and Europe,* S. 211.
5 Walt Disney: „How I Cartooned 'Alice': Its Logical Nonsense Needed a Logical Sequence", in: *Films in Review* (Mai 1951), S. 7–11.
6 Douglas W. Churchill: „Disney's Philosophy", *New York Times,* 6. März 1938, S. 23.
7 Ebd.
8 Aufzeichnungen aus Storykonferenz, undatiert. Zitiert nach Brian Sibley, aus dem unveröffentlichten Manuskript zu *The Disney Studio Story,* 1988.
9 Aufzeichnungen aus Storykonferenz, 14. Januar 1939.
10 Al Perkins: „Analysis of the book *Alice in Wonderland*", 6. September 1938.
11 Aufzeichnungen aus Storykonferenz, 14. Januar 1939.
12 Brian Sibley: Nachwort zu Lewis Carroll: *Alice's Adventures in Wonderland,* S. 154.
13 Ebd., S. 154 und S. 156.
14 Ebd., S. 156.
15 James Algar, zitiert nach Robin Allan: *Walt Disney and Europe,* S. 211.
16 Phil M. Daly: „Along the Rialto", in: *The Film Daily,* 31. Mai 1944, S. 7.
17 Zitiert nach Paul Anderson: „Hearts or Tarts – The Alice in Wonderland Story Conundrum ..." in: *Disney History Institute,* URL: http://www.disneyhistoryinstitute.com/2013/07/hearts-or-tartsthe-alice-in-wonderland.html, Juli 2013.
18 Ebd.
19 Ebd.
20 Ebd.
21 Zitiert nach John Canemaker: *Two Guys Named Joe – Master Animation Storytellers Joe Grant & Joe Ranft.* New York 2010, S. 172–173.
22 Ebd.
23 Zitiert nach Wade Sampson: „The Disney Alice in Wonderlands That Never Were", in: *MousePlanet,* URL: https://www.mouseplanet.com/9308/The_Disney_Alice_in_Wonderlands_That_Never_Were_, 2010.
24 Zitiert nach John Canemaker: *Two Guys Named Joe,* S. 172–173.
25 Abgebildet in Richard Holliss, Brian Sibley: *The Disney Studio Story.* New York 1988, S. 61.
26 Zitiert nach John Canemaker: *Two Guys Named Joe,* S. 172–173.
27 Walt Disney: „How I Cartooned 'Alice'".

28 Aufzeichnungen aus Storykonferenz, 14. Januar 1939.
29 Zitiert nach John Canemaker: *Walt Disney's Nine Old Men and the Art of Animation*. New York 2001, S. 113.
30 Aufzeichnungen aus Storykonferenz, 14. Januar 1939.
31 William Whitebait: *The New Statesman*, 4. August 1951, zitiert nach Robin Allan: *Walt Disney and Europe*. New Barnet 1999, S. 217.
32 Zitiert nach Leonard Maltin: *The Disney Films*. New York 1995, S. 103.
33 Zitiert nach Harold Bloom: *Aldous Huxley*. New York 2010, S. 205.
34 Zitiert nach Richard Hollis, Brian Sibley: *The Disney Studio Story*, S. 62.
35 Bosley Crowther: „THE SCREEN IN REVIEW; Lou Bunin's Version of Lewis Carroll's *Alice in Wonderland* Opens at Three Theatres", in: *New York Times*, 27. Juli 1951.
36 Mark Salisbury: *Walt Disney's Alice in Wonderland: An Illustrated Journey Through Time*. Los Angeles / New York 2016, S. 107.
37 Zitiert nach Brian Sibley, aus dem unveröffentlichten Manuskript zu *Disneydust*, 1974.
38 Diane Disney Miller: *The Story of Walt Disney*. New York 1957, S. 214.
39 Zitiert nach John Canemaker: *Two Guys Named Joe*, S. 173.
40 Florence Becker Lennon: „Escape through the Looking Glass", in: Robert Phillips (Hrsg.): *Aspects of Alice*. New York 1975, S. 71.

Zitate
S. 332 Walt Disney: „How I Cartooned 'Alice': Its Logical Nonsense Needed a Logical Sequence", in: *Films in Review* (Mai 1951), S. 7–11.
S. 337 Bosley Crowther: „THE SCREEN IN REVIEW; Lou Bunin's Version of Lewis Carroll's Alice in Wonderland Opens at Three Theatres", in: *New York Times*, 27. Juli 1951.
S. 342 Peter Bart: „The Golden Stuff of Disney Dreams", in: *New York Times*, 13. November 1961, zitiert nach Michael Barrier: *The Animated Man: A Life of Walt Disney*. Berkeley / Los Angeles / London 2007, S. 277.

21. Peter Pan
1 Brief von J. M. Barrie an Cynthia Asquith, 1924.
2 Walt Disney: „Why I Made *Peter Pan*", Pressemitteilung, 1952.
3 Brief von J. M. Barrie an Cynthia Asquith, 1924.
4 Walt Disney: „Why I Made *Peter Pan*".
5 Ebd.
6 Ebd.
7 Walt Disney: „Why I Am Making *Peter Pan*", Pressemitteilung für *American Weekly*, 1951.
8 Walt Disney: „Why I Made *Peter Pan*".
9 Ebd.
10 Walt Disney: „Why I Am Making *Peter Pan*".
11 Interview mit der Familie von David Hall von Mindy Johnson, März 2015.
12 Vgl. Mindy Johnson: *Tinker Bell: An Evolution*. New York 2013, S. 59, mit Bezug auf J. M. Barrie: *Peter Pan in Kensington Gardens*. New York 1927.
13 Walt Disney: „Why I Made *Peter Pan*".
14 Zitiert nach Douglas Bell: *An Oral History with Marc Davis*. Academy of Motion Picture Arts and Sciences, August bis Dezember 1997.
15 Frank Thomas, Ollie Johnston: *Disney Animation: The Illusion of Life*. New York 1981, S. 331.
16 Walt Disney: „Why I Made *Peter Pan*".
17 Ebd.
18 Interview mit Kathryn Beaumont von Mindy Johnson, 2006.
19 Zitiert nach Douglas Bell: *An Oral History with Marc Davis*.
20 Zitiert nach Mindy Johnson: *Tinker Bell: An Evolution*, S. 35.
21 Interview mit Ginni Mack von Mindy Johnson, 2012.
22 Interview mit Kathryn Beaumont von Mindy Johnson, 2006.
23 Walt Disney: „Why I Made *Peter Pan*".
24 Ebd.

Zitate
S. 350 J. M. Barrie: *Peter and Wendy*. New York 1911, S. 60.
S. 354 J. M. Barrie: *The Little White Bird; Or, Adventures in Kensington Gardens*. New York 1902, S. 164.
S. 353 J. M. Barrie: *Peter and Wendy*, S. 48.
S. 357 Walt Disney: Pressemitteilung.
S. 358 Walt Disney: „Why I Am Making *Peter Pan*", Pressemitteilung für *American Weekly*.
S. 359 J. M. Barrie: *Peter and Wendy*, S. 187.
S. 360 Ebd., S. 29.
S. 360 Walt Disney: „Why I Am Making *Peter Pan*".
S. 362 Interview mit Kathryn Beaumont von Mindy Johnson, 2006.

22. Susi und Strolch
Zitate
S. 369 Leonard Maltin: *Of Mice and Magic: A History of American Animated Cartoons*. New York 1980, S. 78.
S. 369 Walt Disney, zitiert nach Leonard Maltin: *The Disney Films*. New York 1973, S. 125.
S. 370 Ward Kimball, zitiert nach Leonard Maltin: *The Disney Films*. New York 1973, S. 127.
S. 373 Frank Thomas, Ollie Johnston: *Disney Animation: The Illusion of Life*. New York 1981, S. 511.

23. Dornröschen und der Prinz / Dornröschen
1 Charles Perrault: *Contes*. Paris 1987, S. 78.
2 Interview mit Bill Peet von Charles Solomon, November 1985.

3 Interview mit Frank Thomas von Charles Solomon, 24. Juni 1986.
4 Zitiert nach Charles Solomon: *Once Upon a Dream: From Perrault's Sleeping Beauty to Disney's Maleficent*. New York 2014, S. 24.
5 Zitiert nach Charles Solomon: „*Sleeping Beauty*: A Disney Masterpiece is Reawakened", in: *Rolling Stone*, 4. Oktober 1979, S. 29.
6 Interview mit John Lasseter von Charles Solomon, 8. Juli 2015.
7 Interview mit Ralph Eggleston von Charles Solomon, 14. Mai 2015.
8 Interview mit Ward Kimball von Charles Solomon, 28. August 1986.
9 Interview mit Andreas Deja von Charles Solomon, 27. Mai 2013.
10 Zitiert nach Charles Solomon: *Once Upon a Dream*, S. 43.
11 Zitiert nach ebd., S. 48.
12 Interview mit Iwao Takamoto von Charles Solomon, 14. August 1996.
13 Interview mit John Lasseter von Charles Solomon, 8. Juli 2015.
14 Interview mit Glen Keane von Charles Solomon, 21. Mai 2013.
15 Interview mit Paul Felix von Charles Solomon, 28. Mai 2013.
16 Zitiert nach Charles Solomon: *Once Upon a Dream*, S. 51.
17 Zitiert nach ebd., S. 64.
18 Interview mit Andreas Deja von Charles Solomon, 27. Mai 2013.
19 Zitiert nach Bob Thomas: *Walt Disney: The Art of Animation*. New York 1958, S. 147.
20 Interview mit Bud Hester von Charles Solomon, 20. Juni 2013.
21 Interview mit Burny Mattinson von Charles Solomon, Mai 1996.
22 Frank Thomas, Ollie Johnston: *Disney Animation: The Illusion of Life*. New York 1981, S. 401.
23 Ebd., S. 402.
24 Ebd., S. 403.
25 Zitiert nach Bob Thomas: *Walt Disney: The Art of Animation*, S. 15.
26 Interview mit Paul Felix von Charles Solomon, 28. Mai 2013.
27 Interview mit Eric Cleworth von Charles Solomon, April 1986.
28 Zitiert nach Charles Solomon: *Once Upon a Dream*, S. 79.
29 Interview mit Eric Cleworth von Charles Solomon, April 1986.
30 Interview mit Ron Dias von Charles Solomon, 26. Mai 2013.
31 Interview mit Floyd Norman von Charles Solomon, 30. Mai 2013.
32 Zitiert nach Charles Solomon: *Once Upon a Dream*, S. 46–47.
33 Zitiert nach ebd., S. 48.
34 Zitiert nach Bob Thomas: *Walt Disney: The Art of Animation*, S. 91.
35 Zitiert nach ebd.
36 Zitiert nach Charles Solomon: *Once Upon a Dream*, S. 98.
37 Zitiert nach ebd.
38 Dave Kehr: „Prince! How Clear You Are On Blu-Ray", in: *Chicago Reader*, URL: http://www.chicagoreader.com/chicago/sleeping-beauty/Film?oid=1073181.
39 Zitiert nach Charles Solomon: „*Sleeping Beauty*", S. 29.

Zitate
S. 379 Interview mit Andreas Deja von Charles Solomon, 27. Mai 2013.
S. 380 Interview mit Pete Docter von Charles Solomon, 8. Juni 2015.
S. 385 Interview mit Bud Hester von Charles Solomon, 20. Juni 2013.
S. 387 Walt Disney, zitiert nach *Wisdom Magazine*, Dezember 1959, S. 76.
S. 391 Mary Costa, die Stimme von Aurora.
S. 393 Interview mit John Lasseter von Charles Solomon, 8. Juli 2015.
S. 396 Eyvind Earle zitiert nach Michael Barrier: *Hollywood Cartoons: American Animation in Its Golden Age*. New York 1999, S. 556.
S. 397 Interview mit Simon Otto von Charles Solomon, 21. Mai 2015

24. Pongo und Perdita / 101 Dalmatiner
1 Bob Thomas: *Walt Disney: An American Original*. New York 1967, S. 295.
2 Interview mit Marc Davis von Charles Solomon, 19. August 1986.
3 Zitiert nach Verlie Grove: „Puppy Love", in: *Time*, 18. März 1995, S. 19.
4 Zitiert nach ebd., S. 20.
5 Brief von Dorothy „Dodie" Smith an Walt Disney, 30. November 1957. Mit freundlicher Genehmigung der Walt Disney Archives.
6 Brief von Walt Disney an Dorothy „Dodie" Smith, 19. Dezember 1957. Mit freundlicher Genehmigung der Walt Disney Archives.
7 Interview mit Bill Peet von Charles Solomon, November 1985.
8 Interview mit Joe Grant von Charles Solomon, März 2000.
9 Interview mit Brad Bird von Charles Solomon, 11. Februar 2014.
10 Interview mit Bill Peet von Charles Solomon, November 1985.
11 Interview mit Andreas Deja von Charles Solomon, 9. September 2015.
12 Interview mit Bill Peet von Charles Solomon, November 1985.

13 Zitiert nach John Canemaker: *Walt Disney's Nine Old Men and The Art of Animation*. New York 2001, S. 228.
14 Interview mit Paul Felix von Charles Solomon, 26. August 2015.
15 Interview mit Andreas Deja von Charles Solomon, 9. September 2015.
16 Zitiert nach John Canemaker: *Before the Animation Begins: The Art and Lives of Disney Inspirational Sketch Artists*. New York 1996, S. 177.
17 Ebd.
18 Zitiert nach Don Peri: *Working with Disney: Interviews with Animators, Producers, and Artists*. Jackson, MI 2011, S. 140.
19 Interview mit Marc Davis von Charles Solomon, 19. August 1986.
20 Zitiert nach Don Peri: *Working with Disney*, S. 140.
21 Interview mit Andreas Deja von Charles Solomon, 9. September 2015.
22 Interview mit Walt Peregoy, in: *Oral History Project*, 28. Juni 2012.
23 Interview mit Paul Felix von Charles Solomon, 26. August 2015.
24 Ebd.
25 Interview mit Brad Bird von Charles Solomon, 11. Februar 2014.
26 Interview mit Andreas Deja von Charles Solomon, 9. September 2015.
27 Zitiert nach Charles Solomon: *Enchanted Drawings: The History of Animation*. New York 1989, S. 274.
28 Interview mit Andreas Deja von Charles Solomon, 9. September 2015.
29 Ebd.
30 Ebd.
31 Zitiert nach John Canemaker: *Walt Disney's Nine Old Men*, S. 148.
32 Interview mit Andreas Deja von Charles Solomon, 9. September 2015.
33 Interview mit Paul Felix von Charles Solomon, 26. August 2015.
34 Interview mit Andreas Deja von Charles Solomon, 9. September 2015.
35 Zitiert nach Charles Solomon: „Fond Memories of Divine Ms. Cruella", in: *Los Angeles Times*, 27. Dezember 1985, S. 14.
36 Zitiert nach Leonard Maltin: *The Disney Films*. New York 1995, S. 184.
37 Anonym: „New Movies", in: *Time*, 19. Januar 1961, S. 90.
38 Brief von Dorothy „Dodie" Smith an Walt Disney, 2. Februar 1961. Mit freundlicher Genehmigung der Walt Disney Archives.
39 Zitiert nach Don Peri: *Working with Disney*, S. 140.
40 Interview mit Paul Felix von Charles Solomon, 26. August 2015.
41 Interview mit Andreas Deja von Charles Solomon, 9. September 2015.
42 Zitiert nach David Colker: „Disney and the Coat of Many Puppies", in: *Los Angeles Herald-Examiner*, 20. Dezember 1985, S. 7.

25. Merlin und Mim / Die Hexe und der Zauberer

1 Zitiert nach Sylvia Townsend Warner: *T. H. White: A Biography*. London 1967, S. 186.
2 William Peet: *Bill Peet: An Autobiography*. Boston 1989, S. 169.
3 Ebd., S. 168.
4 Zitiert nach Michael Barrier: *The Animated Man: A Life of Walt Disney*. Los Angeles 2007, S. 276.
5 Zitiert nach John Canemaker: *The Nine Old Men and The Art of Animation*. New York 2001, S. 49.
6 Zitiert nach ebd., S. 50.
7 Interview mit Richard M. Sherman von Brian Sibley, 11. September 2015.
8 Ebd.
9 Zitiert nach Leonard Maltin: *The Disney Films*. New York 1995, S. 218.
10 Zitiert nach Robin Allan: *Walt Disney and Europe*. London 1999, S. 240.
11 Zitiert nach ebd.
12 Zitiert nach Leonard Maltin: *The Disney Films*, S. 218.

Zitate
S. 426 Interview mit Richard M. Sherman von Brian Sibley, 11. September 2015.
S. 429 Drehbuch *The Sword in the Stone*.

26. Mary Poppins

1 Brief von P. L. Travers an Brian Sibley, 10. Dezember 1968.
2 Brief von P. L. Travers an Audrey Hepburn, 21. Juli 1959.
3 Ebd.
4 Valerie Lawson: *Out of the Sky She Came: The Life of P. L. Travers, Creator of Mary Poppins*. Sydney 1999, S. 234.
5 Brian Sibley, Michael Lassell: *Mary Poppins: Anything Can Happen If You Let It*. New York 2007, S. 34.
6 Ebd.
7 Brief von P. L. Travers an Mr Ader (Büro ihres amerikanischen Verlages Harcourt Brace), 6. April 1961.
8 Ebd., zitiert nach Brian Sibley, Michael Lassell: *Mary Poppins*, S. 38.
9 Ebd.
10 Ebd.
11 Ebd.
12 Brief von P. L. Travers an Arnold Goodman, 18. April 1961, zitiert nach Brian Sibley, Michael Lassell: *Mary Poppins*, S. 39.
13 Brian Sibley, Michael Lassell: *Mary Poppins*, S. 39.

14 Brief von P. L. Travers an Arnold Goodman, 18. April 1961, zitiert nach Brian Sibley, Michael Lassell: *Mary Poppins*, S. 39.
15 Brian Sibley, Michael Lassell: *Mary Poppins*, S. 39.
16 Ebd., S. 40.
17 Aufzeichnungen aus Storykonferenz mit P. L. Travers, Richard M. Sherman, Robert B. Sherman und Don DaGradi, April 1961.
18 Ebd.
19 Brief von P. L. Travers an Mr. Ader, 6. April 1961.
20 Ebd.
21 Brief von P. L. Travers an Arnold Goodman, 18. April 1961, zitiert nach Brian Sibley, Michael Lassell: *Mary Poppins*, S. 39.
22 Interview mit Julie Andrews von Brian Sibley, April 1998, zitiert nach Brian Sibley: „How Are They Going to Make *That* into a Musical?: P. L. Travers, Julie Andrews, and Mary Poppins", in: Ellen Dooling Draper, Jenny Koralek (Hrsg.): *A Lively Oracle: A Centennial Celebration of P. L. Travers, Creator of Mary Poppins*. New York 1999, S. 58.
23 Ebd., S. 56.
24 Ebd.
25 Ebd.
26 Brief von P. L. Travers an Brian Sibley, undatiert, circa 1987.
27 Brief von Julie Andrews an P. L. Travers, zitiert nach Brian Sibley: „How Are They Going to Make *That* into a Musical?", S. 60–61.
28 Interview mit Richard M. Sherman von Brian Sibley, September 2015.
29 Brief von P. L. Travers an Arnold Goodman, 1. September 1964, zitiert nach Brian Sibley, Michael Lassell: *Mary Poppins*, S. 50.
30 Ebd.
31 Brief von Arnold Goodman an P. L. Travers, 7. September 1964.
32 Zitiert nach Brian Sibley, Michael Lassell: *Mary Poppins*, S. 51.
33 Zitiert nach Richard Holliss, Brian Sibley: *The Disney Studio Story*. New York 1988, S. 84.
34 Judith Crist: „*Mary Poppins:* Magic Casements", in: *New York Herald Tribune*, 9. September 1964.
35 Scott Feinberg: „On the Eve of *Sound of Music* Reunion, Julie Andrews Reveals 'I Was a Very Sad Little Girl'", in: *The Hollywood Reporter*, 25. März 2015.
36 Bosley Crowther: „Movie Review: Mary Poppins", in: *New York Times*, 25. September 1964.

27. Winnie Puuh

1 Brief von Junius Matthews an Brian Sibley, August 1969.
2 Zitiert nach Christopher Finch: *Disney's Winnie the Pooh: A Celebration of the Silly Old Bear*. New York 2000, S. 37–38.
3 Zitiert nach ebd., S. 38.
4 Robert B. Sherman, Richard M. Sherman: *Walt's Time: From Before to Beyond*, California 1998, S. 68.
5 Ebd.
6 Ebd., S. 145.
7 Ebd., S. 68.
8 Brief von Ralph Wright an Brian Sibley, November 1969.
9 Zitiert nach Richard Holliss, Brian Sibley: *The Disney Studio*. New York 1988, S. 85.
10 Zitiert nach ebd.
11 Zitiert nach ebd.
12 Zitiert nach ebd.
13 Zitiert nach ebd.
14 Brief von Ralph Wright an Brian Sibley.
15 Brief von E. H. Shepard an Brian Sibley, Juli 1969.
16 Howard Thompson: „A Disney Package: Don't Miss the Short", in: *New York Times*, 7. April 1966.

28. Das Dschungelbuch

1 Interview mit Vance Gerry von Charles Solomon, Oktober 1993.
2 Rudyard Kipling: *The Jungle Books*. Clinton, MA 1966, S. 23.
3 Bill Peet, Story Treatment, 23. April 1963.
4 Memo von Wolfgang „Woolie" Reitherman an Bill Peet, 20. Januar 1964.
5 Interview mit Vance Gerry von Charles Solomon, Oktober 1993.
6 Aus dem Drehbuch zu *The Jungle Book*.
7 Anonym: „New Movies", in: *Time Magazine*, 19. Januar 1968, S. 90.
8 Interview mit Milt Kahl von Charles Solomon, 26. März 1987.
9 Leonard Maltin: *The Disney Films*. New York 1995, S. 255.
10 Interview mit Eric Goldberg von Charles Solomon, 25. November 2015.
11 Zitiert nach Didier Ghez (Hrsg.): *Walt's People: Talking Disney with the Artists Who Knew Him*, Vol. 7, Philadelphia 2008, S. 170.
12 Interview mit Andreas Deja von Charles Solomon, 2. Dezember 2015.
13 Interview mit Ollie Johnston von Charles Solomon, 24. Juni 1986.
14 Interview mit Andreas Deja von Charles Solomon, 2. Dezember 2015.
15 Frank Thomas, Ollie Johnston: *Disney Animation: The Illusion of Life*. New York 1981, S. 423.
16 Interview mit Andreas Deja von Charles Solomon, 2. Dezember 2015.
17 Frank Thomas, Ollie Johnston: *Disney Animation*, S. 408.
18 Zitiert nach Didier Ghez: *Walt's People*, Vol. 7, S. 189.
19 Interview mit Eric Goldberg von Charles Solomon, 25. November 2015.
20 Interview mit Andreas Deja von Charles Solomon, 2. Dezember 2015.

21 Frank Thomas, Ollie Johnston: *Disney Animation*, S. 409.
22 *The Disney Family Album: Ollie Johnston*. The Disney Channel, Burbank, 15. August 1985, TV.
23 Interview mit Andreas Deja von Charles Solomon, 2. Dezember 2015.
24 Ebd.
25 Zitiert nach Didier Ghez: *Walt's People*, Vol. 7, S. 160.
26 Zitiert nach ebd.
27 *The Disney Family Album: Ollie Johnston*. The Disney Channel, Burbank, 15. August 1985, TV.
28 Interview mit Eric Goldberg von Charles Solomon, 25. November 2015.
29 Zitiert nach Didier Ghez: *Walt's People*, Vol. 7, S. 317.
30 Robert B. Sherman, Richard M. Sherman: *Walt's Time: From Before to Beyond*. Santa Clarita, CA 1998, S. 84.
31 Zitiert nach Didier Ghez: *Walt's People*, Vol. 7, S. 172.
32 Interview mit Andreas Deja von Charles Solomon, 2. Dezember 2015.
33 Interview mit Brad Bird von Charles Solomon, 5. November 1997.
34 Interview mit Andreas Deja von Charles Solomon, 2. Dezember 2015.

Zitate

S. 482 Frank Thomas, Ollie Johnston: *Disney Animation: The Illusion of Life*. New York 1981, S. 426.
S. 483 Interview mit Eric Goldberg von Charles Solomon, 25. November 2015.
S. 486 Interview mit Vance Gerry von Charles Solomon, Oktober 1993.
S. 487 Interview mit Andreas Deja von Charles Solomon, 2. Dezember 2015.
S. 490 Interview mit Eric Goldberg von Charles Solomon, 25. November 2015.

Ausgewählte Literatur

Allan, Robin. *Walt Disney and Europe*. Bloomington, IN: Indiana University Press and John Libbey & Co. Ltd., 1999.

Aloff, Mindy. *Hippo in a Tutu: Dancing in Disney Animation*. New York: Disney Editions, 2008.

Barrier, Michael. *Hollywood Cartoons: American Animation in Its Golden Age*. New York: Oxford University Press, 1999.

Barrier, Michael. *The Animated Man: A Life of Walt Disney*. Berkeley, Los Angeles, and London: University of California Press, 2008.

Blitz, Marcia. *Donald Duck*. New York: Harmony Books, 1979.

Bossert, David A. *Dalí & Disney: Destino: The Story, Artwork, and Friendship Behind the Legendary Film*. Los Angeles, New York: Disney Editions, 2015.

Bryman, Alan. *Disney and His Words*. London: Routledge, 1995.

Canemaker, John. *The Art and Flair of Mary Blair*. Los Angeles, New York: Disney Editions, 2014.

Canemaker, John. *Before the Animation Begins: The Art and Lives of Disney Inspirational Sketch Artists*. New York: Hyperion, 1996.

Canemaker, John. *The Lost Notebook: Herman Schultheis and the Secrets of Walt Disney's Movie Magic*. San Francisco: The Walt Disney Family Foundation Press, 2014.

Canemaker, John. *Magic Color Flair: The World of Mary Blair*. San Francisco: The Walt Disney Family Foundation Press, 2014.

Canemaker, John. *Paper Dreams: The Art & Artists of Disney Storyboards*. New York: Hyperion, 1999.

Canemaker, John. *Treasures of Disney Animation Art*. New York: Abrams, 1982.

Canemaker, John. *Two Guys Named Joe — Master Animation Storytellers Joe Grant & Joe Ranft*. New York: Disney Editions, 2010.

Canemaker, John. *Walt Disney's Nine Old Men and the Art of Animation*. New York: Disney Editions, 2001.

Culhane, John. *Walt Disney's Fantasia*. New York: Abrams, 1983.

Deja, Andreas. *The Nine Old Men: Lessons, Techniques, and Inspiration from Disney's Great Animators*. London: Taylor & Francis, 2015.

Eisenstein, Sergei. *Eisenstein on Disney*, hrsg. von Jay Leyda. London: Methuen, 1988.

Feild, Robert D. *The Art of Walt Disney*. New York: Macmillan, 1942.

Finch, Christopher. *The Art of Walt Disney*. New York: Abrams, 1973.

Finch, Christopher. *Disney's Winnie the Pooh: A Celebration of the Silly Old Bear*. New York: Disney Editions, 2000.

Finch, Christopher. *Walt Disney's America*. New York: Abbeville, 1978.

Gabler, Neil. *Walt Disney: The Triumph of the American Imagination*. New York: Alfred A. Knopf, 2006.

Ghez, Didier. *Disney's Grand Tour: Walt and Roy's European Vacation, Summer 1935*. Dallas: Theme Park Press, 2013.

Ghez, Didier. *They Drew As They Pleased — The Hidden Art of Disney's Golden Age*. San Francisco: Chronicle Books, 2015.

Ghez, Didier. *They Drew As They Pleased — The Hidden Art of Disney's "Musical Years"*. San Francisco: Chronicle Books, 2016.

Ghez, Didier (Hrsg.). *Walt's People: Vol. 2*. Bloomington, IN: Xlibris, 2005.

Ghez, Didier (Hrsg.). *Walt's People: Vol. 16*. Orlando, FL: Theme Park Press, 2015.

Grant, John. *Encyclopedia of Walt Disney's Animated Characters*. New York: Hyperion, 1993.

Greene, Katherine und Richard Greene. *Inside the Dream: The Personal Story of Walt Disney*. New York: Disney Editions, 2001.

Greene, Katherine und Richard Greene. *The Man Behind the Magic: The Story of Walt Disney*. New York: Viking, 1991.

Hahn, Don und Tracey Miller-Zarneke. *Before Ever After: The Lost Lectures of Walt Disney's Animation Studio*. Los Angeles, New York: Disney Editions, 2015.

Holliss, Richard. *Snow White and the Seven Dwarfs & the Making of the Classic Film*. New York: Simon & Schuster, 1987.

Holliss, Richard und Brian Sibley. *The Walt Disney Story*. New York: Crown Publishers, 1988.

Jackson, Kathy Merlock. *Walt Disney: A Bio-Bibliography*. Westport: Greenwood Press, 1993.

Jackson, Kathy Merlock. *Walt Disney: Conversations*. Jackson, MS: University Press of Mississippi, 2006.

Johnston, Ollie und Frank Thomas. *Walt Disney's Bambi: The Story and the Film*. New York: Stewart, Tabori & Chang, 1990.

Kaufman, J. B. *The Fairest One of All: The Making of Walt Disney's Snow White and the Seven Dwarfs*. San Francisco: The Walt Disney Family Foundation Press, 2012.

Kaufman, J. B. *Pinocchio: The Making of the Disney Epic*. New York: The Walt Disney Family Foundation Press, 2015.

Kaufman, J. B. *Snow White and the Seven Dwarfs: The Art and Creation of Walt Disney's Classic Animated Film*. San Francisco: The Walt Disney Family Foundation Press, 2012.

Kaufman, J. B. *South of the Border with Disney: Walt Disney and the Good Neighbor Program, 1941–1948*. New York: Disney Editions, 2009.

Kaufman, J. B. *The Walt Disney Family Museum: The Man, the Magic, the Memories*. San Francisco: Walt Disney Family Museum, 2009.
Kinney, Jack. *Walt Disney and Assorted Other Characters*. New York: Harmony, 1988.
Korkis, Jim. *The Vault of Walt*. Lexington, KY: Ayefour Publishing, 2010.
Korkis, Jim. *Who's Afraid of the Song of the South? And Other Forbidden Disney Stories*. Orlando, FL: Theme Park Press, 2012.
Lambert, Pierre. *Mickey Mouse*. New York: Hyperion, 1998.
Lambert, Pierre. *Pinocchio*. New York: Hyperion, 1997.
Leebron, Elizabeth und Lynn Gartley. *Walt Disney: A Guide to References and Resources*. Boston: G. K. Hall, 1979.
Maltin, Leonard. *Of Mice and Magic: A History of American Animated Cartoons*. New York: Plume, 1987.
Maltin, Leonard. *The Disney Films*. New York: Crown, 1973.
Merritt, Russell und J. B. Kaufman. *Walt Disney's Silly Symphonies*. Gemona del Friuli: La Cineteca del Friuli, 2006.
Miller, Diane Disney, as told to Pete Martin. *The Story of Walt Disney*. New York: Henry Holt & Co., 1957.
Once Upon a Time, Walt Disney: The Sources of Inspiration for the Disney Studios. Munich: Prestel, 2007.
Peet, Bill. *Bill Peet: An Autobiography*. Boston: Houghton Mifflin Company, 1989.
Peri, Don. *Working with Disney: Interviews with Animators, Producers, and Artists*. Jackson, MI: University of Mississippi Press, 2011.
Salisbury, Mark. *Walt Disney's Alice in Wonderland: An Illustrated Journey Through Time*. Los Angeles, New York: Disney Editions, 2016.
Schickel, Richard. *The Disney Version: The Life, Times, Art and Commerce of Walt Disney*. London: Pavilion Book Group, 1986.
Schroeder, Russell. *Disney's Lost Chords*. Robbinsville: Voigt Publications, 2007.
Schroeder, Russell. *Disney's Lost Chords: Volume 2*. Robbinsville: Voigt Publications, 2008.
Shale, Richard. *Donald Duck Joins Up: The Walt Disney Studio During World War II*. Ann Arbor, MI: UMI Research Press, 1982.
Sherman, Robert B. und Richard M. *Walt's Time: From Before to Beyond*. Santa Clarita, CA: Camphor Tree, 1998.
Shue, Ken. *A Disney Sketchbook*. New York: Disney Editions, 2012.
Sibley, Brian. Afterword. In *Alice's Adventures In Wonderland*, by Lewis Carroll. Methuen, MA: Walt Disney Productions, 1986.
Sibley, Brian und Michael Lassell. *Mary Poppins: Anything Can Happen If You Let It*. New York: Disney Editions, 2007.
Smith, Dave. *Disney A to Z: The Official Encyclopedia*. New York: Disney Enterprises Inc., 2006.
Smith, Dave. *The Quotable Walt Disney*. New York: Disney Editions, 2001.
Smoodin, Eric (Hrsg.). *Disney Discourse*. London: Routledge, 1994.
Solomon, Charles. *The Disney That Never Was*. New York: Hyperion, 1995.
Solomon, Charles. *Once Upon a Dream: From Perrault's Sleeping Beauty to Disney's Maleficent*. Los Angeles, New York: Disney Editions, 2014.
Solomon, Charles. *A Wish Your Heart Makes: From the Grimm Brothers' Aschenputtel to Disney's Cinderella*. Los Angeles, New York: Disney Editions, 2015.
Susanin, Timothy S. *Walt Before Mickey: Disney's Early Years, 1919–1928*. Jackson, MS: University Press of Mississippi, 2011.
Thomas, Bob. *Building a Company: Roy O. Disney and the Creation of an Entertainment Empire*. New York: Hyperion, 1998.
Thomas, Bob. *Walt Disney: An American Original*. New York: Simon & Schuster, 1967.
Thomas, Bob. *Walt Disney: The Art of Animation*. New York: Golden Press, 1958.
Thomas, Frank und Ollie Johnston. *Disney Animation: The Illusions of Life*. New York: Hyperion Books, 1995.
Thomas, Frank und Ollie Johnston. *Too Funny for Words: Disney's Greatest Sight Gags*. New York: Abbeville, 1987.
Walt Disney Studios: The Archive Series. New York: Disney Editions, 2009–2011.
Ward, Jessica (Hrsg.). *Marc Davis: Walt Disney's Renaissance Man*. Los Angeles, New York: Disney Editions, 2014.
Watts, Steven. *The Magic Kingdom: Walt Disney and the American Way of Life*. Columbia: University of Missouri Press, 2001.

Websites

https://disney.com
https://d23.com/
http://www.michaelbarrier.com/
http://disneybooks.blogspot.de/
http://andreasdeja.blogspot.de/
http://www.michaelspornanimation.com/splog/
http://www.disneyhistoryinstitute.com/
http://cartoonresearch.com/
https://babbittblog.com/
http://wardkimball.tumblr.com/
http://ramapithblog.blogspot.de/
http://floydnormancom.squarespace.com/
http://mayersononanimation.blogspot.de/
http://afilmla.blogspot.de/
https://one1more2time3.wordpress.com/
http://www.dix-project.net/
http://thelifeandtimesofsnowwhite.blogspot.de/

Danksagung

Dank des Herausgebers
Die Kunstwerke und Dokumente in den Sammlungen der Disney Company sind Teil der modernen Kulturgeschichte, und es wäre keineswegs überraschend, wenn die UNESCO sie eines Tages mitsamt Walt Disneys klassischen Zeichentrickfilmen in die Weltkulturerbeliste aufnähmen. Glücklicherweise werden diese Schätze bei Disney schon jetzt so sorgsam behandelt, als stünden sie darauf. In seiner Animation Research Library im kalifornischen Glendale entwickelt Disney modernste Verfahren, um sie für die Zukunft zu konservieren – sowohl in ihrem Originalzustand als auch in Form von hochauflösenden Scans, die nun für viele Abbildungen in diesem Buch verwendet wurden.

Jeder, der das Kino liebt, muss Disney-CEO Bob Iger und Chief Creative Officer der Walt Disney and Pixar Animation Studios sowie Oscar-Preisträger John Lasseter für ihr großes Engagement für jene Kunstform danken, die man in den 1930er-Jahren schlicht „The Disney Medium" nannte. In diesem historischen Bewusstsein entstehen bis heute immer neue Disney-Klassiker. Ihrer beider Unterstützung bei diesem Buch war von unschätzbarem Wert.

Was wäre alles konservatorische Fachwissen ohne das Engagement und die Liebe der Archivare? Diesen Experten über die Schulter schauen zu dürfen und Einblicke in den Bestand zu gewinnen, ist ein seltenes Glück. Die Sichtung von Bildmaterial bildete die Basis für dieses Buch. Daher bin ich den Walt Disney Archives mit ihrer Leiterin Rebecca Cline sowie der Animation Research Library mit ihrer Leiterin Mary Walsh für ihr Vertrauen zu großem Dank verpflichtet. Die Archivare, mit denen ich an diesen Orten arbeiten durfte, sind Wissenschaftler und Fans zugleich und verbinden höchste Seriosität mit ebenso großer Leidenschaft. Ich danke Kevin M. Kern, der mich geduldig auf viele unbekannte Fährten brachte. Fox Carney und Doug Engella danke ich für noch mehr Geduld, ihre warmherzige Aufnahme und ihren hinreißenden Humor. I had the time of my life with them.

Michael Buckhoff von der Walt Disney Archives Photo Library hatte auf jede Frage nicht nur eine Antwort, sondern meist auch die passende Fotografie. Filmarchivar Theo Gluck, hoch anerkannt für die vorbildliche Restaurierung klassischer Disney-Filme, ermöglichte uns, mehrere Hundert Einzelbilder daraus zu extrahieren.

Die Geschichte des Disney Studios und seiner Künstler wurde bereits von einer Vielzahl bedeutender Filmhistoriker beschrieben. John Canemaker und Michael Barrier, deren Standardwerke Walt Disneys Kreativität und die Leistungen vieler kaum bekannter Künstler eingehend beleuchteten, waren für alle meine Fragen offen. Zu besonderem Dank bin ich Tom Sito verpflichtet.

Leonard Maltins Bücher *The Disney Films* und *Of Mice and Magic* begleiten mich seit meiner Kindheit, weshalb ich mich tief geehrt fühle, dass er mich bei meinem Buch mit seinen Beiträgen „Onkel Remus' Wunderland" und „Ein Champion zum Verlieben" unterstützt hat.

Lange bevor der innovative Disney-Archivar Dave Smith offiziell zur Disney-Legende ernannt wurde, war er schon eine für alle echten Fans. Als ich 1996 zu *Destino* recherchierte, gestattete er mir, die Walt Disney Archives zu besuchen, die er seit ihrer Einrichtung im Jahr 1970 leitete. Ich kann ihm gar nicht genug danken für seine Expertise und seine Erlaubnis, seinen klassischen Essay über Disneys Fernsehsendung „Trips to Tomorrowland" zu verwenden.

Weit über ihre Buchbeiträge hinaus teilten die Disney-Historiker Russell Merritt, J. B. Kaufman, Brian Sibely, Charles Solomon, Didier Ghez und Mindy Johnson und Andreas Platthaus großzügig ihr Wissen mit mir.

Mein langjähriger Freund, der britische Kunst- und Disney-Historiker Robin Allan, der 2014 verstarb, konnte die Realisierung eines gemeinsamen Buches, von dem wir oft sprachen, leider nicht erleben. Seine Analyse der europäischen Wurzeln der Disney-Filme in seinem Buch *Walt Disney and Europe* war eine Offenbarung. Mit seinen klassischen Essays zu „Schneewittchen und die sieben Zwerge", „Make Mine Music" und „Musik, Tanz und Rhythmus" ist er dennoch in diesem Buch vertreten, und ich danke Janet Allan für die Erlaubnis, sie hier zu veröffentlichen, und ihre freundliche Überlassung von Dokumenten aus seinem Nachlass.

Mit einigen Künstlern, die an Walt Disneys Filmen arbeiten, konnte ich vor einigen Jahren persönlich sprechen. Mein Dank gilt besonders Virginia Davis, Jules Engel, Joe Grant, Richard M. Sherman, Julie Andrews und Roy Edward Disney.

Großzügig stellten Sammler und Auktionshäuser ihre Archive zur Verfügung. Ich danke insbesondere Mike Glad, David Yaruss, Philippe Videcoq, Pete Merolo, Hans Bacher, Mike Van Eaton und Debbie Weiss sowie Heritage Auctions. Mein ganz besonderer Dank gilt außerdem Disney-Legende Andreas Deja. Mitten in der Arbeit an seinem Meisterwerk Mushka nahm sich der große Animator und Disney-Historiker Zeit für wunderbare Gespräche und gewährte mir Zugang zu seinem unschätzbaren Archiv. Sein Künstlerkollege, Disney-Legende Floyd Norman, unterstützte uns sehr mit seinem Fachwissen und seinem Enthusiasmus und öffnete viele Türen. Ebenfalls bedanken möchte ich mich bei Ken Shue, Daniel Saeva, Angela Ontiveros, Jennifer Eastwood, Scott Tilley und Danielle Digrado von Disney Publishing sowie bei Molly Jones von Pixar.

Der große Fotograf, Filmemacher und Publizist Lawrence Schiller hatte sich bereits eingehend mit der

Person Walt Disney persönlich beschäftigt. Für dieses Buch wirkte sein Rat wie der Zauber einer guten Fee.

So wie sich ein Film erst im Schnitt vollendet, werden Bilder und Texte erst im Layout zu einem Buch. Anna-Tina Kessler, Artdirector bei TASCHEN, verwendete mehr als ein Jahr auf die Gestaltung dieses Buches, und ich bin ihr und ihrem Team, Lindsey Dole, Isabelle Gioffredi, James Harrison, Mike Lopez und Nemuel DePaula unendlich dankbar.

Zu tiefem Dank bin ich außerdem Nina Wiener und Creed Poulson verpflichtet, die mich in die Abläufe eines Verlagshauses einweihten. Das Kölner Produktionsteam vollbrachte wahre Wunder bei der Umwandlung von digitalen Daten in bedrucktes Papier. Dass die Ästhetik der originalen Vorlagen dabei erhalten werden konnte, ist der Fachkompetenz von Stefan Klatte geschuldet. Ihm danke ich ebenso dafür wie Sebastian Böhning und Frank Goernhardt.

Mit unglaublicher Ausdauer behielt Projektmanagerin Maurene Appelhans die Übersicht über Tausende von Bildern und noch mehr offene Fragen, und Lektor Martin Holz war auch in den heißen Produktionsphasen nicht aus der Ruhe zu bringen.

Ich danke überdies den Redakteuren Jessica Hoffmann und Robin Benway, die sich durch Tausende von Textzeilen mit vielen verbesserungswürdigen Formulierungen und Fachbegriffen, die eine filmhistorische Recherche bedurften, gelesen haben.

Wer ein Buch herausbringen möchte, unterliegt schnell der Versuchung, auch seine besten Freunde hemmungslos einzuspannen. Holger Römers hat mich mit fachlichem Rat und seinen Recherchen in der Library of Congress unterstützt; Matt Severson danke ich für seine Hilfe in der Margaret Herrick Library der Academy of Motion Picture Arts and Sciences; und ohne meine Lebensgefährtin Mirjam Baker wäre sowieso nichts von all dem möglich geworden.

Walt Disney sagte oft: „Get a good idea, and stay with it." Genau dies scheint in einem Kölner Verlagshaus der Messing-Türknauf in der Form eines unbeirrbaren Enterichs zu versprechen. Bei TASCHEN kommt seit mehr als drei Jahrzehnten niemand an seinem Schnabel vorbei. Schwer zu sagen allerdings, wem mein größerer Dank gebührt: Benedikt Taschen oder Donald Duck?

Daniel Kothenschulte

Dank des Verlegers

Der Verlag bedankt sich für die wertvollen Unterstützung aller von Daniel erwähnten Personen. Eure großen Fachkenntnisse und Begeisterung für das Thema war unschätzbar und machen aus diesem Buch das bestmögliche, das man über diese Epoche der Disney-Trickfilme schreiben kann.

Unser Dank gebührt auch allen Personen aus den folgenden Unternehmen und Institutionen: Rob Faucette von Wonderful World of Animation; Gabriel Copp von den Van! Eaton Galleries; Alexander Adler und Jocelyn Gibbs vom UCSB Art, Design & Architecture Museum; Mark Hanson von Hanson Digital; Michael Labrie vom Walt Disney Film Museum; Jim Halperin und Margaret Croft von Heritage Auctions.

Für ihre Recherchearbeit und Hilfe bei der Buchentstehung bedanken wir uns bei: Christopher Baliwas, Ivan Briggs, Erica Pak und Greg Pincus.

Unsere große Anerkennung geht an das tolle Team von Mouse House, das bei diesen epischen Bemühungen stets die Ruhe behielt und uns hilfreich unterstützte: Margaret Adamic, Rachel Alor, Bernice Antonelli, Ian Claxton, Nathan FitzGerald, Jacob Genzuk, Rick Godin, Jesse Haskell, Laura Hitchcock, Jacqueline Janacua, David Jefferson, Molly Jones, Wendy Lefkon, Iliana Lopez, Betsy Mercer, Estella Moreno, Edward Nowak, Paula Potter, Bill Scollon, Shiho Tilley, Alyssa Tryon, Jackie Vasquez, Lynn Waggoner, David Walters, Dushawn Ward und Jessica Ward.

Credits

Die Meinungen und Ansichten, die von den Verfassern dieses Buches zum Ausdruck gebracht werden, entsprechen nicht notwendigerweise denen von The Walt Disney Company.

Im Folgenden einige der Handelsmarken, eingetragenen Warenzeichen und Dienstleistungsmarken aus dem Besitz der Disney Enterprises, Inc.: Adventureland® Area; Disney®; Disneyland® Park; Disneyland® Resort; Fantasyland® Area; Frontierland® Area; Imagineering; Imagineers; Magic Kingdom® Park; Main Street, U.S.A.® Area; Splash Mountain® Attraction; Tomorrowland® Area; Walt Disney World® Resort; Disney Enterprises, Inc./ Pixar Animation Studios.

Walt Disney's Bambi basiert auf der Originalgeschichte von Felix Salten.
Der Disney-Film *Mary Poppins* basiert auf den Mary-Poppins-Geschichten von P. L. Travers.
One Hundred and One Dalmatians basiert auf dem Buch von Dodie Smith, erschienen bei Viking Press.
Die Charaktere aus *Winnie the Pooh* basieren auf den „Winnie the Pooh"-Werken von A. A. Milne und E. H. Shepard.

Die Mehrzahl der Bilder in diesem Band stammt aus den Disney-eigenen Schatztruhen. Besonderer Dank gilt der Walt Disney Archives and Photo Library, der Walt Disney Animation Research Library und den Mitarbeitern von Disney Library Restoration and Preservation, die unschätzbares Recherchematerial und Fachwissen beisteuerten.

Bildnachweis

Courtesy Bonhams: **5**.15. Courtesy Andreas Deja: **6**.15, **10**.16, **11**.14–17, **20**.16, **25**.11. Courtesy Mike and Jeanne Glad: **2**.10, **3**.10, **3**.07, **3**.06, **3**.09, **3**.12, **4**.02–**4**.03, **4**.06, **5**.09, **5**.23–**5**.27, **5**.28, **6**.08, **6**.20, **6**.31, **6**.32, **7**.15, **7**.24, **9**.12, **11**.26, **11**.23, **11**.24, **12**.12, **12**.11, **12**.19, **12**.21, **14**.10, **14**.11, **14**.12, **17**.08, **20**.10, **25**.10, Vorsatz- und Nachsatzpapier. Foto Courtesy Heritage Auctions (HA.com): **3**.11, **6**.10, **12**.02, **12**.10, **16**.11, **17**.09, **17**.23. Courtesy Daniel Kothenschulte: **9**.10, **9**.13–14, **11**.28. Gene Lester / Archive Photos / Getty Images: **23**.17. Courtesy Anthony J. Sylvester as trustee to the Gia Prima Trust: **28**.01, **28**.15, **28**.26. Copyright ©1930 by International Magazine Co., Inc. Copyright renewed 1958 by Michael Lewis. Reprinted with permission of McIntosh & Otis, Inc.: **14**.01, **14**.04, **14**.09. Courtesy Profiles in History, www.profilesinhistory.com: **7**.28, **10**.28, **10**.21, **10**.18, **21**.15, **21**.17, **21**.22, Courtesy Linda Gramatky Smith: **15**.13. Courtesy Philippe Videcoq: **3**.08, 5.10, **5**.12, **5**.17, **5**.21, **6**.19, **22**.23. Courtesy Kem Weber papers, Art, Design & Architecture Museum, University of California, Santa Barbara: **8**.04. Kem Weber papers, Art, Design & Architecture Museum, University of California, Santa Barbara. ©UC Regents: **8**.05, **8**.07. **17**.10–17.21.

Warenzeichen

Academy Award® und Academy of Motion Picture Arts and Sciences® sind eingetragene Warenzeichen der Academy of Motion Picture Arts and Sciences. Airline Chair® ist ein eingetragenes Warenzeichen von Disney Enterprises, Inc. The American Film Institute® ist das eingetragene Warenzeichen von The American Film Institute. Amos 'n' Andy® ist ein eingetragenes Warenzeichen von Sand In My Pants, Inc. Arts and Architecture® ist das eingetragene Warenzeichen von Travers, David F. The Atlanta Constitution® ist ein eingetragenes Warenzeichen der Cox Enterprises, Inc. Boeing® ist das eingetragene Warenzeichen von The Boeing Company. BoxOffice® ist ein eingetragenes Warenzeichen der BoxOffice Media, LLC. Brooklyn Eagle® ist das eingetragene Warenzeichen von The Brooklyn Eagle, Inc. Chicago Reader® ist das eingetragene Warenzeichen von Chicago Reader, Inc. CinemaScope® ist ein eingetragenes Warenzeichen der Twentieth Century Fox Film Corporation. Coca-Cola® ist das eingetragene Warenzeichen von The Coca-Cola Company. Collier's® ist ein eingetragenes Warenzeichen der 200 Kelsey Associates, LLC. Cosmopolitan® ist ein eingetragenes Warenzeichen der Hearst Communications, Inc. Decca Records® ist das eingetragene Warenzeichen von MCA Records, Inc. Dixie Cup® ist ein eingetragenes Warenzeichen der Dixie Consumer Products LLC. Douglas® ist ein eingetragenes Warenzeichen der Douglas Aircraft Company, Inc. Gallup® ist das eingetragene Warenzeichen von Gallup, Inc. Hal Roach Studios® ist das eingetragene Warenzeichen von Hal Roach Studios. Hollywood Canteen® ist das eingetragene Warenzeichen von Warren, William J. The Hollywood Reporter® ist das eingetragene Warenzeichen von The Hollywood Reporter, LLC. Leica® ist das eingetragene Warenzeichen von Leica Microsystems IR GmbH. Life® ist ein eingetragenes Warenzeichen von Time Inc. Lockheed® ist ein eingetragenes Warenzeichen der Lockheed Aircraft Corporation. Looney Tunes® ist ein eingetragenes Warenzeichen der Time Warner Entertainment Company, L.P. Los Angeles Times® ist das eingetragene Warenzeichen von Los Angeles Times Communications LLC. Lowell Observatory® ist das eingetragene Warenzeichen von Lowell Observatory. Masonite® ist das eingetragene Warenzeichen von Masonite International Corporation. MGM® ist ein eingetragenes Warenzeichen der Metro-Goldwyn-Mayer Lion Corp. The Motion Picture Association® ist das eingetragene Warenzeichen von The Motion Picture Association. The Museum of Modern Art® ist das eingetragene Warenzeichen von The Museum of Modern Art. NAACP® ist das eingetragene Warenzeichen der National Association for the Advancement of Colored People. National Academy of Sciences® ist das eingetragene Warenzeichen der National Academy of Sciences. National Urban League® ist ein eingetragenes Warenzeichen der National Urban League, Inc. NBC® ist das eingetragene Warenzeichen der NBC Universal Media, LLC. The New Yorker® ist das eingetragene Warenzeichen von Advance Magazine Publishers Inc. New York Post® ist das eingetragene Warenzeichen von NYP Holdings, Inc. The New York Times® ist das eingetragene Warenzeichen von The New York Times Company. Norden® ist ein eingetragenes Warenzeichen der United Aircraft Corporation. The Observer® ist ein eingetragenes Warenzeichen der Guardian Newspaper Ltd. Oscar® ist ein eingetragenes Warenzeichen der Academy of Motion Picture Arts and Sciences. Peanuts® ist ein eingetragenes Warenzeichen der Peanuts Worldwide LLC. PM® ist ein eingetragenes Warenzeichen von Southern California Public Radio. Radio City Music Hall® ist ein eingetragenes Warenzeichen von Radio City Trademarks LLC. RCA® ist ein eingetragenes Warenzeichen von Audiovox Corporation. Rolls-Royce® ist ein eingetragenes Warenzeichen von Rolls-Royce PLC. Rube Goldberg® ist ein eingetragenes Warenzeichen von Rube Goldberg Inc. Samuel Goldwyn® ist ein eingetragenes Warenzeichen des Samuel Goldwyn, Jr. Family Trust. Saturday Review® ist ein eingetragenes Warenzeichen der Saturday Review Magazine Company. The Spectator® ist ein eingetragenes Warenzeichen von International News Keyus, Inc. Technicolor® ist ein eingetragenes Warenzeichen von Technicolor, Inc. Technirama® ist das eingetragene Warenzeichen der Technicolor Motion Picture Corporation. Theatre Arts® ist das eingetragene Warenzeichen von Ceccarelli. Samuel R. Time® ist ein eingetragenes Warenzeichen von Time Inc. United Artists® ist das eingetragene Warenzeichen der United Artists Corporation. Universal® ist das eingetragene Warenzeichen der Universal Fluid Heads (Aust.) Pty. Limited. Universal® ist ein eingetragenes Warenzeichen der Universal City Studios, Inc. Variety® ist ein eingetragenes Warenzeichen von Reed Properties Inc. Walter Lantz® ist das eingetragene Warenzeichen der Walter Lantz Productions, Inc. Warner Bros.® ist ein eingetragenes Warenzeichen der Warner Bros. Entertainment Inc. The Washington Post® ist das eingetragene Warenzeichen von The Washington Post Company. Xerox® ist ein eingetragenes Warenzeichen der Xerox Corporation.

Impressum

TASCHEN ARBEITET KLIMANEUTRAL.
Unseren jährlichen Ausstoß an Kohlenstoffdioxid kompensieren wir mit Emissionszertifikaten des Instituto Terra, einem Regenwaldaufforstungsprogramm im brasilianischen Minas Gerais, gegründet von Lélia und Sebastião Salgado. Mehr über diese ökologische Partnerschaft erfahren Sie unter: www.taschen.com/zerocarbon
Inspiration: grenzenlos. CO_2-Bilanz: null.

Stets gut informiert sein: Fordern Sie bitte unser Magazin an unter www.taschen.com/magazine, folgen Sie uns auf Instagram und Facebook oder schreiben Sie an contact@taschen.com.

Concept, composition, and design by TASCHEN GmbH

2020 TASCHEN GmbH
Hohenzollernring 53, D-50672 Köln
www.taschen.com

Deutsche Übersetzung Markus Kothenschulte, Köln (Kapitel 2, 3, 5, 9, 11, 16, 19, 20, 24, 26, 27 und 28); Reinhard Schweizer, Freiburg (Vorwort, Kapitel 1, 12, 13, 15, 17, 18, 21, 23 und 25); Thomas J. Kinne, Nauheim (Kapitel 19: Bildunterschriften und Zitate, Kapitel 22: Synopsis, Bildunterschriften, Zitate; Credits)

Printed in Bosnia-Herzegovina
ISBN 978-3-8365-8083-0